919
Vikram Seth
Una musica costante

VIKRAM SETH

UNA MUSICA COSTANTE

Romanzo

Traduzione di
Massimo Birattari

Visita *www.InfiniteStorie.it*
il grande portale del romanzo

TEA - Tascabili degli Editori Associati S.p.A.
Corso Italia, 13 - 20122 Milano

www.tealibri.it

La Casa Editrice ringrazia Danilo Bramati, Sinead Nava
e Luca Primon per la collaborazione

Titolo originale
An Equal Music

Prima edizione TEADUE luglio 2001

Ristampe: 10 9 8 7 6 5 4 3 2 1
         2005 2004 2003 2002 2001

UNA MUSICA COSTANTE

A Philippe Honoré

Poteva tutto ciò restar non detto.
Hanno preso però queste parole
Insieme a noi il sentiero più diretto
Laggiù nel parco grigio e senza sole

Io so i tuoi doni in questa creazione:
Penna e carta, inchiostro e ispirazione,
Pace al cuore con il tocco e i ricordi,
E bene all'anima con note e accordi.

Ha davvero la nostra passeggiata
Originato il libro? Non fu un lampo
Né fiamma che incendiò la nostra storia
O l'arricchì di un'imprestata gloria.
Resta la storia, fusa in uno stampo
E, calda di parole, a noi tornata.

E oltre quel cancello essi entreranno, e in quella casa abiteranno, dove non ci saranno né nuvole né sole, né oscurità né bagliore, ma una luce costante, né rumore né silenzio, ma una musica costante, né paure né speranze, ma un costante possesso, né nemici né amici, ma una costante comunione e identità, né fine né inizio, ma una costante eternità.

JOHN DONNE

PARTE PRIMA

1.1

I RAMI sono nudi, il cielo stasera di un viola lattiginoso. Qui non c'è silenzio, ma pace sì. Il vento increspa l'acqua nera verso di me.

Non c'è nessuno in giro. Non si vedono uccelli. Il traffico taglia a metà Hyde Park. Mi arriva alle orecchie come rumore bianco.

Passo una mano sulla panchina ma non mi siedo. Come ieri, come l'altro ieri, resto in piedi finché non ho più pensieri. Guardo l'acqua della Serpentine.

Ieri, mentre tornavo a casa attraverso il parco, mi sono fermato a un bivio del sentiero. Avevo la sensazione che qualcuno si fosse arrestato dietro di me. Ho ripreso a camminare. I passi mi seguivano sulla ghiaia. Non avevano fretta; sembrava volessero tenere il mio ritmo. Poi all'improvviso hanno cambiato idea, hanno accelerato, mi hanno superato. Erano di un uomo con un pesante cappotto nero, alto – più o meno come me – un uomo giovane, a giudicare dall'andatura e dal portamento, anche se non l'ho visto in faccia. La sua fretta adesso era evidente. Dopo un po', con poca voglia di attraversare così presto l'accecante Bayswater Road, mi sono fermato di nuovo, però accanto alla pista per cavalli. Ho sentito il debole rumore di zoccoli. Questa volta, tuttavia, erano disincarnati. Ho guardato a sinistra, poi a destra. Non c'era niente.

Mentre mi avvicino ad Archangel Court sono consapevole di essere osservato. Entro nell'atrio. Ci sono fiori, una composizione di gerbere e rami verdi. Una telecamera sorveglia l'atrio. Un palazzo sorvegliato è un palazzo sicuro, un palazzo sicuro è felice.

Qualche giorno fa la giovane donna al banco di Etienne ha detto che sono felice. Avevo ordinato sette croissant. Mentre mi dava il resto ha detto: «Lei è un uomo felice».

L'ho fissata con una tale incredulità da costringerla ad abbassare lo sguardo.

«Canticchia sempre», ha aggiunto con un tono molto più basso, come se si sentisse in dovere di giustificarsi.

«È il mio lavoro», ho risposto, vergognandomi della mia asprezza. È entrato un altro cliente, e me ne sono andato.

Mentre mettevo in freezer i croissant della settimana – tutti tranne uno – ho notato che canticchiavo la stessa melodia quasi non melodica di uno degli ultimi Lieder di Schubert:

Vedo un uomo che guarda all'insù
e si torce le mani tanto ardente è la sua pena.
Ho un brivido quando vedo il suo volto.
Il volto illuminato dalla luna è il mio.

Scaldo l'acqua per il caffè, e guardo fuori della finestra. Dall'ottavo piano lo sguardo arriva fino alla cattedrale di St Paul, Croydon, Highgate. Posso vedere oltre i rami bruni del parco le guglie e le torri e i camini. Londra mi turba: anche da questa altezza non si riesce a scorgere un tratto di campagna.

Ma non è Vienna. Non è Venezia. Non è, se è per questo, la mia città natale nel Nord, con le sue limpide vedute della brughiera.

Non era il mio lavoro, tuttavia, che mi aveva spinto a canticchiare quel Lied. È più di un mese che non suono Schubert. Il mio violino ne sente la mancanza più di me. Lo accordo, ed entriamo nello stanzino insonorizzato. Nessuna luce, nessun suono vi penetra dal mondo. Gli elettroni lungo i fili di rame, il cri-

ne di cavallo sull'acrilico creano tutte le mie impressioni senso-
riali.

Non suonerò nulla di quanto abbiamo provato nel nostro
quartetto, nulla che mi ricordi la musica che ho fatto ultimamente con altri esseri umani. Suonerò i suoi Lieder.

Il Tononi sembra fare le fusa all'idea. Qualcosa di felice,
qualcosa di felice, di sicuro:

> *In un chiaro torrente*
> *con fretta gioiosa*
> *la capricciosa trota*
> *mi passò accanto come una freccia.*

Suono la linea melodica del Lied, suono i salti e i tuffi della
mano destra del pianoforte, sono la trota, il pescatore, il torrente, l'osservatore. Canto le parole, muovendo su e giù il mento
bloccato. Il Tononi non protesta; risuona. Lo suono in si, in la,
in mi bemolle. Nemmeno Schubert protesta. Non sto traspor-
tando i suoi quartetti.

Dove una nota del pianoforte è troppo bassa per il violino,
salto all'ottava superiore. Al momento, il violino sta suonando
la melodia un'ottava più alta di come è scritta. Ora, se fosse una
viola... Ma sono anni che non suono più la viola.

L'ultima volta è successo quando ero ancora studente a Vienna, dieci anni fa. Ci ritorno sopra in continuazione e penso: ho
sbagliato? Sono stato cieco? Dov'era l'equilibrio del dolore fra
noi due? Ciò che ho perso allora non sono nemmeno andato vicino a recuperarlo.

Cosa mi è successo, tanti anni fa? Amore o non amore, non
potevo più stare in quella città. Inciampavo, la mia mente si
confondeva, sentivo la pressione di ogni respiro. Le dissi che
me ne andavo, e me ne andai. Per due mesi non riuscii a fare
nulla, nemmeno scriverle. Venni a Londra. Il fumo si disperse
ma troppo tardi. Dove sei adesso, Julia? Non mi hai ancora perdonato?

1.2

Virginie non studia, ma vuole queste lezioni. Ho studenti peggiori – più sprezzanti, cioè – ma nessuno così frustrante.

Attraverso il parco per arrivare a casa sua. È troppo riscaldata e c'è una gran quantità di rosa. Una volta non mi dava sui nervi. Adesso quando entro in bagno ho un sussulto di disgusto.

Bagno rosa, lavabo rosa, tazza rosa, bidè rosa, piastrelle rosa, tappezzeria rosa, tappeto rosa. Pettini, sapone, spazzolini da denti, fiori, carta igienica: tutto rosa. Perfino la piccola pattumiera che si apre col piede è di un rosa pallido. Conosco bene questa piccola pattumiera. Ogni volta che dormo qui mi domando cosa sto facendo del mio tempo e di quello di Virginie. Ha sedici anni meno di me. Non è la donna con cui voglio dividere la vita. Ma poiché è cominciato, ciò che abbiamo va avanti. È lei che lo vuole, e io mi adeguo, per desiderio e per solitudine, suppongo; e per pigrizia, e per mancanza di un punto focale.

Le lezioni sono un terreno meno accidentato. Oggi è una partita di Bach: quella in mi maggiore. Le chiedo di suonarla dall'inizio alla fine, ma dopo la Gavotte le dico di fermarsi.

« Non vuoi sapere come va a finire? » mi domanda ridendo.

« Non l'hai studiata molto. »

Lei riesce a produrre un'espressione colpevole.

« Riprendi dall'inizio », le propongo.

« Della Gavotte? »

« Del Preludio. »

« Vuoi dire dalla battuta diciassette? Lo so, lo so, dovrei usare di più il polso sulla prima corda. »

« Voglio dire battuta uno. »

Virginie mette il broncio. Posa l'archetto su un cuscino di seta rosa pallido.

« Virginie, non è che non lo puoi fare, è solo che non lo fai. »

« Fare cosa? »

« Pensare alla musica. Canta la prima frase, cantala e basta. »

Riprende in mano l'archetto.

« Volevo dire con la voce. »

Virginie sospira. Intonata, precisa, canta: « Mi-re-mi si sol si mi-fa-mi-re-mi... »

« Non ce la fai proprio a cantare senza dire le note? »

« È così che mi hanno insegnato. »

Virginie è di Nyons, città della quale ignoro tutto tranne che è dalle parti di Avignone. Mi ha chiesto due volte di andarci con lei, poi ha smesso di chiedere.

« Virginie, non è solo una stupida nota dopo l'altra. Il secondo mi-re-mi dovrebbe in qualche modo ricordare il primo. Così. » Impugno il mio violino e glielo dimostro. « O così. O in un altro modo tuo personale. »

Lo suona di nuovo, e lo suona bene, e va avanti. Chiudo gli occhi. Un'enorme ciotola di petali secchi mi aggredisce i sensi. Si sta facendo buio. L'inverno incombe su di noi. Come è giovane Virginie, e quanto poco studia. Ha solo ventun anni. La mia mente vaga verso un'altra città, verso il ricordo di un'altra donna, che allora era altrettanto giovane.

« Devo continuare? »

« Sì. »

Dico a Virginie di tenere sciolto il polso, di controllare l'intonazione qui, di badare alla dinamica lì, di mantenere uniforme lo staccato; ma lo sa già. La settimana prossima ci saranno progressi, molto piccoli. Ha talento, eppure non si applica. Anche se in teoria sarebbe una studentessa a tempo pieno, per lei la musica è solo una cosa fra le tante. È preoccupata per il concorso del conservatorio nel quale suonerà questa partita. Sta pensando di vendere il suo Miremont, e farsi comprare dal padre – che le garantisce un livello di vita tutt'altro che da studente – qualcosa di antico e di italiano. Ha uno spettacolare giro di conoscenze a Londra, decine di amici che in ogni stagione la raggiungono da tutti gli angoli della Francia, vasti clan di parenti e tre ex fidanzati con i quali è rimasta in ottimi rapporti. Io e lei stiamo insieme da più di un anno.

Quanto alla donna a cui è tornato il mio ricordo, la vedo che suona Bach per sé sola, con gli occhi chiusi: una suite inglese. Le dita viaggiano con dolcezza fra i tasti. Forse faccio un movimento troppo rapido. Quegli occhi tanto amati si voltano verso di me. Ci sono molti esseri qui, occupati, pre-occupati. Voglio credere che lei respiri, che esista ancora, in qualche punto di questa sfera di possibilità.

1.3

Il Quartetto Maggiore deve riunirsi per una prova nella sede abituale, la piccola casa su due piani di Helen.

Helen sta preparando il caffè. Ci siamo solo io e lei. La luce del pomeriggio entra obliqua dalle finestre. Una vellutata voce femminile canta Cole Porter. Quattro sedie blu scuro sono disposte ad arco sotto una libreria minimalista di pino chiaro. In un angolo del soggiorno-sala da pranzo con cucina a vista sono posati una custodia da viola e un paio di leggii.

«Uno? Due?» mi chiede Helen. «Non mi ricordo mai. Chissà perché. Non è una cosa che si dimentica facilmente quando, be', ci si abitua a come prende il caffè un'altra persona. Ma tu non lo prendi sempre uguale, vero? Certe volte non metti zucchero. Ah, ieri ho incontrato uno che mi ha chiesto di te. Nicholas Spare. Una persona tremenda, ma più fa lo spocchioso più lo leggono. Fagli fare un pezzo su di noi, Michael. Ha una cotta per te, ne sono sicura. Alza le sopracciglia ogni volta che ti nomino.»

«Grazie, Helen. Ne avevo bisogno.»

«Ce l'ho anch'io, naturalmente.»

«Niente cotte per i colleghi.»

«Non sei poi così bello.»

«Cosa c'è di nuovo sul fronte del giardinaggio?»

«È novembre, Michael», dice Helen. «E poi, ho lasciato perdere il giardinaggio. Ecco il caffè. Come ti sembra la mia pettinatura?»

Helen ha i capelli rossi, e la sua pettinatura cambia ogni anno. Quest'anno è arricciata con trascurata cura. Manifesto la mia approvazione con un cenno della testa e mi concentro sul caffè.

Suona il campanello. È suo fratello Piers, maggiore di lei, il nostro primo violino.

Entra abbassando appena la testa. Bacia la sorella – che è solo cinque o sei centimetri più bassa di lui –, saluta me, si toglie il cappotto elegante-trasandato, estrae il violino e mormora: « Potresti spegnere? Sto cercando di accordare ».

« Dài, lascia finire questa canzone », dice Helen.

Piers va a spegnere il CD. Helen non dice niente. Piers è abituato a fare quello che vuole lui.

« Dove cazzo è Billy? » chiede. « È sempre in ritardo per le prove. Ha telefonato? »

Helen scuote la testa. « È quello che succede, immagino, se uno abita a Loughton o Leyton o quello che è. »

« Leytonstone », dico io.

« Certo », fa Helen, fingendo di ricordarselo. Per lei Londra equivale alla Zona 1. Tutti noi, tranne Billy, abitiamo in centro, a Bayswater o nelle vicinanze, a poche centinaia di metri da Hyde Park e Kensington Gardens, anche se in condizioni molto diverse. Piers è quasi sempre molto irritabile, perfino risentito, nei primi minuti dopo essere arrivato da Helen. Lui abita in un seminterrato.

Dopo un po' Helen gli chiede se gli è piaciuto il concerto di ieri sera. Piers è andato a sentire un quartetto che ammira da molti anni, lo Steif, che eseguiva un programma solo di Beethoven.

« Oh, sì », borbotta Piers. « Ma non si può mai dire con lo Steif. Ieri sera cercavano a ogni costo la bellezza del suono: piuttosto narcisistico. E comincio a non sopportare più la faccia del primo violino: ogni anno è sempre più tirata. E quando hanno finito di suonare la *Grosse Fuge* sono saltati in piedi come se avessero appena ammazzato un leone. Naturalmente il pubblico è impazzito... Ha telefonato Erica? »

« No... Così il concerto non ti è piaciuto. »

« Non ho detto questo », fa Piers. « Ma dove diavolo è finito Billy? Dovremmo multarlo di un biscotto al cioccolato per ogni minuto di ritardo. » Dopo aver accordato il violino, suona una rapida figura di quarti di tono in pizzicato.

« E questo cos'è? » chiede Helen quasi rovesciando il caffè. « No, no, no, non suonarlo più. »

« Un tentativo di composizione *à la* Billy. »

« Non sei gentile », dice Helen.

Piers fa una specie di sorriso malizioso. « Billy è solo un novellino. Un giorno, fra vent'anni, diventerà un vero mostro, scriverà qualcosa di stridente e straziante per il Covent Garden – se ci sarà ancora – e si risveglierà come Sir William Cutler. »

Helen ride, poi si ricompone. « Su, su, non si parla degli assenti », dice.

« Sono un po' preoccupato », continua Piers. « Billy continua a parlare troppo di quello che sta scrivendo. » Si volta verso di me aspettando la mia reazione.

« Ha proposto apertamente che suoniamo qualcosa che ha scritto lui? » gli chiedo.

« No. Non apertamente. Non ancora. È solo un formicolio che mi sento addosso. »

« Non conviene aspettare e vedere se lo fa? » suggerisco.

« Io sono contro », dice lentamente Helen. « Sarebbe orribile se non ci piacesse. Voglio dire se fosse come la tua uscita di prima. »

Piers sorride di nuovo, in maniera non molto piacevole.

« Be', non ci vedo niente di male a leggerlo una volta », dico io.

« E se a qualcuno di noi piace e a qualcun altro no? » chiede Helen. « Un quartetto è un quartetto. Una cosa del genere potrebbe far nascere un sacco di tensioni. Ma sarebbe peggio se Billy fosse irritato tutto il tempo. Ecco. »

« Logica helenica », dice Piers.

« Ma io voglio bene a Billy... » comincia Helen.

« Ma anche noi », la interrompe Piers. « Ci amiamo tutti, non è neanche il caso di parlarne. Ma su questa faccenda, noi tre dovremmo trovare una posizione chiara, una posizione comune, prima che Billy ci presenti un quarto Rasumovsky. »

Non approfondiamo la questione perché nel frattempo arriva Billy. Si trascina dietro con un'aria stremata il violoncello, si scusa, si illumina quando vede i biscotti al cioccolato che, come ben sa Helen, sono i suoi preferiti, ne inghiotte alcuni, prende con gratitudine la tazza di caffè, si scusa di nuovo e comincia ad accordare.

«La macchina l'ha presa Lydia, dentista. Corsa folle, quasi scordavo la parte di Brahms. Central Line, terribile.» Ha la fronte lucida di sudore e respira pesantemente. «Scusate. Scusate. Scusate. Non arriverò più in ritardo. Mai più.»

«Prendi un altro biscotto, Billy», dice amorevolmente Helen.

«Comprati un telefonino, Billy», dice Piers col tono pigro e perentorio di un prefetto di collegio.

«Perché?» chiede Billy. «Perché dovrei comprarmi un telefonino? Non sono né un magnaccia né un idraulico.»

Piers scuote la testa e lascia perdere. Billy è molto sovrappeso, e sempre lo sarà. Sarà sempre distratto dalla famiglia e dalle preoccupazioni economiche, dalle assicurazioni della macchina e dalla composizione. Nonostante la nostra insofferenza e i rimproveri, non arriverà mai in orario. Ma nell'istante in cui l'archetto tocca le corde si trasfigura. È un meraviglioso violoncellista, leggero e profondo: la base della nostra armonia, la roccia su cui poggiamo.

1.4

Ogni prova del Quartetto Maggiore comincia con una scala di tre ottave, semplice e molto lenta, di tutti i quattro strumenti all'unisono: a volte maggiore, come il nome che portiamo, a volte minore, a seconda della tonalità del primo pezzo che dobbiamo suonare. Per quanto pesanti siano state le nostre vite negli ultimi giorni, per quanto acri le discussioni sulle persone o sulla politica, per quanto viscerali i dissensi su ciò che stiamo per eseguire e su come eseguirlo, la scala ci ricorda che, quando si arriva a suonare, siamo una sola cosa. Cerchiamo di non guardarci l'un l'altro quando suoniamo la scala; nessuno dirige. Anche il primo levare è appena sospirato da Piers, non viene indicato dal minimo movimento della testa. Quando suono la scala mi consegno allo spirito del quartetto. Divento la musica della scala. Faccio tacere la mia volontà, libero il mio io.

Dopo l'uscita di Alex Foley, cinque anni fa, mentre Piers, Helen e Billy mi stavano considerando come secondo violino, suonammo molta musica insieme, facemmo prove insieme, di fatto tenemmo insieme molti concerti, ma non suonammo mai la scala. Ne ignoravo perfino l'esistenza. Il nostro ultimo concerto era stato a Sheffield. A mezzanotte, due ore dopo la fine, Piers mi telefonò in albergo e mi disse che tutti e tre volevano che mi unissi a loro.

« È stato bello, Michael », mi disse. « Helen insiste a dire che tu *appartieni* a noi. » Nonostante la frecciatina a sua sorella, senza dubbio accanto a lui all'altro capo del telefono, sembrava quasi euforico: una cosa tutt'altro che usuale per Piers. Due giorni dopo, a Londra, ci trovammo per una prova e cominciammo, questa volta, con la scala. Mentre si levava, calma e quasi senza vibrato, sentivo crescere la mia felicità. Quando ci fermammo in cima, prima di cominciare a discendere gettai un'occhiata ai miei nuovi colleghi, a sinistra e a destra. Piers distolse appena il volto. Ero sbalordito. Piers non è esattamente il tipo di musicista che piange in silenzio davanti alla bellezza delle scale. In quel momento non avevo idea di cosa gli passasse per la testa. Forse, tornando a suonare la scala, aveva detto addio per sempre ad Alex.

Oggi scorriamo due quartetti di Haydn e uno di Brahms. Gli Haydn sono splendidi; ci regalano gioia. Dove ci sono difficoltà, riusciamo a capirle, e così arriviamo anche a capirci fra noi. Amiamo Haydn, e Haydn ci fa amare l'un l'altro. Non così Brahms. Brahms è sempre stato una croce per il nostro quartetto.

Io non sento alcuna affinità con Brahms, Piers non lo sopporta, Helen lo adora, Billy lo trova « profondamente interessante », qualunque cosa ciò significhi. Ci hanno chiesto di includere qualcosa di Brahms in un programma che eseguiremo a

Edimburgo, e Piers, che decide i programmi, ha accettato l'inevitabile e ha scelto il primo quartetto, quello in do minore.

Maciniamo valorosamente tutto il primo movimento senza fermarci.

«Il tempo è buono», dice esitando Helen. Tiene gli occhi sulla musica invece di guardare noi.

«Un po' turgido, mi pareva. Non siamo mica il Quartetto Busch», dico io.

«Sarà meglio che non dici una parola contro il Busch», dice Helen.

«Non ne ho nessuna intenzione. Ma loro erano loro e noi siamo noi. »

«A proposito di arroganza», dice Helen.

«Be', passiamo al secondo? O ripuliamo il primo movimento? » chiedo.

«Ripuliamo», ribatte seccamente Piers. «È un macello. »

«La chiave sta nella precisione», dice Billy, più a se stesso che a noi. «Come per Schönberg. »

Helen sospira. Ricominciamo a suonare. Piers ci interrompe. Guarda direttamente me.

«Sei tu, Michael. All'improvviso diventi intenso senza nessun motivo. Qui tu non devi dire niente di speciale. »

«Be', mi dice di essere espressivo. »

«Dove? » chiede Piers, con il tono di chi si rivolge a un bambino minorato. «Dove precisamente? »

«Battuta quindici. »

«Io non ho niente qui. »

«Peggio per te», gli rispondo seccamente. Piers si allunga incredulo per osservare la mia parte.

«Rebecca si sposa con Stuart», dice Helen.

«Cosa? » dice Piers, strappato alla sua concentrazione. «Scherzi. »

«Niente affatto. Me l'ha detto Sally, e Sally l'ha sentito direttamente dalla madre di Rebecca. »

«Stuart! » esclama Piers. «Oh, misericordia. Le nasceranno bambini con l'encefalogramma piatto. »

Io e Billy ci scambiamo un'occhiata. C'è qualcosa di convulso, abrasivo, irrilevante in molte nostre conversazioni durante le prove che si accorda in maniera bizzarra con la precisione e l'espressività che cerchiamo di creare. Helen, per esempio, dice la prima cosa che le passa per la testa. Qualche volta i suoi pensieri corrono avanti rispetto alle parole; qualche altra è l'esatto contrario.

« Continuiamo », suggerisce Billy.

Suoniamo per qualche minuto. C'è una serie di false partenze, nessun senso di un fluire continuo.

« Non esco abbastanza », dice Billy. « Mi sento un rammollito quattro battute prima di B. »

« E alla quarantuno, Piers fa glo glo come un tacchino », dice Helen.

« Non essere maligna, Helen », fa suo fratello.

Alla fine arriviamo al crescendo di Piers.

« Oh, no, oh, no, oh, no », grida Billy, togliendo la mano dalle corde e mettendosi a gesticolare.

« Suoniamo tutti un po' troppo forte qui », dice Helen, cercando di mostrare un po' di tatto.

« È troppo isterico », dico io.

« Chi è isterico? » chiede Piers.

« Tu. » Gli altri annuiscono.

Le orecchie piuttosto grandi di Piers diventano rosse.

« Devi raffreddare quel vibrato », dice Billy. « È come ansimare al telefono. »

« Va bene », dice Piers, incupito. « E tu potresti essere un po' più scuro alla centootto, Billy? »

Di solito non è così. Per la massima parte, le nostre prove sono molto più conviviali. Do la colpa a quello che stiamo suonando.

« Non andiamo da nessuna parte come insieme », dice Billy con una sorta di ingenua agitazione negli occhi. « Era terribilmente organizzato. »

« Nel senso di organizzato terribilmente? » chiedo io.

« Sì. Dobbiamo metterci d'accordo in qualche modo. È una specie di rumore. »

« Si chiama Brahms, Billy », dice Piers.

«È solo un tuo pregiudizio», dice Helen. «Alla fine cederai a lui.»

«Quando sarò vecchio e rimbambito.»

«Perché non organizziamo una struttura attorno alle melodie?» propone Billy.

«Be', a me sembra che le melodie non ci siano proprio», dico io. «Non melodia ma melodicità. È questo che voglio dire? Qual è la parola giusta?»

«Melodiosità», dice Helen. «E, tra parentesi, non è vero che non ci sono melodie.»

«Cosa intendi esattamente?» mi chiede Piers. «È tutto melodia. Voglio dire, non sto dicendo che mi piace, però...»

Indico con l'archetto la parte di Piers. «È melodia? Credo che nemmeno Brahms la chiamerebbe melodia.»

«Be', non è arpeggio, non è scala, non è ornamento per cui... Oh, non lo so. È tutto pazzesco e impastoiato. Maledetta Edimburgo...»

«Smettila di sbraitare, Piers», dice Helen. «Hai suonato benissimo l'ultimo pezzo. Mi è piaciuto quel portamento. È stato una specie di shock, ma è grande. Devi assolutamente tenerlo.»

Piers è sbalordito dall'elogio, ma si riprende subito. «Però Billy adesso suona senza il minimo vibrato», dice.

«Era il mio tentativo di ottenere un colore più scuro», ribatte Billy.

«Be', sembra stridulo.»

«Devo comprarmi un violoncello nuovo?» chiede Billy. «Dopo il telefonino?»

Piers grugnisce. «Perché non vai sulla quarta corda?»

«È troppo sordo.»

«Un'altra volta, allora? Dalla novantadue?» propongo io.

«No, dalla doppia barra», dice Helen.

«No, dalla settantacinque», dice Billy.

«D'accordo», dice Piers.

Dopo pochi minuti ci fermiamo di nuovo.

«È un pezzo così sfibrante da suonare», dice Helen. «Per far funzionare queste note devi tirarle fuori una a una. Non è come il violino...»

«Povera Helen», le dico sorridendo. «Vuoi cambiare strumento con me?»

«Resisti, Helen», dice Piers. «Brahms è il tuo pupillo.»

Helen sospira. «Di' qualcosa di carino, Billy.»

Ma Billy adesso è concentrato su una piccola partitura gialla che ha portato con sé.

«Il mio esperimento con il deodorante non è un successo», dice Helen all'improvviso, alzando un braccio spalmato di crema.

«Sarà meglio che riprendiamo altrimenti non arriveremo mai in fondo», dice Billy.

Finalmente, dopo un'ora e mezzo arriviamo al secondo movimento. Fuori è buio, e noi siamo esausti, della musica e del temperamento degli altri. Ma il nostro è uno strano matrimonio quadripartito con sei relazioni, ognuna delle quali, in un dato momento, potrebbe essere cordiale o neutra o tesa. Gli spettatori che ci ascoltano non possono immaginare quanto onesta, petulante, accomodante, cocciuta sia la nostra ricerca di qualcosa al di là di noi stessi che immaginiamo con i nostri spiriti divisi ma siamo costretti a incarnare insieme. Dov'è l'armonia dello spirito in tutto ciò, per non parlare della sublimità? Come fanno questi meccanismi, questi arresti e partenze, questa facile irriverenza a essere trasmutati, nonostante le nostre individualità litigiose, in oro musicale? Eppure spesso è da questi inizi insignificanti che giungiamo a una comprensione dell'opera che ci sembra insieme vera e originale, e a una sua espressione che allontana dalla nostra mente – e forse, almeno per un po', dalla mente di chi ci ascolta – ogni versione, per quanto vera, per quanto originale, suonata da altre mani.

1.5

Il mio appartamento è freddo, per via dei perenni problemi di riscaldamento qui all'ultimo piano. Gli antichi termosifoni di Archangel Court, ora tiepidi, mi ustioneranno in primavera.

Ogni inverno mi prometto i doppi vetri, e ogni primavera, quando i prezzi sono scontati, decido di no. L'anno scorso i soldi che avevo messo da parte sono stati assorbiti da una tubatura primordiale che si era arrugginita, era quasi marcita nel cemento e faceva piovere sulla testa del mio vicino del settimo piano. Ma quest'anno dovrò fare almeno la camera da letto.

Sto sdraiato sul letto, medito, sonnecchio. Si alza la ribaltina d'ottone; cadono lettere sul pavimento di legno. La porta dell'ascensore sbatte. Mi alzo, indosso la vestaglia e raggiungo la porta d'entrata: la bolletta del telefono, una cartolina di uno studente a cui do lezioni, un dépliant turistico, una lettera.

Apro la posta col tagliacarte d'argento che mi aveva regalato Julia al primo anniversario del nostro incontro. La bolletta finisce nella pila dei sensi di colpa, dove resterà per una settimana o due. Il dépliant va nel cestino della carta straccia. Entro in cucina, rabbrividendo un po', riempio il bollitore elettrico, lo accendo e torno a letto con la lettera.

È del mio vecchio insegnante, Carl Käll (pronunciato, per tipico spirito di contraddizione, *Scell*). È da anni che non siamo più in contatto. Il francobollo è svedese. Sulla busta, la calligrafia del professor Käll è quasi illeggibile. È un breve biglietto, sorprendentemente non sferzante.

Non insegna più a Vienna. È andato in pensione l'anno scorso ed è tornato nel paesino natale, in Svezia. Dice che era per caso a Stoccolma quando vi abbiamo suonato. Era fra il pubblico, ma ha deciso di non venire dietro le quinte dopo il concerto. Avevamo suonato bene. In particolare, ha una cosa da dire: mi aveva sempre detto di «sostenere il suono», e di fatto lo sostenevo. Ultimamente la sua salute non è al meglio, e si è messo a pensare ad alcuni dei suoi vecchi studenti. Forse è stato un po' rude con alcuni di loro, ma il passato è passato, e lui non può fare ammenda, può solo sperare che il guadagno possa durare più del danno. (Nel tedesco del professor Käll, questa frase suona bizzarra, come se stesse traducendo dal marziano.) Comunque, mi augura ogni bene e spera che qualora io insegni, abbia imparato da lui come non si fa. Non ha in progetto di venire in Inghilterra.

Il bollitore si è spento da solo qualche minuto fa. Vado in cucina e mi scopro incapace di ricordare dove sono le bustine del tè. C'è qualcosa di disturbante nella lettera. Carl Käll sta morendo; ne sono sicuro.

Qualcuno sta martellando tegole d'ardesia su un tetto. Alcuni colpetti acuti, una pausa, altri colpetti. Alzo le tapparelle e la luce inonda la casa. È una giornata limpida, fredda, col cielo blu.

Riesco a sentire l'odore del professore in una giornata del genere. È ritto in piedi in un'aula grigia e fissa cinque studenti nervosi. È stato a pranzo da Mnozil e il suo cappotto nerofumo emana un'aura di aglio e tabacco. « *Und jetzt, meine Herren...* » dice, ignorando Yuko, « la nostra collega della terra del sol levante », come talvolta la chiama. Picchia con l'archetto sul pianoforte.

Io mi fermo dopo la lezione per la sessione individuale con lui. Mi aggredisce appena gli altri sono usciti.

« Se io l'ho accettata qui come *Gasthörer* è perché alcune questioni sono chiare. »

« Sì, professor Käll. »

« Io volevo la sonata a Kreutzer, e invece lei ha preparato questa! »

« Mi è venuta in mano per caso una copia del manoscritto di questa, e per una volta la calligrafia di Beethoven era così chiara che ne sono rimasto sbalordito. Credevo che a lei non importasse... »

« Sbalordito. Eccitato anche, senza dubbio. »

« Sì. »

« Sbalordito ed eccitato. » Il grande Carl Käll assapora le parole, ricche escrescenze aliene sul corpo della musica. Eppure non era stata la sua fama ma l'eccitazione della sua musica che mi aveva condotto a lui, ed è questa eccitazione che il suo modo di suonare contiene ancora, e trasmette a coloro abbastanza fortunati da ascoltarlo. Ma quanti concerti ha deciso di tenere ormai? Cinque all'anno? Sei?

«Pensavo che un'altra sonata... quella subito prima della Kreutzer...»

Carl Käll scuote la testa. «Non pensi, non è un'attività che consiglio.»

«Io e Julia McNicholl abbiamo passato due settimane a studiarla. Ho chiesto a Julia di raggiungerci fra mezz'ora.»

«Che giorno è oggi?»

«Venerdì.»

Il professor Käll sembra riflettere su qualcosa.

«Tutti i venerdì quella stupida Yuko va allo *Zentralfriedhof* a portare fiori alla tomba di Beethoven», dice.

Sorrido senza volerlo. Non mi sorprende. Yuko fa tutte le cose che ci si aspetta dalle giovani studentesse giapponesi: studiare senza discutere, soffrire terribilmente e visitare tutte le case di Beethoven e di Schubert che riescono a individuare. Ma Yuko fa anche ciò che so che dovrei fare anch'io, e che farei, se solo sapessi come. Ignora il fatto che Carl la ignora, annulla i suoi insulti non ribellandosi e ricava un messaggio da musicista dalla sua musica, non dalle parole.

«Voglio la Kreutzer per lunedì», continua Carl Käll.

«Ma, professore...» protesto.

«Lunedì.»

«Professore, non potrò mai farcela... E anche se ci riuscissi, un pianista non...»

«Sono sicuro che Fräulein McNicholl la aiuterà.»

«Il nostro trio aveva fissato le prove in questo weekend. Abbiamo un concerto fra poco.»

«Apparentemente il vostro trio se la cava senza molto esercizio.»

Non dico nulla per qualche secondo. Carl Käll tossisce.

«Quando dovete suonare?»

«Fra un paio di settimane, al Bösendorfer Saal.»

«E cosa?»

«Cominciamo con uno dei primi trii di Beethoven...»

«Fa apposta a essere poco preciso?»

«No, professore.»

«Quale?»

« Opera 1, numero 3. In do minore. »

« Sì, sì, sì, sì », dice Carl Käll, provocato dalla mia menzione della tonalità. « Perché? »

« Perché? »

« Sì, perché? »

« Perché la nostra violoncellista lo adora. »

« Perché? Perché? » Carl sembra quasi impazzito.

« Perché lo trova sbalorditivo ed eccitante. »

Carl Käll mi scruta con attenzione, come se si domandasse quale delle mie vertebre cervicali potrebbe spezzare più facilmente. Si volta. Ero uno dei suoi studenti preferiti. Fu in un seminario del mio ultimo anno al Royal Northern College of Music di Manchester che ci incontrammo brevemente, e fu lui a proporre, con mia incredula gioia, che andassi a studiare da lui a Vienna come studente anziano al di fuori del corso regolare. Credeva che potessi fare una carriera da solista, e che la desiderassi. Ormai forse è disilluso nei miei confronti quanto lo sono io nei suoi.

« Spende troppo del suo tempo per la musica da camera », dice. « Lei potrebbe avere una carriera migliore. »

« Suppongo di sì », dico, seccato dalla sua convinzione di cosa sia « migliore », ma senza metterla in discussione.

« Dovrebbe farsi guidare da me. È per questo che è qui, non è vero? Lei è molto caparbio. Troppo. »

La voce di Carl è per un momento gentile. Non dico niente. Lui canticchia una frase dalla Kreutzer, allunga la mano per prendere il facsimile del manoscritto, lo guarda affascinato per qualche minuto, ma non cede.

« Per lunedì, allora. »

Il mio tè è rimasto troppo nella teiera: è amaro, ma ancora bevibile. Accendo la televisione e torno al presente. Quattro grasse creature umanoidi, una rossa, una gialla, una verde e una viola, si divertono su una collina erbosa. Conigli mangiano l'erba. Le creature si abbracciano l'un l'altra. Un periscopio emerge da

un'altura e dice loro che devono salutare. Dopo qualche protesta, salutano e saltano una a una in una buca nel terreno.

Carl Käll, quel vecchio, quel mago testardo, brutale e pieno
di soffocante energia, non mi aveva fatto fuggire da Vienna senza aiuto. Era stato anche il mio giovane io di allora, inflessibile,
per nulla disposto a scambiare un mentore con un dittatore o a
evitare una collisione.

Se non lo avessi incontrato non avrei portato alla vita la voce
nelle mie mani. Non sarei andato a studiare alla Musikhochschule. Non avrei conosciuto Julia. Non avrei perduto Julia.
Non sarei alla deriva. Come posso odiare ancora Carl? Dopo
tanti anni, ogni cosa è soggetta agli agenti del cambiamento:
pioggia, spore, ragnatele, oscurità. Forse avrei potuto imparare
di più se avessi ingoiato il mio senso dell'io. Julia doveva avere
ragione, aveva ragione lei. Ma adesso penso: lascialo morire, è
venuto il suo momento, non posso rispondergli. Perché dovrebbe affidare a me la responsabilità di un'assoluzione?

Non avrei potuto imparare di più da lui. Lei credeva che potessi, o lo sperava, o sperava almeno che per lei sarei rimasto
per un po' a Vienna. Ma non stavo imparando, stavo disimpa-
rando, stavo disfacendomi. Quando crollai al concerto, non fu
perché ero malato, né perché non avevo studiato il pezzo che
stavo eseguendo. Era perché lui aveva detto che avrei fallito, e
lo vedevo nel pubblico e sapevo che lui voleva che fallissi.

1.6

«Mi sembra che stasera facciamo di tutto per irritarci a vicenda», dice Virginie. Si volta verso di me senza sollevarsi dal cuscino.

Scuoto la testa. Stavo fissando il soffitto, ma adesso chiudo
gli occhi.

«Ti morderò la spalla.»

«Non farlo», le dico. «Ti morderò più forte, e finirà molto
male.»

Virginie mi morde la spalla.

«Smettila, Virginie», le dico. «Smettila e basta, d'accordo? Fa male, e non sono in vena. No, non pizzicarmi, adesso. E non sono irritato, solo stanco. La tua camera da letto è troppo calda. Oggi abbiamo fatto una prova molto lunga, e non ho voglia di vedermi un film francese in televisione nel cuore della notte. Perché non lo registri?»

Virginie sospira. «Sei così noioso. Se sei così noioso il venerdì sera, non riesco a immaginare come puoi essere il lunedì.»

«Be', non avrai bisogno di saperlo. Lunedì andiamo a Lewes e poi a Brighton.»

«Quartetto. Quartetto. Pfui.» Virginie mi scalcia.

Dopo un po', dice, con aria molto riflessiva: «Non mi hai mai fatto conoscere tuo padre. E tu non hai mai voluto conoscere il mio, nemmeno quando è a Londra».

«Oh, Virginie, per favore, ho sonno.»

«Tuo padre non viene mai a Londra?»

«No.»

«Allora verrò con te a Rochdale. Andremo a nord con la mia macchina.»

Virginie ha una Ford Ka «nero pantera», come dice lei. Abbiamo fatto brevi escursioni fino a Oxford e Aldeburgh. Quando guido io, lei insiste a dire «Gira là», intendendo «qua». Questo ha condotto a varie deviazioni e vari litigi.

Virginie è immensamente orgogliosa della sua macchina (la definisce «splendida-splendente»). Odia con passione tutti i fuoristrada, soprattutto da quando, in un parcheggio, la ruota di scorta di uno di essi ha prodotto una piccola ammaccatura sul cofano della sua Ka. Guida con il gusto e la fantasia che di solito non mette nella sua musica.

«Per qualche motivo, non riesco a vederti a Rochdale», le dico con una certa tristezza nella voce, probabilmente perché non riesco più a vedere nemmeno me stesso lassù.

«Oh, perché?» mi chiede.

«I negozi non sono eleganti, Virginie. Niente bei foulard. Saresti una gazzella in una cementeria.»

Virginie si solleva un po' dal cuscino. I suoi occhi nero pantera stanno bruciando e, con i capelli neri che le scendono sulle spalle e sul seno, è una visione deliziosa. La prendo fra le braccia.

« No », dice facendo resistenza. « Non essere così condiscendente. Credi che mi interessino solo i negozi? »

« No, non solo i negozi. »

« Credevo che avessi sonno », dice.

« Io sì, ma lui no. Comunque, cosa sono dieci minuti? »

Apro il cassetto del comodino.

« Sei sempre così pratico, Michael. »

« Mmm, sì... no, no, Virginie, smettila. No. Fermati. Fermati! »

« Rilassati, rilassati », fa lei, ridendo. « Ti fa il solletico solo se sei teso. »

« Solletico? Solletico? Mi stai mordendo e pensi che sia *solletico*? »

Virginie è travolta da una risata. Invece di distrarmi, perdo completamente la testa.

Dopo una doccia bollente nel bagno rosa, punto la sveglia.

« Perché? » chiede Virginie, con una voce impastata di sonno. « Domani è sabato. Possiamo dormire fino a mezzogiorno. O hai intenzione di studiare, per darmi il buon esempio? »

« Serpenti d'acqua. »

« Oh, no », dice Virginie, disgustata. « In quella lurida acqua gelata. Voi inglesi siete matti. »

1.7

Mi vesto al buio senza svegliare Virginie ed esco. Lei abita sul lato sud di Hyde Park, io su quello nord. È stato tornando da casa sua in un gelido venerdì mattina che notai un paio di teste che andavano su e giù nella Serpentine. Chiesi alla testa più vicina che cosa pensava di stare facendo.

« Cos'è che sembra che faccia? »

« Sta nuotando. Ma perché? »

« Perché no? Venga con noi. Nuotiamo qui dal 1860. »

« In questo caso sembra molto giovane per la sua età. »

Il nuotatore scoppiò a ridere, emerse dall'acqua e rimase a tremare sulla riva: sui vent'anni, alto come me, ma un po' più muscoloso. Portava un costume da bagno Speedo nero e una cuffia gialla.

« Non volevo interromperla », dissi.

« No, no, stavo già uscendo. Tre o quattro minuti a questa temperatura sono abbastanza. »

Si stava stringendo le braccia attorno al corpo, che era completamente rosso di freddo, rosso aragosta, avrebbe potuto dire Virginie. Mentre si asciugava, io fissavo lo stagno fangoso della Serpentine.

« Immagino sia disinfettata », dissi.

« Oh, no », disse allegramente il giovane. « D'estate mettono il cloro, ma d'inverno ci siamo solo noi Serpenti d'acqua, e abbiamo dovuto combattere con le autorità del parco e il ministero della Sanità e il consiglio comunale e Dio sa chi altri per mantenere il diritto di nuotare qui. Bisogna essere iscritti al club e rinunciare all'assistenza sanitaria, per via del piscio di ratto e degli stronzi d'oca, e poi si può nuotare dalle sei alle nove tutte le mattine dell'anno. »

« Ha un'aria complicata. E non troppo piacevole. Tutto questo in una pozza stagnante. »

« Oh, no, no, no, non è stagnante: scorre sottoterra fino al Tamigi. Io non mi preoccuperei. Abbiamo tutti inghiottito un po' d'acqua ogni tanto, e non è ancora morto nessuno. Venga qui domani mattina alle otto. Ci sarà tutta la banda. Di sabato facciamo le gare. Io nuoto anche il venerdì e la domenica, però io sono un po' strano. Oh, a proposito, io sono Andy. »

« Michael. » Ci stringemmo la mano.

Passarono due tizi che facevano jogging, fissarono increduli Andy e continuarono la loro corsa.

« Sei un nuotatore professionista? » gli chiesi. « Voglio dire, qual è lo standard del club? »

« Oh, non ti preoccupare. Alcuni di noi hanno attraversato la Manica, ma altri riescono ad arrivare a malapena a quella boa gialla. Io sono uno studente. Studio legge all'University College. Tu cosa fai? »

« Il musicista. »

« Davvero? Cosa suoni? »

« Il violino. »

« Ottimo. Bene, nuotare è il migliore esercizio per le braccia. Allora ci vediamo domani. »

« Non sono sicuro che domani mi vedrai. »

« Prova », disse Andy. « Non avere paura. È una grande sensazione. »

Il giorno dopo in effetti mi presentai. Anche se non sono particolarmente atletico, ero tentato dallo sfarzo bizzarro di nuotare all'aperto nel cuore di Londra. Era un lusso masochista in inverno, ma dopo un paio di settimane cominciai a prenderci gusto davvero. La sferzata dell'acqua mi svegliava più che del tutto e la nuotata mi rinvigoriva per l'intera giornata. Il caffè e i biscotti più tardi, nella sede del club, il cameratismo quasi esclusivamente maschile, le discussioni sui capricciosi handicap stabiliti da Giles per la gara, i ricordi dei soci anziani, lo scambio di battute in una varietà di accenti sorprendentemente ampia, tutto mi faceva entrare in un mondo lontano da Archangel Court e dal Quartetto Maggiore e dall'appartamento di Virginie e dal passato e dal futuro e dall'incrollabile pressione dei miei pensieri.

1.8

Quanto al mio, di accento: che cosa è diventato? Quando torno a Rochdale, mi ritrovo ad accettare liberamente, talvolta perfino a ostentare, ciò che un tempo nascondevo. Fin dall'inizio mia madre mi aveva martellato nella testa che dovevo « parlare bene ». Lei sentiva che non c'era niente per me nella città afflitta e depressa dove abitavamo. La via d'uscita per il suo unico figlio passava da una scuola seria ed efficiente – la mia scuola superiore unificata era la vecchia *grammar school* – e in seguito, se possibile, l'università e una professione liberale. L'ostinata fedeltà alla mia vocazione incontrò l'incomprensione di entrambi i miei genitori, che mi ritirarono l'appoggio e mi dichiararono più volte che avevo tradito quelli che per loro erano stati veri sacrifici. Mio padre aveva una piccola macelleria in una via secondaria. Nessuno della famiglia aveva mai nemmeno sognato di andare all'università. Adesso c'era uno che ne aveva la possibilità, e si rifiutava perfino di provare.

« Ma, papà, che senso ha riempire i moduli? Non voglio andarci. Io voglio suonare e basta. C'è un conservatorio a Manchester... »

« Vuoi diventare suonatore di violino? » mi chiese lentamente mio padre.

« Violinista, Stanley », si intromise mia madre.

Lui esplose. « È sempre quel dannato arnese, no? Sempre il violino. » Si voltò di nuovo verso di me. « Come farai a mantenere tua madre con quel dannato violino quando io non ci sarò più? »

« Perché non studi musica all'università? » propose mia madre.

« Non posso, mamma. Ormai non mi sono iscritto all'esame. Comunque, io voglio suonare e basta. »

« Dove ti porterà suonare? » chiese papà. « Non ti darà di sicuro una buona pensione. » Cercò di parlare in maniera più calma. « Devi pensarci, al futuro. Avrai una borsa di studio per questo conservatorio? »

« Be', è a discrezione. »

« A discrezione! » gridò. « A discrezione! E se vai all'università, la borsa di studio è automatica. Non pensare che non sappia queste cose. Devi farti curare la testa. Guarda come sono andate l'anno scorso le cose del negozio. Credi che possiamo mantenerti mentre perdi tempo a strimpellare il violino? »

« Mi troverò un lavoro. Mi manterrò da solo », dissi senza guardarli in faccia.

« Dovrai restituire il violino alla scuola », disse papà. « Non contare su di noi per comprarne uno. »

«La signora Formby conosce una persona che può prestarmene uno, almeno per qualche mese.»

Gli occhi di mio padre gettarono lampi di fuoco e uscì con passo pesante. Quando ritornò, un paio d'ore dopo, era meno furente ma anche più perplesso e addolorato.

«Sono andato alla scuola», disse lentamente, posando gli occhi ora sulla mamma ora su di me, «e quel professor Cobb, lui mi ha detto: 'Il suo Michael è un ragazzo molto sveglio, molto intelligente, potrebbe studiare lingue o legge o storia. Lo ammetterebbero di sicuro all'università e lui ce la farebbe benissimo se volesse'. E allora perché? Perché non vuoi? È questo che voglio sapere. Io e tua madre ci siamo ammazzati di lavoro perché tu potessi avere un futuro migliore, e tu invece finirai a suonare in un pub o in un night-club. Che razza di futuro sarebbe, questo qui?»

Ci vollero anni e l'intercessione di altre persone perché arrivassimo a riconciliarci. Una di queste persone fu la sorella di mio padre, zia Joan, una specie di irritante pacificatrice, che continuò a tormentarci finché non riuscimmo più a tollerarlo.

Ci avvicinammo per un po' dopo la morte della mamma, ma era chiaro che papà pensava che io, voltando la schiena ai suoi sogni, l'avessi privata di una felicità che le era dovuta.

In seguito, venne a sentirmi al mio primo concerto a Manchester, ma malvolentieri e con diffidenza. All'ultimo momento tentò di ribellarsi, e un'anziana vicina, la signora Formby, dovette praticamente impacchettarlo e portarselo dietro con la sua macchina. Quella sera mi sentì ricevere gli applausi di un mondo cittadino molto al di là della suo orizzonte e, in qualche modo, ammise che dopo tutto poteva esserci qualcosa di buono nella strada che avevo scelto. Adesso è orgoglioso di me e curiosamente acritico.

Quando partii per Vienna, papà non fece obiezioni. La zia Joan mi acquietò la coscienza insistendo che una persona era più che sufficiente per badare a lui. Forse i colpi della vita, spezzandogli lo spirito, lo hanno reso più mansueto. Se c'è qualcosa di inquietante nel modo in cui concentra le sue attenzioni sulla gatta Zsa-Zsa, almeno è rimasto poco in lui dell'antica rabbia che un tempo mi terrorizzava, e che ogni tanto faceva nascere in me qualcosa di simile, lento ad accendersi e lento a scomparire.

1.9

Di ritorno dalla nuotata settimanale, canticchio qualcosa di Schubert mentre entro in Archangel Court. Ho in mano la piccola chiave elettronica nera, ma sento il clic della porta a vetri che si apre prima che la passi sul sensore.

« Grazie, Rob. »

« Di niente, signor Holme. »

Rob, il nostro cosiddetto « capo-portiere » ma in realtà portiere unico, talvolta mi chiama per nome, talvolta per cognome, senza una logica apparente.

« Giornata infame », dice con un certo entusiasmo.

« Già. » Schiaccio il pulsante dell'ascensore.

« Non sarà mica andato ancora a nuotare, vero? » mi chiede, notando i capelli bagnati e l'asciugamano arrotolato.

« Ho paura di sì. È una droga. A proposito, ha preso il biglietto della lotteria per oggi? »

« No, no, lo compriamo sempre di pomeriggio. Io e la signora Owen discutiamo i numeri durante il pranzo. »

« I bambini non partecipano alla discussione? »

« Sì, certo. Ah, signor Holme, l'ascensore: martedì mattina verranno per la manutenzione; magari le conviene segnarselo. »

Faccio cenno di sì. L'ascensore scende con un ringhio sordo e si ferma. Salgo al mio appartamento.

Penso spesso a quanto sono fortunato ad avere ciò che molti musicisti non hanno: un tetto sulla testa che posso chiamare mio. Anche se su di me grava il mutuo, è sempre meglio che pagare un affitto. Sono stato fortunato a trovare l'appartamento quando l'ho trovato, e nelle orribili condizioni in cui era. Le sue tre piccole stanze, con i soffitti inclinati da mansarda, con tutte le stravaganze per quanto riguarda l'acqua e il riscaldamento, sono comunque un rifugio di luce che non potrei permettermi di acquistare nel mercato di oggi. Amo la vista. Non c'è nessuno sopra di me, così non sento passi sulla testa, e a quest'altezza perfino i rumori del traffico sono soffocati.

Il palazzo, contegnoso fuori con i suoi mattoni rossi, è variato, perfino strano, da alcuni punti di vista: costruito su misura, credo, negli anni '30, contiene appartamenti di dimensioni molto diverse, da una camera da letto a quattro, e, come risultato, una grande varietà di residenti: giovani professionisti, donne sole con un figlio, pensionati, negozianti dei dintorni, un paio di medici, turisti in subaffitto, gente che lavora nella City, comoda da raggiungere con la Central Line della metropolitana. Qualche suono penetra talvolta attraverso le pareti: un bambino piange, un sassofono si avvolge attorno a *Strangers in the Night*, un trapano fa vibrare i muri; ma per la maggior parte del tempo, anche al di fuori dello stanzino insonorizzato, è tutto tranquillo.

Un tecnico che è venuto a ripararmi il televisore mi ha detto che alcuni inquilini si sono collegati al sistema di sicurezza a circuito chiuso, per vedere in televisione l'andirivieni dei vicini che entrano ed escono dal palazzo o aspettano l'ascensore nell'atrio. Nella maggioranza dei casi, se ci incontriamo è sull'ascensore o nell'atrio. Sorridiamo, ci teniamo la porta aperta e ci auguriamo il buon giorno. A esercitare un controllo su di noi è il benevolo Rob, che impersona abilmente le parti di capostazione, partner di conversazioni meteorologiche, tuttofare e psicoterapeuta.

In casa, apro il giornale che ho comprato sulla strada del ritorno, ma non riesco a concentrarmi sulle notizie. Avverto uno strano senso di obbligo. C'è qualcosa che devo fare, ma non sono sicuro di sapere cosa. Provo a rifletterci. Sì, devo telefonare a papà. È quasi un mese che non parlo con lui.

Il telefono squilla più di una dozzina di volte prima che lui risponda. «Pronto? Pronto? Sei tu, Joan?» Sembra irritato.

«Papà, sono Michael.»

«Chi? Michael? Oh, ciao, ciao, come stai, Michael? C'è qualche problema? Stai bene? Va tutto bene?»

« Sì, papà. Chiamavo solo per sapere come stavi tu. »

« Bene, bene, mai stato meglio. Grazie per aver telefonato. È bello sentire la tua voce. »

« Dovrei telefonare più spesso, ma sai com'è, papà. All'improvviso mi rendo conto che è passato un mese. Come sta la zia Joan? »

« Non troppo bene, sai, niente affatto. Fra me e te, comincia a non esserci più tanto con la testa. Ieri ha preso una multa per divieto di sosta perché non si ricordava più dove aveva lasciato la macchina. Per dirti la verità, con la sua artrite non dovrebbe nemmeno guidare. Le dispiacerà che hai telefonato quando lei non c'era. È appena andata a fare la spesa. Le dirò che hai chiesto di lei. »

« E Zsa-Zsa? »

« Zsa-Zsa è in castigo. » Ridacchia.

« Oh. Come mai? »

« Due settimane fa mi ha graffiato. Le mani. C'è voluto un bel po' prima che andassero a posto. »

« Le avevi fatto qualcosa? »

« No. Joan era fuori. Io stavo guardando un telefilm dell'ispettore Morse e Zsa-Zsa era seduta in grembo a me. È suonato il telefono. Pensavo che fosse la televisione, e poi mi sono reso conto che invece era quello di casa. Così sono saltato in piedi per rispondere, e lei mi ha graffiato. Però sono riuscito a prendere la telefonata. »

« Oh? »

« Oh, sì. Sono arrivato in tempo. Gocce di sangue sulla cornetta. L'ispettore Morse ne avrebbe ricavato qualcosa. Quando è tornata, Joan ha chiamato il dottore. Lui mi ha bendato. Poteva fare infezione, sai. Joan ha preso subito le parti di Zsa-Zsa, come al solito. Ha detto che dovevo averle fatto paura. »

Mio padre sembra fragile.

« Papà, cercherò di venire su fra una quindicina di giorni. E se non ce la faccio, verrò di sicuro per Natale. Non abbiamo tournée o cose del genere. »

« Oh? Oh, sì, ottimo, sarà bello rivederti, Michael. Bello davvero. »

« Andremo a pranzo da Owd Betts. »

« Sì, benissimo. » Sospira. « Stanotte ho sognato il parcheggio. »

« È solo una multa, papà. »

« No, l'altro parcheggio. Dove c'era la macelleria. »

« Ah. »

« Ci hanno rovinato la vita. Hanno ammazzato tua madre. »

« Papà. Papà. »

« È la verità. »

« Lo so, papà, ma è, be', è stato tanto tempo fa. »

« Sì. Hai ragione. » Fa una pausa di un secondo, poi dice: « Dovresti sistemarti, figliolo ».

« Io sono sistemato. »

« Be', c'è sistemato e sistemato. Vedi qualche ragazza carina in questo periodo o hai solo il tuo violino? »

« Vedo qualcuno, papà, ma... » Lascio cadere la frase. « Adesso ti devo salutare, abbiamo una prova oggi pomeriggio, e non ho studiato bene la parte. Ti telefono presto, papà. Non lasciare che Zsa-Zsa e zia Joan si mettano insieme contro di te. »

Mio padre ridacchia di nuovo. « La settimana scorsa ha depositato un pesce davanti alla porta. »

« Chi? »

« Dei vicini stavano scongelandolo sul davanzale della finestra. Zsa-Zsa ha sentito l'odore e ha portato qui il pesce, con il sacchetto di plastica e tutto. »

Rido. « Quanti anni ha Zsa-Zsa? »

« Sedici. Compiuti in agosto. »

« È una bella vecchietta. »

« Sì. »

« Be', ciao, papà. »

« Ciao, Michael. »

Per qualche minuto dopo la telefonata resto immobile, pensando a mio padre. Quando venne a Londra, tre anni fa, l'ascensore rimase fuori servizio per un paio di giorni. Lui insistette ad arrampicarsi, pian piano, fino all'ottavo piano. Il giorno dopo gli presi una stanza in un piccolo hotel qui vicino. Ma dato che la sua unica ragione di venire a Londra era stare con me, questo gli rovinò la visita. Adesso non lascia quasi più Rochdale. Fa qualche rara puntata a Manchester. Londra lo rende nervoso. Una delle tante cose che non gli piacciono di Londra è che l'acqua non fa bene la schiuma da barba.

Quando morì mia madre, si sentì alla deriva. Sua sorella, vedova, credeva che non sarebbe sopravvissuto alla solitudine, e si trasferì da lui dopo aver affittato la sua casa. Zsa-Zsa, la gatta dei miei genitori, allora molto piccola e nota per la sua scontrosità, si affezionò subito a zia Joan. Mio padre ha resistito. Ma non si è mai davvero ripreso dalla morte della mamma.

Quanto alla macelleria e al parcheggio, fu una vicenda amarissima. Il comune, che aveva intenzione di allargare una delle vie principali, decise di acquistare – di confiscare – la nostra macelleria, che era proprio di fianco, in una stradina laterale. Era più di una bottega; era la nostra casa. Vennero acquisite anche le case di alcuni nostri vicini. L'indennizzo era ridicolo. I miei genitori tentarono per anni di opporsi, ma senza successo.

Durante quel periodo io ero a Manchester, a cercare, per mezzo di lavori occasionali, sia di guadagnarmi da vivere sia di risparmiare per potermi poi iscrivere al conservatorio. All'inizio non potei aiutarli in nessun modo, e molto poco anche dopo. In più, i nostri rapporti erano ancora tesi. Dopo due o tre anni, più o meno quando riuscii a entrare nel Royal Northern College of Music, mio padre, senza più lavoro né uno scopo nella vita, si ammalò di una serie di affezioni bronchiali. Mia madre si consumò nel tentativo di fargli da infermiera, guadagnare qualcosa lavorando nella mensa di una scuola e portare avanti la causa. Anche se era lui a essere malato, fu lei a morire: all'improvviso, di un ictus.

Dopo alcuni anni di esitazioni, il comune decise che in fondo non era così necessario allargare quella strada. Le proprietà acquisite vennero vendute a imprese di costruzione. I negozi e le case, ormai cadenti, vennero demoliti. Dove sorgeva la bottega di Stanley Holme, macellaio, adesso c'è solo asfalto. È un parcheggio.

1.10

Quando dico che vengo da Rochdale, la gente di Londra sorride, come se il nome in sé fosse divertente. Ormai non provo più risentimento, tantomeno meraviglia. Anzi, se proprio devo pensare a un oggetto del mio risentimento, forse dovrei trovarlo nella città di Rochdale. Ma quello che è successo a noi poteva succedere ovunque, immagino.

Inoltre, da ragazzo sono stato felice a Rochdale. La città finiva poco oltre casa nostra, e non appena ebbi una bicicletta cominciai a girovagare verso la brughiera, talvolta con qualche compagno di scuola, più spesso da solo. In pochi minuti mi ritrovavo in aperta campagna. Talvolta salivo a piedi in cima alle colline, altre volte mi sdraiavo nelle conche coperte d'erba dove non si sentiva più il suono del vento. La prima volta che lo feci, la sorpresa si impadronì di me: non avevo mai sentito un simile silenzio prima di allora. E in quel silenzio, dopo un minuto o due, si levò il canto di un'allodola.

Certe volte rimanevo sdraiato per ore, dopo aver parcheggiato al sicuro la bicicletta in una locanda isolata più in basso, Owd Betts. Ogni tanto cantava una sola allodola; altre volte, mentre un canto si assottigliava alzandosi sempre più in alto nel cielo, un altro cominciava a innalzarsi. Quando tornava il sole dopo un acquazzone, c'era una vera mischia di allodole.

A Londra, anche in alto dove abito io, non esiste il silenzio naturale. Anche al centro dei duecento ettari del parco, sento lo stesso il traffico tutt'intorno, e spesso anche sopra. Ma qualche mattina prendo uno sgabello da campeggio e cammino fino al giardino incassato vicino all'Orangery. Mi siedo in uno dei varchi nell'alta siepe di tigli e guardo attraverso le digradanti cornici di colore la calma vasca oblunga. Fra le ninfee giocano le fontane, oscurando tutti i rumori che non ha smorzato la siepe. Gli scoiattoli corrono audaci intorno, i topolini più timidamente. Ai miei piedi tuba un piccione. E – nella stagione giusta, nel mese dell'anno opposto a questo – cantano i merli.

Oggi, mentre cammino attorno al giardino incassato, mi torna in mente una conversazione con Julia. Il nostro trio aveva tenuto ùn concerto dalle parti di Linz, e in seguito noi due andammo a fare una passeggiata nel bosco dietro la casa dei nostri ospiti. Era una notte di luna piena e un usignolo cantava freneticamente.

« Molto esibizionista », dissi io. « Il Donizetti del mondo degli uccelli. »

« Shhh, Michael », disse Julia, appoggiandosi a me.

L'usignolo fece una pausa e Julia disse: « Non ti piace? »

« Non è il mio uccello preferito. È il tuo? »

« Sì. »

« Dev'essere il tuo sangue austriaco. »

« Oh, non dire sciocchezze. Perché non mi baci? »

Ci baciammo e riprendemmo a camminare.

« Se è davvero il tuo uccello preferito, Julia, ritiro quello che ho detto. »

« Grazie. E il tuo qual è? »

« L'allodola, naturalmente. »

« Oh, capisco. *The Lark Ascending*? »

« Oh, no, non ha niente a che vedere con quello. »

« È un uccello dall'aria sciatta, vero? »

« Be', non è che il tuo usignolo sia proprio un uccello del paradiso. »

« Immagino che non ci siano molti compositori belli da vedere », disse Julia dopo un po'. « Schubert sembrava un po' un ranocchio. »

« Ma un ranocchio che avresti baciato? »

« Sì », disse Julia senza esitazioni.

« Anche se questo lo avrebbe distratto dalla composizione? »

« No », disse Julia. « Allora no. Ma non credo che l'avrebbe distratto. L'avrebbe ispirato, e avrebbe finito la sua Incompiuta. »

« Credo proprio di sì, mia cara. Perciò è un'ottima cosa che tu non l'abbia mai baciato. »

Cominciò a piovere, e tornammo indietro verso la casa.

1.11

Mentre venivo valutato come possibile membro del Quartetto Maggiore, Helen mi chiese come stava Julia. Si conoscevano perché il nostro trio e il loro quartetto – entrambi formati da poco – si erano incontrati nei corsi estivi di Banff, sulle Montagne Rocciose canadesi.

Le dissi che ci eravamo persi di vista.

«Oh, che peccato», disse Helen. «E Maria? Violoncellista meravigliosa! Voi tre suonavate tremendamente bene insieme. Vi *appartenevate* a vicenda.»

«Maria sta bene, penso. Abita sempre a Vienna.»

«Credo davvero che sia un peccato quando uno perde di vista gli amici», balbettò Helen, comprensiva. «Una volta avevo un amico. Era una classe avanti a me. Lo adoravo. Lui voleva diventare, pensa un po', dentista... Oh, non è un argomento delicato, vero?»

«No, niente affatto. Ma forse ci conviene andare avanti con la prova. Io devo essere in un posto alle cinque e mezzo.»

«Certo. Mi avevi detto che eri di fretta, ed eccomi qui a perdere tempo a chiacchierare. Sono una sciocca.»

Perdersi di vista – e di udito, di odorato, di gusto, di tatto. Non passa una settimana senza che pensi a lei. Dopo dieci anni: una traccia troppo persistente nella memoria.

Le scrissi dopo aver lasciato Vienna, forse troppo tardi. Lei non mi rispose. Continuai a scriverle nel vuoto.

Scrissi a Maria Novotny, che mi rispose, dicendo che Julia era ancora sconvolta e che dovevo darle del tempo. Le mie lettere disturbavano il suo studio per l'ultimo anno. Forse dovevo essere meno ossessivo. Maria, però, era sempre stata più amica di Julia che mia. Si conoscevano da prima che arrivassi io e continuarono a essere amiche dopo la mia improvvisa uscita di scena. Non mi rivelò alcun segreto e non mi diede alcuna speranza.

Quando finì il corso a Vienna, Julia scomparve dalla faccia della terra.

Scrissi alla Musikhochschule, chiedendo loro di farle avere la mia lettera. Non ebbi alcuna notizia. Le scrissi presso la casa dei genitori, vicino a Oxford, senza risultato. Scrissi a sua zia, a Klosterneuburg, e non ebbi risposta. Scrissi di nuovo a Maria. Maria mi rispose dicendo che anche lei non aveva più notizie di Julia. Era sicura però che non fosse a Vienna.

Finalmente, dopo più di un anno dalla nostra separazione, travolto da un disperato senso di perdita, decisi di telefonare ai suoi genitori. Suo padre aveva passato un giorno con noi quando era venuto a Vienna per una conferenza di storia. Era un appassionato di Auden, e ci aveva portato in un piccolo pellegrinaggio a Kirchstetten, il villaggio dove Auden aveva trascorso i suoi ultimi anni. La sera, tornati a Vienna, eravamo usciti a cena e a sentire un concerto. Ci eravamo trovati subito bene insieme.

Al telefono rispose una donna. « Buonasera », dissi. « È la signora McNicholl? »

« Sì, sono io. Posso sapere con chi parlo? » Riuscivo a cogliere l'accento austriaco nascosto in quelle parole.

« Sono Michael Holme. »

« Oh, sì, sì, capisco. Per cortesia, resta in linea. Chiamo mio marito. » Una sorta di panico aveva preso il posto della sicurezza di prima.

Pochi secondi dopo il professor McNicholl venne al telefono. Il suo tono non era ostile, ma dava l'impressione di uno che vuole uscire il più presto possibile da un ascensore bloccato.

« Ciao, Michael. Immagino che sia per Julia. Io le ho sempre mandato le tue lettere, ma, be', rispondere dipende davvero da lei. »

« Come sono andati gli esami? » Maria mi aveva già detto che erano andati bene, ma cercavo di guadagnare tempo e far proseguire la conversazione.

« Li ha passati. »

« Sta bene, vero? »

« Sì, certo », rispose il professor McNicholl con fermezza.

« Le spiacerebbe dirle che ho chiamato? Per favore. »

Una pausa e poi, con riluttante falsità: « D'accordo ».

« Dov'è adesso? È lì... voglio dire, sta con voi a Oxford? »

« Per l'amor di Dio, Michael, non le hai fatto male abbastan-

za? » La cortesia si era esaurita, e il professor McNicholl riat-
taccò.

Anch'io posai la cornetta, tremando di tristezza, e sapendo
che non serviva a niente.

1.12

Oggi il mio primo impegno è una lezione di pesantezza reciproca con un ragazzino di dodici anni che preferirebbe suonare la
chitarra. Quando se ne va, cerco di passare a studiare per il
quartetto. Guardo la musica per la nostra prossima prova, ma
non riesco a concentrarmi. Invece metto nel lettore un CD di un
trio per pianoforte di Beethoven, quello in do minore sul quale
ormai molti anni fa mi aveva interrogato Carl Käll.

Che meraviglie sono le prime opere da lui numerate, un trio
di trii che dicono al mondo: sì, posso accettare di farmi conoscere per questi lavori. Dei tre, la gemma è questo, opera 1 numero 3. Carl, naturalmente, non era d'accordo: lo considerava il
più debole.

Era quello che Julia preferiva fra tutti i trii di Beethoven.
Amava in particolare la variazione in minore del secondo movimento, anche se, in quella calma malinconia, il violino e il violoncello le sottraevano quasi la preminenza. Ogni volta che lo
ascoltava o lo suonava o addirittura ne leggeva la partitura,
muoveva lentamente la testa da parte a parte. E amava la chiusa
per nulla pirotecnica dell'intera opera.

Anche se l'ho ascoltato spesso, non l'ho mai suonato una sola
volta in questi ultimi dieci anni. Quando partecipo a qualche
trio d'occasione, ogni volta che viene suggerito come possibilità, convinco gli altri a rinunciare, talvolta dicendo che non mi
piace. Quanto alle incisioni: nessuna mi ricorda come lo suonava lei, anche se qualcuna riesce a placarmi il cuore.

Ma cosa mai mi ha ricordato il suo modo di suonare? Talvolta una frase o due in un concerto, talvolta qualcosa di più, ma
niente che duri molto a lungo. Sostenere che nel suo modo di

suonare c'era una speciale naturalezza non dice molto: dopo tutto, ognuno suona secondo la propria natura. Legittima sorpresa, intensità, interiorità: è inutile cercare di trasmettere ciò che trasmetteva lei. Non riuscirei a descrivere la bellezza della sua musica più di quanto potrei spiegare ciò che provai quando la incontrai la prima volta. Qualche volta, in questi ultimi anni, accendendo la radio ho sentito suonare qualcuno che, ne ero convinto, doveva essere Julia. Ma qualche giro di frase non mi convince; e se continuo ad avere una speranza o un dubbio, l'annuncio alla fine me li toglie immancabilmente.

L'anno scorso ho sentito un pezzetto di Bach, in taxi, fra tutti i luoghi possibili. Io prendo raramente i taxi, sui taxi raramente si sente musica, e la musica che si sente è raramente classica. Ero quasi arrivato allo studio quando il tassista all'improvviso decise di sintonizzarsi su Radio 3. Era la fine di un preludio e l'inizio di una fuga: stranamente, in do minore. Questa è Julia, mi dissi. Questa è Julia. Tutto parlava di lei. Arrivammo; il tassista spense la radio; lo pagai e scappai via di corsa. Ero in ritardo a una prova, e comunque sapevo che dovevo per forza essermi sbagliato.

1.13

Virginie mi telefona per annullare una lezione. Quando aveva fissato la data non aveva controllato l'agenda. Adesso si è resa conto che aveva preso due appuntamenti. Una sua amica è appena arrivata da Parigi. L'amica non capirebbe, mentre io sì, e comunque aveva fissato prima l'altro appuntamento, perciò a me dispiaceva molto?

« Chi è quest'amica? » le chiedo.

« Chantal. Ti ho parlato di lei, no? È la sorella di Jean-Marie. » Jean-Marie è il penultimo fidanzato di Virginie.

« Va bene, Virginie. »

« Allora che data fissiamo? »

« Non posso parlarne adesso. »

« Perché no? »

« Sono impegnato. » Il fatto è che il modo di affrontare le cose da parte di Virginie mi lascia sgomento.

« O-oh! » dice Virginie, con un tono di rimprovero.

« O-oh tu. »

« Sei così scontroso, Michael. Hai aperto le finestre oggi? »

« Fa freddo. Non ho sempre voglia di aria fresca. »

« Oh, sì, il grande nuotatore polare ha paura del freddo. »

« Virginie, smettila di essere tediosa. »

« Perché sei di cattivo umore con me? Stai facendo qualcosa? »

« No. »

« Hai appena finito di fare qualcosa? »

« Sì. »

« Cosa? »

« Ho ascoltato della musica. »

« Quale musica? »

« Virginie! »

« Be', mi interessa. »

« Vuoi dire che sei curiosa: è una cosa del tutto diversa. »

« No, è solo un po' diversa. Allora? »

« Allora cosa? »

« Allora, cos'è questa musica misteriosa? »

« Il trio di Beethoven in do minore per pianoforte, violino e violoncello, opera 1 numero 3. »

« Cerca di essere carino, Michael. »

« Ci sto provando. »

« Perché quella musica ti ha fatto arrabbiare con me? »

« Non mi ha fatto arrabbiare con te, come dici tu. Non sono arrabbiato con te. Se sono arrabbiato con qualcuno, quel qualcuno sono io. »

« Mi piace molto quel trio », dice Virginie. « Lo sapevi che l'ha trascritto lui stesso per quintetto d'archi? »

« Che assurdità, Virginie. Oh, d'accordo, fissiamo una data per quella lezione e facciamola finita. »

« Ma è vero, Michael. Non l'ha trasportato né niente. »

« Virginie, credimi, se ci fosse un quintetto di Beethoven in do minore, di sicuro ne avrei sentito parlare, quasi certamente l'avrei ascoltato, e molto probabilmente l'avrei anche suonato. »

« L'ho letto nella mia *Guide de la musique de chambre.* »

« Non è possibile! »

« Aspetta. Aspetta. Aspetta un momento. » Torna al telefono dopo pochi secondi. Sento che sta voltando le pagine. « Ecco qua. Opera 104. »

« Che cosa hai detto? »

« Opera 104. »

« Ma è una follia. È all'altro capo della sua vita. Sei sicura? »

« Non sei più troppo occupato? Vuoi parlare con me, adesso? » chiede Virginie. Nella sua voce si sentono le sopracciglia inarcate.

« Oh, sì. Sì. Che cosa dice? »

« Vediamo », dice Virginie, traducendo con grande fluidità dal libro. « Dice che nel 1817 trascrisse il terzo trio con pianoforte dell'opera 1 per quintetto d'archi... L'aveva già fatto un dilettante e Beethoven scrive una, come si dice, una recensione umoristica secondo la quale l'orribile trascrizione amatoriale era un quintetto a tre voci, e Beethoven l'aveva fatto diventare veramente a cinque voci, trasformandolo da una grossa atrocità in qualcosa di presentabile. E la trascrizione originale a tre voci viene adesso offerta in solenne olocausto agli dèi degli inferi. È abbastanza chiaro? »

« Sì, sì. Ma è incredibile! Qualcosa d'altro? »

« No. Per il commento rimanda al trio. »

« Leggi sempre i manuali di consultazione da cima a fondo, Virginie? »

« No, stavo solo scartabellandolo, come dite voi. »

Scoppio a ridere. « Io non lo dico, Virginie. »

« Adesso sei contento? » mi chiede Virginie.

« Credo di sì. Sì. Sì, sono contento. Grazie, Virginie. Grazie, mi dispiace di non essere stato troppo carino con te, prima. Quando vuoi che fissiamo la lezione? »

« Giovedì della prossima settimana alle tre. »

« Non lasciamo passare un po' troppo tempo, così? »

« Oh, no. Non troppo. »

« Be', continua a studiare. »

« Oh, sì, certo », dice allegramente Virginie.

« Non è che ti sei inventata tutto? » le chiedo. « È solo che mi sembra così incredibile. » Ma non poteva essersi inventata sui due piedi tanti particolari così verosimili.

« Non dire stupidaggini, Michael. »

« E sono due violini, due viole e un violoncello, niente strane combinazioni, vero? »

« No. Così dice qui. »

« Opera 104? »

« Opera 104. »

1.14

« Opera 104? »

« Opera 104. »

« È molto strano, signore. In do minore? Be', non c'è nel catalogo dei CD. Non lo trovo sotto i quintetti di Beethoven. »

« Forse per qualche motivo è inserito nella lista dei trii per pianoforte. »

« Controllo subito... No, mi dispiace, non c'è nemmeno lì. Mi faccia provare col computer. Inserisco 'Quintetto per archi in do minore' e vediamo cosa salta fuori. No, non è di grande aiuto. Dice: 'Nessun disco soddisfa la richiesta'... Vediamo cosa succede se inserisco opera 104... Mi dispiace, ho paura che l'unica cosa che salta fuori è Dvořák... Non è che intendeva Dvořák, vero? »

« No, non intendo Dvořák. »

« Be', vuole che le ordini il trio, signore? »

« No, grazie. »

La voce della ragazza di Chimes è incredula. « Un quintetto in do minore di Beethoven. L'ha sentito lei, signore? »

« No, ma me ne ha parlato un'amica. È ben documentato. »

« Be', signore, ho paura che non abbiamo partiture che ri-
spondono a questa descrizione. Forse se mi lascia il suo numero
di telefono... »

« Aspetti, dovreste avere da qualche parte una lista dei numeri d'opera di Beethoven. Potrebbe controllare la 104? »

Un mezzo sospiro che è anche un mezzo sbuffo. « Penso proprio di sì. »

Quando torna, ha un perplesso tono di scusa. « Be', signore,
sembra che abbia ragione lei. »

« *Sembra*? »

« Voglio dire, ha ragione lei. Be', non so cosa dire. Mi dispiace. Noi non l'abbiamo, e non è comunque in commercio. »

« Ma è Beethoven, mica Engelbert Humperdink. È assolutamente sicura che non potete ordinarlo da qualche parte? »

C'è un istante di silenzio. Poi dice: « Mi è appena venuta in
mente una cosa. Può restare in linea un minuto? »

« Anche una settimana, se è necessario. »

Quando torna dice: « Ho cercato nelle microfiches. Non so
cosa penserà di questo. Le edizioni Emerson ce l'hanno in un
arrangiamento per quintetto per clarinetto. Partitura e parti.
Potremmo ordinarglielo. Sono trentadue sterline in tutto. Ci
vorranno solo un paio di settimane se ce l'hanno in magazzino.
Ma è tutto quello che esiste ».

« Quintetto per clarinetto? È assolutamente pazzesco. Be', lo
ordini, direi. No, no, lasci perdere. La richiamerò. »

La principale biblioteca musicale di Londra apre, ed è una cosa
piuttosto sorprendente, all'una del pomeriggio, così decido di
provare con quella di Manchester.

Telefono alla Henry Watson Music Library, la mia seconda
casa quando studiavo a Manchester e, ancora più importante,
per i tre anni fra scuola e conservatorio in cui dovevo guadagnarmi faticosamente da vivere. Allora non potevo permettermi
di comprare partiture e musica stampata. Se non fosse esistita
questa biblioteca, non so come avrei potuto realizzare il sogno

di diventare musicista. Le devo così tanto; di sicuro mi permetterà di doverle qualcosa di più.

Al telefono risponde una profonda voce maschile. Gli spiego che cosa desidero.

C'è una nota di leggera sorpresa nella risposta. « Questa trascrizione, è sua, vuole dire? Sì, certo, certo, se ha un numero d'opera deve essere per forza sua, no?... Aspetti un momento. »

Una lunga attesa. Due minuti, tre minuti. Alla fine:

« Sì, abbiamo una serie di parti per alcuni quintetti di Beethoven, e il suo è fra questi. Vediamo, adesso: c'è il 4, il 29, il 104 e il 137. Questa edizione è pubblicata da Peters, ma non so se è ancora in commercio. Noi ce l'abbiamo da decenni. Dagli anni '20, se non prima. E sarà lieto di sapere che abbiamo anche una partitura in miniatura, una Eulenburg. Anche questa molto vecchia. C'è scritto sopra '10 agosto 1916'. Be', ogni giorno si impara qualcosa di nuovo. Devo ammettere di non aver mai sentito parlare di un'opera 104 ».

« Non so come ringraziarla. Adesso l'unico problema è: io sto a Londra. »

« Non dovrebbe essere troppo difficile. Facciamo prestiti fra biblioteche, perciò qualunque biblioteca seria può mandarci la richiesta. »

« Per esempio la Westminster Music Library? »

« Sì, credo proprio di sì. Hanno avuto le loro... be', tribolazioni, ma dovrebbero essere ancora capaci, credo, di distinguere un quintetto da un trio. »

Sorrido. « Ha ragione, non sono proprio al massimo della forma », dico. « Ma ho sentito che anche voi in questi ultimi anni avete avuto i vostri problemi. Il comune brontola e così via. »

« Be', c'è stata molta confusione dal 1979 in poi. Non ce la siamo cavata troppo male, in confronto ad altre. Il problema è continuare. »

« Ho molte cose di cui ringraziare la vostra biblioteca », dico. « Sono stato a Manchester per sette anni. »

« Ah. »

Mentre parliamo, mi torna in mente la curva delle pareti, la luce attraverso le finestre, le pesanti scaffalature di mogano. E i libri, le splendide partiture, che potevo prendere in prestito anche prima di entrare in conservatorio, quando mi dibattevo per sopravvivere e risparmiare qualcosa e non potevo contare sul sostegno di nessuna istituzione accademica o musicale.

«Tra parentesi», continuo, «l'ultima volta che sono stato a Manchester ho notato che vi siete dotati di scaffalature moderne e vi siete liberati delle belle librerie antiche di mogano.»

«Sì.» Sembra che si sia messo un po' sulla difensiva. «Sono buoni scaffali robusti, ma, be', un po' scivolosi. Una volta risolto il problema della scivolosità serviranno benissimo ai nostri scopi.»

«Come pensate di farlo?»

«Nastro adesivo. O carta vetrata.»

«Carta vetrata?»

«Sì, carta vetrata: funziona benissimo. Sì, io sono a favore della carta vetrata. È strana, la carta vetrata: rende lisce le cose ruvide e ruvide le cose lisce... Comunque, non rimetterò a posto questo materiale. Lo terrò da parte: con un biglietto che dice che aspettiamo una richiesta di prestito da Londra?»

«Se si può. Grazie. Grazie infinite, davvero.»

Non riesco quasi a crederci. Suonerò questo quintetto appena riceverò la musica. Il Maggiore può aggiungere una seconda viola. So che, contrariamente al trio, nulla si impadronirà di me né mi paralizzerà il cuore e il braccio. Ma adesso ho la bramosia di ascoltarlo. Da qualche parte, a Londra, deve esserci per forza un'incisione.

Prendo l'autobus e trovo posto di sopra, davanti. È una giornata limpida e gelida. Il vento riesce a infilarsi fra i bordi del finestrino davanti a me. Le foglie secche dei platani sono state soffiate sulla strada. Posso vedere attraverso gli alberi nudi della Serpentine.

Ben presto, però, arrivo a Oxford Street, l'antitesi del verde e dell'acqua. Autobus rossi e taxi neri, come due specie ostili di formiche giganti, si impadroniscono delle corsie. Sui marciapiedi affollati, gli acquirenti prenatalizi corrono avanti e indietro come afidi impazziti.

Vado in tutti i negozi che trovo – Tower, HMV, Virgin, Music Discount, Centre, tutti – e parlo con innumerevoli commessi e sfoglio pagine e pagine nella bibbia dei CD prima che si faccia strada in me la consapevolezza che non esiste un CD con quest'opera e quasi certamente non ce n'è mai stato uno.

Deluso, telefono a Piers e gli chiedo consigli. Mi dice che crede di aver sentito dell'esistenza del pezzo, ma non sa cosa suggerirmi per trovare un disco. Allora telefono a Billy che, piuttosto stranamente per un compositore rigorosamente moderno, ha una grande fede nelle virtù del vinile.

« Mmm », fa Billy, « è solo un tentativo, però potresti provare da Harold Moore's. Hanno un sacco di vecchi dischi. Potrebbe esserci qualcosa, lì. Tanto non sei distante. Non perdi niente a farci un salto. »

Mi dà indicazioni e aggiunge: « Sarebbe meraviglioso suonarlo, se davvero esiste ».

« Niente 'se', Billy. Sono riuscito a trovare le parti e la partitura. »

« Oh, mi piacerebbe moltissimo esaminare la partitura », dice Billy con fervore, e il compositore in lui avanza in primo piano. « Mi piacerebbe tanto. Voglio dire, è una specie di riciclaggio, ma non è solo riciclaggio. Deve aver fatto molti cambiamenti, voglio dire cambiamenti sostanziali. Come fa un solo violoncello a fare due bassi? E molti passaggi della mano sinistra del piano non funzionerebbero con gli archi, non è vero? E... »

« Billy, mi dispiace davvero, ma devo andare. Ma grazie tante, sul serio. Ci vediamo stasera. »

Continuo di corsa la mia ricerca, rivitalizzato, e trovo il negozio. Dopo i vetri e le cromature dei titani di Oxford Street, frenetici di scale mobili, decibel e guardie private, Harold Moore's è un rifugio dickensiano, con alcune persone dall'aria equivoca e assonnata che cercano in scatoloni di cartone. Vengo indirizzato al seminterrato, e guardo in tutto quello che c'è. Parlo con un signore anziano che è molto servizievole ma, alla fine, incapace di fornire qualche aiuto.

« È sicuro che non intende l'opera 29? »

« Sì. »

« Be', scriva nome e indirizzo su questa scheda e se salta fuori qualcosa la contatteremo noi. »

Di sopra, noto un uomo dall'aspetto preoccupato che sta dietro un bancone sul retro del negozio, sto per uscire, e so che è un tentativo senza speranza, ma provo lo stesso anche con lui.

Chiude gli occhi e si picchietta le labbra con l'indice. « Sa, mi dice qualcosa. Non vorrei essere troppo ottimista, ma le dispiacerebbe scendere di nuovo da basso? C'è una pila di dischi dell'Europa orientale che sono lì da un po'. Non li ho ancora catalogati per compositori, ma ho il debole sospetto... È chiaro che potrei benissimo sbagliarmi, o anche se avessi ragione, potrebbe essere già stato venduto. »

Cinque minuti dopo estrae un disco, esamina entrambi i lati della busta e me lo passa.

1.15

A Regent Street salgo sull'autobus per tornare a casa. Il primo sedile sul davanti è occupato, così mi siedo accanto a un finestrino a metà del piano superiore. Dietro di me una mezza dozzina di studentesse francesi stanno ridendo, chiacchierando, discutendo.

Assaporo il mio prezioso disco. La fotografia sulla busta ritrae un'ampia sala, imponente nei suoi marroni e nelle dorature opache, con un elaborato parquet luccicante sul pavimento, un ordinato assortimento di vasi e quadri, un lampadario, un tappeto persiano, una porta con una mantovana che si apre su un'altra stanza, e questa su un'altra ancora, e tutta la suite è inondata di luce: un piacevole preludio alle delizie del vinile all'interno. L'unica leggera stranezza è un paletto di legno al centro del pavimento, del genere di quelli che immagino di solito attaccati a sfarzosi cordoni rossi per tenere indietro il pubblico. Non poteva essere spostato? È attaccato al pavimento? È in realtà un mobile, una specie di portacappelli per un cappello solo?

Quando l'autobus svolta in Oxford Street le ragazzine francesi cominciano ad applaudire.

Ci sono due quintetti di Beethoven sull'LP: il mio in do minore, così disperatamente cercato e così sorprendentemente trovato; e uno in mi bemolle maggiore, un'altra completa sorpresa, anche se ricordo che il bibliotecario aveva citato di passaggio il suo numero d'opera, il 4. Sono stati registrati (con l'aggiunta di una seconda viola) dal Quartetto Suk e pubblicati nel 1977 dall'etichetta cecoslovacca Supraphon. Secondo le note di copertina, i membri del quartetto, che fanno parte di orchestre, « godono di limitate opportunità di tenere concerti, ma ne hanno ricavato il massimo. Fanno lo sforzo sistematico di presentare opere poco popolari che ai loro occhi appaiono ingiustamente trascurate, e invitano altri strumentisti per esecuzioni di opere per organici insoliti, che altrimenti il pubblico ascolterebbe solo raramente. »

Bravi. Bravo il Quartetto Suk. Brava la Supraphon. Cosa avrei fatto senza di voi? Fra venti minuti sarò tornato a casa, ma non lo ascolterò subito. Stanotte, dopo la prova, arriverò a casa, accenderò una candela, mi sdraierò sulla trapunta e mi immergerò nel quintetto.

Mentre l'autobus avanza a strattoni per Oxford Street, rallentato dalle fermate, dai semafori, dagli ingorghi e dagli occasionali pedoni impazziti che gli si parano davanti, le ragazzine francesi si volgono a quella che mi sembra una discussione sui meriti di cosmetici rivali. Io ritorno alla copertina del disco.

Il Quartetto Suk, fondato nel 1968, si chiamava in origine Quartetto '69, un nome evidentemente non troppo meditato. Un anno più tardi, tuttavia, « adottò, con l'assenso degli amministratori del lascito del compositore Josef Suk, il suo nome attuale ».

Così la mia prima impressione che il nome avesse qualcosa a che fare con il violinista Josef Suk era completamente sbagliata. O forse no, perché noto che il testo tedesco e quello francese non citano la parola « compositore ». Ma il violinista era, dopo tutto, bisnipote del compositore... il quale, se ricordo bene, era genero di Dvořák, che, come me, era figlio di un macellaio. I miei pensieri stanno divagando furiosamente, e alzo gli occhi per vedere perché siamo fermi.

Siamo bloccati dietro una fila di autobus dopo il semaforo a metà di Selfridges. Volto leggermente all'indietro la testa per vedere uno dei miei punti di riferimento preferiti, la grandiosa statua rivestita d'azzurro dell'angelo di Selfridges, con i tritoni inginocchiati nell'omaggio. La statua e il suo eccentrico palazzo sono le uniche cose di Oxford Street che mi fanno sorridere.

I miei occhi non arrivano all'angelo di Selfridges.

Julia è seduta a un metro e mezzo da me, e sta leggendo un libro.

1.16

Nell'autobus accanto al mio, sul sedile direttamente accanto al mio, c'è Julia. Il suo autobus è fermo al semaforo.

Comincio a picchiare contro il finestrino e a gridare: «Julia! Julia! Julia! Julia! Julia!»

Non può sentirmi. Viviamo in due mondi separati e lontani.

Smetti di leggere, Julia. Guarda. Guarda fuori del finestrino. Guarda me. Oh, Dio.

Attorno a me i passeggeri smettono di parlare. Le ragazzine sono senza fiato. Nell'autobus accanto nessuno pare accorgersi di nulla.

Continuo a picchiare sul finestrino. In qualunque momento il suo autobus o il mio potrebbero ripartire.

Lei sorride per qualcosa che ha letto nel libro e il mio cuore sprofonda.

Un uomo seduto dietro di lei nota i miei gesti e il trambusto che ne è risultato. Ha un'aria perplessa ma non allarmata. Io mi metto a indicare disperatamente Julia e lui, con grande esitazione, la tocca sulla spalla e le indica me.

Julia mi guarda. I suoi occhi si spalancano per... per che cosa? la meraviglia? lo sgomento? per avermi riconosciuto? Devo sembrarle impazzito: ho il volto arrossato, gli occhi pieni di lacrime, i pugni serrati. Sono dieci anni più vecchio. Il semaforo scatterà fra pochi secondi.

Rovisto nel mio zainetto in cerca di una penna e di un pezzo di carta, scrivo il mio numero di telefono a grandi cifre e lo tengo premuto sul vetro.

Lei guarda il foglio, poi di nuovo me. I suoi occhi sono colmi di perplessità.

Insieme, i due autobus si rimettono in moto.

I miei occhi la seguono. I suoi occhi seguono me.

Guardo il numero sulla coda dell'autobus. È il 94.

Afferro il disco e mi precipito verso la scaletta. I passeggeri si aprono davanti a me. Le ragazzine sussurrano con aria meravigliata: «*Fou*».

«*Soûl.*»

«*Non. Fou.*»

«*Non. Soûl.*»

Il bigliettaio sta salendo per la scaletta. Non posso passargli accanto. Devo aspettare di lato. Sto perdendo tempo, sto perdendo tutto.

Finalmente arrivo di sotto, spingo via un paio di persone e salto giù dall'autobus in movimento.

Mi infilo nel traffico e raggiungo l'altra corsia. Ho perso troppo tempo. Il suo autobus è molto più in là, oltre una serie di altri autobus e di taxi. Cerco di farmi largo tra la folla, ma c'è troppa gente. Non lo raggiungerò mai.

Un taxi fa scendere un passeggero; una giovane donna, con le mani piene di pacchi, sta per prenderlo quando le passo davanti. «La prego», dico. «La prego.»

Lei fa un passo indietro e spalanca gli occhi. Salgo sul taxi. Al tassista dico: «Voglio raggiungere l'autobus 94 lì davanti».

Volta appena la testa, poi annuisce. Partiamo. Il semaforo diventa giallo davanti a noi. L'autista si ferma.

«Non può passare?» lo supplico. «Non è ancora rosso.»

«Mi tolgono la licenza», dice con aria irritata. «Che fretta c'è, comunque? Non risparmierà molto tempo.»

60

«Non è per quello», sbotto. «Su quell'autobus c'è una persona che non vedo da anni. Dobbiamo raggiungerlo assolutamente, lei potrebbe scendere.»

«Calma, amico», dice il tassista. Però fa del suo meglio. Dove la corsia si allarga per una fermata, sorpassa un autobus o due. Poi si restringe di nuovo e non possiamo più far niente. All'improvviso tutto si ingorga di nuovo. Solo i ragazzi dei corrieri in bicicletta riescono a passare abilmente fra le corsie bloccate. «Non può uscire da Oxford Street e rientrare più avanti?»

Il tassista scuote la testa. «Non qui, non si può.»

Dopo un altro sorpasso avventato l'autista mi dice: «Senta, amico, siamo più vicini però, per essere sinceri, non ce la farò a prenderlo, non in Oxford Street. Di solito il traffico è lento, ma non così lento. La cosa migliore che può fare è scendere adesso e andare a prenderlo a piedi».

«Ha ragione. Grazie.»

«Sono due sterline e sessanta.»

Nel portafogli ho solo un biglietto da cinque e non ho tempo di aspettare il resto. Gli dico di tenerlo e afferro lo zainetto.

«Ehi! Non da quella porta!» grida non appena apro quella di destra. Ma so che non avrei nessuna possibilità in mezzo alla folla che invade il marciapiede. L'unica speranza è correre fra le due file opposte del traffico.

Sudato, mezzo asfissiato dai gas di scarico, accecato da lacrime quanto mai inopportune, corro e boccheggio e continuo a correre. Dall'altra parte il traffico riparte, ma dalla nostra rimane per grazia di Dio immobile.

Raggiungo l'autobus appena prima di Oxford Circus. Attraverso la strada e salto su. Cerco di correre su per la scaletta ma non ce la faccio. Monto lentamente, colmo di speranza e di timore.

Julia non c'è. Al posto dove era seduta lei c'è un bambino con suo padre. Vado fino ai primi posti e osservo ogni volto. Scendo e osservo ogni volto. Lei non c'è.

Resto fermo in piedi. La gente mi lancia un'occhiata e poi si volta. Il bigliettaio, un nero con i capelli grigi, sembra che voglia parlare, ma non lo fa. Non mi chiede i soldi del biglietto.

L'autobus svolta in Regent Street. A Piccadilly Circus scendo con tutti gli altri. Attraverso qualche via, andando dove vanno quelli attorno a me. Il vento solleva piccoli detriti. Vedo l'insegna della Tower Record davanti a me.

Chiudo gli occhi, sconvolto. Ho lo zainetto in spalla ma le mie mani sono vuote. Ho lasciato il disco sul taxi.

Sotto la freccia di Eros mi siedo e piango.

1.17

Sotto la statua di Eros, fra turisti, spacciatori e ragazzi in affitto, resto seduto. Qualcuno mi parla ma non riesco a distinguere cosa dice.

Mi alzo. Mi avvio lungo Piccadilly, scendo in un sottopassaggio popolato da disperati infreddoliti, attraverso Hyde Park, finché arrivo alla Serpentine. Mi sono liberato di tutte le monete che avevo. Un sole bianco pende basso nel cielo. Le oche starnazzano. Mi siedo su una panchina e metto la testa fra le mani. Dopo un po' riprendo a camminare. Alla fine arrivo a casa.

Sulla segreteria telefonica lampeggia la luce dei messaggi e schiaccio subito il pulsante. Ma non c'è niente: un messaggio di Billy; un messaggio di quelli dei doppi vetri; un messaggio di qualcuno che crede che io sia la London Bait Company e venda esche per la pesca.

Come avrebbe potuto essere lei? Come fa una persona a memorizzare in pochi secondi sette cifre a caso, scarabocchiate, quasi illeggibili? Però il mio numero è sull'elenco del telefono. Di sicuro, dopo avermi visto, saprà come posso essere rintracciato.

Era lei. So che era lei. Eppure, potrei essermi sbagliato con gli occhi così come mi era successo con l'orecchio, quando qualcun altro suonava alla radio e tutto mi diceva che era lei? I capelli castano dorato, adesso portati più lunghi, gli occhi grigiazzurri, le sopracciglia, le labbra, tutto il suo viso tanto amato,

non possono esserci due volti così al mondo. Non era più lontana da me dei passeggeri sull'altra fila del mio autobus, ma
avrebbe potuto essere a Vienna. La sua espressione – era l'e-
spressione di Julia – perfino l'inclinazione della testa quando
leggeva, il modo in cui sorrideva, la sua concentrazione.

Un cappotto nero per difendersi da una giornata del genere,
un foulard blu pavone al collo. Cosa fa a Londra? Dove stava
andando? Dove è andata? È scesa anche lei per cercare me? Ci
siamo incrociati lungo Oxford Street? Forse era da qualche
parte in piedi sul marciapiede, a scrutare le moltitudini e a
piangere?

Quei due strati di vetro fra noi, come una visita in carcere
dopo molti anni da parte della donna amata.

Gli autobus sono famosi per viaggiare in carovana. Forse c'e-
ra un altro 94 davanti a quello dove sono salito, in cui Julia continuava a sedere quando avevo ormai perso la speranza? Perché
mi viene in mente adesso una cosa del genere, a cosa serve pensarci adesso?

Ha abitato a Londra in questi ultimi dieci anni? No, sarei di
sicuro venuto a saperlo. In Inghilterra? Cosa ci fa qui adesso?
Dov'è?

Il mio stomaco è in subbuglio. Ho la nausea. Come mai? La
camminata al freddo dopo aver sudato? Non ho mangiato quasi
niente in tutta la giornata.

Cosa ho potuto leggere nei suoi occhi? Confusione? Allarme? Pietà? Ho potuto leggere amore? Negli occhi di quella
donna ho potuto leggere amore?

PARTE SECONDA

2.1

ABBIAMO una prova e ci vado. Passa un giorno, poi un altro. Compro pane e latte. Mangio, bevo, mi lavo, mi faccio la barba. Dormo, quando sono spossato dalla veglia. Insegno. Vado alle prove. Guardo i telegiornali e assorbo parole. Scambio saluti con il nostro portiere e gli altri residenti del palazzo. Come è già successo un'altra volta, dopo la mia fuga da Vienna, il cervello e il corpo si governano da soli.

Anche se abita a Londra, Julia non è sull'elenco telefonico. Se non abita a Londra, potrebbe essere ovunque.

Non riesco nemmeno a rintracciare il disco perduto. Il tassista, mi dicono, dovrebbe averlo portato alla polizia, e da lì dovrebbe essere stato inviato al London Carriage Office. Provo a telefonare. Ricordo il numero del taxi? No. Dovrei richiamare dopo un paio di giorni. Lo faccio, senza risultato. Due giorni dopo richiamo di nuovo. Non mi danno molte speranze. Forse se l'è preso il passeggero seguente. È quel che succede quasi sempre con gli ombrelli. Se hanno notizie mi contatteranno. Ma prevedo già che quel disco non lo rivedrò mai più. Non sentirò ciò che ero arrivato così vicino ad ascoltare.

Parlo con Erica Cowan, la nostra agente. È sorpresa di sentire la mia voce. Di solito è Piers che tratta con lei. Le chiedo un consiglio per rintracciare Julia McNicholl.

Lei mi fa qualche domanda, annota qualche particolare, poi dice: «Ma come mai proprio adesso, Michael, all'improvviso, dopo tanti anni?»

«Perché l'ho vista l'altro giorno a Londra, su un autobus, e devo trovarla. Devo.»

Erica fa una pausa, poi dice, con serietà, esitando: « Michael, non potresti esserti sbagliato? »

« No. »

« E sei sicuro che vuoi far rivivere questo rapporto dopo questo... be', questo intervallo? »

« Sì. E una cosa, Erica: per piacere, tientelo per te. Cioè, non voglio che lo sappiano Piers, Helen o Billy. »

« Bene », dice Erica, compiaciuta della nostra complicità, « chiederò in giro in Inghilterra e chiederò anche a Lothar a Salisburgo se può aiutarci. »

« Sul serio, Erica, davvero? Grazie, grazie di cuore. So quanto sei impegnata. Ma – a proposito di Austria – c'è una violoncellista, Maria Novotny, che è molto attiva nel mondo musicale di Vienna che era – anzi *è*, penso – amica di Julia. Eravamo tutti e tre studenti alla Musikhochschule e suonavamo insieme in trio. Potrebbe essere... non so, ma potrebbe essere una traccia. »

« Potrebbe », dice Erica. « Ma non preferisci seguirla direttamente tu? »

« Non saprei », le dico. « Ho la sensazione che l'indagine di un agente – soprattutto di un agente locale come Lothar – funzionerebbe meglio. » Nel fondo della mia mente c'è una sensazione di disagio: che Maria possa sapere dov'è Julia, ma non voglia dirlo a me.

« E credi che la tua amica Julia McNicholl suoni ancora? » chiede Erica. « Non potrebbe aver abbandonato la musica? »

« È inimmaginabile. »

« Quanti anni avrà, più o meno? »

« Trenta. No, trentuno, credo. No, trentadue. »

« Quando l'hai vista l'ultima volta? Prima dell'altro giorno, voglio dire. »

« Dieci anni fa. »

« Michael, sei sicuro di volerla incontrare di nuovo? »

« Sì. »

« Ma dieci anni... Non è un po' eccessivo? »

« No. »

C'è una pausa, ed Erica diventa pragmatica. «C'è la A in Mac? Una L o due?»

«Niente A, due L. Oh, e una H dopo la C.»

«È scozzese? O irlandese?»

«Be', credo che suo padre sia per un quarto scozzese, ma agli effetti pratici lei è inglese. Cioè, inglese e austriaca, direi.»

«Farò un tentativo, Michael. Potrebbe essere l'inizio di una nuova carriera per me.» Erica, come quasi sempre, ha un'aria terribilmente allegra.

Se non riesce a trovarla Erica, il nostro Grande Capo Bianco che unisce in sé le qualità della matrona e dello squalo, non so proprio chi possa farcela. Ma ancora passano i giorni e, con l'arrivo dei primi bollettini di insuccessi da parte di Erica, le mie speranze si prosciugano.

Alla fine le dico che i genitori di Erica abitano a Oxford.

«Perché diavolo non me l'hai detto prima?» mi chiede Erica prendendo nota dei particolari, senza riuscire a soffocare una certa irritazione. «Ci avrebbe fatto risparmiare tempo.»

«Be', Erica, hai ragione, ma pensavo che sarebbe stato meglio tentare prima la via professionale. Non volevo farti perdere tempo, ma preferivo non disturbare i genitori.»

«Michael, lascerei a te questa parte dell'indagine.»

«Non posso. Davvero non posso. Ho provato una volta, molti anni fa, e non c'è stato niente da fare. Tu sei stata così gentile, e mi vergogno di chiederti anche questo. È solo che non posso farlo io.»

Erica sospira. «Non so neanche come dirlo. Non mi sento del tutto a mio agio riguardo a questo, be', progetto. Ma ti voglio bene, Michael, e farò un ultimo tentativo. Se la trovo, tutto quello che posso fare è fare in modo che lei sappia come mettersi in contatto con te.»

«Sì. È giusto. Accetto questa condizione.»

Erica mi telefona il weekend seguente. «Indovina da dove chiamo.»

«Non ne ho idea... No, ho indovinato. Erica, non dovevi disturbarti tanto.»

«Be',» dice Erica, «Oxford non è molto più lontana di certe

parti di Londra. Un vero segugio va alla fonte. In più, dovevo già incontrare un'altra persona qui », aggiunge rapidamente.

« E? »

« Michael, le notizie non sono buone », dice d'un fiato Erica. « Al college mi hanno detto che il professor McNicholl è morto cinque o sei anni fa. Credono che la moglie sia tornata in Austria, ma non hanno più il suo indirizzo. Quanto a Julia, non ne sanno assolutamente nulla. Il numero di telefono che mi hai dato è ancora attivo – devi aggiungerci un 5 davanti, tra parentesi – ma appartiene ad altre persone. E sono andata a vedere la casa sulla Banbury Road. Gli attuali proprietari l'hanno comprata da altra gente, perciò è passata di mano almeno due volte. »

Non riesco a trovare niente da dire. Erica continua: « La pista è fredda. Mi dispiace tanto. Stavo cominciando a divertirmi, e per qualche motivo stamattina ero sicura che ci sarei riuscita. Be', eccoci qua. Però ho pensato di chiamarti da Oxford per dirtelo, e per chiederti se ti viene in mente qualche altro posto qui dove potrei andare ».

« Hai già tentato tutto », le dico sperando di nascondere la delusione. « Sei stata meravigliosa. »

« Lo sai, Michael », mi dice Erica, con un improvviso tono di confidenza, « una volta una persona è scomparsa completamente dalla mia vita. Se n'è andata via. Ci ho messo anni, non per capire – capire non ho mai capito; ancora adesso non so perché è successo con un preavviso così breve – ma per rassegnarmi. Ma adesso, quando guardo mio marito e i miei figli, penso: grazie a Dio. »

« Be'... »

« Devi assolutamente venire a cena da noi una di queste sere », dice Erica. « Da solo. No, con gli altri. No, da solo. Cosa ne dici di giovedì prossimo? »

« Erica... Preferirei starmene per conto mio per un po'. »

« Sì, certo. »

« È molto gentile da parte tua, sul serio. »

« Figurati. Puro calcolo. Nutro il mio gregge. Spazzo le mie stalle. E, come ti ho detto, avevo già un appuntamento qui. È meravigliosa Oxford questo pomeriggio, è tutta luccicante dopo la pioggia. Ma parcheggiare è un incubo. Come sempre. Bye bye.»

Il saluto è seguito da due baci sonori, poi Erica riattacca.

2.2

Passano i giorni. Non sopporto la compagnia degli altri, ma quando sono solo la memoria mi fa stare male.

Mi attacco a una routine in una vita che, per sua natura, consiste – a parte le lezioni, i cui orari sono stabiliti da me – di date arbitrarie: per i concerti con il quartetto, per le prove, per lo studio, per le mie partecipazioni come aggiunto ai concerti e alle prove della Camerata Anglica.

Faccio lezione a Virginie, ma trovo qualche scusa per non fermarmi da lei. Lei avverte un problema. Come potrebbe ignorarlo? Talvolta mi guarda con un'espressione di dolore misto a iroso sconcerto.

L'unico punto fisso della settimana è la nuotata del sabato mattina. Se la saltassi, crollerebbe qualsiasi struttura nei miei giorni.

Oggi, tuttavia, c'è una differenza. I Serpenti d'acqua vengono ripresi dalla TV. Ognuno di noi fa del suo meglio per apparire imperturbabile.

Non fa troppo freddo per essere una mattina di novembre, ma siccome il programma verrà trasmesso verso Natale sembrerà che faccia più freddo. Le tre belle ragazze ingaggiate dallo studio presentano l'evento. Stanno sulla lunga piattaforma per i tuffi, tremando di freddo in costume da bagno e squittendo in maniera esagerata. Phil e Dave ululano e fischiano e vengono zittiti dalla troupe. «Ooooh», dice una delle ragazze, «torneremo qui dopo la pausa, abbiamo una voglia matta di farlo ma...» La telecamera stacca sui cigni e le oche che nuotano sul lago e vagano sulla riva. Il piccolo Lido sembra straordinariamente pulito. Salta fuori che Phil ha spazzato i loro luridi escrementi, montagne di escrementi, nell'acqua. «Dove se no?» dice e scrolla le spalle.

Compare un golden retriever e nuota insieme al padrone. La ripresa non è soddisfacente. Cane zuppo e padrone ghiacciato vengono rimandati in acqua.

Poi comincia la nostra gara. Giles assegna gli handicap sulla base dei nostri risultati precedenti. Andiamo sul trampolino e ci tuffiamo, prima il più lento, poi col passare dei secondi uno a uno gli altri, chiamati a gran voce. Andy, il giovane studente di legge, si tuffa per ultimo. Di solito il suo handicap è così pesante che non ha la minima possibilità di vincere.

Ognuno emerge tremante e valoroso. Nello spogliatoio le telecamere vengono mandate fuori.

«Non potete entrare qui, è privato.»

«Perché, Phil, c'è qualcosa di cui ti vergogni?» chiede Dave. «Facciamo entrare le pupe. E la loro troupe.»

Andy, d'improvviso preoccupato, si infila la camicia e si toglie il costume solo dopo essersi coperto con i lembi.

«Barzelletta sulle suore! Barzelletta sulle suore!» grida Gordon. «Silenzio per la barzelletta sulle suore. Ci sono quattro suore che muoiono e arrivano in paradiso...»

«Sta' zitto, Gordon. Questo era un club per bene», dice qualcuno ridendo.

«Prima che arrivassi io», dice orgogliosamente Gordon.

Il bollitore fischia. Mentre Phil fa il tè, il lugubre Ben mi inchioda in una conversazione. Ben, prima della pensione, era un ispettore veterinario.

«Sono a dieta. Mangio solo pere», dice con gravità. «Pere e acqua.»

«Mi sembra un po' assurda, come dieta», gli dico.

«Tre chili di pere.»

«Perché?» gli chiedo, domandandomi – ma non rivelandogli il mio dubbio – se si tratta della quota giornaliera o settimanale, e se non gli è consentito mangiare altro.

«Prostata.»

«Oh», mormoro con aria partecipe. La sua risposta non mi

ha illuminato, ma non ho un desiderio spasmodico di lumi.
«Ah, il tè. Vado a prendertene una tazza.»

Il cane abbaia e mendica qualcosa. Phil intinge nel suo tè un biscotto di farina d'avena, e ne dà metà al cane.

Dopo essermi rivestito saluto tutti e mi avvio.

«Arrivederci, Mike.»

«Ci vediamo la settimana prossima.»

«Fai il bravo.»

Tre cigni volano bassi sull'acqua e sulla terra. Sulla riva più lontana, una pattuglia di poliziotti a cavallo avanza al passo, con i caschi e le corazze che scintillano al sole. Sul ponte a tre arcate alla mia sinistra il traffico si ferma e riparte. La troupe della TV è ancora sulla piattaforma dei tuffi, ma non c'è traccia delle tre belle ragazze.

Torno a casa passando sotto il ponte, lungo il lago. Vicino a Bayswater Road mi fermo a bere. La fontanella è sormontata da una piccola statua in bronzo di due orsi, abbracciati in una zuffa giocosa. Mi scopro a sorridere. Dopo aver bevuto, li ringrazio accarezzandoli sulla testa, e torno a casa.

2.3

Di fronte ad Archangel Court c'è un prato rasato racchiuso da una bassa siepe. Qualche aiuola, una vasca per i pesci rossi, un agrifoglio ricoperto da una clematide rampicante: se ne prende cura il nostro giardiniere part-time, un cugino di Rob. Di solito è taciturno quanto Rob è chiacchierone.

Sto attraversando questo piccolo tratto di verde quando noto una donna vestita con un tailleur pantalone – magra, truccata pesantemente, a prima vista verso la sessantina – che cammina con passo sostenuto sul sentiero. Do un'occhiata a lei e lei a me: probabilmente entrambi ci stiamo domandando se, in qualità di estranei che si dirigono verso lo stesso edificio, dovremmo scambiarci un saluto amichevole.

Quando arrivo anch'io a prendere il sentiero, la donna si volta direttamente verso di me. « Non credo che dovrebbe camminare sull'erba », dice con un accento sdegnoso impastato di sterco di cavallo che mi dà ai nervi.

Mi ci vuole un secondo o due per riprendermi. « Be', di solito non lo faccio », le dico, « ma ogni tanto lo trovo molto piacevole. Grazie per avermi comunicato la sua opinione sull'argomento. »

C'è una pausa, e camminiamo fianco a fianco. Le apro la porta esterna ma – dato che non l'ho mai vista prima e, comunque, non mi sento troppo galante – non quella interna. Ho la chiave elettronica in mano, ma aspetto che lei rovisti nella borsa. Sembra piuttosto seccata dalla nostra prossimità, dato che siamo schiacciati fra due lastre di vetro.

« Tra parentesi », le dico, « come mai le è saltato in mente di parlarmi se aveva da dirmi solo questo? »

Abbassando la voce ma con fermezza la donna dice: « Stavo pensando all'erba ».

Rob, in piedi dietro il bancone dell'atrio, alza la testa dal *Daily Mail*, si accorge di noi e apre la porta. La donna percorre il corridoio fino all'ascensore lontano. Io aspetto il mio, quello vicino.

« Fatto amicizia con Bee? » mi chiede Rob.

Gli racconto la nostra strana conversazione, e lui scoppia a ridere.

« Oh, sì, Bee sa essere piuttosto dura... Sono appena arrivati. Una settimana fa, dal Sussex. Suo marito non sopporta che la gente cammini sull'erba. Qualche giorno fa lui mi ha detto: 'Rob, ci sono dei bambini che giocano sull'erba'. 'Che bellezza', faccio io. Dopo tutto, a cosa serve l'erba, se no? »

Un corriere vestito di pelle nera suona il campanello e Rob lo fa entrare.

« Pacco per il numero 26. Le spiace firmare? » chiede a Rob. Evidentemente ha fretta di continuare il suo giro.

« Numero 26, è la signora Goetz. È ancora in casa. Ti conviene darglielo direttamente. L'ascensore più lontano... Oh, a proposito, Michael. Un tassista ha lasciato questo per te. Eri fuori, per cui l'ha dato a me. »

Allunga una mano verso lo scaffale dietro il banco e mi passa una busta di plastica bianca. Io la fisso a occhi spalancati.

«Tutto bene?» chiede Rob.

«Sì, sì», dico sedendomi sul divano.

«Niente di male, spero, Michael», dice Rob. Squilla il telefono. Lui lo ignora.

«Al contrario», dico. «Mi dispiace... È solo che non riesco a credere che uno possa... Ha lasciato un biglietto? Non ha detto niente?»

«No, solo che l'avevi lasciato sul suo taxi, e che era contento di averti ritrovato.»

«Che faccia aveva?»

«Non ho fatto molta attenzione. Bianco. Con gli occhiali. Sui quaranta. Basso. Ben rasato. Sarà rimasto sul nastro del circuito chiuso se vuoi vederlo. È stato non più di venti minuti fa.»

«No, no. Credo che andrò di sopra.»

«Sì, sì, conviene. Significa molto per te, questo disco?» dice Rob, un po' confuso.

Faccio cenno di sì, e premo il bottone dell'ascensore.

2.4

Senza sciacquarmi la Serpentine di dosso metto il quintetto sul giradischi. I suoni riempiono la stanza: così familiari, così amati, così diversi, in una maniera che mi turba e mi affascina. Dal momento, a dieci battute appena dall'inizio, in cui non è il pianoforte che risponde alla domanda del violino ma il violino che provvede da sé alla propria risposta, fino all'ultima nota dell'ultimo movimento, dove il violoncello, invece di suonare la terza, sostiene con la sua nota più bassa, più risonante, più aperta il sobrio e meraviglioso accordo di do maggiore, mi ritrovo in un mondo di cui mi sembra di sapere tutto e niente.

Le mie mani percorrono le corde del trio in do minore mentre le orecchie cantano insieme al quintetto. Qui Beethoven mi

74

deruba di ciò che mi appartiene, dandolo all'altro violino; lì mi concede i territori più acuti di ciò che suonava Julia. È una traduzione magica. Lo riascolto dall'inizio alla fine. Nel secondo movimento è il primo violino – chi altri? – che canta quello che era il tema del pianoforte, e le variazioni assumono una distanza strana e misteriosa, come se fossero, in un certo senso, variazioni di secondo grado, varianti orchestrali di variazioni, ma con cambiamenti che vanno oltre ciò che si spiega con la pura orchestrazione. Devo suonarlo con il Maggiore, devo assolutamente. Se facessimo venire per amicizia una viola e lo suonassimo semplicemente una volta fra noi, di sicuro a Piers non importerebbe di lasciarmi per una volta la parte di primo violino.

Ancora non capisco come abbia fatto il tassista a trovarmi. L'unica possibilità che mi viene in mente è che abbia esaminato il sacchetto o lo scontrino, che sia andato da Harold Moore's il giorno stesso in cui ho dimenticato il disco, che il vecchio nel seminterrato si sia ricordato che avevo appena compilato una schedina col mio indirizzo. Ma poi Bayswater è rimasta fuori dai suoi itinerari per così tanti giorni di fila? Forse era in vacanza? E cosa lo ha spinto a un simile sforzo, a una tale gentilezza? Non so il suo nome né il numero del taxi. Non posso rintracciarlo né ringraziarlo. Ma in questa musica, intrecciata nella mia mente a così tante memorie extramusicali, anche questo strano gesto ha trovato una sorta di giusta dimora.

2.5

Scrivo a Carl Käll: è una lettera goffa, in cui gli auguro ogni bene per i suoi anni di pensione e dico ben poco di me. Però gli scrivo che sono felice che ci abbia sentiti a Stoccolma, e che non si sia vergognato del suo allievo. So che non mi sono costruito la carriera che lui aveva previsto per me, ma sto suonando la musica che amo. Se mai ripenso a Vienna, è sempre ai primi tempi. Questo non è vero, ma perché allargare una spaccatura fra due estranei, fra due che si sono allontanati per sempre?

Aggiungo che se sono diventato esigente con me stesso, lo devo a lui, e alla mia ammirazione per lui. In gran parte questo corrisponde alla verità.

Era un canzonatore: «Oh, voi inglesi! Finzi! Delius! Sarebbe stato meglio restare in una terra senza musica che avere musica come quella». E un seduttore: quando una volta io e Julia suonammo per lui, si affannò a elogiare lei, con disinvoltura, acutamente, esageratamente. Lei non riusciva a capire quali colpe potessi trovargli, né allora né in seguito. Lei mi amava, sì, ma lo considerava un difetto mio. Del resto, quando l'avevo conosciuto a Manchester, Carl non aveva ugualmente sedotto me?

Perché fra noi lo chiamavamo Carl? Perché era il modo che avrebbe detestato di più. «Herr Professor, Herr Professor.» Cosa aveva a che fare con quegli inchini, con quell'umiliazione strisciante, con quel servilismo dell'anima il nobile suono che sapeva creare? Ma perché crucciarsi per questo quando ho il presente a cui rivolgermi?

Dicembre avanza. Una mattina, molto presto, cammino sul sentiero appena fuori da Archangel Court quando mi fermo all'improvviso. Dieci metri davanti a me c'è una volpe. Sta fissando con attenzione un cespuglio di alloro. C'è una luce grigia, e un lampione traccia ombre nette. All'inizio credevo che fosse un gatto, ma solo per un istante. Trattengo il respiro. Per almeno mezzo minuto nessuno dei due si muove. Poi, per qualche ragione – un suono involontario, un cambio di vento, diffidenza innata – la volpe volta la testa e mi guarda. Mi fissa negli occhi per svariati secondi. Poi attraversa con calma la strada, a passi felpati, diretta verso il parco, e si perde nella nebbia.

Virginie sta per tornare a Nyons per qualche settimana: passerà il Natale con la famiglia e poi farà un giro con alcuni vecchi compagni di scuola: Montpellier, Parigi, Saint-Malo. Mi rendo conto che è un sollievo.

La immagino sfrecciare sulle autostrade con la sua piccola Ka nera. Io non possiedo una macchina. Di solito sono Piers o Helen o Billy – i miei archi di sostegno – a darmi un passaggio quando suoniamo fuori città. Mi piace guidare; forse dovrei comprarmi qualcosa di seconda mano. Ma non ho molti risparmi, e ho troppe altre spese a cui pensare: reali, come il mutuo; potenziali, come comprarmi un buon violino. Il mio Tononi è in prestito: un prestito generoso, ed è nelle mie mani da anni, ma non esiste alcun pezzo di carta che sostenga i miei diritti su questo pezzo di legno. Lo amo, e mi risponde perfettamente, ma appartiene alla signora Formby, e a un suo cenno potrebbe essermi tolto e finire, senza essere suonato, senza essere amato, senza parlare per anni, in un armadio. Oppure lei potrebbe morire presto, e il violino essere inghiottito nell'eredità. Cosa gli è successo negli ultimi duecentosettant'anni? Quali mani seguiranno le mie?

La campana della chiesa suona le otto. Resto sdraiato a letto. Le pareti della mia camera sono spoglie: niente quadri, niente poster, niente tappezzeria a disegni; solo vernice, bianca e magnolia, e una piccola finestra attraverso la quale, così sdraiato, posso vedere solo il cielo.

2.6

La vita si assesta in una solitudine sopportabile. Il ritorno di quel disco ha cambiato le cose. Ascolto trii e sonate che non sentivo dai tempi di Vienna. Ascolto le *Suites inglesi* di Bach. Dormo meglio.

Il ghiaccio comincia a formarsi sulla Serpentine, ma i Serpenti d'acqua continuano a nuotare. Il vero problema non è il freddo, che comunque non può scendere sotto lo zero, ma gli aghi e le schegge taglienti del ghiaccio che galleggia.

Nicholas Spare, il critico musicale, invita me e Piers (ma non Helen e Billy) al suo party prenatalizio: torte di frutta secca, punch potente e pettegolezzi virulenti inframmezzati da canti di Natale pestati dallo stesso Nicholas su un piano a coda scordato.

Nicholas mi irrita: perché allora vado al suo party annuale? E perché, d'altro canto, lui mi invita?

« Ragazzo mio, sono assolutamente infatuato di te », mi dice, anche se è un po' difficile che io sia il ragazzo suo, dato che Nicholas ha solo un paio d'anni più di me. In più, Nicholas è infatuato di tutti. Rivolge a Piers uno sguardo carico di lussuria sincera, ma lievemente esagerata.

«Ieri sera ho incontrato Erica Cowan al Barbican», dice Nicholas. «Mi ha detto che il vostro quartetto sta facendo furore, che suonate dappertutto: Lipsia, Vienna, Chicago, snocciolava nomi come un agente di viaggi. 'Impressionante', le ho detto. 'E come fai a procurargli contratti così meravigliosi?' 'Oh', fa lei, 'ci sono due mafie nella musica, la mafia ebraica e la mafia gay, e fra me e Piers copriamo tutte le possibilità.'»

Nicholas emette una specie di risata sbuffante, poi, notando che Piers, tutt'altro che divertito, fuma di rabbia, addenta una fetta di torta.

«Erica esagera», dico io. «Le cose per noi sono piuttosto incerte; come per la maggior parte dei quartetti, immagino.»

«Sì, sì, lo so», dice Nicholas. «Le cose vanno male per tutti tranne che per i Tre Tenori e Nigel Kennedy. Non ditemelo. Se lo sento un'altra volta, mi metto a urlare.» I suoi occhi vagano sulla stanza. «Devo venire ad ascoltarvi di nuovo, qualche volta, sul serio. È davvero un peccato che non abbiate dei dischi. Suonate alla Wigmore il mese prossimo, vero?»

«Perché non scrivi qualcosa su di noi?» dico. «Sono sicuro che Erica deve avertelo proposto. Non so come facciamo a farci conoscere. Nessuno ci viene mai a recensire.»

«È colpa dei giornali», fa Nicholas. «I redattori vogliono solo opera e musica contemporanea. Pensano che la musica da camera sia una roba stagnante; il repertorio standard, voglio dire. Dovreste commissionare qualcosa a un compositore davvero bravo. È questo il modo per farsi recensire. Vi presento a Zensyne Church. È quello laggiù. Ha appena scritto uno splendido pezzo per baritono e aspirapolvere.» ·

«I giornali?» dice Piers con disprezzo. «Non è colpa dei giornali. È colpa di gente come te, che è interessata solo alle cose di moda, di tendenza. Sei tu che preferisci andare alla prima mondiale di qualche spazzatura piuttosto che ascoltare una grande esecuzione di un pezzo che trovi noioso solo perché è buono.»

Nicholas Spare si crogiola al fuoco di quell'attacco. «Divento matto quando ti appassioni, Piers», dice per provocarlo. «Cosa diresti se venissi alla Wig e scrivessi una recensione del vostro concerto? E se lo inserissi nella rubrica degli eventi musicali da non perdere?»

«Resterei senza parole», dice Piers.

«Be', te lo prometto. Hai la mia parola d'onore. Cosa suonate?»

«Mozart, Haydn, Beethoven», dice Piers. «E fra i vari pezzi c'è una connessione tematica che potresti trovare interessante. Ogni quartetto ha un movimento fugato.»

«Fugato? Meraviglioso», dice Nicholas, mentre la sua attenzione vaga per la casa. «E a Vienna?»

«Solo Schubert: *Quartettsatz*, quintetto della Trota, quintetto per archi.»

«Oh, la Trota», dice Nicholas, sospirando. «Com'è dolce. Tutto quel fascino tedioso. Odio la Trota. È così agreste.»

«Vaffanculo, Nicholas», dice Piers.

«Sì!» dice Nicholas illuminandosi. «Odio la Trota. La aborro. Mi fa star male. È così kitsch. Sa esattamente quali sono le mosse da fare, e le fa tutte. È leggera ed è trita. Sono sbalordito che ci sia ancora gente che la suoni. No, a pensarci bene non sono sbalordito. Certa gente dovrebbe farsi controllare le orecchie. In realtà, Piers, lo sai, le tue orecchie sono di gran lunga troppo grandi. Be', come stavo dicendo, io non sono uno snob – mi piace un sacco di musica leggera – ma...»

Piers, livido, rovescia un bicchiere di punch tiepido sulla testa del suo ospite.

2.7

Il giorno dopo abbiamo una prova a casa di Helen. Fratello e sorella hanno entrambi un'aria abbattuta. Il comportamento di

Piers ha fatto il giro. Helen lo ha sgridato per aver provocato Nicholas Spare, soprattutto dopo che aveva promesso di recensirci. Ma, come dice Piers, Nicholas aveva già fatto più volte quella promessa, sempre garantita dal suo sacro onore, aveva evitato Piers per un mese o due dopo il concerto non recensito, e poi aveva ripreso con i «Ragazzo mio» come se non fosse successo niente.

«Non sapevo che ti piacesse tanto la Trota», dico a Piers.

«Be', sì», dice Piers. «Tutti la trattano come se fosse una specie di *divertimento*, o peggio.»

«A me sembra che ci sia un movimento di troppo», dico.

«Helen, puoi passarmi una tazza di tè, per favore», bofonchia Piers. «Più è caldo meglio è.»

«Ritiro quello che ho detto», dico all'istante. «A quanto pare Billy è in ritardo come al solito. Cosa sarà questa volta? La moglie, i bambini o la Central Line?»

«Ha telefonato», dice Helen. «Non riusciva a infilare il violoncello nella custodia. Si era incastrato il puntale. Ma adesso sta arrivando. Dovrebbe essere qui da un momento all'altro.»

«Questa almeno è originale», dice Piers.

Quando arriva, Billy si profonde in scuse. Poi annuncia che ha qualcosa di molto importante da discutere. È qualcosa di strutturale che ha a che fare con il programma per la Wigmore Hall. È tutto il giorno che ci pensa. Sembra molto preoccupato.

«Dicci, Billy», fa Piers con un tono paziente. «Non c'è niente che mi piace più di una bella discussione strutturale.»

«Be', ecco, capisci, Piers, tu hai già deciso di essere scettico.»

«Avanti, Billy, non lasciarti smontare da Piers», dico io.

«Be', insomma», dice Billy, «mettendo Haydn, Mozart e Beethoven, in quest'ordine, abbiamo le relazioni di tonalità tutte mescolate. È una confusione totale. Prima tre diesis, poi un diesis, poi quattro. Non c'è il senso di una progressione, non c'è alcun senso di progressione, e il pubblico non può non avvertire uno stress strutturale.»

«Oh, no!» dice Piers. «È terribile. Adesso, se potessimo far scrivere a Mozart un pezzo con tre diesis e mezzo...»

Io e Helen scoppiamo a ridere, e Billy si unisce debolmente a noi.

« Be'? » dice Piers.

« Cambiamo l'ordine di Mozart e Haydn », dice Billy. « Questo risolve il problema. Ordine ascendente dei diesis, senso di una struttura percepita, nessun problema. »

« Ma Billy, il quartetto di Mozart è stato scritto dopo quello di Haydn », dice Helen.

« Sì », dice Piers. « Non pensi allo stress cronologico del pubblico? »

« Sapevo che avresti detto una cosa del genere », dice Billy con uno sguardo furbo, furbo per quanto possa esserlo Billy. « E ho una soluzione. Cambiamo il quartetto in la maggiore di Haydn. Facciamo un Haydn più tardi, un quartetto scritto dopo quello di Mozart. »

« No », dico io.

« Quale? » chiede Helen. « Solo per curiosità. »

« Quello in fa diesis minore dell'opera 50 », dice Billy. « Ha tre diesis, perciò non cambia niente altro. È terribilmente interessante. Ha ogni sorta di... Oh, sì, anche quel quartetto ha un fugato nell'ultimo movimento, così non viene turbato il tema generale del concerto. »

« No, no, no! » dico io. « Davvero, Billy, al pubblico non frega un accidenti dell'ordine dei diesis. »

« Ma a me sì », fa Billy. « A tutti dovrebbe fregarcene. »

« Non ha un movimento che passa a *sei* diesis? » chiede Piers, piuttosto dubbioso. « Ricordo di averlo suonato una volta da studente. È stato un incubo. »

« E in ogni caso sono convinto che è troppo tardi per far cambiare il programma alla Wigmore », dico rapidamente. « Probabilmente è tutto già stampato. »

« Be', chiamiamoli e chiediamoglielo », dice Billy.

« No, no! » dico io. « No, andiamo avanti con la prova. Stiamo solo perdendo tempo. »

Gli altri tre mi guardano sorpresi.

« Mi piace quello in la maggiore », dico. « Non cederò mai. »

« Uh », dice Billy.

« Oh », dice Piers.

« Ah », dice Helen.

« No, non cederò. Per quello che mi riguarda, quel quartetto è la vetta del concerto. Anzi, è il mio quartetto preferito. Di tutti i tempi. »

« Oh, d'accordo, era solo un'idea », dice Billy, arretrando dolcemente, come davanti a un matto.

« Davvero, Michael? » dice Helen. « Davvero? »

« Di tutti i tempi? » chiede Piers. « Il più grande quartetto di tutti i tempi? »

« Non ho detto che è il più grande », dico. « So che non è il più grande, qualunque cosa significhi questa espressione, e non mi importa molto cosa significa. È il mio preferito, ed è la cosa che conta per me. Perciò non facciamo Mozart e Beethoven, se volete, e suoniamo tre volte quello di Haydn. Così non ci sarà nessuno stress né strutturale né cronologico – e non ci sarà bisogno neanche di un bis. »

Il silenzio dura qualche secondo.

« Oh », ripete Billy.

« Be' », dice Piers. « Eccoci qui. Nessun cambio di programma: Michael ha posto il veto. Spiacente, Billy. Be', in effetti, non sono poi così spiacente. »

« A proposito di bis », dice Helen, « restiamo fermi sul piano segreto? Sarà un po' una scossa per il pubblico, ma, Billy, questa è una delle tue idee veramente brillanti. »

« Sì, brillante, Billy », dico io. « Dopo un concerto del genere, cos'altro sarebbe giusto? »

Billy è raddolcito.

« Be' », dice Piers, « Michael è quello che deve studiare di più per quel bis, e se gli piace l'idea, andiamo avanti. Però non so se ce la faremo. Ammesso che al pubblico piacciamo abbastanza perché ci chieda un bis. » Fa una pausa di qualche secondo. « Cominciamo a lavorare su questo, oggi. Lo facciamo tutto tranne quel problema della nota di Michael. Così intanto avremo un'idea di quello a cui tendiamo. »

Billy sembra che stia per dire qualcosa, ma ci ripensa e annuisce.

E così, dopo aver accordato gli strumenti e aver suonato la scala rituale, ci esercitiamo per più di un'ora su quei quattro minuti di bis. Ci immergiamo nella sua strana bellezza, intricata e ultraterrena. Talvolta smetto di respirare. È diverso da qualunque cosa il nostro quartetto abbia suonato finora.

2.8

Mancano tre giorni a Natale. Sto andando a nord.

Il treno è strapieno. Un guasto elettrico appena fuori della stazione di Euston ha causato mezz'ora di ritardo. La gente sta pazientemente seduta, legge, parla, guarda il muro fuori del finestrino.

Il treno si muove. Le caselle delle parole incrociate si riempiono. Cucchiaini di plastica agitano tazze di tè. Un bambino comincia a piangere forte e con determinazione. I telefoni cellulari trillano. I fazzoletti di carta si accartocciano. Fuori del finestrino il cielo grigio si oscura.

Stoke-on-Trent, Macclesfield, Stockport, e, finalmente, Manchester. È una giornata senza vento ma gelida. Non ho intenzione di fermarmi qui. Vado a ritirare l'auto che ho prenotato per raggiungere Rochdale. È un lusso, ma mi dà la possibilità di vagabondare per la brughiera ogni volta che mi pare e di portare la signora Formby a fare la sua gita.

« Tutte le nostre auto sono dotate di antifurto », dice la ragazza, con un largo accento di Manchester. Dà un'occhiata al mio indirizzo mentre mi porge le chiavi. Mi sembra che mi sia già ritornato un po' del mio accento.

Oltrepasso le statue eroiche di Piccadilly Square, l'edificio nero e a vetrate che ospitava il *Daily Express*, oltrepasso la Habib Bank e l'Allied Bank of Pakistan, i magazzini all'ingrosso di abbigliamento, un museo ebraico, una moschea, una chiesa, un McDonald's, una sauna, uno studio di avvocati, un pub, un noleggio di videocassette, Boots, fornai, un bar, un posto dove vendono kebab... Oltrepasso una grigia torre telefonica con le sue pustole di riceventi e trasmittenti, un delfinio infernale. Guido finché le ultime propaggini di Manchester lasciano il posto a chiazze di verde e contro il cielo che si oscura vedo un cavallo in un campo, una o due fattorie, castagni spogli e platani e, presto, il buio sperone roccioso dei Pennini che ripara la città dove sono nato.

Tutti i miei compagni di scuola di Rochdale se ne sono andati. A parte mio padre e la zia Joan e la signora Formby e un vecchio insegnante di tedesco, il professor Spars, non ho legami viventi con questa città. Eppure ciò che le è accaduto, la sua lenta morte per sventramento, mi riempie di una tristezza fredda.

Il cielo dovrebbe essere spazzato da un vento gelido. È una giornata troppo calma. Ma le previsioni del tempo dicono neve. Domani andremo tutti e tre a pranzo da Owd Betts. La vigilia di Natale andremo in chiesa. Il giorno di Santo Stefano, come al solito, porterò la signora Formby a Blackstone Edge. Non desidero visitare il cimitero. Resterò seduto per un po' in questa Toyota bianca con antifurto e chiusura centralizzata, in mezzo al parcheggio dove un tempo c'era la casa della nostra famiglia, e poserò una rosa bianca – il suo fiore preferito – sul luogo spianato e – lo spero – ricoperto di neve dove mia madre ha trascorso la vita.

2.9

Mio padre sta seduto in poltrona con Zsa-Zsa in braccio e sonnecchia. Da un paio di giorni soffre il tempo. Il pranzo da Owd Betts è stato rinviato a dopo Natale. Lui non se la sente nemmeno di andare in chiesa stasera. La zia Joan crede che sia la pigrizia.

Vischio e agrifoglio decorano il piccolo salotto, ma da quando è morta la mamma non si fa più l'albero di Natale. La casa è piena di biglietti d'auguri, non più appesi allo spago come un tempo, ma distribuiti su tutte le superfici piane della casa. È difficile appoggiare un bicchiere.

Un po' di gente passa a fare gli auguri: vecchi amici dei miei genitori o di zia Joan, gente che ci conosceva ai tempi in cui avevamo la macelleria, vicini. La mia mente vaga. Il vicino di due case più in là è morto di cancro al fegato. Irene Jackson si è sposata con un canadese, ma non durerà. La nipote della signora Vaizey ha abortito al quarto mese. Un camion si è schiantato contro il negozio di Susie Prentice, e come se non bastasse il marito è scappato con la sua migliore amica, una donna straordinariamente insignificante, e li hanno rintracciati in un hotel di Scunthorpe.

« Scunthorpe! » esclama la zia Joan, entusiasta e sbigottita.

Nella buona e nella cattiva sorte, pace in Terra, cenere alla cenere.

Io e Zsa-Zsa siamo sempre più inquieti e usciamo insieme. Un pettirosso saltella sulla ghiaia sotto il muricciolo. L'asprezza dell'aria mi schiarisce la testa. Zsa-Zsa occhieggia con attenzione il pettirosso.

Quando ero alle medie, attraversai una fase in cui dovevo assolutamente avere topolini bianchi. Riuscii a comprarne due. Mia madre ne era terrorizzata e non aveva intenzione di farmeli tenere in casa, così abitavano in un vecchio bagno all'aperto vicino ai bidoni della spazzatura. Una mattina mi imbattei in una scena d'orrore. Un topo era morto. L'altro gli aveva divorato la testa.

Zsa-Zsa abbassa le spalle e striscia in avanti. Il nanetto dei vicini continua a sorridere, imperturbabile.

2.10

Quando avevamo la bottega, Natale era un periodo complicato e pieno di lavoro. Tutti venivano a prendersi il tacchino – o volevano farselo consegnare – all'ultimo momento. Da ragazzino, aiutavo a fare le consegne. Riuscivo a portarne due per volta sulla bicicletta (due erano sempre più facili da bilanciare di uno), ma anche se papà me l'aveva suggerito spesso, mi rifiutavo di fissare un cestino di fil di ferro al manubrio. Finché riuscivo in qualche modo a svolgere il mio lavoro, perché rovinare l'aspetto della mia bicicletta che, avvicinata solo dalla radio, era il mio bene più prezioso?

L'enorme frigorifero di legno – più un guardaroba che un frigo, dato che ricopriva un'intera parete della cantina – in dicembre era pieno di carcasse rosee. Si chiudeva a scatto con una grandiosa cadenza meccanica. E quando si avviava il formidabile motore posto nell'angolo a sinistra, completo di volano e protezione metallica, il rombo sbuffante faceva vibrare il soggiorno al piano superiore.

Il giorno del mio sesto compleanno, mentre giocavo a nascondino con i miei amici, stabilii che il frigorifero sarebbe stato uno splendido nascondiglio. Indossai un paio di maglioni, strisciai dentro e, con qualche sforzo, riuscii a tirare la porta verso di me fino a farla scattare. Dopo pochi secondi in quel posto ingombro, buio, gelido ero già pronto ad andarmene. Ciò che non avevo considerato era che, una volta chiusa la porta, io non sarei riuscito ad aprirla dall'interno.

I miei pugni e le urla erano quasi coperti dal ringhio del motore e dalle grida dei bambini che giocavano. Tuttavia, non possono essere passati più di due minuti prima che qualcuno, dalle stanze di sopra, mi sentisse e venisse a salvarmi. Quando venni liberato ero in uno stato di terrore soffocato: continuavo a gridare ma ero quasi incapace di parlare. In seguito, ebbi per mesi incubi su quell'avventura e mi svegliavo sudato, ammutolito dalla claustrofobia e dal panico.

Il frigorifero ebbe anche un ruolo nella mia prima ribellione riguardo al cibo. Quando avevo più o meno dieci anni, io e papà andammo a prendere con un furgone un po' di tacchini in un allevamento. Alcuni tacchini venivano decapitati, altri spiumati, altri stavano ancora correndo e gloglottando. Mi sentii così infelice al pensiero che quegli stessi uccelli sarebbero stati trasformati nei cumuli senza vita che riempivano il nostro frigorifero che giurai che non avrei mangiato il tacchino di Natale, né allora né mai. Nonostante il profumo del ripieno che mi tentava e il pungolo dei rimproveri di mio padre, per un Natale tenni fede alla mia promessa.

La salsa di mele di mia madre ha ceduto il posto, nel regime di zia Joan, alla salsa di mirtilli, e papà se ne lamenta invariabilmente. Non è davvero Natale senza la salsa di mele, la salsa di mirtilli è un'importazione americana, è troppo acida e gli fa venire l'indigestione.

Alla fine quest'anno non avremo un bianco Natale, ma la solita e anonima pioggia gelata. Però sono di buon umore dopo un pasto sontuoso terminato con il Christmas pudding alla salsa di rum. Il tentativo da parte di zia Joan di sostituirla con burro al brandy è stato respinto con successo qualche anno fa. Ho comprato una bottiglia di champagne, e mio padre ne ha bevuti vari bicchieri.

«Un po' di quello che ti piace ti fa bene», dice.

«Sì», dice la zia Joan, «e immagino che tanto di quello che ti piace ti fa meglio.»

«Mi fa bene al cuore», dice mio padre. «Non siete mica voi Serpenti?» chiede, indicando la televisione.

Ci sono proprio i Serpenti d'acqua al telegiornale: fanno i canonici cento metri di Natale. C'è all'incirca metà della compagnia, a ridere e scherzare, e in più sul trampolino c'è un'intera schiera di partecipanti occasionali. Una folla di spettatori si è riunita per applaudirli. Sono molto felice di stare dove sono, comodo e al caldo, ad accarezzare Zsa-Zsa dietro le orecchie. Mi chiedo quando trasmetteranno il programma che hanno registrato su di noi. Magari è già andato in onda.

«Non ho mai perdonato Maggie Rice», dice la zia Joan, con gli occhi fissi sul televisore.

«Che cosa, zia Joan?»

«Maggie Rice. Non l'ho mai perdonata.»

«Che cosa non le hai mai perdonato?»

«Mi ha sgambettato alle gare del venerdì di Pentecoste.»

«No!»

«La sua scusa era che avevo già vinto due volte. Non le ho più rivolto la parola.»

«Quanti anni avevi?» le domando.

«Sette.»

«Oh.»

«Mai dimenticato, mai perdonato», dice con soddisfazione la zia Joan.

«Cosa le è successo da allora?» le domando.

«Non lo so. Non lo so. Potrebbe anche essere morta per quello che ne so. Era una bella bambina, davvero.»

«Ah sì?» faccio io. Sono sempre più assonnato.

La zia Joan dà un'occhiata a papà, che si è addormentato con un'espressione soddisfatta sul volto.

«Suo padre aveva un negozio in Drake Street», continua la zia Joan. «Ma Drake Street è morta, ammazzata dal nuovo centro commerciale. E hanno venduto anche Champness Hall.»

«Vado a fare una passeggiata», le dico. «Quest'anno potrei anche saltare il discorso della regina.»

«Oh, va bene», dice la zia Joan, sorprendendomi.

«Potrei arrivare fino a casa della signora Formby con un po' del tuo Christmas pudding.»

«Suo marito stava dalla parte del comune», dice mio padre, con gli occhi sempre chiusi.

«Tornerò fra un'ora o due», dico.

2.11

La signora Formby ride di piacere vedendomi alla porta. È una donna piuttosto ricca e molto brutta, con occhiali spessi di cristallo e denti da cavallo. Suo marito, morto qualche anno fa, era altrettanto brutto, anche se lo vedevo meno spesso quando ero bambino. Per me erano una coppia esotica e molto interessante. Lui in gioventù era stato – fra tutte le cose – campione di pattinaggio a rotelle, e lei aveva suonato il violino in un'orchestra, anche se era difficile immaginare che potessero essere stati giovani, tanto vecchi mi apparivano perfino allora. Abitavano in una grande casa di pietra con un enorme giardino pieno di fiori, molto vicino al nostro ordinario quartiere di botteghe e piccole

88

case a schiera. Anche oggi non ho idea di come si fossero conosciuti, da dove venisse la loro ricchezza e in che modo il marito
fosse legato al comune.

« Ciao, Michael, che piacere vederti oggi. Pensavo che saresti
venuto domani per portarmi in giro. »

« Oggi sono a piedi. Sto solo cercando di smaltire il pranzo. »

« Questo cos'è? È per me? »

« È un po' del Christmas pudding di mia zia. Settimane per
prepararlo, pochi secondi per consumarlo. Come la musica. »

I Formby non hanno avuto figli. Io ero figlio unico e non
avevo compagnia a casa. In particolare la signora Formby si era
affezionata a me, e insisteva che facessi con lei una serie di cose
che erano, e sarebbero rimaste, al di là delle mie possibilità. Fu
lei – e non lui – che mi insegnò a pattinare, e che mi portò,
quando avevo solo nove anni, ad ascoltare il grande *Messia* al
Belle Vue.

« Conosci mio nipote e la sua famiglia? Abbiamo appena
pranzato. Ma il nostro pudding è di Marks & Spencer. Perché
non entri a bere qualcosa? »

« È meglio che continui la mia passeggiata, signora Formby. »

« Oh, no, no, no, Michael, niente affatto, entra subito. »

Il nipote, un uomo calvo e florido sulla cinquantina che è perito catastale nel Cheshire, mi accoglie con un « Oh, sì, il violinista ». Ha l'aria di valutarmi e in qualche modo di disappro-
varmi. Sua moglie, molto più giovane, è occupata dalle tre figlie
che si stanno tirando i capelli, strillano e si accusano a vicenda
mentre litigano per scegliere il canale da guardare.

Quando ho un bicchiere di vino in mano, la signora Formby
si sistema su una poltrona accogliente e resta calma in mezzo al
rumore. Bevo il vino con tutta la velocità che mi consente l'educazione, quindi me ne vado.

Adesso sono vicino al mio vecchio quartiere. C'è pochissimo
traffico. I miei piedi si dirigono verso il parcheggio dove sorgeva la nostra bottega. Oggi sarà per forza vuoto. Ma all'ultimo

momento qualcosa mi blocca, e resto immobile, incerto sul mio scopo, temendo la discesa su di me di pensieri inquieti.

Nella mia mente nasce un suono straordinariamente bello. Ho nove anni. Sono seduto fra il signore e la signora Formby in uno stato di attesa. Sulle poltroncine intorno a noi la gente chiacchiera e sfoglia i programmi di sala. Nella pista del circo entrano non leoni ed elefanti, ma un gruppo di uomini e donne, molti dei quali portano con sé strumenti stupefacenti, dorati e luccicanti. Entra un uomo piccolo e fragile, accolto da un applauso che non ho mai udito prima, seguito dallo strano silenzio assoluto di una moltitudine di persone.

Abbassa una bacchetta e un rumore enorme e meraviglioso riempie il mondo. Più di ogni altra cosa, voglio far parte di quel rumore.

2.12

Il giorno di Santo Stefano porto la signora Formby a fare un giro in macchina oltre Blackstone Edge. Quando lasciai casa mia per andare a vivere a Manchester, fu una sua vecchia amica che mi prestò un violino. Ma quando seppe che sarei andato a Vienna a studiare con Carl Käll in persona, la signora Formby insistette che prendessi il suo Tononi. Da allora è rimasto sempre con me. Lei è felice che venga suonato, e che sia io a suonarlo. Ogni volta che torno a Rochdale, lo porto con me. Lei dice che questa gita annuale è il mio affitto per il suo violino.

Il cielo è limpido, tranne che per poche nuvole. Amo la luce presso Blackstone Edge. Dovremmo riuscire a vedere in lontananza, oltre la pianura, oltre Rochdale e Middleton fino a Manchester, addirittura fino al Cheshire.

«Tutto bene a casa?» mi chiede. I rapporti della signora Formby con la mia famiglia hanno avuto i loro alti e bassi. Era sempre una delle migliori clienti della macelleria, ma per un po' era stata considerata quella che mi aveva fatto rinunciare all'università.

« Sì », rispondo. « Papà non è stato tanto bene, ma, be', sta migliorando... »

« E a Londra? »

« Anche lì va tutto bene. »

« Hai poi comprato una fioriera per la finestra? » La signora Formby mi rimprovera spesso la mia esistenza priva di fiori. Siccome da bambino mi occupavo del suo giardino, ho imparato da lei una certa quantità di nozioni sulle piante. Ma sono troppo pigro e viaggio troppo per prendermi cura di loro, e comunque il parco è così vicino, e il regolamento condominiale di Archangel Court non vede di buon occhio le fioriere alle finestre. Le spiego tutto questo, come ho già fatto una o due volte.

« Viaggi molto? »

« Più o meno come al solito. Abbiamo un concerto a Vienna a maggio. Le piacerebbe. Solo Schubert. »

« Sì », dice la signora Formby e il suo volto si illumina. « Schubert! Quando ero giovane facevo serate schubertiane. Una mia amica cercava di infiltrare qualcosa di Schumann. Io non glielo permettevo. Dicevo che era lo Schu sbagliato... A proposito, Michael. La nostra società dei concerti si chiedeva se il vostro quartetto potrebbe suonare qui a Rochdale al Gracie Fields Theatre. Ho detto che pensavo di no, ma ho promesso che te l'avrei chiesto. Credimi, sto solo trasmettendo una richiesta: non voglio forzarti ad accettare o a rinunciare. »

« Perché pensava che non volessi, signora Formby? »

« Oh, sesto senso. Be', la società dei concerti è sempre molto attiva. È il nostro fiore all'occhiello, dal punto di vista della cultura, secondo me. Naturalmente è stupido che l'unico auditorium decente non venga servito dal trasporto pubblico... Ma tu cosa ne pensi? »

« Non lo so, signora Formby », dico alla fine. « Mi piacerebbe suonare qui... Voglio dire, mi piacerebbe che noï suonassimo. Ma è solo che non credo che renderei giustizia alla musica, qui. Non credo nemmeno di riuscire a spiegarlo. Suona stupido, lo so, e forse, be', perfino un po' meschino. »

« Né l'uno né l'altro, Michael », dice la signora Formby. « Verrai qui quando ti sentirai pronto. E, per parlare francamente, se non sarà finché sono ancora viva, non ha importanza. Certe cose non si possono forzare. O comunque, se vengono forzate, non ne esce nulla di buono... Tra parentesi, dovresti ringraziare tua zia. Quel Christmas pudding era una delizia. »

« Ne ha assaggiato un po', o se lo sono mangiato tutto le sue pronipoti? »

« Be' », dice la signora Formby ridendo, « un pochino ne ho mangiato. Come va il nostro violino? »

« Meravigliosamente bene. Gli ho fatto fare una piccola revisione quest'anno. Friggeva un po', ma adesso canta come un'allodola. »

Ho fermato la macchina sul ciglio della strada e guardo verso il ripido pendio verde. Mi buttavo giù a tutta velocità per questa discesa, in bicicletta, con il vento che mi scompigliava i capelli. Dove vanno le allodole d'inverno?

« Sai che voglio che tu lo suoni, Michael », dice la signora Formby con una nota preoccupata nella voce.

« Lo so. E io amo farlo, signora Formby », dico con un'ansia improvvisa. « Non le ho detto, vero, che andiamo a Venezia dopo Vienna? Così lo riporterò a far visita al suo luogo di nascita. Questo dovrebbe renderlo felice. Non sta pensando di riprenderselo, vero? »

« No, no, non proprio », dice la signora Formby. « Ma mio nipote mi tormenta per istituire un fondo per gli studi delle bambine e vuole che faccia testamento e così via. Non so cosa decidere. E lui ha fatto indagini e mi dice che è molto prezioso, oggi, il violino. »

« Be', sì, lo è, immagino », dico con tristezza.

« Non mi è costato molto, tanti anni fa », continua lei. « In realtà mi secca che il suo valore sia cresciuto tanto. Mio nipote non mi piace, ma sono affezionata alle nipotine. »

« Se lei non me l'avesse prestato, non mi sarei mai potuto permettere di comprarlo », dico. « È stata molto generosa. »

Come sappiamo bene entrambi, se non fosse stato per lei, con tutta probabilità non sarei nemmeno diventato musicista.

« Non credo che riuscirei a sopportare che venga suonato da un estraneo », dice la signora Formby.

Allora lo dia a me, signora Formby, vorrei dirle. Io lo amo e lui ama me. Abbiamo imparato a conoscerci. Come può un estraneo impugnare e suonare ciò che da tanto tempo è in mano mia? Siamo insieme da dodici anni. Il suo suono è il mio suono. Non posso sopportare l'idea di separarmi da lui.

Ma non posso dirlo. Non dico niente. La aiuto a scendere dalla macchina, e restiamo in piedi per qualche minuto sul ciglio della strada, guardando, oltre gli alti palazzi che segnano il paesaggio di Rochdale, la pianura indistinta alle sue spalle.

2.13

Quando avevo solo nove anni, la nostra classe turbolenta e chiacchierona di mangiatori di caramelle e lanciatori di aeroplanini di carta venne portata al concerto scolastico. Era la mia prima esperienza di musica eseguita dal vivo. Il giorno dopo, quando andai a trovare la signora Formby, le raccontai tutto. La cosa che ricordavo più chiaramente era un pezzo su un'allodola: *L'allodola nell'aria limpida*, credo che s'intitolasse.

La signora Formby sorrise, andò al giradischi e mi fece ascoltare un altro brano, così mi disse, ispirato allo stesso uccello. Rimasi incantato fin dalla prima nota di *The Lark Ascending*. Avevo già notato un paio di violini sparsi insieme alle molte meraviglie della casa e sapevo che la signora Formby un tempo suonava il violino, ma facevo fatica a crederle quando mi disse che una volta eseguiva quello stesso pezzo. « Non riprendo in mano spesso il violino, adesso », mi disse, « ma vorrei leggerti la poesia che ha fatto nascere questo pezzo. » E mi lesse i versi di George Meredith che avevano ispirato Vaughan Williams. Era uno strano cibo da porgere a un bambino di nove anni, ancora più strano se osservavo il viso della signora Formby, con l'espressione estatica negli occhi ingranditi dalle lenti spesse:

Si alza in volo e sparge al vento
il suono, catena d'argento,

lega note in rapido giro,
trilla, gorgheggia, non ha respiro...

Colmando il cielo col suo canto
amor di terra infonde, e intanto
alta, più alta si è levata;
questa valle è coppa dorata,
e lei è il vino che trabocca;
chi la segue quel cielo tocca...

Finché, ala lieve, fugge via,
è luce... e canta Fantasia.

La signora Formby non si curò di spiegarmi la poesia. Invece mi disse che di lì a poche settimane volevano andare a sentire il *Messia* di Händel – una loro nipote di Sheffield cantava nel coro – e che, se i miei genitori erano d'accordo, mi avrebbero portato con loro. Fu così che sentii il minuscolo e malato Barbirolli ricreare nella King's Hall del Belle Vue il suono vertiginoso che mi scosse per giorni la testa, e che insieme a *The Lark Ascending* mi spinse a supplicare la signora Formby che mi insegnasse a suonare il violino.

Per un po' mi insegnò sul violino piccolo di quando era bambina. Il violino soppiantò il pattinaggio come ossessione principale. Quando ero ancora alle medie lei riuscì a procurarmi un bravo insegnante. I miei genitori erano perplessi, ma capivano che si trattava di una specie di grazia sociale e che comunque mi avrebbe tenuto lontano dai guai per qualche ora alla settimana. Mi pagarono le lezioni, come facevano per le gite scolastiche, le tasse per le attività facoltative, i libri che sentivo il bisogno di avere, tutto quello insomma che, secondo loro, mi avrebbe allargato la mente e aiutato nel cammino verso l'università. Non avevano una particolare inclinazione per la musica. C'era un pianoforte nel salotto dei miei nonni, e i mobili erano sistemati attorno a esso, come oggi lo sarebbero attorno al televisore, ma non veniva mai suonato se non da un ospite ogni tanto.

Siccome la scuola superiore unificata a cui venni iscritto era la vecchia *grammar school*, aveva una buona tradizione di insegnamento della musica. E i servizi dei cosiddetti «insegnanti peripatetici» venivano forniti dalle autorità scolastiche locali. Ma adesso tutto questo è stato tagliato, se non addirittura soppresso. C'era un sistema di prestito degli strumenti gratis o quasi per coloro che non potevano permetterseli, e anche questo è stato smantellato quando l'accetta ha ripetutamente colpito i fondi per l'istruzione. Il centro per la musica dove i giovani musicisti della zona si riunivano il sabato per suonare in orchestra è ora abbandonato. Ieri gli sono passato accanto: le finestre erano infrante; è morto da anni. Se fossi nato a Rochdale cinque anni dopo, non so come avrei potuto – nell'ambiente da cui provenivo, e ce n'erano altri molto più poveri – tenere in vita il mio amore per il violino.

Il bel municipio si erge su un deserto: Rochdale è una città a cui è stato strappato il cuore. Tutto parla del suo declino. Nel corso di un secolo, col decadere delle industrie, ha perduto il lavoro e la ricchezza. Poi è arrivata la piaga dell'urbanistica: la sostituzione di bassifondi umani con bassifondi disumani, le chiese irraggiungibili in mezzo al traffico delle vie di scorrimento, la costruzione di centri commerciali dove una volta c'erano negozi. Infine, due decenni di garrota da parte del governo di Londra, e tutto ciò che era pubblico e aveva una funzione sociale è stato privato di finanziamenti e soffocato: scuole, biblioteche, ospedali, trasporti pubblici. La città che era stata la patria del movimento cooperativo ha perso il senso della comunità.

I teatri hanno chiuso. Hanno chiuso, uno dopo l'altro, i cinque cinema. Le società letterarie e scientifiche si sono rimpicciolite o sono scomparse. Ricordo la mia disperazione quando ho sentito che la nostra libreria avrebbe chiuso. Adesso abbiamo qualche scaffale in fondo al supermercato W.H. Smith's.

Nei prossimi anni mio padre morirà, la zia Joan morirà, la signora Formby morirà. Dubito che allora verrò ancora a Rochdale. Se io stesso sono deciso a tagliare i legami con la mia città natale, con quale diritto ne piango così furiosamente la morte?

2.14

Di ritorno a Londra, passo qualche ora girovagando per Manchester.

Verso mezzogiorno mi ritrovo alla Bridgewater Hall. Sono venuto a consultare l'enorme pietra di paragone al suo esterno. Oggi, quando ci passo sopra le mani, la pietra mi trasmette all'inizio un senso di pace; ma da qualche punto del suo cuore freddo promana in seguito un impulso di pericolo.

Alla Henry Watson Music Library comincio a guardarmi attorno. Non ho ancora fatto ordinare da Londra la partitura e le parti del quintetto di Beethoven. Sono ansioso di suonarlo, eppure pieno di incertezze. Ma sono qui, nel posto dove è custodita quella musica. Il bibliotecario, dopo aver controllato le mie credenziali, mi permette di usare la vecchia tessera.

Sul treno per Londra guardo la partitura. Quando, nel tardo pomeriggio, arrivo a Londra, telefono a Piers.

« Be' », dice Piers, « com'è andato il Natale? »

« Bene. E il tuo? »

« Orrendo, al solito modo. Un'infinita baldoria del cazzo. Mi sono divertito, a parte il fatto che mia madre ormai è un'alcolizzata. Finalmente i nostri genitori hanno rinunciato a tormentare me. È Helen adesso che si piglia la contraerea del matrimonio e dei bambini. È toccato anche a te? »

« No, stavolta mio padre non ha parlato molto di sistemarmi. Di solito lo fa, però. »

« Be', allora cosa c'è? »

« Ti ricordi quel quintetto di Beethoven di cui abbiamo parlato una volta? »

« Sì, in do minore, no? Quello basato sul trio. Avevi detto che avresti recuperato la musica. Sei riuscito per caso ad avere anche un disco? »

« Sì. E ho appena preso in prestito le parti alla biblioteca musicale di Manchester. »

« Ottimo! Be', mettiamo le mani su una viola e suoniamolo. Chi prendiamo? Emma? »

«Certo, perché no? Tu la conosci meglio di me. Le daresti un colpo di telefono?»

«Subito.»

«C'è anche un'altra cosa, Piers. Ti spiacerebbe molto se solo per questa volta facessi io il primo violino?»

C'è un secondo di silenzio. «Non è una questione di spiacere a *me*», dice Piers.

«Be', lo chiediamo agli altri?»

«No, Michael», dice Piers con una punta di irritazione. «Qualunque cosa dicano, io non credo sia una buona idea. Quando io e Alex ci alternavamo come primo e secondo violino, questa oscillazione ha fatto impazzire non solo noi due, ma anche Helen. Continuava a dire che non riusciva a adeguarsi alle altre parti, e in particolare al secondo violino. E anche Billy diceva che era come suonare ogni volta con un quartetto diverso.»

«Ma è solo per una volta. Non lo suoneremo professionalmente.»

«E cosa succede se ci piace come lo suoniamo? E vogliamo suonarlo professionalmente, ufficialmente? Resteremmo bloccati su quella formazione.»

«Piers, è solo che questo pezzo significa molto per me.»

«Be', allora, perché non prendi qualcuno dei tuoi colleghi della Camerata Anglica e fai un quintetto per l'occasione e lo suoni?»

«Per me non funzionerebbe senza il nostro quartetto.»

«Be', per *me* non funzionerà con il nostro quartetto.»

«Pensaci, Piers.»

«Michael, mi dispiace. Ci ho già pensato.»

«È chiaro che no», esclamo, furioso per un atteggiamento che mi sembra più vicino all'egoismo che alla neutrale rigidità.

«Sì che ci ho pensato. Ci ho pensato in anticipo. Ci ho pensato centinaia di volte, nella mia testa. Quando Alex se n'è andato», dice Piers con una voce che trema appena, «non ho fatto altro che chiedermi dove avevamo sbagliato. C'erano anche altre cose, ma sono sicuro che questa era il cuore di tutto.»

«Be', se lo dici tu», dico, troppo sconvolto per provare

comprensione. E, in verità, non mi piace la nostalgica menzione di Alex: dopo tutto, se lui e Piers non avessero litigato, io non sarei entrato nel quartetto.

«Michael», dice Piers. «Io ho passato l'inferno quando Alex se n'è andato. So che non sono un buon secondo violino, adesso, se mai lo sono stato.» Fa una pausa, poi prosegue: «Se mai prendessi quella parte nel nostro quartetto, mi ricorderei all'istante di quei tempi, e questo si rifletterebbe sulla mia musica. Non andrebbe bene per nessuno di noi».

Io resto in silenzio.

«Be'», dice Piers, «abbiamo una prova dopodomani alle cinque a casa di Helen. Ti va sempre bene?» Piers ha di nuovo abbassato la visiera.

«Sì. Perché non dovrebbe?»

«Bene, allora ci vediamo lì.»

«Sì. Ci vediamo.»

2.15

Non ho mai conosciuto bene Alex, anche se ogni tanto ci incontravamo durante le settimane che trascorremmo a Banff. Perfino Helen, che adora i pettegolezzi, non parla di lui e del suo effetto su tutti loro, e ho sempre pensato che non posso essere io a chiedere cosa è successo esattamente prima che arrivassi. All'inizio mi sembrava che gli altri tre evitassero deliberatamente di parlare del loro compagno precedente, e in seguito, quando ormai mi sentivo a mio agio con loro e loro con me, sembrava che non avesse più senso farlo.

Il suo nome non veniva pronunciato quasi mai. Quando succedeva, Piers si immergeva in pensieri tutti suoi. Talvolta, se era Helen a nominarlo, lui reagiva come una lince ferita.

Se avessi saputo che sei anni più tardi avrei occupato il posto lasciato da lui, sarei stato più curioso su Alex quando ci conoscemmo. In superficie, era un uomo allegro, pieno di energie, bonario, desideroso di attenzioni, pronto a fare battute o a recitare versi umoristici, molto galante con le donne, e probabilmente attratto da esse. A Julia piaceva molto. Sentendolo suonare talvolta come primo e talvolta come secondo violino (sia in Canada sia nei concerti che in seguito mi trovai ad ascoltare a Londra), era per me evidente che non solo era un musicista eccellente, ma anche estremamente flessibile, più flessibile di Piers, che spiccava un po' troppo quando suonava da secondo violino. Forse, come aveva suggerito Piers, se Alex si fosse accontentato di fare solo il secondo violino, alla fine sarebbero rimasti insieme e io non sarei mai entrato nel Maggiore. Ma forse, siccome erano sia amanti sia violinisti nello stesso quartetto, il loro rapporto era destinato a logorarsi. Quando la tensione si infilava in una delle due relazioni, doveva per forza mettere alla prova anche l'altra. E Piers, anche al suo meglio, non è mai una persona con cui è facile stare.

Alex lasciò Piers, il quartetto e anche Londra, e accettò un posto presso la Scottish Chamber Orchestra. Quanto a Piers, fu come se fosse rimasto vedovo. Rimase senza partner per più di un anno dopo che entrai nel quartetto. E poi nel quadro entrò Tobias: o piuttosto irruppe sfondando la cornice.

Tobias Kahn era un violinista molto serio, concentrato, solido. La musica era la sua vita – non aveva altri interessi – e credeva con convinzione assoluta che ci fosse un modo giusto di fare musica e un modo sbagliato. Faceva parte di un altro quartetto d'archi. Piers cadde sotto la sua influenza.

Piers e Alex erano stati su un piede di parità. Ma con Tobias era quasi come se Piers prendesse ordini da un superiore, un'invisibile quinta persona sempre presente fra noi. Fu un episodio strano e inquietante, e una delle cose che mi fecero capire quanto precari, nonostante tutta la loro forza, fossero i legami fra noi.

Piers è, era, è sempre stato un musicista naturale: è molto concentrato, molto disciplinato, ma non rigido nella sua sensibilità musicale. Quando suona qualcosa, si lascia guidare non solo dalla struttura, ma anche dal momento. Sotto l'influenza di Tobias, divenne un fanatico della sacra scrittura della teoria: che cos'è un pezzo, cosa dovrebbe essere, cosa deve essere, cosa non potrebbe mai essere. Ogni battuta, ogni frase, ogni passaggio avevano un determinato tempo; bisognava aderire a esso, qualunque cosa accadesse. Il nostro compito era realizzare una riproduzione della partitura. Qualunque altra cosa – un'idea fantasiosa, una fluttuazione nel ritmo, un capriccio, tutto ciò che potesse offuscare il modello – era un abominio. Dalla nostra musica era bandito ogni senso di sorpresa. Raggiungemmo una lucidità priva di vita.

Piers suonava del tutto contro la propria natura, e per noi altri tre era l'inferno. Le cose spontanee, le cose che minuto per minuto fanno funzionare un movimento, semplicemente scomparvero: dapprima vennero espunte, poi nemmeno più azzardate. Talvolta era come se fosse Tobias e non Piers a suonare e ad argomentare. È difficile, anche col passare del tempo, spiegare in maniera oggettiva cosa successe. Era un po' come *L'invasione degli ultracorpi*.

Helen non riusciva a immaginare cosa fosse avvenuto in suo fratello. Tobias era un tipo molto strano – quasi non aveva una personalità, solo una mente stretta nella morsa di idee serie e solide – e Helen non riusciva a capire cosa trovasse in lui Piers. Dopo tutto, Tobias era quasi l'antitesi di Alex. Perfino Billy, che è sempre interessato alle questioni teoriche, era profondamente infelice. Considerava la posizione di Tobias un compiaciuto eccesso di indulgenza nei confronti della forza di volontà. Le prove erano un tormento. Certe volte discutevamo per tre ore e non suonavamo una nota. Tutto questo ci consumava l'esistenza. Fummo sul punto di separarci, e l'avremmo fatto se si fosse andati avanti in quel modo. Helen pensava di andarsene prima di essere costretta a perdere un fratello. Una volta, in Giappone, disse che avrebbe lasciato il quartetto alla fine della tournée. Ma, dopo più di un anno, la febbre calò. Piers riuscì in qualche modo a esorcizzare Tobias, e non solo lui ma tutti noi tornammo gradualmente a essere noi stessi.

Non nominiamo mai Tobias se possiamo evitarlo. Giriamo attorno all'argomento ma non lo tocchiamo. L'esperienza di quell'anno, quella sofferenza inaspettata, sono cose che nessuno di noi potrà mai dimenticare.

Molti musicisti – sia membri di un'orchestra sia freelance –

considerano chi suona in quartetto una razza bizzarra, ossessionata, introspettiva, separatista, sempre in viaggio verso destinazioni esotiche, per raccogliere l'adulazione come se fosse dovuta. Se conoscessero il costo di quell'adulazione fin troppo incerta, non se la prenderebbero così tanto con noi. A parte le nostre traballanti finanze e la perenne angoscia degli ingaggi, è la nostra vicinanza l'uno all'altro, e solo l'uno all'altro, che, più spesso di quanto siamo disposti ad ammetterlo, costringe il nostro spirito e ci rende più strani di quanto non siamo. Forse anche i nostri stati di esaltazione sono simili alla vertigine che prende chi rimane senz'aria.

2.16

Sulla mia segreteria telefonica c'è una serie di messaggi di Virginie. La chiamo e trovo la sua segreteria telefonica. La notte, molto tardi, quando sono quasi scivolato nel sonno, squilla il telefono.

« Perché non mi hai chiamato a Natale? » domanda perentoria Virginie.

« Virginie, te l'avevo detto che non ti avrei chiamata. Ero su al nord. »

« E io ero giù al sud. A quello servono i telefoni. »

« Ti avevo detto che non ti avrei chiamata, che volevo stare per conto mio. »

« Ma io come facevo a immaginare che saresti stato così odioso? »

« Ti sei divertita a... Dov'eri esattamente a Natale? A Montpellier? Saint-Malo? »

« A Nyons, naturalmente, con la mia famiglia, come sai benissimo, Michael. Sì, mi sono divertita. Tantissimo. Non ho bisogno di te per divertirmi. »

« Sì, lo so, Virginie. »

« Più andiamo avanti, meno ti capisco. »

« Virginie, ero mezzo addormentato. »

«Oh, Michael, quanto sei noioso», dice Virginie. «Sei sempre mezzo addormentato. Sei una vecchia babbiona noiosa», aggiunge con orgoglio.

«Virginie, stai esagerando con le frasi idiomatiche. Sì, be', ci pensavo anch'io. Ho sedici anni più di te.»

«E allora? E allora? Perché mi ripeti sempre che non sei innamorato di me?»

«Non ho detto questo.»

«No, ma era quello che volevi dire. Ti piace darmi lezioni?»

«Be', quando tu mi segui.»

«E ti piace parlare con me?»

«Be', sì, quando non è troppo tardi.»

«E ti piace fare l'amore con me?»

«Come?... Sì.»

«Mi basta questo. Ho studiato due ore tutti i giorni, in Francia.»

«Per fare l'amore?»

Virginie ha un attacco di riso. «No, stupido Michael, col violino.»

«Brava ragazza.»

«Abbiamo una lezione domani, e vedrai i progressi che ho fatto.»

«Domani? Senti, Virginie, a proposito di domani... Mi chiedo se non potremmo rinviare di un paio di giorni.»

«Perché?» Mette un broncio che si può sentire.

«Sai quel quintetto per archi di Beethoven di cui mi hai parlato? Mi sono procurato la musica, e lo suoneremo dopodomani. Prima però vorrei dargli una bella guardata.»

«Oh, ma è splendido, Michael. Perché non vengo anch'io a suonarlo con voi?»

«Virginie, aspetta un minuto...»

«No, senti. Tu suoni la seconda viola dato che dici sempre che ti manca la possibilità di suonare la viola, e io farò il secondo violino.»

«No, no, no, no...» grido io, scacciando il pensiero come uno sciame di vespe.

«Perché sei così violento, Michael?»

« È solo che... Piers ha già chiesto a un'altra persona. »

« Ma era solo un'idea. » Virginie sembra sconcertata.

Che crudele imbecille sono. Ma non peggiorerò le cose insistendo con le spiegazioni.

« Michael », dice Virginie. « Ti amo. Non lo meriti, ma ti amo. E non *voglio* vederti domani. Non voglio vederti né parlarti finché non hai suonato la tua stupida musica. Sono stata *io* che te ne ho parlato. Tu non credevi nemmeno che esistesse. »

« Lo so. Lo so. »

Virginie riattacca senza una buonanotte o un ciao.

2.17

Ci troviamo da Helen per suonare il quintetto di Beethoven. Io ho passato il giorno prima a studiare la mia parte e la partitura.

Né io né Piers facciamo riferimento alla nostra conversazione. Ho accettato lo status quo di secondo violino, anche in questo caso. Le parti del quintetto sono state distribuite agli altri esecutori e abbiamo accordato gli strumenti. Emma Marsh, che Piers conosce dagli anni del Royal College of Music, si è unita a noi come seconda viola. È una ragazza carina, piccola e paffuta, che suona anche lei in un quartetto, e quindi dovrebbe fondersi bene con noi. Billy e Helen si guardano e si scambiano gesti teatrali di separazione.

« Con tutti i ritornelli? » chiede Helen.

« Sì », rispondo io.

Billy esamina la sua parte con intenso interesse, e chiede di vedere la partitura. Nel quintetto suonerà quasi senza pause, contrariamente a quanto accade nel trio che era il suo avatar, ma alcune delle sue linee melodiche più alte sono passate a Helen.

Piers sembra a disagio. Ottimo.

Finora non mi sono mai sentito scontento della mia posizione di secondo violino, anche se concordo con chi ha sostenuto che sarebbe più appropriato chiamarlo « l'altro violino ». Il suo ruolo è diverso, non inferiore: più interessante, perché più versatile. Talvolta, come la viola, si trova al cuore strutturale del quartetto; in altre circostanze canta con un lirismo analogo a quello del primo violino, ma in un registro più scuro e più difficile.

Oggi, però, sono scontento e addolorato. Ho dovuto staccarmi dall'aspettativa di suonare la parte che ero arrivato a vedere e a sentire come mia. Piers non può immaginarsi con quanti pochi scrupoli lo infilzerei con la punta avvelenata del mio archetto. Non mi sarei mai aspettato che fosse così poco generoso.

Ma adesso Piers aspira col naso una seminima e siamo partiti, *allegro con* un sacco di *brio*.

Dopo un minuto ho dimenticato tutto il risentimento, tutti i diritti e i piaceri che mi erano dovuti. Sono irrilevanti di fronte a questa musica tenera e vigorosa. Suoniamo il primo movimento senza fermarci, e non inciampiamo nemmeno una volta. Finisce con Piers che suona una serie terribilmente veloce di scale ascendenti e discendenti, seguite da un immenso accordo risonante di tutti noi cinque, che rifluisce in altri tre accordi più morbidi.

Ci guardiamo l'un l'altro, raggianti.

Helen scuote la testa. «Come mai non l'avevo mai sentito? Come mai non lo conosce nessuno?»

«È delizioso», è tutto quello che riesce a dire Emma.

«Grazie, Michael», dice Piers, con il volto radioso. «È una vera scoperta. Ma fa sudare.»

«Mi ringrazierai anche di più dopo il secondo movimento», dico. «È una meraviglia.»

«Ma deve essere stato scritto almeno vent'anni dopo il trio», dice Billy. «Cos'altro stava componendo in quel periodo?»

«Non molto», dico io, che ero andato a controllare. «Bene, cosa ne dite? Avanti?»

«Avanti», gridano tutti e, dopo aver rapidamente riaccordato gli strumenti e risettato i nostri cuori, entriamo nel movimento lento del tema con variazioni.

Che splendida cosa è suonare questo quintetto, suonarlo, non studiarlo, suonare per il nostro piacere, senza bisogno di comunicare niente a nessuno al di fuori della nostra cerchia di ri-creazione, senza l'attesa di un'esibizione futura, dell'offerta troppo immediata dell'applauso. Il quintetto esiste senza di noi eppure non può esistere senza di noi. Canta per noi, noi cantiamo in esso, e in qualche modo, per mezzo di questi piccoli insetti bianchi e neri che si affollano su cinque righe sottili, l'uomo che trasfigurava nel silenzio della sordità ciò che aveva composto – e udito – molti anni prima, parla dentro di noi attraverso la terra e l'acqua e dieci generazioni, e ci colma ora di tristezza, ora di stupita felicità.

Per me c'è un'altra presenza in questa musica. Come l'immagine sensibile di lei aveva potuto colpire la mia retina attraverso due lastre di vetro in movimento, così attraverso questo labirinto di granelli convertiti dalle nostre braccia in vibrazioni – sensorie, sensuali – percepisco ancora il suo essere. Il labirinto del mio orecchio scuote le spire della memoria. Ecco la sua forza nel mio braccio, il suo spirito nella mia pulsazione. Ma dov'è lei non lo so, né c'è speranza che potrò mai saperlo.

2.18

Conobbi Julia due mesi dopo il mio arrivo a Vienna, all'inizio dell'inverno. Fu a un concerto studentesco. Lei eseguiva una sonata di Mozart. Dopo le dissi che ero stato rapito dal suo modo di suonare. Cominciammo a parlare di noi, e scoprimmo che venivamo entrambi dall'Inghilterra: due diverse Inghilterre, però, dato che suo padre insegnava storia a Oxford. I suoi genitori si erano conosciuti dopo la guerra: come noi, a Vienna. Dopo settimane di lotte con il tedesco, era un tale piacere, un tale sollievo parlare di nuovo inglese che blateravo ancora più del solito. Lei sorrise quando dissi che ero di Rochdale, ma poi mi spinse a parlare della mia città come non avevo mai fatto prima. La invitai a cena. Era una sera fredda, con neve e fanghiglia per le strade, e Vienna presentava il suo volto più grigio e più cupo. Andammo a piedi al ristorante. Scivolai, e lei mi impedì di cadere. La baciai per istinto – stupefatto di me stesso mentre lo facevo – e lei fu troppo sorpresa per fare obiezioni. Portava un foulard di seta grigia attorno ai capelli: le sono sempre piaciuti i foulard. La guardai negli occhi, e poi distolsi lo sguardo, e mi resi conto, come deve aver capito anche lei, che ero innamorato di lei.

Dal momento del nostro primo incontro non riuscii a pensare a nient'altro che a lei. Non so cosa vedesse in me al di là del mio disperato desiderio di lei, ma dopo nemmeno una settimana eravamo amanti. Un mattino, dopo aver fatto l'amore per tutta la notte, provammo a fare musica insieme. Non andò bene; eravamo entrambi troppo nervosi. Più avanti, quella stessa settimana, facemmo un altro tentativo, e fummo sorpresi della naturalezza, della sensibilità – per l'altro, per la musica – con cui suonavamo. Insieme a una violoncellista – amica e compagna di classe di Julia – fondammo un trio e cominciammo a suonare ovunque potessimo, a Vienna e fuori. Su suggerimento di un amico mandammo una cassetta e una domanda di ammissione, e venimmo accettati per il corso estivo a Banff. Quell'inverno, quella primavera, quell'estate, io vissi un sogno a occhi aperti.

Aveva cinque anni meno di me. Era una studentessa della Musikhochschule, non una specie di appendice diplomata, legata a un particolare insegnante, come ero io. Per molti versi, tuttavia, sembrava più vecchia. Si trovava a suo agio nella città che condividevamo e dove lei viveva già da tre anni. Anche se aveva trascorso tutta la giovinezza in Inghilterra prima di venire a Vienna a studiare, era cresciuta parlando sia tedesco sia inglese. Era stata educata in un mondo irraggiungibilmente diverso dal mio, in cui l'arte e la letteratura e la musica venivano assorbite senza nessuno sforzo né spiegazione, attraverso la conversazione e i viaggi, i libri e i dischi, i muri stessi e gli scaffali. Nonostante i miei studi a scuola e le letture da autodidatta, talvolta casuali, talvolta ossessive, negli anni di Manchester, fu lei che divenne il mio migliore insegnante, e per questo, e per tutto il resto, le misi in mano il mio cuore.

Mi insegnò a godere dell'arte, migliorò immensamente il mio

tedesco, mi insegnò perfino a giocare a bridge. Mi rivelò alcuni aspetti della musica semplicemente suonando; la gioia che provavo facendo musica con lei, da soli o nel trio, era grande come la gioia che mi ha donato il quartetto. In seguito mi resi conto che anche nel campo della musica avevo imparato più da lei che da chiunque altro, perché ciò che appresi da lei non mi era stato insegnato.

Talvolta andava in chiesa, non tutte le domeniche, ma di tanto in tanto, di solito quando era grata per qualcosa o quando era tormentata. Era un mondo opaco ai miei occhi: dai tempi delle elementari non pregavo più, nemmeno ritualmente. Senza dubbio quella era una delle basi della sua sicurezza, ma mi imbarazzava ed era chiaro che anche lei non ne voleva parlare, benché non l'abbia mai detto apertamente. Aveva un'acutezza, una gentilezza che non potevano essere paragonate a nulla a cui fossi abituato. Forse ciò che vedeva in me era una stranezza complementare: una volatilità, un senso di resistenza, di scetticismo, di rudezza, di impulsività, perfino, talvolta, di cupo panico, quasi di follia. Ma come avrebbe potuto essere attraente ciascuna di queste cose? Diceva che siccome per anni avevo dovuto lavorare per guadagnarmi da vivere, ero diverso dagli altri studenti che conosceva. Diceva di amare la mia compagnia anche se non sapeva mai cosa aspettarsi dai miei scatti d'umore. Deve essersi accorta di quanto avessi bisogno di lei quando cominciai a sprofondare nella depressione. Più di ogni altra cosa, deve aver capito quanto la amavo.

Venne un secondo inverno. All'inizio dell'anno, l'anulare cominciò a procurarmi delle difficoltà. Rispondeva con lentezza, e si metteva a funzionare solo dopo un lungo riscaldamento. Carl reagì con furia e impazienza; i miei pigri trilli erano un altro insulto diretto a lui, e le mie angosce riflettevano la mia incapacità. Era come se uno dei potenziali diamanti della sua corona si stesse rivelando semplice carbonio, che poteva essere convertito nella sua forma ideale solo per mezzo di una pressione continua e intensa. Lui la esercitò, e io mi sbriciolai.

Tra l'inverno e la primavera Julia tentò di parlarmi, di convincermi ad avere coraggio, di rimanere dove avevo programmato di stare per il resto dell'anno, se non per altro, almeno per amore. Ma io non potevo parlarle della desolazione nel mio animo. Mi raccomandava di non rompere i rapporti con il mio maestro, e mi ricordava in continuazione ciò che avevo visto al principio in Carl, ciò che vedevo che lei continuava a vedere: una persona la cui arte andava più in profondità e più lontano del virtuosismo, la cui musica comunìcava in ogni frase nobiltà di spirito. Ma il mio conflitto con lui si era incuneato così a fondo nel mio cranio che quella difesa mi sembrava un tradimento insopportabile da parte sua: peggiore di quello di Carl, in un certo senso, perché da lui non mi aspettavo più di essere capito.

Me ne andai. Divenni, in realtà, un fuggitivo a Londra, perché non potevo sopportare nemmeno di tornare a casa. Non le scrissi né le telefonai. Fu solo col tempo che arrivai a vedere le cose attraverso occhi meno feriti e meno ciechi, a capire con quanta onestà si era comportata, e con quanto amore, e a rendermi conto che probabilmente con la mia partenza e i miei silenzi avevo perduto anche lei. Era così. Erano passati due mesi. Quando finalmente le scrissi, ormai a lei non doveva importare più nulla.

Cercai di telefonarle, ma tutti quelli che rispondevano al telefono dell'ostello studentesco tornavano sempre, dopo un minuto o due, dicendo che lei non c'era. Le mie lettere rimasero senza risposta. Una o due volte pensai di andare a Vienna, ma avevo pochissimi soldi, e avevo ancora paura dei ricordi del mio crollo, e della presenza di Carl Käll, e di come Julia avrebbe accolto le mie spiegazioni. In più, ormai erano arrivate le vacanze estive e lei avrebbe potuto essere ovunque. Passarono i mesi. A ottobre cominciò il semestre successivo, e continuavo a non avere sue notizie.

La pungente consapevolezza di averla perduta lasciò il posto a Londra a un ottenebrato istinto di conservazione. Dopo qualche tempo persi la speranza, e con la speranza la spina di quell'angoscia. Avevo da vivere gli altri due terzi della mia vita. Mi iscrissi a un'agenzia che mi procurava lavoro. Dopo circa un anno feci un'audizione con la Camerata Anglica, e mi presero. Suonavo; sopravvivevo; col tempo, misi perfino qualche soldo da parte, dato che non avevo nessuno per cui volessi spenderli. Visitai musei, gallerie, biblioteche. Percorsi Londra palmo a palmo. Feci conoscenza con Londra e con ciò che offriva, ma non avrei potuto sentirmi meno londinese. La mia mente era altrove, a nord e a sud. Nei quadri che vedevo, nei libri che leggevo ricordavo lei, perché era stata lei, in molti modi, a farmi diventare ciò che ero.

Quando ascoltavo la musica, era spesso Bach. In compagnia di Julia, ascoltandola suonare, ero passato dall'ammirazione all'amore per Bach. Talvolta lei e Maria avevano eseguito le sonate per viola da gamba, talvolta io e lei avevamo suonato la sua musica per violino e tastiera, qualche volta Julia mi aveva fatto perfino suonare il pedale di un'opera per organo all'estrema sinistra del pianoforte. C'era un preludio-corale, *An Wasserflüssen Babylon*, che mi aveva sopraffatto addirittura mentre lo suonavamo. Ma era quando lei suonava da sola, per sé sola – una suite, o un'invenzione, o una fuga – che affidavo più completamente il mio essere a Bach, e a lei.

Ero andato a letto con altre donne prima, e lei aveva avuto un ragazzo prima di me, ma io ero il suo primo amore, e lei il mio. E da allora non mi sono più innamorato. Del resto non ho mai smesso di essere innamorato di lei; di lei, suppongo, come era allora, o come in seguito sono arrivato a capire o a immaginare che era stata. Che cosa è diventata adesso, chi è adesso? Sono forse fissato con inane fedeltà su una persona che potrebbe essere del tutto cambiata (ma davvero? potrebbe essere davvero cambiata tanto?), che forse è arrivata a odiarmi perché l'ho lasciata, che forse mi ha dimenticato o ha imparato a espungermi volontariamente dalla sua memoria. Per quanti secondi – o settimane – dopo che mi ha visto su quell'autobus sono sopravvissuto nei suoi pensieri?

Come può avermi perdonato se io stesso non riesco a perdonarmi? Quando ascolto Bach, penso a lei. Quando suono Haydn o Mozart o Beethoven o Schubert penso alla loro città. Lei mi ha mostrato quella città, ogni passo, ogni pietra della quale mi ricorda lei. Da dieci anni non ci ritorno. Ma è lì che dobbiamo andare questa primavera, e nulla, lo so, può temprarmi per quell'incontro.

2.19

Da più o meno tre mesi uno strano individuo ci segue ovunque: un ammiratore appiccicoso. All'inizio l'abbiamo preso per un innocuo entusiasta: cravatta, occhiali tenuti al collo con una corda, una giacca da professore universitario. Ci seguiva qui e là, ci veniva a salutare in camerino, ci offriva da bere, si impossessava di noi con mania monopolistica, parlava con cognizione di ciò che avevamo suonato, insisteva perché accettassimo un invito a cena. Noi cercavamo di scivolare via con qualche scusa. La più diffidente era Helen, che – contrariamente alla sua natura – si era spinta in un paio di occasioni fino alla scortesia. Certe volte lui sembrava quasi pazzo di entusiasmo, ma ciò che diceva era una mistura così bizzarra di vacuità e sensatezza che non era facile allontanarlo e basta. Quando disse che sapeva da dove veniva il nostro nome, Piers assunse un'aria sconvolta e infuriata: dovrebbe essere una specie di segreto del quartetto.

Il mese scorso, a York, l'ammiratore appiccicoso ha dirottato un party. Il nostro ospite, che aveva qualcosa a che fare con la locale società dei concerti, aveva invitato un po' di gente a casa sua per una cena dopo il concerto. L'ammiratore appiccicoso, che ci aveva seguito tanto a nord, era stato preso per un nostro amico. Dopo averci pedinato, a un certo punto assunse il controllo delle operazioni. Per lo sbigottimento del nostro ospite e di sua moglie, comparvero dal nulla gli addetti di un servizio di catering, portando cibo e bevande per integrare, senza alcun bisogno, ciò che era già stato preparato. Ormai era chiaro a tutti che quell'uomo non era stato introdotto volontariamente dal quartetto, ma era troppo tardi: si era impadronito della scena. Era diventato una specie di maestro delle cerimonie, spostava la gente da una parte o dall'altra, chiamava i camerieri, ordinava di abbassare le luci. Parlava, cantava per farsi capire meglio, ballava. Si alzò in piedi per comporre un peana all'arte e alla nostra maestria. Cadde in ginocchio. A questo punto, il nostro ospite scoprì che il mattino dopo doveva prendere un aereo all'alba e, con molte scuse per la propria inospitalità, ci spinse tutti fuori di casa. Il nostro ammiratore danzò per un po' sulla strada, poi salì sul furgone del catering e si mise a cantare. Ogni tanto veniva scosso da violenti attacchi di tosse.

Era il comportamento più estremo che avesse mai manifestato, e non sapevamo che fare.

« Non dovremmo controllare che stia bene? » chiese Billy avviando la macchina.

« No », disse Piers. « Figuriamoci se è compito nostro. Può benissimo badare a se stesso. Spero proprio di non vedere mai più quel bastardo. »

« Oh, su, Piers, è innocuo », disse Billy. « Però, accidenti, sto male pensando ai nostri ospiti. »

« Risparmia un po' di compassione per te stesso. Dubito che ci inviteranno mai più da queste parti. »

« Oh, Piers », disse Helen.

« Cosa ne vuoi sapere tu? » chiese Piers, voltandosi sul sedile anteriore per guardarla con una faccia feroce. « Sono io che dovrò raccontare a Erica quello che è successo e convincerla a riparare il danno. Non che sia un granché a limitare i danni. E cosa succede se si presenta al nostro prossimo concerto? »

Helen sembrò turbarsi a quel pensiero. Le misi un braccio attorno alle spalle per rassicurarla. È strano, ma credo che la rabbia di Piers potesse essere aumentata proprio dalla consapevolezza di quanto fosse sconvolta Helen.

« Se a Leeds ce lo ritroviamo fra il pubblico », disse lei, « io smetto di suonare. No, lascia lì il braccio, Michael. » Sospirò. « Oggi sono così stanca. Sentite questa: come fa uno che suona in un quartetto a finire con un milione di sterline? »

« Comincia con dieci milioni », rispose Billy.

« Billy, hai imbrogliato, l'avevi già sentita », disse Helen.

« Lo eredita da tua zia », mormorò Piers, questa volta senza voltarsi. Helen non disse nulla, ma io sentii le sue spalle irrigidirsi.

«Piers», sbottai. «Ora basta.»

«Posso darti un consiglio, Michael?» disse Piers. «Sta' alla larga dalle questioni di famiglia.»

«Oh, Piers», fece Helen.

«Oh, Piers, oh, Piers, oh, Piers!» disse Piers. «Ne ho abbastanza. Fatemi scendere. Torno all'hotel a piedi.»

«Ma siamo già arrivati», disse Billy. «Guarda, eccolo lì.»

Piers ringhiò e lasciò perdere.

2.20

Sono le sette e mezzo di una sera di febbraio. Il lucernario sopra la platea è buio. Mentre raggiungiamo le nostre sedie, i miei occhi vanno al posto dove è seduta Virginie. Dietro di noi c'è una parete curva dorata e sopra una semicupola adorna di un bassorilievo bello e bizzarro. Ci sediamo. L'applauso si spegne. Accordiamo gli strumenti e siamo pronti a cominciare. Piers alza l'archetto per eseguire la prima nota. Poi Billy starnutisce, molto rumorosamente. Starnutisce spesso prima di un concerto, mai – grazie a Dio – durante. Una rapida increspatura di indulgente divertimento percorre la platea. Guardiamo tutti Billy, che è arrossito e sta frugando nella tasca in cerca di un fazzoletto. Piers aspetta qualche secondo, si assicura che siamo tutti pronti, sorride a Billy, posa l'archetto sulle corde e partiamo.

Una sera d'inverno alla Wigmore Hall, la sacra scatola da scarpe della musica da camera. Abbiamo passato l'ultimo mese a provare strenuamente per questa serata. Il programma è semplice: tre quartetti classici. Uno di Haydn, l'opera 20 numero 6 in la maggiore, il quartetto che amo di più al mondo; poi il primo dei sei quartetti che Mozart dedicò a Haydn, in sol maggiore; e infine, dopo l'intervallo, la corsa a ostacoli con maratona di Beethoven, l'etereo, scherzoso, ininterrotto, miracoloso, sfibrante quartetto in do diesis minore, che Beethoven compose un anno prima di morire e che, proprio come la partitura del *Messia* aveva consolato e rallegrato lui sul letto di morte, avrebbe rallegrato e consolato Schubert che un anno dopo stava morendo nella stessa città.

Morire, non morire, un tuffo nella morte, una resurrezione: le onde sonore traboccano attorno a noi non appena le generiamo, io e Helen al centro e, ai due lati, Piers e Billy. I nostri occhi sono fissi sulla musica; quasi non ci guardiamo, ma ci guidiamo l'un l'altro e veniamo guidati come se Haydn in persona ci facesse da direttore. Siamo uno strano essere composito, non più noi stessi ma il Maggiore, composto da tante parti disgiunte: sedie, leggii, musica, archetti, strumenti, musicisti – che siedono, si alzano, si spostano, suonano – tutto per produrre queste complesse vibrazioni che colpiscono l'orecchio interno, e attraverso di esso la materia grigia che dice: gioia; amore; dolore; bellezza. E sopra di noi, nell'abside, la strana figura di un uomo nudo circondato di rovi che aspira a un Graal di luce, e di fronte a noi 540 esseri quasi invisibili assorti in 540 diverse reti di sensazioni e meditazioni ed emozioni, e attraverso di noi lo spirito di qualcuno che nel 1772 scarabocchiava con la penna appuntita di un uccello.

Amo ogni parte del quartetto di Haydn. È un quartetto che posso ascoltare in qualunque umore e suonare in qualunque umore. La precipitosa felicità dell'allegro, il dolce adagio dove i miei sedicesimi formano una sorta di lirica contrapposta al canto di Piers; il contrasto di minuetto e trio, ognuno dei quali è un microcosmo, eppure riesce a fare in modo di sembrare incompiuto; e la fuga melodiosa, umile, varia – tutto mi colma di delizia. Ma la parte che preferisco è quella in cui io non suono. Il trio è davvero un trio. Piers, Helen e Billy scivolano e si fermano sulle corde più basse, mentre io riposo, intensamente, con intenzione. Il mio Tononi è muto. L'archetto è posato sulle cosce. Ho gli occhi chiusi. Sono qui e non sono qui. Un rapido sonno da sveglio? Un volo fino alla fine della galassia e magari un paio di miliardi di anni-luce più in là? Una vacanza, per quanto breve, dalla presenza dei miei fin troppo presenti colleghi? Sobriamente, profondamente, la melodia si consuma, e ricomincia il minuetto. Ma questo lo devo suonare anch'io, penso angosciato. È il minuetto. Avrei dovuto riunirmi agli altri. Dovrei suonare ancora. E, stranamente, mi sento suonare. E sì, il violino è sotto il mento, e l'archetto è nella mano, e io sono.

2.21

Suoniamo gli ultimi due accordi della fuga di Haydn alla perfezione: non la massiccia *Dämmerung* di un incontro di wrestling fra demoni – questa la teniamo da parte per i tre enormi accordi di dodici note alla fine del quartetto di Beethoven – ma un gioviale *au revoir*, lieve ma non fragile.

Gli applausi ci accompagnano più volte dietro le quinte e di nuovo sul palco. Helen e io sorridiamo da un orecchio all'altro, Piers cerca di darsi un contegno da uomo di Stato, e Billy infila un paio di starnuti.

Adesso viene il quartetto di Mozart. Abbiamo sudato molto di più a provare questo rispetto all'Haydn, nonostante sia in una tonalità più naturale per i nostri strumenti. Agli altri piace, anche se Helen ha una o due riserve. Billy lo trova affascinante, però ho raramente incontrato un pezzo che Billy non trovi, dal punto di vista compositivo, affascinante.

Quanto a me, non mi fa impazzire. Piers, l'essere più dogmatico che conosca, sosteneva che ero *io* dogmatico, quando durante le prove è venuta fuori la mia freddezza. Ho cercato di spiegarmi. Ho detto che non mi piaceva l'epidemia di contrasti dinamici: mi sembravano una pignoleria. Cosa gli costava lasciarci modellare da soli almeno le battute iniziali? Non mi piaceva nemmeno l'eccesso di cromatismo. Mi sembrava stranamente laborioso, perfino poco mozartiano. Piers credeva che fossi impazzito. Comunque, eccoci qua a suonarlo, e anche piuttosto bene. Per fortuna, ciò che penso del pezzo non si è trasmesso agli altri. Anzi, semmai il loro entusiasmo ha animato la mia esecuzione. Come nel caso dell'Haydn, il trio è il mio movimento preferito, anche se questa volta anch'io devo contribuire suonando al mio piacere. Nell'ultimo movimento, fugato o piuttosto fughistico, sono i momenti non fugati quelli che si ravvivano davvero, e fanno ciò che una fuga – soprattutto una rapida – dovrebbe fare: prendono il volo. Oh, be'. Ispirati o no, accettiamo con gioia il nostro applauso.

All'intervallo siamo seduti in camerino, sollevati e tesi. Io accarezzo nervosamente il violino. Certe volte è una bestia capricciosa, e non potrò riaccordarlo per quaranta minuti: non ci sono interruzioni fra i sette movimenti del Beethoven.

Billy sta strimpellando al piano verticale, e questo mi rende ancora più teso. Sta suonando qualche battuta del curioso bis che abbiamo così accuratamente preparato, e canticchiando altre parti fra sé, e come risultato mi ritrovo a soffrire ogni sorta di tormento anticipato. Nel migliore dei casi, odio gli intervalli.

«Per favore, Billy!» dico.

«Cosa? O-oh, capisco», dice Billy e si ferma. Corruga la fronte. «Ditemi un po'», fa, «perché la gente deve tossire *immediatamente* dopo che un movimento è finito? Se si sono trattenuti per dieci minuti, non potrebbero resistere altri due secondi?»

«Pubblico!» dice Piers, come se bastasse la parola a spiegare tutto.

Helen mi offre un sorso di whisky dalla boccetta d'argento che tiene nella borsa.

«Non farmelo ubriacare», ringhia Piers.

«È solo un medicinale», dice Helen. «Nervi. Guarda, povero Michael, sta tremando.»

«No, non è vero. Non più del solito, comunque.»

«Sta andando molto bene», dice Helen per calmarmi. «Molto, molto bene. Tutti sembrano molto soddisfatti.»

«Quello di cui sono veramente soddisfatti, Helen», dice Piers, «è il tuo vestito rosso e le tue spalle nude.»

Helen sbadiglia con ostentazione. «Billy, suonaci un po' di Brahms», dice.

«No, no...» grida Piers.

«Bene, allora cosa ne dici di un po' di silenzio?» chiede Helen. «Niente osservazioni spiacevoli, niente bisticci, un sacco di amore e simpatia fra colleghi.»

« Molto bene », dice Piers con tono conciliante, e va ad accarezzare le spalle alla sorella.

« Non vedo l'ora, davvero », dico io.

« Questo è lo spirito giusto », dice Piers.

« Quella lenta fuga d'apertura, mi fa venire i brividi », dice
Billy fra sé.

« Voi ragazzi siete così sentimentali », dice Helen. « Non ce
la fate proprio a sbavare un po' meno sulla musica? Così sareste
meno nervosi. »

Restiamo in silenzio per un po'. Mi alzo in piedi e guardo
fuori della finestra, posando le mani sul termosifone.

« Sono preoccupato per l'accordatura del mio violino », dico
quasi senza emettere suono.

« Andrà benissimo », mormora Helen. « Andrà benissimo. »

2.22

Quaranta minuti dopo riceviamo i nostri applausi. La camicia
di Billy è fradicia di sudore. Una volta, a proposito del quartetto in do diesis minore, aveva detto: « Dai tutto te stesso nelle
prime quattro battute, e poi dove vai? » ma lui, e noi, abbiamo
dato la nostra risposta.

È un pezzo dopo il quale non possono esserci bis, e non dovrebbe essercene nessuno. La quarta volta che ci hanno richia-
mato sul palcoscenico avremmo potuto mostrarci senza strumenti proprio per farlo capire, ma li abbiamo portati con noi,
come prima, e adesso ci sediamo. L'applauso muore all'istante,
quasi obbedendo all'ordine della bacchetta di un direttore d'orchestra. C'è un mormorio d'attesa, poi silenzio. Adesso ci guardiamo l'un l'altro, ci concentriamo interamente l'uno sull'altro.
Per quello che dobbiamo suonare non abbiamo bisogno di
spartito. È nelle nostre cellule.

Dietro le quinte ho fatto un piccolo adattamento al Tononi.
Adesso controllo quasi in silenzio, e gli raccomando di non tra-
dirmi.

In circostanze normali, Piers avrebbe annunciato il bis. Invece, lui e gli altri guardano me e fanno un cenno quasi impercettibile. Comincio a suonare. Cavo le prime due note da corde vuote, quasi fossero una transizione dall'accordatura alla musica.

Mentre suono le prime poche note sento venire da vari punti della sala i sospiri della sorpresa e del riconoscimento. Dopo le mie quattro battute da solo, entra Piers, poi Helen, poi Billy.

Stiamo suonando il primo contrappunto dell'*Arte della fuga* di Bach.

Suoniamo quasi senza vibrato, tenendo l'archetto sulla corda, suonando le corde vuote ogni volta che viene naturale, anche se questo significa che le nostre frasi non si replicano esattamente l'un l'altra. Suoniamo con un'intensità, con una calma che non avrei mai immaginato potessimo provare né creare. La fuga fluisce, e i nostri archetti seguono il suo corso, guidati e guidando.

Mentre mi dirigo verso la piccola croma, il minuscolo cavillo di una nota che era la causa di tutte le mie ansietà, Helen, che in quel punto ha una pausa, volta appena la testa e mi guarda. Posso indovinare che sta sorridendo. È il fa sotto il do centrale. Ho dovuto accordare un tono sotto la mia corda più bassa per poterla suonare.

Suoniamo in una specie di trance carica di energia. Questi quattro minuti e mezzo potrebbero essere altrettante ore o altrettanti secondi. Con l'occhio della mente vedo le chiavi poco usate della partitura originale, e lo sprofondare e il risalire, rapido e lento, parallelo e contrario, di tutte le nostre voci; e con l'orecchio della mente sento ciò che è stato suonato e sta suonando e deve ancora suonare. Devo solo realizzare sulle corde ciò che è già reale per me, e così Billy, e Helen, e Piers. Le nostre visioni sincrone si fondono, e siamo una sola cosa: con gli altri tre, con il mondo e con quell'essere da secoli disperso del quale riceviamo la forza attraverso la forma della sua visione musicale e l'unica rapida sillaba del suo nome.

2.23

Io e Piers ci siamo tolti gli smoking e abbiamo indossato abiti più comodi. È un'operazione che siamo arrivati a compiere in novanta secondi netti. C'è gente che ci aspetta fuori del camerino e lungo le scale.

Apriamo la porta e dentro irrompe Erica Cowan, in estasi, con le braccia spalancate per accoglierci. È seguita da venti o trenta persone.

«Meraviglioso, meraviglioso, meraviglioso, muah, muah, muah!» fa Erica, distribuendo baci laterali. «Dov'è Billy?»

«Sotto la doccia», dice Piers.

Billy è scappato per il corridoio prima dell'arrivo del pubblico. Sarà di ritorno fra pochi minuti, non più sudato e presentabile. Lydia, sua moglie, sta parlando con Virginie. Piers, con gli occhi semichiusi, è appoggiato alla rastrelliera dei cappotti. Alcuni spettatori ammirati si agitano intorno. «Grazie, sì, grazie, felici, felici che vi sia piaciuto... Ehi, Luis!» dice Piers con improvviso entusiasmo, vedendo qualcuno che ha riconosciuto.

Tutti noi preferiremmo starcene per conto nostro, ma il Maggiore deve sorridere per vivere.

Piers non riesce a districarsi e subisce la domanda che più detesta – la ragione del nostro nome – da una ragazza molto determinata. Scorge i suoi genitori dall'altra parte della stanza, fa loro cenno di avvicinarsi e li coinvolge all'istante in una conversazione domestica.

C'è anche l'ammiratore appiccicoso, attaccato a Helen, splendente nel vestito rosso. Per fortuna tuttavia la sua presenza viene presto diluita da un paio di studenti di Helen del Guildhall.

Naturalmente non c'è traccia di Nicholas Spare, anche se dopo quello che gli aveva fatto Piers, gli sarebbe stata necessaria un'improbabile nobiltà di spirito per venire. Non ha nemmeno onorato la promessa di inserire il nostro concerto nella rubrica degli eventi musicali della settimana. In realtà, secondo una nostra fonte all'interno della direzione del teatro, stasera non è venuto nemmeno un critico. È immensamente frustrante: un'esecuzione meravigliosa, e nemmeno un ritaglio di giornale che dica al mondo che c'è stata. Non che il mondo, immagino, otterrebbe molte colonne nel notiziario dell'universo.

«Oh, *c'est la guerre*», dice Erica a Piers che se ne lamenta. «I critici non contano, sul serio.»

«Non è vero, Erica, e lo sai», dice seccamente Piers.

«È una serata troppo meravigliosa per crucciarsi», dice Erica. «Ah, quella lì è Ysobel Shingle. Ysobel con la Y, ci pensate? È della Stratus Records... Ysobel, Ysobel», grida Erica, sbracciandosi freneticamente.

Si avvicina una giovane donna, alta, con un aspetto così grigio come se non avesse mai visto il sole e una fronte carica di preoccupazioni, e dice a Erica e Piers, con tremulo entusiasmo, che il concerto le è piaciuto moltissimo.

«Offrici un contratto», dice Erica con trasporto.

Ysobel Shingle sorride come se fosse braccata. «Be', ho una specie di idea», dice. «Ma non credo, sapete, che questo sia il posto per...» La sua voce si smorza.

«Alle dieci e mezzo domani mattina sarò nel tuo ufficio», dice Erica.

«Be', sai, Erica, io, ehm, lascia che ti dia un colpo di... Lasciami pensare bene la cosa. Volevo solo dire a tutti quanto ho...» Torce i palmi all'infuori in un gesto tormentato, poi, quasi assalita dal panico, si volta per andare.

«Che donna veramente strana», dice la signora Tavistock che, a giudicare dai resoconti non molto filiali di Helen e Piers, è a tutti gli effetti una strana donna anche lei.

«È il motore dietro il successo della Stratus», dice Erica.

«Davvero?» dice Piers, impressionato contro la sua volontà.

«È una cosa fantastica che sia venuta a sentirvi stasera», dice Erica. «Seguirò questa pista come un cane da caccia.»

Dieci minuti dopo io e Helen stiamo chiacchierando con una ragazza dell'organizzazione del teatro quando sentiamo la coda di una delle conversazioni di Piers. «Mi dispiace», sta dicendo Piers. «È un problema che ho fin da bambino... Non ho mai imparato a rispondere alle domande stupide.»

«Sarà meglio andare a imbavagliarlo», fa Helen.

Il frastuono iniziale si è placato; la folla si è un po' assottigliata. Billy e Lydia sono andati a casa per lasciare liberi i genitori di Billy, che sono venuti a curare Jango, il loro bambino di tre anni. L'ammiratore appiccicoso si è in qualche modo smaterializzato. Ma c'è ancora parecchia gente in giro.

Anche Virginie se n'è andata. Mi ha offerto un passaggio, ma ho deciso di tornare con Helen. Dobbiamo assolutamente tirare l'indispensabile bilancio del concerto con lei e Piers, in macchina.

Mi guardo intorno, stanco ma soddisfatto, con Bach che ancora mi risuona nella testa.

« Michael », dice Julia quando il mio sguardo cade su di lei.

2.24

« Julia. » Il nome mi si forma sulle labbra, ma non emetto alcun suono, alcun sussurro.

Lei mi guarda, io la guardo. Alla sua destra c'è una specie di giglio con le foglie scure, e lei è vestita di verde. Era lei; è lei.

« Ciao », dice.

« Ciao. »

C'è una profonda attenzione nel suo sguardo. Il vestito verde si confonde con le foglie verde scuro, con il verde cangiante della tovaglia, il verde oliva delle sedie, lo spesso verde vellutato delle tende, il verde erba di un quadro abbozzato. Abbasso gli occhi. Il tappeto, verde veronese, ha un motivo di piccole chiazze rosse.

« Sei qui da tanto? » le chiedo.

« Stavo aspettando fuori. Non riuscivo a decidere cosa fare. »

Esamino le piccole chiazze. Hanno forme irregolari, disposte in file regolari. « E così, eccoti qui », dico.

« Non sapevo che fossi nel Maggiore », dice Julia. « Ho visto semplicemente il programma del mese e ho pensato a Banff, a quando li abbiamo incontrati lì. »

« Sono entrato qualche anno fa. » È di questo che dobbiamo

parlare, dopo tutto? La guardo. « Sei venuta al concerto senza sapere che ci suonavo io? »

« È stato un concerto meraviglioso », dice. Ha gli occhi umidi.

I miei occhi si spostano verso la finestra. Fuori, nel vicolo, sta piovendo. All'imboccatura di una strada senza uscita c'è una pila di sacchi della spazzatura di plastica nera. Il lampione gioca sulle loro pelli lucide.

« Allora eri proprio tu sull'autobus. Sapevo che non potevo essermi sbagliato. »

« Sì. »

« Perché hai aspettato così tanto a metterti in contatto con me? Perché non hai cercato il mio nome sull'elenco del telefono? »

C'è una pausa. Tutt'intorno a noi c'è gente che parla. Sento Piers che detta legge su qualche punto di teoria. Julia fa un passo verso di me.

« Non riuscivo a sopportare l'idea di vederti di nuovo. »

« Allora perché sei qui? »

« Dopo il pezzo di Bach sapevo che saresti venuta dietro le quinte. Non saprei spiegare perché. Probabilmente non è stata una buona idea. Sono rimasta in corridoio tutto questo tempo. Ma è bello vederti di nuovo, non solo sentirti suonare. »

Non ha un anello alla mano, ma porta al polso un piccolo orologio d'oro con un cinturino d'oro di maglia. Al collo ha un piccolo pendente con un diamante. I suoi occhi sembrano più verdi che azzurri. Dalla voce, da come stringe la borsetta, so che è sul punto di andarsene.

« Per piacere, non andare via », dico e le afferro la mano. « Devo vederti di nuovo. Abiti a Londra adesso? Mi telefonerai? Domani non faccio quasi niente. » Lei mi guarda confusa. « Cosa fai adesso, Julia? Hai mangiato? Hai la macchina? Non puoi uscire con questa pioggia. Davvero non puoi. »

Julia comincia a sorridere. « No, non ti telefonerò. Non sono mai stata molto brava al telefono. Però potremmo vederci da qualche parte. »

« Dove? E quando? »

« Michael, lasciami la mano », sussurra.

« Dove? »

« Oh, da qualunque parte », dice Julia guardandosi attorno. « Cosa ne dici della Wallace Collection? All'una? »

« Sì. »

« Ci vediamo all'entrata. »

« Julia, dammi il tuo numero di telefono. »

Scuote la testa.

« E se non ci sei? Se cambi idea? »

Ma prima che lei possa rispondere ci ha raggiunto Helen. « Julia! » dice Helen. « Julia! Sono secoli! Secoli! In Canada, vero? A Banff. Che periodo meraviglioso. Come stai? Sei in visita da Vienna? Michael mi aveva detto che vi eravate persi di vista, ma eccoti qua! »

« Sì », dice Julia, con il suo sorriso gentile e acuto. « Eccomi qua. »

« Piers! » fa Helen. « Guarda chi c'è qui. Julia. »

Piers, immerso nella conversazione con un giovane uomo, scuote distrattamente la testa. Julia si dirige verso la porta.

« Lascia che ti accompagni fino alla macchina », le dico.

Lei indossa il cappotto e apre la porta sul corridoio. « Va bene così, Michael. Tu dovrai fermarti per commentare il concerto con gli altri... Ma dov'è Billy? »

« È andato a casa. Baby sitter. »

« Billy ha dei bambini? » dice Julia, meravigliata.

« Uno. Un maschio. »

« Quando ho visto voi quattro inchinarvi, ho pensato alla prima frase della Quinta di Beethoven », dice. Unisce il gesto alle note: tre musicisti alti e magri, e uno basso e robusto.

Non posso fare a meno di ridere per questa immagine. Quanto è cambiata? Ha i capelli molto più lunghi, il viso un po' più tirato, ma non sembra l'opera di dieci anni: tutt'al più di due.

« Hai qualcosa d'altro da dire sul nostro concerto? » le chiedo, cercando di farla parlare.

« Be', avrei preferito non vedere il nome 'Haydn' attraverso il tuo leggio quando stavate suonando Mozart. »

« E? »

« E... niente. È stato bello. Ma devo andare. Devo davvero... Come va il tuo dito? »

« Bene, ultimamente non mi ha dato molti problemi. Anzi, quasi nessun problema negli ultimi cinque anni; da quando sono entrato nel quartetto, in realtà... Strano, vero? Quando il tuo stesso corpo si ribella contro di te, e poi all'improvviso decide di non farlo più. »

Tiro fuori un pennarello dalla tasca e le prendo la mano. Le scrivo il mio numero di telefono sul bordo del palmo. Lei mi guarda sbalordita, ma non fa obiezioni.

« È telefono e segreteria telefonica e fax. Ricopialo prima di andare a letto », le dico. Mi piego per baciarle il palmo, la linea della vita, la linea dell'amore. Le labbra si muovono verso le dita.

« Michael, no, no, per favore. » Nelle sue parole c'è una disperazione che mi blocca. « Lasciami stare. Per favore, lasciami stare. Ci vediamo domani. »

« Buonanotte, allora, Julia, buonanotte. » Le lascio andare la mano.

« Buonanotte », mi dice sottovoce e si volta.

Vado alla finestra. Dopo pochi istanti lei emerge dalla porta sul retro. Apre l'ombrello, poi sembra incerta per un secondo o due sulla direzione da prendere. La pioggia cade sul vicolo, sui sacchi neri della spazzatura. Perché la Wallace Collection, fra tutti i posti possibili, mi domando. Non che abbia molta importanza. Come farò a dormire stanotte, o addirittura a credere che sia successo tutto questo, quando sarò solo? Per un momento il suo viso è illuminato, anche se non abbastanza perché io riesca a leggerci qualcosa. Avrà dieci anni di più, ma è bella come allora. E quanto sono cambiato io? Lei svolta a destra, e io la osservo finché non gira l'angolo che porta alla strada principale, oltre la portata dei miei occhi.

PARTE TERZA

3.1

Arriva poco prima dell'una. Un'occhiata nervosa rivolta a me, un sorriso rapido ed esitante. Non le prendo la mano né lei prende la mia.

«Non ero mai stato qui», le dico.

«Mai?»

«No. Anche se ho pensato spesso di venirci.»

«Be', facciamo un giro?» mi chiede.

«Sì. Oppure potremmo andare da qualche altra parte a prendere un caffè, se preferisci. O a mangiare qualcosa.»

«Ho già mangiato», dice. «Ma se tu non...»

«Non ho fame.»

«La prima volta che sei andato a vedere un museo a Vienna è stato con me, vero?»

«Sì», rispondo.

«Così è giusto che io ti faccia da guida anche qui.»

«A parte il fatto che Vienna era la tua città, e Londra la mia.»

«Da quando Londra sarebbe la tua città?» chiede Julia sorridendo.

«No, veramente non lo è», dico ricambiando il sorriso. «Ma mi sto naturalizzando.»

«Contro la tua volontà?»

«Non del tutto.»

«Gli altri sono tutti di Londra, vero? Nel Maggiore, voglio dire.»

«Più o meno. Billy è nato e cresciuto a Londra, Piers e Helen vengono dall'Ovest, ma ormai sono fondamentalmente londinesi. »

« Più di tutti mi ricordo di Alec. »

« Alex », le dico.

Julia sembra un po' confusa, poi annuisce. « È stato uno shock vedere te al suo posto. »

« Naturalmente. »

« Me lo ricordo che recitava qualche poeta canadese, e sbalordiva i nostri ospiti. Chi era? Service? »

« Sì. Roba allegra. »

« E mi ricordo che a Banff restavo sveglia ad ascoltare i treni », dice Julia.

« Anch'io. »

« Perché se n'è andato? Lui e Piers non stavano insieme? » Julia mi fissa con uno sguardo molto diretto, tenero e attento.

« Credo di sì », dico. « Ma dopo qualche anno... Be', in ogni caso a Piers non piace parlarne. S'è rotto qualcosa, credo, come a volte succede: nella musica e in tutto il resto. Ricordi, si alternavano come primo e secondo violino. »

« Ricetta sicura per un disastro. »

« Sì. Noi non lo facciamo, da quando sono entrato io, cinque anni fa... E tu, anche tu ti sei naturalizzata londinese? Oh, a proposito: mi dispiace tanto per tuo padre. »

Julia ha un'aria sbigottita.

« Julia, mi dispiace averlo detto in questo tono così casuale », le dico. All'improvviso mi sento colpevole e sgomento. « Non voleva esserlo. Dopo averti vista sull'autobus, ho cercato di rintracciarti di nuovo. Ma le tracce si sono perse a Oxford. Mi dispiace tanto. Era una persona che mi piaceva. E so che tu lo adoravi. »

Julia abbassa lo sguardo sulle dita delicate e affusolate, che intreccia e poi scioglie lentamente, come per lasciarvi scorrere i pensieri.

« Diamo un'occhiata in giro? » le chiedo.

Non risponde per un po', poi alza gli occhi e dice: « Be', entriamo? »

Faccio cenno di sì.

Quando ci siamo conosciuti era da poco morta mia madre, e adesso è toccato a suo padre. Anche se mi aveva negato qualunque informazione quando più ne avevo bisogno, era un uomo gentile. Pacifico di natura, scriveva con chiarezza oggettiva di storia militare. Julia ha preso da lui, credo, la forma mentis. Ma come faccio ad arrivare a conclusioni simili, se l'ho incontrato una volta sola, per un solo giorno?

3.2

Girovaghiamo per due ore, sala dopo sala, quasi senza parlare. È un ambiente competitivo, tutt'altro che neutro. Julia è assorta: talvolta in un quadro, talvolta in qualcosa di inesplicabile. Sembra attenta alle espressioni sui volti delle figure ritratte, sembra immergersi in essi, sembra inconsapevole della mia presenza, non reagisce ai miei commenti. Rimane per un po' davanti alla *Dama col ventaglio* di Velázquez.

« Scusami, Michael. Mi sono persa chissà dove. »

« No, no, non fa niente. » Lei guarda la dama, io guardo lei. Ma perché preoccuparsi? È sempre stata un po' così, nei musei. A Vienna c'era un quadro – un Vermeer – davanti al quale era rimasta immobile per mezz'ora prima che la toccassi sulla spalla e la risvegliassi dalla trance.

Seguo i suoi passi e il suo sguardo. Un giovane arciere nero, dall'aria introversa e impenetrabile; una fanciulla in altalena, birichina e vaporosa, che scalcia via una pantofola rosa verso l'innamorato; il figlio di Rembrandt, Titus. Chi sono queste persone, e quale catena di casualità le ha condotte a condividere questo edificio? Quante decine di facce ha aggiunto ciascuno di noi alla propria vita, in questi dieci anni?

Ci ritroviamo in una sala in cui un custode sta discretamente facendo ginnastica. Le pareti sono coperte di quadri di Venezia. Di sicuro non è per questo che mi ha portato qui.

Julia sposta lo sguardo dai quadri al custode, poi su di me: « Be', ci sei stato, alla fine? »

« No, non ancora. »

« Io sì », dice sottovoce.

« Be', lo desideravi tanto. »

« Io? » mi chiede con una traccia di tensione.

« Noi. »

Lei si è fermata davanti al dipinto di una chiesa con cupole e una torre, vista da lontano, oltre uno specchio d'acqua. Anche se non ci sono mai stato, ha un'aria familiare.

« Io e Maria ci siamo andate qualche mese dopo gli esami finali », dice. « C'è stato un temporale, la prima notte, con lampi che illuminavano tutta la laguna. Continuavo a piangere: una cosa stupida perché, dopo tutto, era meraviglioso. »

« Non tanto stupida. » Voglio toccarle una spalla, ma non lo faccio. Ho l'impressione che tutta questa scena sia recitata da due estranei.

« Dovresti andarci », dice lei.

« Ci andrò », rispondo. « Ci andremo in primavera. »

« 'Andremo' chi? »

« Il quartetto. »

« Che cosa andate a fare? »

« Un paio di concerti. E, be', a vedere Venezia. Ci andiamo da Vienna. »

« Vienna? » dice Julia. « Vienna? »

« Sì », le dico. Dato che resta in silenzio, aggiungo: « Facciamo un programma solo di Schubert al Musikverein ».

Dopo un secondo dice con una voce senza espressione: « Dirò a mia madre di venire. Adesso lei abita lì. E anche mia zia ».

« E tu? Tu non verrai? »

« Adesso abito a Londra. »

Il mio viso si illumina. « Allora abiti davvero a Londra. Lo sapevo. »

All'improvviso le viene in mente qualcosa e sbianca, assalita dall'angoscia. « Michael, devo andare. Sono le tre passate. Avevo perso la cognizione del tempo. Devo... devo passare a prendere... una persona. »

« Ma... »

«Adesso non posso spiegarti. Devo andare, sul serio. Arriverò in ritardo. Ci vediamo domani.»

«Ma quando? Dove?»

«All'una?»

«Sì, ma dove? Ancora qui?»

«No. Ti lascio un messaggio sulla segreteria.»

«Perché non mi telefoni più tardi?»

«Non posso. Ho da fare. Ti lascio un messaggio per quando torni a casa.» Si volta per andare. Sembra vicina al panico.

«Perché non gli telefoni per dire che farai un po' tardi?»

Ma lei non si volta né si ferma per rispondere.

3.3

Ecco il succo del nostro incontro. E non ci siamo sfiorati nemmeno per salutarci. Abbiamo parlato per non più di cinque minuti, e quel che abbiamo detto era freddo, spezzato. Non so nulla di cosa lei pensi adesso, di chi sia adesso. Mi sento vuoto. Nell'aria rimane una traccia del suo profumo, leggero, al limone. Continuo a girare per le sale, fissando le armi: spade, scimitarre, pugnali, corazze, elmi. Un cavallo ricoperto da un'armatura d'acciaio nero troneggia su di me come un carro armato. Un'intera sala di bambini dipinti da Greuze, grassi di falsa innocenza: sorridono senza vedermi o gettano uno sguardo tremulo al cielo. Un orologio nero e sferico esibisce due figure dorate, una dea e un giovane uomo: un re o un principe. Lei lo sovrasta in dimensioni, ma le sue dita minuscole sono incongruamente posate sulla mano enorme di lui. Vado alla deriva fra primo piano e pianterreno, a disagio, in trance, vedendo e non vedendo: allegoria, mito, paesaggio, regalità, cani da compagnia, selvaggina morta. Il custode tiene le mani incrociate dietro la testa e si volta a destra e a sinistra. Flette le dita. In questa sala sento la voce del mio violino. Venezia ci circonda: il sereno Canaletto dall'acqua turchese, i colori sudici e visionari di Guardi.

Non abbiamo passato insieme queste ore. Ciascuno di noi

era chiuso all'interno della propria concentrazione. Questa è l'unica sala in cui abbiamo parlato. Eppure, non è possibile forzare i tempi, quando ci si ritrova dopo così tanto tempo. Lei non sembrava amareggiata; ha perfino detto che voleva rivedermi.

Davanti a tutti i ritratti dove si era fermata lei mi fermo adesso io. La vedo e la sento: le spalle irrigidite di fronte alla dama col ventaglio, la risata alla vista della coquette di Fragonard sull'altalena e dei suoi pizzi rosa.

Mi fermo davanti al quadro e ricordo la sua risata. È felice? Perché vuole vedermi ancora? Perché, fra tutti i posti possibili, mi ha chiesto di incontrarci qui? È stata semplicemente la prima cosa che le è venuta in mente dopo il concerto? Di certo non può essere stato a causa di Venezia.

La sua risata conteneva gioia. Poi all'improvviso la gioia ha lasciato il posto alla preoccupazione e alla tristezza.

Il viso colorito osserva con aria birichina la pantofola in volo sopra una schiuma di foglie. Le corde scompaiono in alto nel confuso tumulto dell'oscurità. Questo quadro ha fascino. Per un istante è riuscito a catturarla. Perché cercare un'altra ragione?

3.4

Il mondo mi entra nella testa attraverso la segreteria telefonica. Ci sono sette messaggi: un raccolto eccezionale. Il primo è di Julia. Propone che ci troviamo domani all'una all'Orangery di Kensington Gardens. È a pochi minuti a piedi da casa mia, ma lei non poteva saperlo.

Ci sono un paio di telefonate legate alle Camerata Anglica e a varie prove per le quali devo segnalare la mia disponibilità.

Erica Cowan telefona per decantare le meraviglie del nostro concerto di ieri sera, e per dire che ha saputo da Helen che Julia si era presentata dietro le quinte. Che cosa stupenda. È così felice per me: si avverano i desideri di chi sa aspettare. E ha notizie interessanti da comunicare al quartetto, ma deve aspettare fino a domani per dircele.

Un messaggio di Piers. Ha l'impressione che io fossi un po' distratto quando abbiamo discusso del concerto sulla strada di casa. Gli piacerebbe parlarne di nuovo. Anche Erica ha qualcosa da comunicarci. Possiamo trovarci da Helen domani pomeriggio alle due?

Chiamo Piers. Vanno bene le cinque invece delle due? Per lui non ci sono problemi, dice; controllerà con gli altri. Quali sono le notizie interessanti di Erica, gli chiedo. Piers è prudente. Erica crede che dovremmo essere tutti insieme per valutarle.

Il messaggio seguente è di una voce femminile, piuttosto irosa, che si domanda come mai la London Bait Company non risponde alle sue telefonate nel mezzo di un giorno lavorativo.

Un messaggio di Virginie, che ha una voce molto allegra. Il concerto le è piaciuto tantissimo e ha interrotto i suoi esercizi – sì, giura che sta studiando – per dirmi che abbiamo suonato in un modo davvero ispirato.

Squilla il telefono e il mio cuore fa un salto. Ma è ancora Erica. Ha l'aria di aver mangiato fin troppo bene a pranzo.

«Michael, tesoro, sono Erica. Sentivo di doverti chiamare, dovevo assolutamente, il concerto di ieri sera è stato assolutamente splendido.»

«Grazie, Erica. Ho appena ascoltato il tuo messaggio.»

«Ma non è per quello che chiamavo. È solo questo, Michael, tesoro, devi stare molto molto attento. La vita non è mai semplice. Sono appena andata a pranzo con una mia vecchia amica, e non posso fare a meno di pensare che le cose devono capitare proprio quando capitano. Capisci quello che voglio dire?»

«Sinceramente non...»

«È chiaro che potrebbe essere fisico o spirituale o, be', tutti e due. Helen mi ha detto, naturalmente.»

«Ma Erica...»

«Lo sai, quando si arriva ai quaranta, si diventa paurosamente fisici. A me non interessa nessun uomo della mia età, mi interessano solo gli uomini più giovani, che nel complesso sono assolutamente stupendi, ma del tutto irraggiungibili. Prima ero terribilmente difficile, e tutta questa gente girava attorno piena di desiderio e tu dicevi oh, no, no, e adesso è cambiato tutto. Ma il guaio è che se anche vuoi fare la porca, tutto quello che vogliono fare questi ragazzi è chiederti di presentarli a gente che li aiuti a trovare un lavoro.»

«Be'...»

«Così hai tutto questo desiderio, ma sei un vecchio catorcio. Certe volte mi guardo allo specchio e non mi riconosco. Chi è quella lì? Da dove saltano fuori queste rughe? Una volta avevo una faccia rotonda, una faccia da luna piena, e avrei tanto desiderato essere smunta, ma adesso è chiaro che sono smunta, terribilmente smunta, e non è che ho questa voglia tremenda di essere un vecchio catorcio. Mi andrebbe bene ancora quella faccia da luna piena, adesso.»

«Non sei smunta, Erica, sei bella e ubriaca.»

«Tu non hai ancora quarant'anni, non puoi capire», dice Erica con risentimento. «E in più sei un uomo.»

«Dove sei andata a pranzo?» le chiedo.

«Oh, al Sugar Club, hanno questi ingredienti impronunciabili nei piatti come jicama e metaxa... È metaxa che intendo?»

«Non ne sono sicuro.»

«Ma hanno una splendida lista dei vini.»

«Direi proprio di sì.»

«Ragazzaccio! Mio marito mi ha portato lì per il nostro anniversario, l'anno scorso, ed è stata una vera scoperta. Adesso ci porto tutti i miei amici. Prova il canguro.»

«Non mancherò. Erica, quali sarebbero queste notizie interessanti che hai per il quartetto?»

«Oh, quelle? Credo che la Stratus ci voglia far fare un disco.»

Non riesco a credere alle mie orecchie. La Stratus! «Stai scherzando, Erica», le dico. «Non puoi dire sul serio.»

«Bel ringraziamento.»

«Ma è meraviglioso! Come hai fatto?»

«Ho avuto una lunga e affettuosa chiacchierata con Ysobel Shingle stamattina... Ma parliamone per benino domani pomeriggio alle due.»

«Non alle due. Alle cinque.»

«Cinque?»

«Cinque. Scrivitelo da qualche parte.»

«Oh, me lo ricordo.»

«Erica, non ti ricorderai un bel niente. Non dopo il tuo pranzo liquido.»

«D'accordo. Ma non dire agli altri che te l'ho detto. Voglio che sia una sorpresa. Ricordatelo: acqua in bocca.»

Ma non ho dubbi che Erica ha telefonato a ciascuno di noi per farci giurare di mantenere il segreto.

Prima di riattaccare le dico di bere litri d'acqua, di prendere un Nurofen, e di cercare di pronunciare dieci volte «Ysobel Shingle» in rapida successione.

3.5

Pensando a Julia e non riuscendo a dormire, guardo uno sconnesso thriller in televisione e mi addormento alle tre del mattino.

Alle undici l'aria è fresca e limpida, ma si oscura, e verso mezzogiorno c'è una pioggia intensa e continua. Ma Julia non telefona per cambiare il luogo o l'ora del nostro appuntamento.

A un quarto all'una, imbottito e armato di ombrello e cappello per difendermi dal tempo, esco di casa. Le vecchie foglie, cadute da mesi, vengono sollevate a mulinelli dal vento. La pioggia batte obliqua e mi inzuppa i pantaloni sotto il ginocchio. L'ombrello con i suoi deboli raggi diventa una vela nera impazzita. Il parco è quasi completamente deserto: chi andrebbe a fare una passeggiata con questo vento?

Su ciascuno dei grossi rami di un platano sono posati una dozzina di piccioni, alcuni dei quali marroni, sferzati dal vento, muti e arruffati, come grossi frutti. Sotto cammina con calma un corvo, che gracchia con un'aria padronale. Passano un paio di infelici forzati del jogging.

Raggiungo l'Orangery. Alcune persone, probabilmente intrappolate dalla tempesta, sorseggiano tazze di tè e leggono il giornale. Dall'interno è una bella costruzione: un altissimo rettangolo bianco con alcune nicchie, con la parete rivolta a sud formata da alti pilastri che si alternano a enormi finestroni per far entrare la luce del sole, o qualunque altra cosa offra il tempo. Non c'è segno di Julia.

Nel migliore dei casi la sala rimbomba, ma oggi il vento che ulula, la pioggia che sferza obliqua le alte finestre, il gemito di un neonato malinconico e i fragori occasionali che provengono dalla cucina creano un effetto che senza dubbio entusiasmerebbe Billy.

Julia arriva pochi minuti dopo. È fradicia. I capelli biondi sono appiccicati e quasi castani, il vestito è completamente bagnato. Ha uno sguardo preoccupato mentre scruta l'Orangery.

In un secondo la raggiungo alla porta.

«Quest'ombrello», dice, agitandolo.

Rido e l'abbraccio e la bacio sulla bocca senza pensare, come la prima volta molti anni fa.

Lei sembra rispondermi, poi si stacca rapidamente. Per alcuni secondi distoglie lo sguardo, come se cercasse di riprendere il controllo di sé.

«Che tempesta», dice, passandosi una mano fra i capelli.

«Perché non mi hai telefonato per cambiare posto?» le chiedo. «Sei bagnata fino alle ossa.»

«Oh, sarebbe stato troppo complicato.»

«Mettiti vicino al termosifone.»

Si ferma accanto al termosifone, tremando, e guarda la pioggia di fuori. Sto dietro di lei. Le ho posato le mani sulle spalle. Lei non le respinge.

«Julia, io ti amo ancora.»

Non dice nulla. È la mia immaginazione, o sento irrigidirsi le sue spalle?

Quando si volta è per mormorare: «Prendiamo un caffè. È molto che aspetti?»

«Julia!» le dico. Una cosa è ignorare le mie parole: ma perché queste deliberate banalità?

Capisce guardandomi negli occhi di avermi ferito. Tuttavia

continua a non dire nulla. Ci sediamo. Arriva una cameriera e ordiniamo caffè e torta allo zenzero.

Per un minuto o due restiamo in silenzio, poi Julia mi chiede esitando: « Hai notizie di Carl Käll? »

« Mi ha scritto una lettera qualche mese fa. »

« Ti ha scritto lui? »

« Sì. Probabilmente saprai che adesso è in Svezia. »

La cameriera ci porta ciò che abbiamo ordinato. Julia fissa il suo piatto. « Si dice in giro che sia molto malato », dice.

« C'era qualcosa nella lettera che me l'aveva fatto pensare. »

Capisce che non voglio parlare di lui, e passa ad altro. Tocchiamo con cura gli argomenti, uno a uno, come se potessero all'improvviso impennarsi e colpirci: conoscenze casuali, le probabilità che la tempesta si plachi fra poco, l'ambiente. Apprendo che Maria, dopo una serie di fidanzati artisti, si è sposata con un solido borghese.

Tocco il segno rosso alla sinistra del mio mento, il callo del violinista. In tutto questo spazio aperto, c'è qualcosa che grava su di me. Penso di nuovo a Carl. Il suo archetto andava su e giù come una piccola sferza mentre mi diceva cosa fare. Per lui l'orchestra era come il pub o il night-club per mio padre. Perfino la musica da camera non era quello che si aspettava da me. Quando suonava udivo un suono così nobile – rotondo, caldo, senza affettazione – che volevo emularlo, ma quando sperimentavo le sue tecniche facevo violenza al mio stile. Perché non poteva permettermi di formarmi da solo, con la sua guida, non con la coercizione?

Gli occhi di Julia sono posati sul mio viso, quasi con circospezione. Poi dice qualcosa che mi sfugge nel rumore che ci circonda. Da qualche parte proviene uno strepito continuo, e il bambino a tre tavoli dal nostro sta ululando a pieni polmoni.

« Scusa, Julia... Questo posto è impossibile. Non ho capito cos'hai detto. »

« Per una volta... » dice, e leggo sia la tensione sia una traccia di divertimento nella sua espressione.

« Per una volta cosa? »

« Niente. »

« Ma cos'avevi detto? »

« Devo dirtelo, Michael, prima o poi. È meglio prima. »

« Sì? »

« Sono sposata. » Lo ripete dolcemente, quasi a se stessa. « Sono sposata. »

« Ma non è possibile. »

« Sono sposata. »

« Sei felice? » Faccio di tutto per non far sentire la disperazione.

« Credo di sì. Sì. » Il suo dito si muove in un piccolo quadrante attorno al bordo del suo piatto bianco e blu. « E tu? » mi chiede.

« No. No. No. Voglio dire, non sono sposato. »

« Sei solo? »

Sospiro e scrollo le spalle. « No. »

« È carina? »

« Non è te. »

« Oh, Michael... » Il dito di Julia interrompe il movimento attorno al bordo. « Non fare così. »

« Bambini? » le chiedo guardandola negli occhi.

« Uno. Maschio. Luke. »

« E vivete tutti insieme felici a Londra. »

« Michael! »

« E suoni ancora, naturalmente. »

« Sì. »

« Ecco tutto quello che dovevo sapere. Tranne... Perché non porti la fede? »

« Non lo so. Mi distrae. Mi distrae quando suono il pianoforte. La guardo e non riesco a concentrarmi sulla musica. Michael, sei stato tu a lasciare Vienna. »

È vero. Cosa posso dire allora? La verità, la verità senza smussarne gli spigoli.

« Non riuscivo più a respirare con Carl intorno. Non sapevo che non potevo respirare senza di te. Non ho mai pensato che ti avevo persa... che ti avrei persa. »

« Avresti potuto scrivermi dopo essertene andato, spiegarmi cosa era successo. »

«Ti ho scritto...»

«Mesi dopo. Dopo che pian piano io ero andata in pezzi.» Si ferma per un momento e poi continua. «Non mi sono fidata ad aprire le tue lettere quando finalmente sono cominciate ad arrivare. Non avevo pensato a niente se non a te, ogni ora, ogni giorno, quando dormivo, quando ero sveglia. No.» Parla da una sorta di distanza di sicurezza, quasi al di là del ricordo del dolore o della rabbia.

«Mi dispiace tanto, tesoro.»

«Michael, non chiamarmi così», dice tristemente.

Rimaniamo in silenzio per un po', poi Julia dice: «Be', è passato».

Ha smesso di piovere. Adesso è in piena vista il giardino, con le sue enormi torrette verdi modellate dai giardinieri. Il cielo è limpido.

«Senti», le dico. «Un pettirosso.»

Julia mi guarda e fa cenno di sì.

«Sai», continuo, «vengo qui spesso, non tanto nell'Orangery quanto nel giardino incassato laggiù. Certe volte in primavera vengo solo per ascoltare i merli. E tu, sei sempre innamorata degli usignoli?»

Gli occhi di Julia sono pieni di lacrime.

Dopo un po' dico: «Senti, usciamo di qui e facciamo una passeggiata. Abito qui vicino».

Lei scuote la testa, come se volesse negare quello che ho appena detto.

«Devi asciugarti bene», le dico.

Fa cenno di sì. «Anch'io non abito lontano. Ho la macchina parcheggiata qui. È meglio che vada.»

«Non vuoi darmi il tuo numero di telefono?»

«No», dice, asciugandosi gli occhi.

«Be', questo è il mio indirizzo», le dico, estraendo un foglietto giallo dal portafogli e scarabocchiandoci sopra. «Scrivimi il tuo. Non ho intenzione di perderti di nuovo.»

«Michael, non sono qui per essere vinta.»

«Sai che non è quello che intendo. Non sono così stupido.»

« Non so che cosa intendi », dice. « E non so cosa sto facendo io qui. »

« Be', dammi il tuo indirizzo. »

Julia esita.

« Nel caso che ti voglia mandare un biglietto a Natale. O, chi lo sa, magari un'altra lettera. »

Scuote la testa e scrive l'indirizzo. Elgin Crescent, a Notting Hill, uno o due chilometri da dove abito io.

« E ti chiami sempre McNicholl quando suoni? »

« No. Ho preso il cognome di mio marito. »

« Che sarebbe? »

« Hansen. »

« Oh, allora tu sei Julia Hansen. Ho sentito parlare di te. »

Julia sorride contro la sua volontà. Ma smette subito, dopo aver visto – presumo – la desolazione nei miei occhi.

Attraversiamo il parco, senza dire molto, io verso casa mia, Julia verso la macchina.

3.6

« No, non lo è, Piers, tesoro », dice Erica posando il whisky su uno dei tavolini-sgabello quadrati di Helen. « Eccentrica, sì, nevrotica, sì, ma non è matta. »

« Ma, Erica », dice Billy, « non potresti farle cambiare idea? Non potresti proprio? Voglio dire, non potresti dirle semplicemente che non possiamo farlo, e che ci sono un sacco di cose nel nostro repertorio che ci piacerebbe suonare? Un sacco. »

Erica scuote vigorosamente la testa. « Sono stata due ore nel suo ufficio a girare attorno all'argomento, ma era o così o niente. A lei non interessa nient'altro di quello che potremmo offrirle. Dice che il repertorio per quartetto è fin troppo registrato, e che lei non contribuirà all'inflazione. »

« Non capisco », dice Helen. « Ascolta tutto il concerto, e poi si attacca al bis. »

Erica fa un sorriso materno. « Le ho detto che non è il genere di cose che suonate di solito. Lei fa: 'Tanto peggio: se gli propongo questo disco dovranno farlo'. Sul serio, Helen, io ho visto molto ma molto raramente Ysobel Shingle così entusiasta come del modo in cui avete suonato Bach. Ricevere un'offerta dalla Stratus è un grosso colpo. Non intendo per i soldi», aggiunge subito Erica. «Non prenderete molto. Ma vorrà dire farsi notare, e parecchio.»

«Potrebbe anche finire molto male», dice Billy. «Un'incisione dell'*Arte della fuga* per un'etichetta come la Stratus avrà un sacco di recensioni e, se non piace, ci troveremo in orbita nel buio dello spazio profondo.»

«Sì», dice Erica. «E se invece piace, potreste essere abbagliati dalle luci della ribalta. Be', eccoci qua. Dovete decidere voi. Ma sono disposta a passare due ore a persuadere voi, dato che non sono riuscita a dissuadere lei. O a deviarla, piuttosto.»

«È pazzesco», dice Piers. «Ci distrarrà dal nostro repertorio regolare.»

«È una sfida», dice Erica.

«Risparmiaci le banalità», dice seccamente Piers.

Erica si volta verso di me, per nulla sconcertata. «Tu non hai detto molto, Michael.»

«Non ha detto niente», dice Helen. «Cosa diavolo ti succede, Michael? Sembri lontano anni-luce da qui. Stai bene?»

Billy mi dà un'occhiata. «Cosa ne pensi?» mi chiede.

«Non lo so», dico. «Sono ancora stordito.» Mi giro verso Erica, cercando di concentrarmi. «È per questo che non ci hai detto per telefono la sua offerta?»

«Forse», dice Erica. «Sì. Volevo godermi le vostre reazioni. E poi non volevo che qualcuno decidesse per tutti gli altri.»

Piers grugnisce.

«Quanto è lunga l'*Arte della fuga*, Billy?» gli chiedo.

«Un'ora e mezzo, due CD.»

«E tutto quello che abbiamo suonato in vita nostra sono quattro minuti e mezzo», dice Piers.

«Ma ci è piaciuto», dico.

«Sì», dice Helen, «forse più di qualunque cosa abbia mai suonato.»

« L'avete suonato in maniera superba, superba! » grida Erica, agitandosi per l'entusiasmo. « E gli spettatori sono rimasti in silenzio per cinque interi secondi prima di applaudire. Uno, due, tre, quattro, cinque! Non avevo mai visto niente del genere. »

« È un'idea seriamente pessima », insiste Piers senza lasciarsi impressionare. « Ci distoglierà da quello che vogliamo fare. Entrerà in competizione con i nostri concerti, invece di arricchirli. Non possiamo *eseguire* tutta quella maledetta roba, possiamo solo inciderla. I quartetti non fanno cose del genere sul palcoscenico. In più, Bach non l'ha scritta per quartetto d'archi. »

Billy emette un breve colpo di tosse pre-disquisizionale. « Um, sai, sono sicuro che se il quartetto d'archi fosse esistito ai suoi tempi Bach l'avrebbe scritta per quartetto. »

« Ah già, Billy, ancora il tuo filo diretto con Bach? » chiede Piers.

« In realtà, non è chiaro per che cosa l'abbia scritta », continua con calma Billy. « Io sono quasi sicuro che fosse per tastiera, dato che sta tutta nell'estensione delle due mani, ma alcuni sostengono che non sia stata concepita per nessuno strumento in particolare. Altri pensano che non sia nemmeno stata scritta per essere eseguita: solo una specie di offerta a Dio o allo spirito della musica, ma a me questa sembra una sciocchezza, e anche a Jango. No, non c'è niente di male se la eseguiamo noi. »

« E la viola, per una volta, ha una parte uguale a quella degli altri », dice Helen con aria meditativa.

Piers alza gli occhi al cielo.

« Tutte e due le viole, in realtà », dice Billy a Helen.

« Cosa vuoi dire? » gli chiede Helen.

« Be' », dice Billy con un'aria da Buddha, « ti ricordi che alla Wigmore Michael ha dovuto accordare un tono sotto la quarta corda? Se fossimo stati in sala di registrazione, invece che sul palco, avrebbe potuto suonare tutta la fuga sulla viola invece che sul violino, e avrebbe evitato il problema. E ci sono diverse altre fughe dove la sua parte scende così in basso che dovrà davvero usare la viola. »

Il mio viso si illumina al pensiero di suonare di nuovo la viola.

« Allora? » dice Erica, dopo essersi versata un intero e poco diluito bicchiere di whisky. « Qual è il succo di questa riunione? Cosa devo dire a Ysobel? »

« Sì! » dice Helen prima che chiunque altro possa dire qualcosa. « Sì! Sì! Sì! »

Billy dà una buffa scrollata di spalle, testa e mano destra che vorrebbe dire: be', è un rischio, ma d'altra parte, a cosa serve la vita, e Bach è così fantastico, e Helen ha così tanta voglia di suonarlo, per cui, be', sì, va bene.

« Mi chiedo a chi potrei chiedere in prestito una viola », dico io.

È Piers di solito che sceglie i nostri programmi, ma se pensa di dettar legge adesso, dovrà affrontare una ribellione.

« Proponiamo un altro programma e andiamo a vedere il suo bluff », dice.

Erica scuote la testa. « Conosco Ysobel », fa.

« Be', quando dovremmo incidere, allora? » chiede Piers con aria irritata. « Se dovessimo accettare, cioè. »

Erica fa un minuscolo sorrisetto pregustando il trionfo. « Ysobel è molto flessibile su questo punto – e anche questa è una cosa sorprendente – però vuole avere subito la nostra risposta, per il sì o per il no. Per lei potrebbe diventare una questione di buco di catalogo, e se tiriamo in lungo o rifiutiamo potrebbe cominciare a cercare qualcun altro per riempirlo. All'improvviso si è messa a parlare – o a sussurrare, come fa lei – senza nessun motivo in particolare, o forse mi sono persa il nesso, cosa che sarebbe abbastanza tipica, per me, naturalmente, di quanto le piaceva il suono del Quartetto Vellinger... »

« Non dovremmo fare le cose senza pensarci », dice Piers, dibattendosi davanti alle tattiche di Erica.

« No, ma nemmeno non farle perché ci pensiamo troppo », dice Helen. « Non siamo l'unico buon quartetto in circolazione. Ti ricordi quando abbiamo aspettato a rispondere al festival di Ridgebrook e loro hanno preso al nostro posto il Quartetto Škampa? »

142

«Senti, Helen», dice Piers aggredendola, «tu all'inizio sei una grande entusiasta, ma... Ti ricordi la ruota da vasaio? Hai fatto diventare la nostra vita un inferno finché papà non te ne ha comprata una, e poi ci hai fatto un vaso solo – e nemmeno molto bello, per quel che mi ricordo – e non l'hai più guardata. È ancora in garage.»

«Avevo sedici anni», dice Helen, ferita. «E cosa c'entra, adesso? Se il Vellinger ci ruba il posto, sapremo a chi dare la colpa.»

«Oh, d'accordo», dice Piers. «D'accordo, d'accordo, diciamo a quella matta della Shingle che siamo abbastanza scemi da prendere in considerazione l'idea. Ma abbiamo bisogno di tempo per pensarci. Non possiamo decidere adesso, sui due piedi. Mi rifiuto. Andiamo a casa e pensiamoci sopra. Per una settimana. Almeno per una settimana.»

«Con calma», suggerisce Helen.

«Sì, con calma, naturalmente», dice Piers, ribollendo.

3.7

La notte scende su una strana giornata, così ricca di cambiamenti. Ho bisogno di fare una passeggiata nel quartiere. Mentre sto per uscire da Archangel Court, si avvicina a me il misterioso signor Lawrence – Mr S.Q. Lawrence – immacolato e dai capelli argentati.

«Um, signor Holme, potrei magari scambiare due parole con lei? A proposito dell'ascensore. Abbiamo parlato con l'amministratore e... qualche parola con Rob... questi inconvenienti... però un esito positivo, non è d'accordo?»

Capisco ben poco di quello che sta dicendo. Nella mente mi entrano frasi disperse come stelle cadenti all'orizzonte. Ma mi chiedo cosa vorrà dire quella Q nel nome.

«Sì, sì, sono completamente d'accordo.»

«Bene, devo dire», dice il signor Lawrence, con un'aria sorpresa e sollevata. «Speravo proprio che dicesse così. E natural-

mente dobbiamo prendere in considerazione anche gli altri proprietari... prestazioni insoddisfacenti... problemi soprattutto per
lei... naturalmente si potrebbe passare a Otis... un accordo di
servizio... altalene e giostre... be', le cose stanno così. »

« Mi dispiace, signor Lawrence, devo scappare. Etienne's sta
per chiudere. I croissant, capisce. » Apro la porta a vetri ed esco
nella notte umida.

Dovevo proprio raccontargli dei croissant? mi chiedo.

Quando rivedrò Julia?

La commessa di Etienne's è cambiata; ha un viso fresco, anche così tardi, e un aspetto e un accento polacchi. Passo davanti
a ristoranti greci, a un pub australiano, a file di telefoni con i biglietti di call-girl appiccicati all'interno. Ho bisogno di strade
più vuote. Vado verso le piazze bianche più a ovest.

I loro cuori sono pieni di alberi inaccessibili. I loro marciapiedi quasi deserti. Cammino per un'ora senza meta. Il cielo è
nuvoloso, l'aria tiepida, per essere inverno. Da qualche parte, in
lontananza, parte l'antifurto di una macchina, suona per mezzo
minuto, si spegne.

Le ho detto che la amavo e non ha reagito. Le mie mani erano posate sulle sue spalle, e l'ho sentita irrigidirsi. Guardava davanti a sé, attraverso le vetrate, i rami degli ippocastani, nudi e
agitati dal vento.

Quando, tornando, abbiamo attraversato il parco, lei non ha
quasi aperto bocca. C'erano rametti sparsi lungo il Broad Walk,
sopra il Round Pond stridevano i gabbiani. È stata una conversazione slegata, come se lei non volesse rispondere a quello che
dovevo dirle.

Le cupole d'argento opaco dello Stakis Hotel; ci siamo separati qui.

Il signore e la signora Hansen e il loro figlio Luke. Un gatto?
Un cane? Pesci rossi? Il telefono non deve suonare a casa loro,
il loro rifugio.

Se potessi parlarle stasera, il mio cuore si placherebbe. Se
potessi stringerla ancora troverei la pace.

3.8

Mi addormento verso mezzanotte, immaginando di stare con lei. Dormo senza sogni, forse perché sono così stanco.

Alle dieci del mattino, qualcuno suona il citofono. Guardo lo schermo azzurro in miniatura e vedo il viso di lei, un po' distorto. Un foulard le copre i capelli.

È stupefacente: come se il pensiero di lei l'avesse fatta comparire per incanto.

«Michael, sono Julia.»

«Ciao! Vieni su. Mi sto facendo la barba. Primo ascensore, ottavo piano», le dico e premo il pulsante.

Sembra un po' perplessa davanti alle procedure d'ingresso. Spinge la porta interna a vetri e sorride. Dopo quello che mi sembra un secolo sento il suono dell'ascensore, poi il campanello. Apro.

«Oh, mi dispiace... Stavi preparandoti», dice guardandomi. Ho un asciugamano attorno alle spalle, la schiuma su mento e collo e un sorriso stupidamente largo in mezzo alla faccia. «Non avevo capito che ti stavi facendo la barba», continua.

«È un miracolo che non mi sia tagliato», dico. «Come mai qui?»

«Non lo so. Ero da queste parti.» Fa una pausa. «Che vista! È meravigliosa. E c'è tanta luce.»

Faccio un passo verso di lei, ma Julia dice subito: «Per piacere, Michael».

«Va bene, va bene, d'accordo, la schiuma sulla faccia, capisco. Metto su un po' di musica? Torno fra un minuto.»

Scuote la testa.

«Non scomparire», dico. «Non sei un miraggio da barba?»

«No.»

Dopo pochi minuti esco dal bagno. Seguo il profumo del caffè fino all'angolo del soggiorno che mi fa da cucina. Julia sta guardando dalla finestra. Quando le arrivo dietro le spalle si volta, trasalendo.

«Spero che non ti dispiaccia», dice. «Ho preparato il caffè.»

« Grazie », le dico. « È passato un po' di tempo dall'ultima volta che qualcuno mi ha fatto una cosa del genere, qui. »

« Oh? Ma pensavo... »

« Be', sì... Ma lei non si ferma mai qui. »

« Perché? »

« Non abitiamo insieme. Certe volte vado io da lei. »

« Parlami di lei. »

« Studia il violino. È francese, di Nyons. Si chiama Virginie. »

« Mi piacerebbe? »

« Non lo so. Forse no. No, non proprio... Non è che non ti piacerebbe, semplicemente non avreste molto in comune. A me piace, però », aggiungo subito, sentendomi sleale.

« Non ho visto nessuna fotografia in soggiorno, a parte quelle della tua famiglia », dice Julia.

« In realtà non ce l'ho, una sua foto », dico in fretta. « Non sotto mano, almeno. Potrei descriverla: capelli neri, occhi neri... No, non sono capace. Non sono bravo a descrivere le persone. »

« Be', mi piace il dopobarba che ti ha regalato. »

« Mmm. »

« Come si chiama? »

« Havana. »

« Come la capitale di Cuba? »

« Ce n'è qualcun'altra? »

« Be', no, credo. »

« E a me piace quel profumo di limone che porti. Che cos'è? »

« Michael, non far finta di essere interessato al nome del mio profumo. »

« Un regalo di tuo marito? »

« No. Me lo sono comprata da sola. Solo un mese fa. Ti piacerebbe, James », dice Julia.

« Certo », dico senza pensarci.

« Non so perché sono venuta. È stupido da parte mia. Ero curiosa di vedere dove abitavi », continua. « Anche il giorno che ti ho visto in Oxford Street ho capito che dovevamo abitare vicini. »

« Come facevi a saperlo? » le chiedo.

« Le prime tre cifre. »

« Giusto. »

« In realtà ho cercato il tuo nome sull'elenco del telefono. Non riuscivo a ricordare tutto il numero. »

« Così l'avevi cercato, il mio numero, dopo tutto. »

« Sì. »

« E non mi hai telefonato? »

« Mi ricordo di aver pensato, mentre scorrevo quei nomi – Holland, Holliday, Hollis, Holt e così via – 'Sono solo nomi. Solo nomi come tanti altri'. E naturalmente, nell'elenco di Vienna, leggo Kind, Klimt, Ohlmer, Peters, e non succede niente dentro la mia testa, non si agita niente in me. »

« Cosa stai dicendo, Julia? »

« Beethoven, Haydn, Mozart, Schubert... Non capisci cosa voglio dire? Sono solo nomi, nomi di un elenco del telefono, penso qualche volta. No, non capisci, si vede. Ma siamo così in alto qui, più in alto di tutto. »

« Sì. Be' », dico, attaccandomi finalmente a qualcosa che riesco ad afferrare. « C'è molta luce, come dicevi. E la vista lontana della cupola di St Paul, per compensare la scarsa pressione dell'acqua. » Mi volto per indicare una presa. « Se si attacca l'aspirapolvere lì, si riesce a pulire tutto l'appartamento. Tre piccole stanze... Non è un palazzo, ma è più grande che a Vienna. Ti piace? »

« Latte ma niente zucchero, giusto? » dice Julia, rispondendo con una domanda.

« Né l'uno né l'altro, adesso. »

« Scusa? » Sembra agitata, come se questo cambiamento di abitudini significasse chissà cosa.

Sorrido della sua perplessità. « Ho abbandonato il latte. »

« Oh? Perché? »

« Continuo a scordarmi di comprarlo. Quello che c'è in frigo di solito è scaduto. Così, invece di rovinare il caffè, mi sono abituato a berlo nero. »

Prendiamo le tazze, andiamo dall'altra parte della stanza e ci sediamo. Io guardo lei, lei me. Cosa vogliono dire tutte queste chiacchiere e tutto questo silenzio?

« Sei contento che sia venuta? » mi chiede.

« Sì, ma non riesco a crederci », dico. « È incredibile. »

« Non ti disturbo? »

« No. E anche se mi disturbassi? Ma non ho lezioni stamattina. Però abbiamo una prova fra un'ora. La cosa più strana è successa ieri. Be', la seconda cosa più strana. »

« Cioè? »

« Ci hanno chiesto di incidere l'*Arte della fuga*. »

« L'*Arte della fuga*? Tutta? »

« Sì. Per la Stratus. »

« Michael, è una cosa meravigliosa. » Il viso di Julia si illumina di piacere, di felicità al pensiero, e di sicuro per me.

« Sì, vero? » dico. « Tu ne suonavi dei pezzi. Lo fai ancora? »

« Qualche volta. Non spesso. »

« Ho la musica. E c'è un pianoforte verticale nell'altra stanza. »

« Oh, no, no... Non posso, non posso. » Protesta quasi con violenza, come se volesse scongiurare qualcosa di terribile.

« Va tutto bene? » Le sfioro la spalla, poi la tengo con la mano a coppa.

« Sì, sì », fa lei. La mia mano si sposta fino al suo collo. Lei la sposta con delicatezza.

« Mi spiace di averti turbata. È solo che vorrei tanto sentirti di nuovo suonare. Vorrei tanto suonare qualcosa con te. »

« Oh, no! » dice con tristezza. « Lo sapevo che avresti voluto che suonassimo insieme. Non sarei dovuta venire. Sapevo che non dovevo. E ti ho deluso. »

« Julia... Cosa stai dicendo? Non sono deluso che tu sia qui. Come potrei? »

« La scuola di Luke è proprio dietro l'angolo. L'ho accompagnato, e poi sono rimasta in macchina a chiedermi cosa fare. » Sembra ferita. « Anche dopo che ho deciso di venire da te ho dovuto aspettare, perché pensavo che sarebbe stato troppo presto. Sono rimasta seduta in un caffè e ho cambiato idea ogni dieci minuti. »

« Perché non mi hai telefonato? Ero sveglio dalle nove. »

« Dovevo pensarci bene per conto mio. Non era solo perché ero da queste parti. Volevo vederti. Voglio vederti. Sei stato una parte così immensa della mia vita. Lo sei. Ma non voglio niente da te, niente di complicato. Niente di niente. Non che sia stato facile, allora. »

Mi sento come se il peso della conversazione fosse ricaduto su di me.

« Cosa fa James? » le chiedo. Mi costringo a pronunciare il nome con la massima naturalezza, ma tutto in me si ribella. Preferirei chiamarlo « tuo marito ».

« Lavora per una banca. È americano. Di Boston. È lì che abbiamo abitato da quando ci siamo sposati. Finché non siamo venuti a Londra. »

« Quando è stato? »

« Più di un anno fa... Luke sente la mancanza di Boston. Chiede spesso quando ci torniamo. Non che sia infelice qui. È una specie di capo, nel suo gruppo. »

« E quanti anni ha? »

« Quasi sette. Sei e dieci dodicesimi, dice lui. È tutto preso dalle frazioni. Ma non è un piccolo secchione, è un tesoro. »

Sento un'agitazione fisica dalle parti del cuore. « Julia, quando ti sei sposata? Quanto tempo dopo il mio ritorno in Inghilterra? »

« Più o meno un anno. »

« No. No. Non posso crederci. Non posso. Non è possibile. Ho parlato con tuo padre in quel periodo. Non mi ha detto niente. »

Julia resta in silenzio.

« James era già in giro quando c'ero io a Vienna? »

« Ovviamente no. » C'è una traccia di sdegno nella sua voce.

« Non riesco a sopportarlo. »

« Michael, è meglio che vada. »

« No. Non andare. »

« La tua prova. »

« Sì, me ne ero dimenticato... Sì, forse è meglio che... Ma non puoi venire domani? Per piacere. Sarò pronto per le nove. Anche prima. A che ora comincia la scuola? »

« Otto e mezzo. Michael, non posso accompagnare Luke a scuola e poi venire a trovarti. Non posso. Sarebbe troppo – non so – troppo squallido. »

« Perché? Cos'abbiamo fatto? »

Julia scuote la testa. « Niente. Niente. E non voglio niente. E neanche tu. Mandami un fax fra un giorno o due. Ecco il numero. »

« Un fax? »

« Sì. E... Michael, lo so che sembra stupido, ma scrivimi in tedesco... Usiamo tutti e due lo stesso fax, e non voglio che James si preoccupi... »

« No. Tra parentesi: i tuoi occhi sono terribilmente azzurri stamattina. »

« Come? » Sembra sgomenta. « Non capisco... »

« I tuoi occhi. Certe volte sono grigiazzurri, certe volte verdazzurri, ma stamattina sono semplicemente azzurri. »

Julia arrossisce. « Per favore smettila, Michael. Non parlare così. Mi turba. Davvero non mi piace. Non ho più ventun anni. »

Resto con lei sul pianerottolo. Arriva l'ascensore. Lei entra. Il suo viso è incorniciato dalla piccola griglia di vetro della porta esterna. C'è uno scatto, e la porta interna, di acciaio levigato, scorre rapida sul suo sorriso tormentato.

3.9

Dovevamo provare un programma di quartetti del Novecento – Bartók, Šostakovič, Britten – ma è saltato tutto. È mezz'ora che stiamo discutendo se accettare l'offerta della Stratus.

Helen sta fissando con ostilità Billy. Billy sembra a disagio.

Il problema appena sollevato da Billy è facile da porre e difficile da risolvere. Se l'*Arte della fuga* deve essere suonata da un quartetto d'archi nella tonalità originale di re minore – e Billy non vuole sentir parlare d'altro – alcuni passaggi della seconda voce (quella suonata da me) vanno al di sotto dell'estensione del violino. Posso suonarli su una normale viola, e questo non presenta nessuna difficoltà. Ma oltre a questo un certo numero di passaggi della terza voce (suonata da Helen) vanno una quarta più in basso dell'estensione della viola. E qui sta il guaio.

«Non posso accordarla una quarta sotto, Billy. Non essere idiota. Se insisti a mantenere la tonalità, dovremo semplicemente trasportare quei passaggi un'ottava sopra», dice Helen.

«No», dice Billy, adamantino. «Ne abbiamo già parlato. È una possibilità che non esiste. Dobbiamo farla giusta.»

«Be', che cosa possiamo fare?» chiede Helen, disperata.

«Be'», dice Billy, senza guardare nessuno in particolare, «potremmo prendere un violoncellista per fare quei particolari contrappunti, e tu farai gli altri.»

Tutti e tre ci voltiamo verso Billy.

«Neanche per sogno», dico io.

«Ridicolo!» dice Piers.

«Come?» dice Helen.

Il bambino di Billy, Jango, sta giocando per conto suo all'altro angolo del soggiorno di Helen. Sente che suo padre viene attaccato e si avvicina. Ogni tanto la moglie di Billy, Lydia, che fa la fotografa freelance, gli lascia Jango, e se è giorno di prova Billy – e non solo Billy – deve cavarsela come meglio può. Jango è un bravo bambino, e molto musicale. Billy dice che quando lui si esercita, Jango lo sta a sentire per ore, e certe volte si mette a ballare. Ma non ci disturberà quando suoniamo, nonostante le dissonanze del nostro secolo.

Adesso Jango fissa tutti noi, preoccupato.

«Cavalluccio?» dice Billy e se lo issa su un ginocchio.

Helen sta ancora scuotendo i riccioli rossi come una Medusa. «Vorrei che Erica non avesse mai tirato fuori quest'idea disgraziata. Avevo cominciato a entusiasmarmi», dice.

«Non ce la fai proprio ad accordare la viola una quarta sotto, almeno la quarta corda? O sarebbe troppo molle?» dice Billy.

La sua ingenua proposta suscita uno sguardo disgustato.

« Certe volte, Billy », dice Helen, « credo che tu sia il più cretino di tutti noi. Ti ho appena detto che non posso. »

« Oh! » è tutto quello che riesce a dire in risposta Billy.

« Allora: dobbiamo dire di no a Erica? » chiede Piers con calma. « Non era una grande idea fin dal principio. »

« No, no, Piers, non facciamo un bel niente per un'altra settimana. Ho bisogno di tempo per pensare », dice Helen.

« Pensare a cosa? »

« Pensare e basta », dice con durezza Helen. « Questa è la cosa più incredibile che mi può capitare di fare, e tu vuoi portarmela via. Non te lo permetterò. È tipico di te, Piers. È chiaro che ti fa molto piacere. »

« Su, dài », dice Piers. « Continuiamo con la prova? Abbiamo un sacco di roba da fare. »

« Non potremmo, pensavo », dice Billy esitando. « Solo prima della prova, voglio dire... »

« Non potremmo cosa? » chiede Piers, esasperato.

« Avevo promesso a Jango un pezzettino di Bach se prometteva di fare il bravo. »

« Per l'amor del cielo », dice Piers. Perfino io sono stupefatto dell'insensibilità di Billy.

« Oh, perché no? » dice Helen, sorprendendoci. « Facciamolo. »

Così io accordo velocemente la quarta corda un tono sotto, e suoniamo il primo contrappunto dell'*Arte della fuga*. Povera Helen. Do un'occhiata alla mia sinistra, ma adesso lei non sembra particolarmente turbata. Noto che anche Piers sta guardandola, con una certa comprensione fraterna. Billy sta fissando suo figlio, che è seduto davanti a lui con la testa inclinata. Non è chiaro cosa riesca a ricavare da tutto questo alla sua età, ma dall'espressione sul suo viso si capisce che gli piace.

Finisce troppo presto.

« Non è stato un addio », dice con decisione Helen. « Era un *au revoir*. Non ce la lasceremo scappare, neanche per sogno. »

3.10

Il mattino dopo il telefono suona presto. Sono seduto sul letto a pensare a Julia, ma non riesco a evocarla all'altro capo del telefono.

« Michael? »

« Sì. Sì. Helen...? »

« Per fortuna sì. Ricorda, se senti una voce di donna, non arrischiare un nome. Mai. Se sbagli, si arrabbia. »

« Helen, lo sai che ore sono? »

« Anche troppo. Non ho chiuso occhio. Faccio spavento. »

« Qual è » – sbadiglio – « la questione? »

« Perché Billy è così? »

« Così come? »

« Poco cioccolatoso: morbido con l'interno duro. »

« Billy è Billy. »

« Parlagli. Per piacere. »

« Su cose del genere è assolutamente inutile. »

« Credi che diventerebbe ancora più duro? »

« No, Helen, lo sai benissimo, non diventerà più duro: resterà esattamente quello che è. »

« Sì, credo di sì. Ecco perché devi aiutarmi. »

« Helen, io amo Bach, e mi piacerebbe tantissimo riprendere la viola, e per una volta noi due avremmo delle parti veramente fantastiche, ma le cose stanno così. Cosa ci posso fare? Piers ormai l'avrà detto a Erica, ed Erica l'avrà detto a Madame Shingle. »

« No, non l'ha fatto. Ho fatto promettere a quel bastardo di Piers di non dire niente a quella bastarda di Erica per una settimana. »

« Be', e io cosa dovrei fare? »

« Devi aiutarmi a trovare una viola che si possa accordare una quarta sotto. »

Prendo fiato un paio di volte. « Helen, io so e tu sai che una viola – qualunque viola – è troppo piccola perfino per il suono che fa. Non si può accordarla più bassa. Di sicuro non si può accordare una quarta sotto. »

« Lo farò. Devo farlo. Mi procurerò una gigantesca Gasparo da Salò quarantatré, con corde grosse così e... »

« ... e un osteopata, un fisioterapista e un neurologo, e anche così non funzionerebbe. Helen, perfino io trovo difficile suonarne una sopra i quaranta. Te lo dico io, che so cosa vuol dire avere problemi con le dita... »

« Be', io sono alta come te », dice Helen, la cui ossessione cancella ogni vanità. « E tu sei abituato al violino, perciò è logico che trovi difficile suonare una grossa viola. E ho parlato con Eric Sanderson. E lui pensa che sia possibile. »

« Davvero? »

« Be', lui... lui ha detto che era una proposta interessante. Andiamo da lui alle tre. Immagino che tu non abbia niente da fare oggi pomeriggio, vero? Farò un mutuo se è necessario, e gli farò costruire uno strumento. »

« Quando hai parlato con Eric Sanderson? »

« Subito prima di telefonare a te. »

« Helen! Sei un pericolo pubblico. »

« Be', ha un paio di bambini piccoli, per cui immagino che la famiglia si alzi alle sette. »

« E secondo te aveva l'occhio brillante e la mente sveglia, il nostro mastro liutaio? »

« No, sembrava un po' assonnato e anche sorpreso, un po' come te, ma perfettamente in grado di sostenere una conversazione. »

« E perché dovrei accompagnarti? »

« Per sostegno morale. Ne ho bisogno. Noi voci centrali dobbiamo sostenerci. E perché imparerai un sacco di cose. E perché lui è il miglior restauratore di strumenti sul mercato, e anche il miglior costruttore, e tu devi scoprire perché il tuo violino ogni tanto frigge. E perché ti presterò la mia cara, carissima viola per quei pezzi dell'*Arte della fuga* in cui tu ne hai bisogno e io uso quella più bassa. »

« Sei più astuta di quello che pensavo, Helen. »

« Sono, come dice Ricki Lake, *tutto questo e anche di più*. »

« Ho paura di non guardare Ricki Lake. »

« Allora ti perdi una delle cose migliori che la vita possa of-

frire. Se solo seguissi i suoi consigli, avrei un uomo nella mia vita e una canzone nel cuore e... oh, sì, una grande fiducia in me
stessa. E anche tu.»

«Io non voglio un uomo nella mia vita.»

«Ti passo a prendere alle due e un quarto. Il suo laboratorio
è a Kingston.»

«Oh, nella terra della British Rail. Non riesco a credere che
tu voglia avventurarti in quella giungla.»

«A mali estremi», dice Helen. «Ci vediamo subito dopo le
due.»

3.11

Riattacco e rimango a letto con le mani dietro la testa. Sono tre
giorni che non sento Julia. Mi alzo e giro per l'appartamento, tirando su le tapparelle.

Accendo Radio 3. Per me, anche con interi scaffali di CD fra
cui scegliere e in una città così ricca di concerti come Londra,
questa, mattina o sera, è una reazione quasi istintiva. Adesso mi
porta spesso piaceri e sorprese, ma quando vivevo a Rochdale
era la mia ancora di salvezza, di fatto la mia unica fonte di musica classica. Una volta all'anno la Hallé Orchestra suonava alla
Champness Hall, tre o quattro volte la signora Formby mi portava a un recital organizzato dalla società dei concerti di Rochdale o a Manchester per qualcosa di speciale, ma qui finivano i
miei contatti con la musica eseguita dal vivo da professionisti.
La mia radiolina, che attingeva la musica dall'etere pubblico,
per me era tutto. L'ascoltavo per ore in camera mia. Come per
la biblioteca pubblica di Manchester, non so come avrei potuto
diventare musicista senza di lei.

Nell'oscurità sempre meno fitta cerco Venere. Sta spuntando
l'alba, uno zampillio orizzontale di rosa, con lo sfregio quasi
verticale della scia di un aereo, come Lucifero che precipita dal
cielo. Accendo il bollitore e svuoto un vaso pieno di rami di
agrifoglio, con le bacche ormai nere.

Trasmettono una cantata di Bach: « *Wie schön leuchtet der Morgenstern...* » La parola mi fa venire in mente uno dei poeti comici preferiti da Julia. Compongo un biglietto in tedesco, nello stile che a lui piaceva irridere, e lo stampo:

Il non sottoscritto supplica di sottoporre una prova della sua continuata esistenza, e richiede la presenza (non in triplice copia) della ricevente nella sua umile benché elevata dimora fra le nove e le dieci di domani mattina o, in caso di impossibilità, del giorno seguente. Se dovesse Lei essere accompagnata dallo spirito dello Johann Sebastian di cara memoria, egli manifesterà gioia e gratitudine in eguale ed esorbitante misura.

Porgendo assicurazioni della più alta considerazione, egli rimane incrollabilmente, anzi irrimediabilmente, il Suo obbediente servitore.

Sopra il nome di Otto Schnörkel firmo con un borioso svolazzo. Cose del genere allora la divertivano, ma, come ha detto lei stessa, non ha più ventun anni.

Consulto il manuale del fax per togliere il mio nome e numero di telefono che normalmente verrebbero stampati in cima al messaggio, e glielo mando.

È una rete aggrovigliata quella che sto tessendo. Se sono sopravvissuto a dieci anni di assenza e di vuoto rimpianto, perché tre giorni sono così insopportabili?

3.12

Virginie mi chiama verso mezzogiorno.

« Perché non mi hai telefonato, Michael? »

« Sono stato davvero molto impegnato. »

« Avete suonato così bene, e ti ho lasciato almeno tre messaggi. »

« Non mi avevi chiesto di richiamarti. »

« Non apprezzi il mio apprezzamento. »

« Ma sì, solo che davvero non mi sono reso conto che ci fosse qualcosa di urgente da discutere. »

« Be', non c'è niente di urgente », dice Virginie, irritata.

« Mi dispiace, Virginie, hai ragione, avrei dovuto telefonarti, ma ho avuto un sacco di cose per la testa. »

« Cosa? »

« Oh, una cosa e l'altra. »

« E l'altra? »

« L'altra? »

« Sì, Michael, dici sempre 'Una cosa, l'altra o l'altra' quando vuoi essere evasivo. »

« Io non sono evasivo », le dico, seccato.

« Lei chi è? »

« Chi è chi? »

« Stai vedendo qualcuno di nuovo? »

« No! No, non sto vedendo nessuno di nuovo », dico con una forza che sorprende me quanto Virginie.

« Oh », mormora lei con un tono contrito che mi fa sentire colpevole.

« Perché hai detto una cosa del genere? » le chiedo.

« Oh, era una sensazione... ma... tu non... davvero tu non... vai a letto con un'altra, Michael? »

« No. No. No. »

« Allora perché non vieni a letto con me? »

« Non lo so. Davvero, non lo so. Siamo stati anche periodi più lunghi senza. Ho un sacco di cose per la testa. » Sto facendo del mio meglio per sembrare calmo, ma la necessità di essere per forza ambiguo mi rende sempre più furioso.

« Sì, sì, Michael », dice paziente Virginie, « l'hai detto allo stesso modo identico anche prima. Che cos'hai per la testa? »

« Oh, Bach, l'*Arte della fuga*, una possibile incisione. »

Virginie non reagisce quasi a queste notizie. Niente congratulazioni, niente meraviglia, niente. « Davvero? » chiede. « Voglio vederti oggi pomeriggio. Andiamo a una matinée. »

« Non posso, Virginie. »

« Cosa devi fare? »

« Devi proprio sapere tutto? » le chiedo.

C'è un silenzio all'altro capo del filo.

« Se vuoi proprio saperlo », continuo, « devo andare da Eric Sanderson a fargli vedere il violino. Certe volte ronza, come sai, ed è una cosa che mi preoccupa. »

« Vai da solo? »

« Be', no... Helen deve vederlo per una viola. »

« Helen? » dice Virginie smorzando la voce, e con un'aria appena speculativa.

« Virginie, smettila. Mi dài sui nervi. »

« Perché non mi hai detto che andavi con Helen? »

« Perché non me l'hai chiesto. Perché non è importante. Perché non devi conoscere tutti i particolari della mia vita. »

« *Va te faire foutre!* » dice Virginie e riattacca.

3.13

Helen è irrimediabilmente perduta nel momento in cui attraversiamo il Tamigi. Io faccio da navigatore con l'aiuto di uno stradario. Lei è insolitamente silenziosa. Attribuisco la sua tensione al fatto che non solo ci troviamo dove le carte hanno disegni di balene ed elefanti, ma anche che in realtà nemmeno lei crede ci sia una soluzione al problema della viola.

« Com'era la storia della ruota da vasaio? » le dico per distrarla.

« Oh, Piers, Piers, Piers », fa Helen con impazienza. « Diventa di cattivo umore ogni volta che siamo a casa mia, e in qualche modo deve sempre prendersela con me. In tutti gli altri posti è gentile e carino, almeno con me. Di solito, comunque. È colpa di mia zia. »

« Adesso prova a spostarti nella corsia di sinistra, Helen. Qual è la colpa di tua zia? »

« Be', è chiaro, perché ha lasciato la casa a me. Insomma, non voglio proprio dire che è una colpa. Aveva ragione che le donne hanno più problemi degli uomini nella vita e devono aiutarsi l'un l'altra eccetera eccetera. Ma in realtà, credo che la cosa principale fosse che disapprovava Piers. O piuttosto, i modi di Piers. Il suo stile di vita. Era una persona molto dolce. Mi piaceva molto e anche a Piers piaceva. Forse non dovremmo fare le prove in casa mia, ma dove sennò? Nel momento in cui si piega per entrare comincia a ringhiare. »

« Be', immagino che se uno vive in uno studio seminterrato... »

Helen brucia un semaforo giallo e si volta verso di me. « Vorrei che la casa fosse abbastanza grande per tutti e due, ma non lo è. E Piers potrebbe permettersi, immagino, un posto migliore dove abitare. Ma sta risparmiando duramente per comprarsi un violino migliore. E per temperamento non è un risparmiatore. È una battaglia. »

Dopo qualche secondo le chiedo: « I vostri genitori non possono aiutarlo? »

« Possono ma non lo faranno. Nel momento in cui mio padre lo propone, mia madre comincia a schiumare di rabbia. »

« Oh. »

« Io penso che in questi ultimi dieci anni lei sia veramente ammattita. Non si può mai dire, quando hai dei genitori, come andranno a finire. Ho accennato all'argomento a Natale, e la mamma si è messa a sbraitare: i violini sono tutti uguali, uno vale l'altro, quando loro saranno morti Piers potrà fare quello che gli pare con la sua parte di eredità, ma finché lei aveva voce in capitolo eccetera. »

« Duro, per Piers. »

« La settimana scorsa è andato da Beare's, ma ha trovato solo cose molto al di là delle sue possibilità. Povero vecchio Piers. Sto male per lui, davvero. Spera di avere fortuna nelle aste dei prossimi mesi. »

« Be', la tua viola è splendida », dico.

Helen annuisce. « Anche il tuo violino. Anche se tu lo ami molto più di quanto sia sensato. »

« Non è mio, in realtà. »

« Lo so. »

« Ho passato più tempo con lui che con qualunque essere vivente, eppure, be', continua a non essere mio. E io non sono suo.»

«Oh, per piacere», dice Helen.

«Tra parentesi, non frigge quasi più, ultimamente.»

«Mmm», fa Helen.

Restiamo in silenzio per un po'.

«Sapevi come sarebbe stato far parte di un quartetto?» chiede Helen. «Che avremmo passato così tanto tempo insieme?»

«No.»

«Troppo?»

«Certe volte, quando siamo in tournée, penso di sì. Ma credo che soprattutto sia duro per Billy. Dopo tutto, lui è legato. Doppiamente legato.»

«E tu no?» chiede Helen con una certa tensione nella voce.

«Io sono solo semi-legato. O semi-distaccato; è la stessa cosa.»

«L'altro giorno, dopo il concerto, stavo parlando con Lydia. Diceva che certe volte la valigia di Billy resta in corridoio senza essere disfatta finché non arriva il momento di farla di nuovo. Non credo sia facile nemmeno per le mogli, o i mariti.»

«Allora qual è la soluzione al problema dei legami? Relazioni casuali?» chiedo, a disagio.

«Non lo so», dice Helen. «Ti ricordi di Kyoto?»

«Certo, ma cerco di non farlo.»

«Io cerco di ricordarlo», dice Helen, «ogni tanto.» Sorride: a se stessa, non a me.

«Helen, è stato un episodio. Ma non è quello che sento. Non lo sarà mai. Per fortuna.»

«Nel Quartetto Schweitzer la donna è stata sposata in serie con tutti e tre gli uomini.»

«Nel Quartetto Maggiore una cosa del genere implicherebbe incesto e bigamia.»

«Non con te, però.»

«Io, Helen, non vado bene per nessuno. Dovresti capirlo una volta per tutte.»

«Non per Virginie, di sicuro.»

160

«Forse è perché è una mia studentessa che sono così aspro con lei. Non lo so. Vorrei riuscire a trattenermi.»

«Neanche per Julia?» Non ricevendo una risposta, Helen stacca gli occhi dalla strada e mi fissa con attenzione. «Tu sei stato molto inquieto», dice, «da quella sera alla Wig in poi.»

«Helen, è meglio che ci concentriamo. Qui diventa un po' complicato. Prendi la prima a destra, e poi gira a sinistra dopo un centinaio di metri. Siamo quasi arrivati.»

Helen annuisce. Decide che è meglio non insistere su quell'argomento.

3.14

Eric Sanderson ha una quarantina d'anni, è imponente, barbuto e porta grandi occhiali da gufo.

La sua soffitta-laboratorio è piena di legno, in ogni stadio di formazione dalle assi mute fino a violini, viole e violoncelli completi di corde e intonati. Un paio di ragazze in grembiule picchiettano e scalpellano. C'è un profumo celestiale: la complessa fragranza di molti legni diversi e oli, resine e vernici.

«Ora, quello è un disastro», dice, presentandoci a un violino in apparenza del tutto normale parcheggiato vicino alla porta. «Un disastro inconsueto, mi affretto ad aggiungere. Ma ha trovato un acquirente. Cosa devo fare? Devo guadagnarmi da vivere. E qualcuno lo prende e lo suona e dice: 'È esattamente quello che voglio'. Be', cosa dovrei fare? Vorrei dire che quello non lo vendo. Dal punto di vista del suono, è semplicemente un cattivo violino... ma poi la banca mi scrive per uno scoperto... Comunque, anche se lo vendo, preferirei che il mondo non ne sapesse niente. Ma naturalmente dopo un anno o due un buon violino potrebbe mettersi a suonare male. O viceversa, non vi pare?»

«Certo», dice Helen, perplessa e disarmata.

«Sono naturali?» chiede, guardando i capelli di Helen.

«Sì», risponde Helen arrossendo.

« Bene. Bene. Ultimamente c'è in giro un sacco di henné. Pigmento interessante. Strad l'avrebbe usato se l'avesse avuto sotto mano? Robbia. »

« Robbia? »

« Sì. Robbia. Quello splendido colorante rosso, quella vernice di un rosso carico. Che effetto deve aver fatto dopo quei gialli pallidi. Stradivari lo usa a Cremona e Gagliano a Napoli e Tononi a Bologna, e... Ma lei ha un Tononi per me, vero? » chiede rivolgendosi a me.

« Be', sì, ma il mio non è rosso. »

« Oh », dice Eric Sanderson, con un'aria in un certo modo disorientata. « Non sono mai riuscito a capirlo. Il vecchio Johannes ha questo splendido rosso a Bologna, ma il giovane Carlo se ne va a Venezia e torna al vecchio giallo. Perché? Perché? »

Mi fissa da vicino attraverso quegli occhiali da gufo. Le due apprendiste continuano a lavorare, per nulla turbate dalle grida del mastro liutaio.

« Ho paura di non saperlo », dico. « Ma, be', immagino di esserci abituato, e in realtà mi piace davvero il colore. Non è proprio giallo. È una specie di miele ambrato. » Estraggo il violino dalla custodia, ed Eric Sanderson lo prende e lo rigira.

« Sì », dice con approvazione. « Per essere miele ambrato, è una tonalità passabile di miele ambrato. Ma certe volte frigge? Suoni qualcosa. »

Eseguo circa mezzo minuto di una partita di Bach.

Sanderson ha un'aria dubbiosa. « Non è che frigga poi molto. Ma immagino che sia timido con gli estranei. Lo lasci qui. »

« Non posso, veramente », gli dico. « Non questa settimana, comunque. »

« Be', allora come faccio ad aiutarla? Intanto, qual è la cronistoria del problema? »

« Friggeva parecchio durante la nostra tournée americana dell'anno scorso. L'ho fatto controllare qualche mese fa, ma il ronzio è saltato fuori di nuovo tre o quattro settimane dopo. Adesso si è sistemato, ma ho paura che possa ricominciare. »

« Le cause potrebbero essere diverse. Così siete andati in

Alaska e poi alle Hawaii nella stessa settimana? »

« No. Né da una parte né dell'altra. »

« Los Angeles e Chicago? »

« Sì, questo sì. »

« La gente viaggia troppo al giorno d'oggi », dice Eric Sanderson. « E troppo velocemente. Se fossero fatti di legno ci penserebbero due volte. Mmm, un po' raschiato », dice, esaminando l'interno con una specie di specchietto da dentista. « Non è messo troppo male, comunque. Non ci sono crepe evidenti. Potrebbe essere qualunque cosa. Poco tempo fa c'è stata una mostra di strumenti veneziani. Una specie di cena di classe, immagino. Un sacco di pettegolezzi. 'Sono secoli che non ti vedo, mia cara. Hai sentito della Fenice? Io c'ero quando è successo la prima volta, ma sono riuscito a scappare. Povera vecchia Serenissima. Musicalmente è in una situazione disperata, adesso, ma è nato tutto lì: l'opera, l'antifonia... Ma chi è che lo metteva in dubbio, l'altro giorno?' Dove l'ha preso questo? »

« A Rochdale. »

« Rochdale, ha detto? » Sanderson si accarezza la barba, corrugando la fronte.

« Sì. »

« Non c'è poesia in quel nome. No, nessuna poesia. Ashby-de-la-Zouch: questo sì. Sentite: sandracca, dammar, lentisco, colofonia... » Recita le parole con reverenza mistica.

Helen sospira.

« La poesia per me conta più della musica », dice Eric Sanderson. « Comunque, la maggior parte dei musicisti prende beta-bloccanti. Questo costerà caro », dice voltandosi verso Helen, che ha un'aria un po' allarmata.

« Davvero? » chiede Helen, innervosita da questi rapidi salti.

« E non ne vale la pena. Dalla sua telefonata ho capito che lei vuole che le costruisca uno strumento per uno scopo preciso. Scordatura... scordatura... ecco un'altra parola deliziosa. Ma come vivrà questa viola il resto della vita? Senza essere suonata, senza essere onorata, senza essere nemmeno incordata. »

« Be' », dice Helen, « forse potrebbe essere accordata normalmente, dopo, e io potrei suonarla come qualunque altra viola. »

La frase suscita un istante di silenzio, seguito da altre meditazioni tangenziali.

«Io credo nel sicomoro e nei legni inglesi», dice Eric Sanderson. «Perché dovremmo usare tutti l'acero italiano? Gli italiani non avrebbero forse usato il sicomoro se fossero vissuti qui?»

«Sono sicura che l'avrebbero fatto», dice Helen.

«Usavano faggio, usavano pioppo, usavano... come, perfino per i filetti... pero qui, ebano lì, tutto quello che avevano sotto mano. L'altro giorno stavo ammirando un disegno e uno ha detto: 'Ma quelli sono semplici filetti'. 'I filetti non sono mai semplici', gli ho detto. 'Mai, mai semplici.'» Adesso torna a rivolgersi a me: «Per quello che ne so, potrebbe essere quella la causa del ronzio».

«Ma lei può farla?» chiede Helen con una voce lamentosa.

Sanderson picchietta un modello in gesso di un riccio di violoncello. «Ci stavo pensando», dice. «La mia prima reazione è stata: è una sfida. Ma in considerazione... Le cose stanno così. Abbassare di una seconda, nessun problema. Probabilmente potrebbe farlo anche sulla sua viola. Una terza minore, molto complicato. Una terza maggiore, impossibile, direi. Anche riuscendo a cavarne un suono, sarebbe un suono molto flaccido. Una quarta... ma perché una persona sana di mente vorrebbe mai accordare una viola una quarta più sotto? Oh, sì, l'*Arte della fuga*, l'*Arte della fuga*, me l'ha detto. A quell'ora del mattino la mia mente non è molto ricettiva. E le mie figlie pretendevano la colazione. Credo, sa, che dovrebbe provare con la confraternita della musica antica. Le daranno consigli molto migliori dei miei. Hanno più esperienza nell'accordare e riaccordare. Le darò un paio di numeri.»

«Allora non può farla?»

Eric Sanderson arriccia le labbra. «Vuole davvero buttare via sette od ottomila sterline per qualcosa di così specifico? Be', sarebbe un interessante problema di progettazione. Ma sarebbe anche molto grosso.»

«Una volta ho suonato una quarantatré», dice Helen. «Dopo un po' ha smesso perfino di essere poco maneggevole.»

«Era un buono strumento?»

«Era uno strumento meraviglioso.»

«Se fossi in lei, e lo dico contro il mio interesse, ritroverei quella viola, e parlerei con i tizi della musica antica. È gente bizzarra, ma sa come torcere un budello.»

Quando risaliamo in macchina Helen resta in silenzio. Poi, mentre attraversiamo Albert Bridge, dice: «Non mi ha detto una sola cosa che non avrebbe potuto dirmi per telefono».

«Be', suppongo di sì, comunque è sempre piacevole...»

«Dirò a Piers che è tutto a posto. Dobbiamo andare avanti con l'incisione. Ho la viola che voglio.»

«Ma Helen, è una bugia spudorata. Non ce l'hai affatto.»

«Invece sì», dice Helen. «La vedo con l'occhio della mente. La sento con l'orecchio della mente. Esiste.»

Helen sta attraversando Chelsea con una guida spensierata. «Verrai con me dai tizi della musica antica, vero?» mi chiede.

«No, non ci verrò.»

«Oh, Michael, non essere assurdo. Sei sempre stato così gentile. Come avrei fatto a montare le scaffalature senza di te?»

«No, no, Helen, non cercare di adularmi. E non ho intenzione nemmeno di entrare nel tuo piano di dire a Piers che hai risolto il problema. Non ti rendi conto che sarebbe catastrofico per tutti noi essere costretti a tirarci indietro più avanti?»

«Ma non sarà necessario», dice Helen con calma. «Fermiamoci a prendere un caffè. È un tale sollievo essere tornati a Londra.»

3.15

Una notte senza pace, seguita da una mattina senza pace. Alle undici – molto dopo che avevo smesso di aspettarla, e senza citofonarmi dall'esterno – Julia suona il campanello della porta. La mia felicità deve essere evidente. Altrettanto la sorpresa. Per cominciare, è vestita con un'eleganza stupefacente: un lungo cappotto nero di cachemire, vestito grigio di seta, orecchini di opale. I capelli sono pettinati all'insù in una specie di crocchia. Allunga una mano verso di me: per prevenire, immagino, ogni tentativo di bacio.

«Il portiere mi ha fatto entrare nel palazzo. Deve essersi ricordato dei miei problemi con le porte l'ultima volta.»

«Non mi sorprende.»

«Ma stavolta non si è messo a parlare con me.»

«Non mi sorprende neanche questo. Sembri una visione.»

«Mi dispiace tanto... ho avuto dei ritardi.»

«Oh, non ti preoccupare», le dico, aiutandola a sfilarsi il cappotto. «Ma come mai tanta eleganza alle undici del mattino?»

Julia non dice niente, ma va verso l'enorme finestra. Non insisto con la mia domanda.

«Come sembra tutto calmo e meraviglioso da qui», dice. «Il parco, il lago, le colline lontane da tutte e due le parti. E tutta la vallata in mezzo occupata dagli uomini. Stamattina mentre mi vestivo mi sono chiesta: che cos'è un londinese? Tu non lo sei, io non lo sono, James non lo è, Luke non vuole esserlo. C'è un pranzo oggi alla City e per qualche ragione James vuole che vada anch'io. Ti sarai chiesto come mai avevo indosso queste cose.»

«A che ora è il pranzo?»

«Dodici e mezzo. Devo fare qualche commissione prima, così sono di corsa. Non posso fermarmi tanto. Non ho portato Bach, ma ho portato qualcun altro. Va bene?»

«Ma sì! Sì, certo.»

Entriamo nella piccola sala da musica insonorizzata. Sistemo la lampada perché la luce cada sul leggio del pianoforte

«Oh, va bene così. Non ho portato lo spartito. È solo un movimento, e lo conosco abbastanza bene. Anche tu lo ricorderai.»

Mi siedo al suo fianco.

Julia comincia a suonare senza nemmeno provare il suono del piano. Con le prime quattro note, vengo trasportato al concerto studentesco a Vienna dove ci siamo conosciuti. È il movimento lento della sonata di Mozart in do maggiore K330.

C'è qualcosa di tenero e di indefinibilmente strano e di meticoloso nel suo modo di suonare, come se badasse a qualcosa che va al di là di quanto io possa udire. Non riesco a capire che cos'è, ma mi annienta. Mi siedo con la testa tra le mani, come se Mozart gocciolasse nota dopo nota nella mia mente.

Quando ha finito, Julia si volta verso di me, scrutandomi con attenzione estrema.

«Non me l'aspettavo», dico.

«Andava bene?»

Scuoto la testa. «No. Non andava bene. Era un po' meglio di così. Certe volte, negli ultimi anni, ho pensato che fossi morta.»

Julia corruga la fronte, come se cercasse di afferrare che cosa possa aver suscitato quest'osservazione, poi mormora: «Devo andare».

«Non andartene subito. Ti va un caffè rapidissimo?» dico mentre entriamo in corridoio. «O un tè. Ho detto qualcosa che non va?»

«Non posso davvero.» Guarda l'orologio.

«Vorrei che ascoltassi un movimento di qualcosa d'altro», le dico, cercando di guadagnare tempo.

«Cos'è?»

«Un viaggio sul viale dei ricordi ne merita un altro.»

«Non tormentarmi, Michael. Che cos'è?»

«Non lo saprai finché non lo ascolti. Lascia perdere le commissioni. Lo metto su. È un vecchio amico trasfigurato. Ma non ti dirò in anticipo che cos'è.»

«Ce l'hai su CD?» chiede Julia, perplessa. «Non potresti prestarmelo? Davvero non ho tempo di sentirlo adesso. E non voglio – davvero non voglio – scoppiare in lacrime davanti a te.»

«È un LP.»

«Va bene. Abbiamo un giradischi.»

Tolgo la copertina del quintetto di Beethoven e glielo do avvolto dalla semplice busta bianca. «Non devi guardare l'etichetta sul disco», le raccomando. «Anzi, ridammelo per un secondo. È difficile certe volte resistere a leggere qualcosa. Coprirò l'etichetta con un post-it. »

« Perché tutto questo mistero? »

« Così non saprai cos'è finché non senti le prime note. »

« Hai anche la partitura? »

« Be', sì, in effetti sì. »

« Dammela in una busta. Non la aprirò finché non l'ho sentito. »

Mentre la aiuto a rimettersi il cappotto, sento un bisogno quasi irresistibile di stringerla, di baciarla. Ma capisco che questo è esattamente ciò di cui lei ha paura. Devo rispettare le regole innocenti di queste visite, così piene di preoccupazione per lei. Perfino l'intimità della musica non è esente da colpa. Il disco nella sua mano mi ricorda il nostro trio, e lei è così vicina che la sento respirare.

Aspetto l'ascensore con lei, più felice e meno a disagio per i nostri pochi minuti insieme.

Questa volta, quando lei è dentro, premo il naso sul vetro a griglia, e mentre la porta interna scivola tra noi posso vederla – e sentirla – ridere.

3.16

A tarda notte ricevo un fax da Julia, in inglese:

Carissimo Michael,

non riuscivo a crederci. Non l'avevo mai sentito. Non ne avevo mai sentito parlare. Sai cosa significava quel trio per me.

Posso venirti a trovare domani mattina, intorno alle nove? Do per scontato, dal tuo fax precedente, che tu sia libero. Se per qualche ragione non lo sei, per piacere mandami un fax.

JULIA

Leggo e rileggo il biglietto. La prima e l'ultima parola, in quella calligrafia che non è cambiata, contraggono gli anni tra-

168

scorsi. Non mi ha salutato con «un bacio» o con un «tua», ma di sicuro uno non può essere «Carissimo» senza che signifìchi qualcosa.

Alle nove, ancora una volta evitando il citofono, Julia suona direttamente al mio appartamento. Rob deve essere rimasto completamente stregato, penso, anche se oggi lei è in jeans.

«Cosa sai a memoria di Mozart?» mi chiede senza preamboli, guidandomi verso la stanza da musica.

«Delle sonate per violino?»

«Sì.»

«Perché?»

«Non voglio che tu stia dietro di me, a guardarmi dietro le spalle.»

La fisso stupefatto. «Potrei mettere la mia parte su quel leggio», le dico.

«Be', rispondi alla mia domanda», dice Julia quasi bruscamente.

«Intendi una sonata intera? Nessuna, ho paura. Non adesso.»

«Anche un movimento solo», dice. «Sì, anzi, un movimento andrebbe meglio. Il secondo movimento di quella in mi minore?» Canticchia una frase, perfettamente intonata.

«Sì!» le dico, ancora lievemente stordito dall'attesa. «Credo che sia uno dei pochi che conosco a memoria, o quasi. L'ho ascoltata da poco, ma non credo di averla eseguita negli ultimi anni. Devo dare un'occhiata alla musica... Eccola qui. Terrò la mia parte aperta su quel leggio, ma la guarderò solo se mi impianto. Posso stare qui se preferisci. Ma perché non vuoi che ti guardi dietro le spalle?»

«Diciamo che è un capriccio.»

«D'accordo. Fammi accordare. Dammi un la.»

Faccio scorrere per qualche secondo gli occhi sulle due pagine affiancate della parte e poi dico a Julia quando sono pronto. Tutti i gioiosi ricordi di Vienna mi inondano di nuovo la mente.

Suoniamo tutto il movimento senza fermarci. Ho la sensazione che sia Julia a guidarmi. La sua parte è continua: non ha entrate vere e proprie che dipendono dalla mia parte. Pasticcia – o sono stato io? – nel punto in cui entrambi attacchiamo insieme dopo una pausa. I suoi occhi sono spesso posati su di me. Ma di nuovo, come ieri, un'attenzione, un'interiorità che va oltre Vienna, una immediatezza teneramente sottile imbeve la sua musica e, per conduzione, la mia.

In una melodia che scende a zigzag suono un la naturale invece di un la diesis, uno sbaglio piuttosto orribile, ma lei non dice niente, né subito né poi. Forse ha deciso di non essere troppo esigente con me, questa prima volta. O forse vede le cose nel complesso, e trova meschino cavillare su una sola nota in un movimento eseguito con tanta intensità.

«Facciamo anche l'altro movimento?» le chiedo quando è finito.

«Lasciamo le cose così», dice Julia. Ci guardiamo.

«Ti amo, Julia. Non ha senso dirlo, forse, ma è così. Ancora.»

Sospira, non di felicità. Le sue dita massaggiano un anello immaginario. Tornare a innamorarmi di lei, che non avevo mai dimenticato, a me non costa nulla. Per lei, che è riuscita a eliminarmi dalla sua mente, che ha perfino cambiato nome, potrebbe essere una cosa estremamente costosa.

«Io te», dice infine con una voce così carica di rimpianto che potrebbe quasi significare l'opposto.

Non ci tocchiamo nemmeno, per confermare ciò che abbiamo detto. Poi, con delicatezza, con leggerezza, la sfioro e la bacio sul collo. Lei respira lentamente, ma non dice niente.

«Allora?» le chiedo.

Lei sorride, un po' tristemente. «Fare musica e fare l'amore... È un'equazione un po' troppo facile.»

«Gli hai parlato di me?» le chiedo.

«No», dice lei. «Non so cosa fare per questi sotterfugi: fax in tedesco, io che vengo a trovarti qui... ma in realtà è Luke che mi sembra di...»

«Tradire?»

«Ho paura di queste parole. Sono così crudeli e dirette.»

«E della musica?» le chiedo.

«Sì, anche della musica, in un certo senso. Ma almeno di

quella posso parlare con te. Ho avuto tanta fame di parlare di musica... e di suonarla con qualcuno che capisca com'ero prima che io... prima di tutti questi cambiamenti nella mia vita. »

Le prendo la mano. Lei scuote la testa, ma lascia fare.

« Cosa dovrei dire, Julia? Cosa vuoi che ti dica? Per me è facile dire amore, amore, amore. Io non sono sposato. »

« E la tua amica di Lione lo sa? » mi chiede.

« Nyons. No. Non lo sa... Cosa stavi leggendo il giorno che ti ho vista sull'autobus? »

« Non me lo ricordo. Non è strano? Non riesco assolutamente a ricordarlo. Ed è il tipo di cose che uno non dimentica. »

« Io non mi sono mai ripreso davvero, dopo averti perduta. Devi saperlo. Ma adesso ho così paura di parlare con te... di mettere un piede in fallo e non vederti mai più. Sono cambiate così tanto le cose fra noi? »

« Non lo so. Non lo so. Ho appena accompagnato Luke a scuola. Lui non è particolarmente musicale, sai. Michael, è terribile. Non possiamo davvero. »

Chiude gli occhi. Li bacio fino a farglieli riaprire.

« Allora? »

« Vedo un paio di capelli bianchi », dice.

« Sono immeritati », le dico.

« Ne dubito. »

Mi bacia. La stringo in questa stanza insonorizzata, lontana dalla luce del sole e dal traffico di Bayswater e da tutte le reti del mondo. Lei mi stringe come se non potesse sopportare di essere abbandonata di nuovo da me.

3.17

Il sole cade sui nostri corpi. Lei non vuole che abbassi le tapparelle. Io le faccio scorrere le mani fra i capelli, molto più lunghi di com'erano una volta. Facciamo l'amore non con tenerezza, ma con l'estasi nata dalla fame e dalla privazione; eppure sento che in lei si allenta una tensione. Lei non vuole che io parli, e non parla, ma i suoi occhi restano fissi sul mio viso, come per coglierne tutte le espressioni. L'odore del suo corpo, unito al profumo delicato che usa, mi eccita fino alla frenesia.

Dopo, quando ritorno a letto, lei mi posa la testa sulla spalla e si addormenta. Non vedo il suo volto. Poso con delicatezza il palmo della mano libera prima su una palpebra, poi sull'altra. Lei è sprofondata in un altro mondo, lontano dal mio potere. Da qualche parte, in lontananza, passa un elicottero, ma non la sveglia. Poco dopo mi alzo di nuovo, liberando con attenzione il braccio. Per un po' – non può essere più di mezzo minuto – la osservo. Forse lei se ne accorge. I suoi occhi si aprono; lei mi guarda come se mi leggesse nel pensiero. Nel suo volto, prima limpido di passione, poi di pace, vedo tornare l'ambivalenza.

« È meglio che me ne vada, Michael, vero? »

Faccio cenno di sì, anche se non posso essere d'accordo. Cerco di sorridere con aria rassicurante. Non facevamo quasi mai l'amore di giorno quando stavamo insieme, tanti anni fa, non so perché. I miei pensieri sono sconcertati da molte cose: vagano su ogni ricordo, da quando l'ho vista per la prima volta, da studente, a tutti gli atti – di cose dette, di musica, d'amore – di questi ultimi giorni. So che ci sono cose che mi turbano, che non riesco ad armonizzare, ma non so indicarle con chiarezza. Il solo pensiero di ciò che è accaduto brucia attraverso queste nebbie leggere e inquiete.

3.18

Anche se è andata via ormai da qualche ora, la stanza profuma di lei. Passa un giorno, due. Non ho sue notizie: né telefono né fax né lettere né visite.

Di giorno, di notte, affondo il viso nelle lenzuola. Sono in tutte le ore che abbiamo mai passato insieme. Sono in tutte le stanze in cui siamo mai stati.

3.19

Sono passati tre giorni. Non riesco più a sopportarlo. Passeggio nel parco per calmare i pensieri.

I platani sono tutti spogli, ma la loro corteccia squamata è illuminata da una luce obliqua. Le fontane alla fine della Long Water, secche e circondate di fango un paio di settimane fa, hanno ripreso a gettare acqua. Stanno spuntando i bucaneve, e qualche croco, qua e là. I salici piangenti sono tornati in vita, ed è tutto verde accanto alla Serpentine.

Sono le tre del pomeriggio. La scuola finirà tra poco. Lei andrà a prendere Luke sul portone? I miei passi mi trovano all'angolo della piazza. Osservo la strada, indolente, all'erta. Allora è per venire a cercarla che ho lasciato casa mia?

Lei arriva a piedi, camminando veloce. Sale gli scalini del portone e si mette in coda con le altre donne. Nel giro di pochi minuti emergono i ragazzini con i piccoli cappelli verdi, vengono abbracciati e baciati e portati via.

Julia e Luke camminano mano nella mano lungo la piazza, e poi per una strada laterale. Si fermano accanto a una Range Rover e ne liberano un enorme cane bruno con il muso nero, così contento di vederli che è difficile mettergli il guinzaglio.

Adesso sono sulla mia via. Li osservo con lo sguardo di un estraneo: un ragazzino con un cappello; una donna ben vestita, anche se con abiti casual, di altezza media, con un'andatura piacevolmente calma: i suoi capelli sono più dorati che castani, ma è difficile vederle il volto da dove mi trovo io, a parecchi metri di distanza, mentre li inseguo quasi senza volerlo; e un enorme cane bruno-dorato con un buffo passo dinoccolato, la cui presenza completa e rende inviolabile la famiglia.

Adesso vedo l'espressione di Julia, perché ha oltrepassato il mio palazzo. Dà un'occhiata verso destra e all'insù, scrutando la casa con aria turbata. Poi continuano a camminare, nella direzione del parco.

Si fermano a un passaggio pedonale. Il cane tende il guinzaglio. Il ragazzino appoggia la faccia alla mano della madre.

E adesso mi ritrovo dove ero partito: il parco. Li seguo a una certa distanza mentre percorrono il viale dei giovani tigli, con il ragazzino e il cane che fanno scorrerie nell'erba. Un paio di minuti dopo il cane, il cui muso ricorda quello di un grizzly, si slancia oltre me, abbaiando, e poi curva e, con una inversione a U, ritorna verso il suo padroncino.

« Buzby! Buzby! Torna subito qui. Bravo ragazzone! » grida la voce acuta di Luke.

Julia si volta; si immobilizza; e qualcosa nella sua posa mi dice che mi ha visto. Io esito, lei esita, poi cominciamo a camminare l'uno verso l'altra. Il ragazzino e il cane orbitano attorno a lei come pianeti irregolari in rotta di collisione.

« Be', ciao », le dico.

« Ciao. »

« Allora lui è Luke? »

Il ragazzino guarda con aria interrogativa la madre.

« Sì. Luke, lui è Michael. »

« Ciao », dico.

« Ciao », dice Luke stringendomi la mano.

« Venite qui spesso? » chiedo.

« Qualche volta, dopo che la mamma viene a riprendermi a scuola. »

« Piace al nostro cane », spiega Julia. « C'è un giardino pubblico – molto grande – dietro casa nostra, ma lui preferisce il parco. »

« Buzby! » dico io, accarezzando la testa del cane. « Bel cane, bel nome. »

Julia mi guarda stupita. « Luke lo stava chiamando », le spiego.

« Oh, sì, certo », dice Julia.

Buzby scappa via per abbaiare a un albero. Luke lo segue.

« Sono passati tre giorni », dico.

« Sì », dice Julia, sorridendomi.

« Sono stato così felice. *Sono* così felice. Ma perché sei scomparsa? »

« Non lo sono. Eccomi qua. »

« Sei felice? »

« Io... Come faccio a rispondere? Ma sono felice di vederti. »

«Davvero vieni qui spesso? Vuoi dire che avrei potuto incontrarti per caso qui, un giorno qualunque dell'ultimo anno?»

«Non proprio spesso. Una volta ogni paio di settimane, all'incirca. Meno spesso d'inverno. E – be' – noi ci siamo davvero incontrati qui per caso, non è vero?»

Comincio a ridere. Anche lei ride. Ritorna Luke. Ci guarda molto calmo, con una lieve increspatura della fronte, finché smettiamo.

«Mamma, portiamo Buzby attorno allo stagno?» propone Luke, pronunciando con chiarezza le parole, e con un residuo di ciò che deve essere un accento bostoniano. Mi osserva con interesse. E io osservo lui. È un bel ragazzino, con i capelli molto più scuri di quelli di Julia: come avrebbe potuto averli se fosse stato nostro figlio.

«Credo sia meglio tornare indietro», dice Julia. «Fra poco farà buio.»

«Era uno scoiattolo», mi dice Luke come diversione. «Impazzisce quando vede uno scoiattolo. Ci vogliono meno di cinque minuti. Te lo prometto, mamma.»

«Luke, ho detto di no», dice Julia con fermezza. «E io ho camminato abbastanza.»

«Allora ci può portare Michael», dice Luke, afferrandomi la mano. «A Buzby piace.» Quasi a confermarlo, Buzby ritorna e si ferma, alzando con attenzione le orecchie, davanti a noi.

Julia guarda me, io lei, Luke noi due, Buzby tutti e tre.

«Se non torni fra dieci minuti, Luke, domani ti metterò una mela nella borsa del pranzo.»

«Oh, ehi, che paura», dice Luke sorridendo. «Cosa c'è di peggio di trovare un verme in una mela?» chiede a me.

«Luke», lo ammonisce Julia.

«Be', cosa?» dico.

«Trovare solo mezzo verme», dice Luke, travolto da un accesso di risate compiaciute.

Sua madre, che probabilmente l'ha sentita già cento volte, fa una smorfia. Sua madre... sua madre... A cosa sta pensando lei mentre io bado a suo figlio?

Quando arriviamo al Round Pond, Luke dice: «No, non in

senso orario, in senso antiorario. Buzby preferisce così. Come fai a conoscere mia mamma? »

« La conosco da Vienna. »

« È stato prima che nascessi. »

« Sì, proprio così. »

Luke sembra perdersi nei suoi pensieri. Buzby trotta via, poi torna per abbaiare, benevolmente, ai cigni.

« Io mi chiamo Lucius, in realtà », dice Luke. « Lucius Hansen. Anche mio nonno si chiama Lucius. »

« Ma tutti ti chiamano Luke? »

« Proprio così. Che differenza c'è fra una ballerina e un pollo? »

« Un pollo, hai detto? O un collo? » Luke ha cominciato a mangiarsi le parole.

« Un pollo, stupido. Oh. Scusa. Un pollo. »

« Non so. Un pollo muore bollendo e la ballerina muore ballando? »

« Una ballerina non muore. »

« Nel *Lago dei cigni* muore. »

« Che cos'è questo lago dei cigni? »

« È un balletto: sai, dove la gente balla su un palcoscenico. Non molto interessante. La musica è bella, però. »

« Comunque la risposta è sbagliata », dice Luke, senza lasciarsi impressionare.

« Qual è la risposta giusta, allora? »

« La ballerina ha la gamba flessa e il pollo ha la coscia lessa. »

Scoppiamo a ridere entrambi. Buzby ci raggiunge, scrollandosi l'acqua di dosso.

« L'hai inventato tu? » gli chiedo. « Non è male. »

« No, l'ho letto su un libro di indovinelli. Papà me lo ha regalato per Natale. Mi ha regalato tre libri: un libro di indovinelli, un libro sugli aeroplani e un libro sui francobolli. »

« Niente libri sui dinosauri? »

« I dinosauri sono morti », proclama Luke.

« Che cane è? » gli chiedo. « Una specie di labrador gigante? »

«Labrador?» esclama Luke con disprezzo. «È un leonberger. E in realtà è solo un cucciolo. Ha undici mesi.»

«Un cucciolo?» grido io. «Ma è grosso come un leone.»

«È molto stupido», mi confida Luke. «Il mese scorso ha mangiato dell'erba con delle lumache sopra e si è preso la dispepsia o qualcosa del genere.» Il vocabolario di Luke è molto più ampio di quello di un bambino della sua età.

«Cos'è questa storia delle mele nella borsa del pranzo?» gli chiedo.

Luke fa una smorfia. «Non mi piacciono le mele.»

«A tutti i bambini piacciono le mele.»

«A me no. Preferisco le pesche. O le arance. O qualunque altra cosa.»

Quando abbiamo percorso metà del sentiero attorno allo stagno, Luke dice: «Hai conosciuto la mamma prima che lei conoscesse papà?» Non sembra molto contento.

«Come? Oh, sì. Be', studiavamo insieme. Sono un musicista.»

C'è una piccola pausa mentre Luke soppesa quest'informazione. «La mamma mi fa suonare il piano», dice alla fine. «Io le ripeto che da grande farò il pilota, per cui è una perdita di tempo. Ma lei non ci sente. Del tutto.»

«Non ti piace?»

«Sì, normale», dice Luke, con lo sguardo fisso sull'acqua, e poi aggiunge qualcosa di incomprensibile sulle scale.

«Non ho capito. Stai borbottando.»

«È così che parlo io», dice Luke, improvvisamente scontroso.

«Ma parlavi in un modo così chiaro solo poco fa.»

«Questo perché la mamma fa fatica a sentirmi. È sorda... Ops!» Si mette una mano sopra la bocca.

Scoppio a ridere. «Perché? Perché ti obbliga a esercitarti con le scale?»

Ma Luke ha gli occhi spalancati e sembra sconvolto da quello che ha appena detto. «Non dirglielo...» mormora.

«Dirle cosa?»

Il viso di Luke è diventato bianco. Sembra inorridito.

« Quello che ho detto. Non è vero. Non è vero. »

« D'accordo, Luke, d'accordo. Adesso calmati. »

Per i minuti seguenti non dice niente. Ha un'aria colpevole e allarmata, quasi ferita. Gli metto la mano sulla testa e lui non fa obiezioni. Ma io mi sento a disagio e colmo di una disperata preoccupazione, e davanti alle sue parole non riesco a pensare a niente da dire.

3.20

Ritorniamo al punto di partenza. Buzby corre da Julia, abbaiando con foga, e si mette a girarle attorno. Luke sembra di nuovo turbato.

Se è vero, non riesco a concepirlo. La luce sta calando. Ricordo che, all'Orangery, quando era in piedi davanti al termosifone, io le ho parlato ma lei non ha avuto nessuna reazione, e tutte le sue non-reazioni – quelle che riesco a ricordare – adesso cominciano ad assumere una foschia di significato. Il suo rifiuto, come l'avevo considerato, di certi argomenti venuti fuori per caso: riesco adesso a ricordare se la mia faccia – o la sua – era voltata, quando li proponevo? Sto dando troppa importanza a una sola osservazione di Luke, e a pochi minuti di sgomento?

Lei non è cambiata. Ride, ci dice che siamo in ritardo di quasi un minuto. Buzby, dopo due orbite, lascia il sistema solare, e Luke lo insegue.

« Spero che non ti abbia fatto disperare », dice Julia. « Certe volte diventa musone. Adesso sembrava un po' troppo sottomesso, come se pensasse che tu potessi lamentarti del suo comportamento. Ha fatto il bravo? »

« Non bravo, bravissimo. Però non sa cos'è il *Lago dei cigni*. »

« Scusa? » Julia sembra confusa.

« Il *Lago dei cigni*, il balletto », le spiego con cura e articolando troppo.

Lei corruga la fronte. «Sì, certo, ma, Michael, non ha ancora sette anni. Di che cosa avete parlato?»

«Soprattutto di libri. E di indovinelli.»

Il suo volto si illumina. «Sì, adesso è la sua passione. Ti ha detto quello della ballerina e del pollo?»

«Flessa e lessa. Sì.»

In lontananza sento il richiamo di uccelli, di cigni che prendono il volo.

«C'è qualcosa che non va? Qual è il problema?» chiede Julia. «C'è qualcosa che ti preoccupa?»

«Niente.»

«Niente?»

«Sul serio, non è niente. Solo i cigni. Ci vediamo domani?» La prendo per mano.

«Non farlo.»

«Scusami. Dimenticavo.»

«Credo che non dovremmo vederci per un po'. Davvero.»

«Devo vederti. Devo parlare con te.»

«Cosa c'è, Michael? Va tutto bene?» mi chiede, e c'è paura nella sua voce.

«Sì, sì. Dimmi che ci vedremo.»

«D'accordo, ma...»

«Domani mattina?»

Lei annuisce con cautela.

La luce sta andando via. Il ragazzino e il cane stanno tornando. Se è vero, fra poco sarà troppo buio perché lei veda cosa sto dicendo. Sostengo di voler continuare la mia passeggiata, e tutti e tre si voltano per andarsene.

Luke la tiene per mano. Lei si china per baciarlo sul viso. I rumori attorno a me adesso sono tutti nebulosi. Nel crepuscolo le tre forme si muovono e si fondono con altri che passeggiano a quest'ora. Ben presto non si distinguono più, e anch'io mi volto.

PARTE QUARTA

4.1

IL giorno seguente porta con sé un'alba limpida e luminosa. C'è un bagliore giallo-dorato sul Round Pond, in lontananza, oltre gli alberi. Amo questa stagione dei boschi: i rami che si innalzano su un albero in contrappunto con quelli abbassati di un altro. I sorbi bianchi sembrano porcospini contro l'erba verde appena spuntata.

Un vecchio castagno spoglio, immenso, un'anomalia accanto al viale dei giovani tigli argentati, porge i rami bassi anche se in questa stagione non hanno nulla di visibile da donare. Ma fra i rametti più alti sta cantando un uccello: un pettirosso, dal suono, anche se è così in alto che anche questa nuda graticciata basta a oscurare l'uccellino.

Faccio qualche passo indietro, cercando di distinguerlo da ciò che lo circonda. Un grasso piccione svolazza verso i rami più alti, ed è quasi come se fosse l'assurdo uccello a cantare così meravigliosamente, felice di prendersi il merito dell'esibizione dell'invisibile vicino.

È stato quando ho nominato l'usignolo che gli occhi di Julia si sono riempiti all'improvviso – in modo sorprendente, ma non inesplicabile, come pensavo allora – di lacrime. Adesso mi rendo conto di aver attribuito a quelle lacrime la ragione sbagliata.

Nel giardino incassato, alcune primule gialle sono l'unico accenno di vita; e nella siepe dei vecchi tigli che lo circonda, alta il doppio di me e che ha molte volte la mia età, c'è un debole rigoglio di ramoscelli e boccioli rossastri. Questo sì lo potremmo condividere, ma il coro dell'alba che strepita tutt'intorno? L'aereo che sta scendendo verso Heathrow, a ovest?

Sono nel punto dove ieri camminavo insieme con Luke. I gabbiani sono silenziosi la mattina presto. Conto i cigni: quarantuno, inclusi cinque pulcini. Uno dei piccoli, sudicio, con le zampe nere, mi rivolge una circospetta occhiata laterale. Cinque adulti prendono il volo dall'altro lato dello stagno. Le ali di questi uccelli enormi e sgraziati mandano un suono lento e pesante mentre virano sopra di me. Volano anche le oche, starnazzando.

Cosa può udire lei di tutto questo? Quanto mi sto immaginando di ciò che può e non può fare?

Il gracchiare di un corvo, il ciangottio di una gazza su un platano vicino a Bayswater Road, gli autobus che rombano e starnutano: cosa può sentire Julia?

4.2

Julia non si presenta come promesso, e io non so cosa fare. Potrei mandarle un altro fax, ma avrebbe potuto mandarmene uno lei, se avesse voluto mettersi in contatto. Capisco anche troppo bene perché non mi vuole chiamare al telefono. L'unica volta che l'ha fatto, doveva sapere che avrebbe risposto la segreteria telefonica. Forse ha sentito il bip. O ha semplicemente aspettato qualche secondo prima di parlare? Ha un apparecchio acustico? Non ho mai sentito niente del genere quando le ho accarezzato i capelli, il viso.

Ma abbiamo suonato insieme, violino e pianoforte, intonati, a tempo, in questa stanza, e lei suonava con una consapevolezza così ovvia e limpida che deve aver udito la musica che facevamo.

Intonati, ho detto, ma naturalmente il pianoforte, se non è scordato, resta intonato. E anche se lei rispondeva alla mia musica, era come se l'intimità rimanesse quasi confinata a lei stessa. Mi ha chiesto di stare qui, dove poteva vedermi. Adesso mi domando: era per vedere il mio archetto e le dita che si muovevano?

Aveva cantato una frase, perfettamente intonata, prima di mettersi al piano. Aveva l'orecchio assoluto quando l'ho conosciuta, ma avrebbe potuto mantenerlo, senza il sostegno di suoni esterni?

Alcune cose si chiariscono, altre mi lasciano ancora più perplesso. Gli indizi sono labili. Lione per Nyons: un lapsus? Un ricordo sbagliato? La consonante iniziale non udita? Io faccio errori del genere in continuazione.

Come fa a governare la sua situazione? Perché non me ne ha parlato? Come fa a sopportare di suonare, addirittura di pensare alla musica? Quando è venuta a sentirci alla Wigmore, cosa ha udito? Il bis non era annunciato nel programma.

Passa un giorno, e io mi sento scardinato, tanto sono preoccupato e incerto. Non abbiamo prove, perciò non sono obbligato a suonare. Non riesco nemmeno ad ascoltare la musica. Leggo qualche poesia da una vecchia antologia. Ma sono stretto dall'orrore che questo possa essere vero e da un desiderio assoluto e senza speranza di proteggerla – perché, cosa posso fare? – dalla cosa in sé.

Il giorno seguente decido di scriverle. Ma cosa posso dirle se non che voglio vederla? Lei vuole farmelo sapere? Luke le ha detto qualcosa? Mi sto ingannando? C'è davvero qualcosa da sapere?

4.3

In mezzo alle mie incertezze cade una lettera: busta azzurra, smorto francobollo dorato, timbro di ieri, la familiare calligrafia inclinata. Ancora una volta uso il tagliacarte che mi ha regalato lei per aprire una sua lettera.

La luce del mattino cade su vari fogli di carta azzurra sulla quale, scritta in inchiostro blu scuro, leggo la lettera più lunga che lei mi abbia mai scritto.

Carissimo Michael,

sì, è vero. L'avresti scoperto comunque prima o poi, e grazie al nostro incontro nel parco è stato prima. Luke era sotto shock, ed era chiaro che anche tu eri sconvolto per qualcosa. Quando siamo tornati a casa lui mi ha detto che te l'aveva detto. Non se l'era lasciato scappare apposta. Povero Luke: è stato cupo e malinconico per un'ora intera. Gli sembrava di avermi tradito quando invece mi ha liberata del fardello di dover rivelare la verità. Lui di solito è molto protettivo nei miei confronti, e quando vengono i suoi amici fa in modo che tutto sia completamente naturale. Non vuole che nessuno, men che meno i suoi amici, abbia il minimo indizio che in me c'è qualcosa che non va. Ma c'è molto che non va in me, ho paura; e ho avuto paura di dirtelo, paura che rompesse ciò che c'è fra noi, o che irrompesse fra noi. Se dovevo venire dietro le quinte e riportare alla vita quei ricordi latenti, era necessario che tu credessi che fossimo su un piano di parità. Di certo non volevo ciò che ho visto nei tuoi occhi due giorni fa. È anche per questo che ti scrivo, invece di parlartene.

Ma la mia situazione non è del tutto miserabile; o si dice miserevole? Il fatto è che, per quanto riguarda la sordità, la mia se non altro mi ha dato il tempo di farmene una ragione. È capitata nel giro di mesi, più che di minuti, e non ha avuto orrendi effetti collaterali.

Non sto cercando di prenderla alla leggera. All'inizio non credevo che avrei potuto sopravvivere. La musica è il cuore della mia vita. Che io, fra tutti, potessi essere tradita dalle orecchie era qualcosa di insopportabile.

Come è cominciato? Non sarei capace di reggere le tue domande faccia a faccia e nei particolari, perciò conviene che mi metta di buona lena e ti racconti tutta la storia in questa lettera. È cominciato circa tre anni fa. All'inizio non mi rendevo conto che ci fosse qualcosa che non andava, anche se mi sembrava che la gente si mettesse spesso a bofonchiare, soprattutto al telefono, e cominciavo ad accorgermi di usare un tocco più pesante sulla tastiera. Mi sono chiesta un paio di volte perché non sentivo più così spesso gli uccelli cantare, ma mi rispondevo che quell'anno la primavera del New England doveva essere più tranquilla. In quel periodo non stavo suonando con altri musicisti, perciò non avevo problemi di entrate. E quando ascoltavo la musica semplicemente alzavo il volume. Un paio di volte James mi aveva fatto notare che forse era un po' alto, ma non ci avevo pensato troppo.

Probabilmente diventava sempre più difficile per me sentire il pianoforte, ma gran parte di ciò che si sente è comunque nella mente e nelle dita. La verità è che non capivo, credo, ciò che mi accadeva. Come potevo immaginare di stare diventando sorda a meno di trent'anni?

Ma poi è successa una cosa che mi ha spaventata davvero. Una notte in cui James non c'era, Luke ha avuto un incubo. Piangeva in camera sua e io non l'ho sentito finché non è arrivato barcollando in camera mia. Due giorni dopo, quando l'ho portato a una normale visita di controllo dal medico, ho accennato a ciò che era successo. Il medico si è preoccupato e mi ha mandato da uno specialista, che mi ha detto che c'era una diminuzione d'udito di 50 decibel da entrambi gli orecchi, e mi ha chiesto perché diavolo non mi ero fatta vedere prima.

Già la settimana seguente la perdita era vicina ai 60 decibel, e i medici erano molto preoccupati e perplessi. Nella mia famiglia non c'era una storia di sordità. Tante Katerina, che vive a Klosterneuburg, è diventata sorda, però ha superato la settantina. Avevo avuto un'infezione a entrambi gli orecchi – probabilmente dovuta al nuoto – verso gli otto anni, ed era durata quasi un anno. Però quella era stata diagnosticata con certezza, mentre i nuovi sintomi sembravano del tutto privi di causa. Avevano sconfitto il primo specialista a cui ci eravamo rivolti, ed è stato solo un mese dopo che un secondo specialista, molto più giovane, è uscito con la probabile diagnosi di una malattia autoimmune delle orecchie, una sindrome che non avevo mai sentito. Continuava a spiegare a James l'importanza di un « alto indice di sospetto » nel riconoscere malattie relativamente poco comuni, una cosa che

lui aveva sempre posseduto: una specie di dono hitchcoc-
kiano, sembrava, ma a quanto pare si tratta di fraseologia
standard.

La terapia consisteva in un alto dosaggio di steroidi e im-
munodepressivi combinati. Se mi avessi vista allora su un autobus (non che sarebbe potuto succedere, dato che ero a Boston), dubito che mi avresti riconosciuta. È stato orribile. Mi
guardavo allo specchio e vedevo un essere gonfio di medici-
ne e terrorizzato.

Per un po' l'udito si è stabilizzato, ha perfino avuto un mi-
glioramento. Ma quando hanno provato a ridurre le medici-
ne, le cose non solo sono tornate come prima, ma sono peg-
giorate. Alla fine sono riusciti a tirarmi fuori dagli steroidi,
ma il mio udito era rovinato. È rovinato. Mi sembra di essere
avvolta nell'ovatta, e senza l'apparecchio acustico non riesco
a sentire con chiarezza quasi niente. Poi all'improvviso le cose mi esplodono nelle orecchie o sento sibili impossibili. Ecco come sono andate le cose negli ultimi due anni. Ho i giorni buoni e i giorni cattivi, e qualche volta è meglio un orecchio e qualche volta l'altro, ma ormai non spero più di recuperare l'udito.

I medici mi hanno spiegato che il sistema immunitario che
protegge il mio corpo sta trattando alcune parti dell'orecchio
interno – nessuno sa come né perché – come ostili o perico-
lose, e le distrugge. Ma non leggerci niente di simbolico. Io
l'ho fatto, e ho peggiorato la situazione. Ho capito che stavo
per impazzire. Adesso non lo faccio più: è solo uno strano
fatto fisiologico, che senza dubbio sarà curabile fra una gene-
razione o due, ma non lo è, purtroppo, oggi.

È stata una strana transizione fra il mondo dei suoni e
quello della sordità (non dell'assenza di suoni, in realtà, perché io sento ogni sorta di rumori, solo che di solito sono
quelli sbagliati). Avevo tanta paura di perdere la mia musica,
e tanta paura per Luke, rimasto con una madre che non poteva nemmeno sentirlo piangere. Se non fosse stato per lui,
non so se avrei avuto la volontà di tener testa al mio stato.
Povero bambino, aveva solo quattro anni allora. James è sta-

to meraviglioso, quando c'era. Si è tagliato i baffi perché potessi leggergli meglio le labbra! La sua banca continuava a farlo volare avanti e indietro finché lui ha chiesto una posizione che gli permettesse un minimo di stabilità. Ecco perché siamo venuti a Londra.

James diceva, giustamente, che non potevo ritirarmi dalla vita, e da lui e Luke. Potevamo permetterci una specie di bambinaia. Lei mi avrebbe tolto una buona parte del lavoro, e sarebbe rimasta con Luke quando io non potevo esserci. Io dovevo concentrarmi sia sulla musica sia sul tentativo di affrontare il mio, be', il mio stato.

Così mi sono gettata nel mondo straniero dei sordi: lezioni preventive di terapia del linguaggio, lezioni di lettura labiale con ore di esercizi davanti a uno specchio; perfino un po' di linguaggio dei segni, che non ho mai usato davvero. Imparare qualcosa richiede tanto tempo, tanto sforzo, soprattutto se è qualcosa che ti serve soltanto per fare quello che facevi prima, e mai, oltre tutto, altrettanto bene. Mi era difficile mettere insieme tutta la forza di volontà necessaria. Ma, come mi ripetevo, la musica è un linguaggio, il tedesco e l'inglese sono linguaggi, leggere le mani e le labbra sono solo linguaggi, in cui si migliorano le proprie abilità con il tempo e lo sforzo. Poteva essere perfino interessante. Era, è, spossante, ma sono diventata molto più brava di quanto avrei mai creduto. (Il fatto di avere avuto quell'infezione alle orecchie a otto anni potrebbe essermi stato utile, perché devo aver imparato allora a leggere le labbra.) In ogni caso, ho scoperto un talento naturale per la lettura delle labbra. Ma, come ha detto una volta uno dei miei insegnanti, è difficile capire, leggendo le labbra, se si parla del clamore o dell'amore.

Uso un apparecchio acustico, ma non così spesso come potresti pensare. È complicato: certe volte mi impedisce di sentire l'altezza giusta dei suoni. Quando sono stata con te, non l'ho mai messo, tranne che al concerto. Alla Wigmore Hall c'è una specie di circuito elettrico che aiuta a sintonizzare l'apparecchio in una certa posizione. È una cosa molto noiosa, finché non diventa disperatamente cruciale.

Quanto alla musica, siccome continuo a fare musica da camera, ho imparato a giudicare dall'archetto, dalle dita, dal cambio di posizione, dal visibile levare del respiro, da tutto e da niente, quando suonare e con quale tempo. Hai sentito l'altro giorno in azione con Mozart il mio nuovo triste virtuosismo. Ma ha funzionato perché conoscevo bene la sonata, e sapevo dal passato come leggere le tue mani, i tuoi occhi, il tuo corpo. Non riuscivo a sentire molto di quello che suonavi, eppure ho capito che hai suonato bene, anche se non saprei dirti come faccio a saperlo. E quando mi hai prestato il quintetto di Beethoven basato sul «nostro» trio, non l'ho ascoltato come avrei fatto in passato. Ho alzato il volume dei bassi, e il quintetto l'ho mezzo udito e mezzo percepito grazie alle vibrazioni, mentre facevo scorrere gli occhi sulla partitura. Ho ricavato molto da tutto ciò. Ma so che non sentirò mai più veramente ciò che non ho già ascoltato con queste orecchie fisiche, e posso in qualche modo far rivivere attraverso il ricordo nella melodia e nell'insieme.

Ma non parliamo di Beethoven. Ti ricordi le nostre passeggiate a Heiligenstadt?... Ma lasciamo perdere. No, ma sì, ti ricordi dove dice: «*Aber welche Demütigung, wenn jemand neben mir stund und von weitem eine Flöte hörte und ich nichts hörte oder jemand den Hirten singen hörte und ich auch nicht hörte...*»* Be', quando l'altro giorno hai sentito cantare il pettirosso all'Orangery, è stato quello che ho provato; ma non era solo umiliazione, era un senso di amara ingiustizia e di privazione e di lutto e di perdita e di autocommiserazione, tutto mescolato in un grumo spaventoso. E poi ti sei messo a parlare di merli e usignoli. Sul serio, Michael, adesso che sai che sono sorda dovresti controllare le tue osservazioni, così da non pugnalarmi al cuore con tanta precisione.

* «Ma quale umiliazione quando qualcuno stava accanto a me e udiva da lontano un flauto e io non lo udivo o qualcuno udiva cantare i pastori e io non udivo neanche loro...» (*N.d.T.*)

È un mattino di sole mentre scrivo queste righe. La casa è vuota. Luke è a scuola, James al lavoro, la nostra bambinaia tuttofare sta prendendo lezioni di francese da qualche parte di South Kensington. Da dove sono seduta, al primo piano, posso vedere attraverso un bovindo il giardino con i suoi primi crochi, bianchi, zafferano, porpora, gialli. Una donna di novant'anni è seduta su una panchina, a leggere, col suo cagnolino bianco – una specie di terrier a pelo corto – accanto a lei. Proprio sotto la finestra c'è il nostro piccolo terreno, e io mi terrò occupata con un po' di giardinaggio nel tardo pomeriggio, dopo aver studiato.

Io so dove e come vivi tu, ma tu non sai niente della geografia dei miei giorni: la forma e il colore delle stanze, la curva del giardino sulla strada, i ciclamini, il suono e il tocco del mio pianoforte, la luce sul tavolo di quercia della sala da pranzo. Ho detto a James che ci siamo incontrati un paio di volte: professionalmente, cioè. Lui e Luke fanno i puzzle insieme, perciò il fatto che ci siamo incontrati era destinato a saltar fuori prima o poi. James non ne è rimasto turbato; anzi mi ha proposto di invitarti a cena a casa nostra. (Andrete perfettamente d'accordo, secondo me.)

Io voglio in qualche modo dividere la mia vita e la mia musica con te. Ma, Michael, non riesco a vedere come il nostro amore possa raggiungere una qualche piena espressione. Anni fa forse sarebbe stato possibile, ma adesso? Non posso vivere due vite. Ho paura di ferire tutti, tutti noi. Non so come andare avanti, e nemmeno come tornare indietro. Forse, cercando di farvi incontrare non integrerò niente, perché non c'è niente da integrare.

Tu mi riporti alla più grande felicità – e alla più grande infelicità – che abbia mai provato. Forse è per questo che ti ho evitato. (In più, come facevo a telefonarti, anche se avevo il tuo numero?) Forse, di nuovo, è per questo che ho smesso di evitarti, e sono venuta da te in quella notte piovosa in cui la tua testa e la mia erano inondate di tutte quelle fughe.

Rispondimi presto. Tutto questo fa qualche differenza fra noi? Sì, per forza, ma che tipo di differenza? Avrei potuto mandarti per fax questa lettera, immagino, ma non mi sembrava giusto.

C'erano tante cose da dirti, Michael. Probabilmente ho detto troppo e troppo poco.

Con tutto il mio amore,

JULIA

4.4

Carissima Julia,

ti rispondo subito. Mi hai chiesto tu di farlo, perciò immagino che ciò che è indirizzato a te possa essere letto solo da te. Perché non me l'hai detto prima? Deve essere stato terribile per te, sapere che avrei dovuto saperlo e non sapere quando o come dirmelo. Cosa posso dire? Se dico che è orrendo – e lo è – ho paura di scoraggiarti. Farei meglio a fermarmi: tutto questo assomiglierà troppo alla compassione. Ma se fosse capitato a me, e tu l'avessi saputo, non avresti provato compassione di me? «Lei mi amava per i pericoli che avevo corso...» Eppure, quando hai suonato Mozart da sola, e poi con me l'altro giorno, niente di tutto questo avrebbe avuto senso. Io mi sentivo, be', solo fortunato di essere alla periferia di quel suono.

Cosa puoi sentire? Puoi sentirti quando parli? La tua voce non è cambiata. Non c'è proprio niente che si possa fare? Come hai detto una volta, io non sono bravo a vedere le cose attraverso gli occhi di qualcun altro.

Non è stata colpa di Luke, per niente. Se dovevo saperlo, e in effetti dovevo, la sua battuta e la tua lettera sono stati, hai ragione, il modo più semplice. Vedere di nuovo la tua calligrafia su una lettera – miglia e miglia di scrittura fluida e inclinata, con pochissime parole cancellate in cinque pagine – ha rimesso a posto qualcosa nel silenzio di questi anni.

No, non conosco la tua vita di adesso, all'infuori di quei frammenti che passi con me o di cui mi racconti. Ti vedo nella tua cameretta dell'ostello studentesco, o nel mio appartamento, sotto lo sguardo dalla tromba delle scale di Frau Meissl. Non posso venirti a trovare dove abiti adesso: non credo che in questo momento riuscirei a sopportarlo. Ma devo vederti, presto. Non posso vivere senza di te: le cose stanno semplicemente così. E, Julia, non hai anche tu bisogno di me? Non solo come amico, ma come musicista?

Devo parlarti. Se senti la mia mancanza, devi sapere quanto io sento la tua. Vieni a trovarmi, non domani – probabilmente non riceverai questa lettera prima del pomeriggio – ma venerdì. Puoi? Se no, mandami un fax. O lascia un messaggio sulla mia segreteria telefonica. Se rispondo io, continua a parlare senza preoccuparti. Almeno io avrò il piacere della tua voce.

Ho aperto la tua lettera col tagliacarte che mi hai regalato tu. Tante cose si sono chiarite: i tuoi silenzi, le virate improvvise delle nostre conversazioni. Ma per me è ancora tutto così enigmatico e, be', terrorizzante. Non c'è proprio niente che possa fare per aiutarti, in qualunque modo? Dobbiamo assolutamente vederci venerdì. Tutto questo non può, non deve fare nessuna differenza fra noi.

Con amore,
MICHAEL

4.5

Dopo una prova con il quartetto, vado in una grande libreria vicino all'università e nella sezione di medicina, al piano di sotto, compro un libro sulla sordità. Mi sento costretto a saperne qualcosa di più. È scritto con chiarezza, anche se in un linguaggio specialistico, ed è così interessante che più tardi, di notte, quando sono seduto sul letto col libro posato sulle ginocchia, per interi minuti perdo di vista il fatto che è la malattia di Julia che mi ha spinto a leggerlo. Ho messo su un disco con il quintetto di Schubert, ed è al suono di quella musica che faccio per la prima volta conoscenza con il caos elaborato che sta dietro le minuscole membrane dei miei timpani.

Le nuove parole si imprimono una a una nella mia mente: acufeni, stereociglia, organo del Corti, membrana basilare, timpanometria, degenerazione della stria vascolare, rotture di membrane, neurofibromatosi... La musica finisce. Continuo a leggere senza alzarmi dal letto per cambiare disco. Strutture, sintomi, cause, cure... non molto sull'autoimmunità... un buon numero di notizie sulle condizioni idiopatiche, che per definizione non hanno cause conosciute.

Lei mi ha mandato un fax per dirmi che verrà domani mattina. Temo e desidero quest'incontro. Voglio lasciar parlare lei; ma se invece lei lascia a me l'iniziativa?

Ci sono tante domande precise, ma al di là di tutte, e prima di ogni domanda, c'è la questione spaventosa e inimmaginabile: cosa significa per lei? Ed egoisticamente: cosa significo io per lei? Perché, mentre la musica le sta scivolando via, lei ha scelto di intrecciare di nuovo la sua vita con la mia? Per lei sono un punto fermo, un ritorno ai giorni in cui la musica era per lei una vera sensazione, e non semplicemente una bellezza immaginata?

4.6

Julia sta ridendo. È qui da meno di cinque minuti. Non è così che dovrebbe andare.

« Cosa c'è di tanto divertente? »

« Michael, sei un caso disperato quando vuoi fare il premuroso, ti si storce tutta la faccia. »

« Cosa vuoi dire? » dico piuttosto duramente.

« Così va meglio. »

« Che cosa? »

« Quello che hai appena detto. »

« Non riesco a seguirti. »

« Adesso hai parlato in maniera naturale, perché hai dimenticato di fare la faccia premurosa. È molto più facile per me leggerti le labbra se parli in maniera naturale, così non declamare, non fare le smorfie. Per favore! A meno che non mi vuoi far ridere. Adesso mi sono dimenticata cosa mi hai chiesto.»

«Ti ho chiesto della musica», dico.

«Oh, sì», dice Julia. «Sì, scusami.» Mi prende la mano, come se fossi io quello che ha bisogno di compassione. «Ti avevo detto che avevo smesso di suonare dopo gli esami a Vienna. Be', dopo che ci siamo sposati, James mi ha convinta a riprendere, solo per mio piacere, non per un pubblico. Dopo che lui andava al lavoro, io strisciavo fino al piano. Ero così nervosa che quasi non potevo toccare i tasti. Ero incinta di due o tre mesi, e avevo sempre la nausea, e mi sentivo davvero fragile, come se un accordo di più di due note potesse farmi a pezzi. Così, ho cominciato con le *Invenzioni a due voci*. Non avevano alcun legame con te, solo con le mie prime lezioni di piano con la signora Shipster. Era più o meno un anno e mezzo che non suonavo... Sì, era un anno e mezzo...»

«Brava signora Shipster», commento. «E bravi i tuoi genitori. E bravo James. Almeno non dovevi guadagnarti da vivere con le dita.»

Julia non dice nulla. Noto che mi fissa la faccia, le labbra con estrema attenzione. Che cosa mi trattiene? Non posso semplicemente dirle quanto l'amo e che voglio aiutarla?

«L'apparecchio acustico: è per quello che ti sei fatta crescere i capelli?»

«Sì.»

«Ti stanno bene.»

«Grazie. Me l'hai già detto, Michael, sai? Non devi ripeterlo adesso, solo perché...»

«Ma è vero... C'è l'hai dentro, adesso?» le chiedo. «O dovrei dire 'su'?»

«No, non ce l'ho su. Ci ho pensato. Ma perché cambiare le cose?»

«Come fai a essere così filosofica?» dico. «Non riesco a capirlo.»

«Be', è una cosa nuova per te, Michael, tutto questo strano mondo.»

« E peggiora sempre, tutto il tempo? »

« Un po'. »

« Ogni giorno? »

« Be', ogni mese. Non so per quanto ancora riuscirò a suonare con altri musicisti. Per fortuna, con il pianoforte, uno riesce a essere più di un musicista, tutto da solo, perciò non sarà un mondo così solitario. Ho in programma qualche concerto da solista, compreso uno alla Wigmore, a dicembre. Schumann e Chopin. Puoi sbalordirmi e venire tu dietro le quinte, quella volta. »

« Oh, no... Non verrò a sentirti suonare Schumann », le dico, cercando di essere naturale. « È lo Schu sbagliato. » Per un momento non riesco a ricordare dove l'ho già sentita.

Julia scoppia a ridere. « Hai una mentalità così ristretta, Michael. »

« Le gole strette scorrono profonde. »

Julia ha un'aria confusa, poi si riprende. « Le gole strette scorrono strette. »

« Va bene, va bene. Ma non mi hai detto niente della tua carriera. Quando hai ricominciato a suonare in pubblico? »

« Quando Luke aveva qualche mese. Appena nato gli piaceva sentirmi suonare, e il mio tempo si divideva fra suonare per lui e dargli da mangiare. Certe volte gli davo da mangiare al piano e suonavo con la mano libera... Una specie di invenzione a una voce. » Sorride a quella visione vagamente ridicola.

« E hai suonato così in pubblico? »

« Molto divertente. Adesso mi hai fatto... Ah, sì, un giorno James mi ha chiesto se la sera dopo avrei suonato per alcuni ospiti. Lui non mi chiede quasi mai di fare cose di cui non è sicuro, per cui gli ho detto di sì senza pensarci. Quando sono arrivati gli ospiti, ho scoperto che fra loro c'era il critico musicale del *Boston Globe* e un paio di altri pezzi grossi del mondo musicale. Non ero per niente contenta della sorpresa, ma ormai avevo promesso, così ho suonato, a quelli è piaciuto e le cose sono andate avanti da lì. Più case private che palcoscenico all'inizio, ma dopo più o meno un anno James e gli altri mi hanno proposto di suonare in teatro, e io ormai mi sentivo pronta, e l'ho fatto. Ma nel New England la gente mi conosceva come Julia Hansen, e così mi sono tenuta quel nome. »

« Nuovo nome, nuovo inizio, nessun vecchio ricordo? »

« Sì. Era Julia McNicholl che aveva smesso di suonare. »

« Hai continuato a suonare per mesi dopo la mia partenza. »

« Stavo studiando. Ho continuato a farlo. »

Non dico niente.

« Ma non sapevo quanto ero fortunata, nonostante tutto », dice Julia. Dopo un po' continua: « Nessuno sa come è saltata fuori questa cosa. Io mi sfinisco a leggere le labbra. I nostri orecchi sono strane cose. Noi non possiamo sentire i fischietti per cani. Lo sapevi che i pipistrelli cominciano oltre Bach? »

« Non capisco », dico.

« Tutta la loro gamma uditiva sta oltre le quattro ottave di Bach. »

« Be' », dico, « immagino che si potrebbe trasportare tutto quattro ottave più sopra a beneficio dei pipistrelli. »

« Michael, ti sei voltato. Non ho visto cosa hai detto. »

« Oh, non vale la pena di ripeterlo. »

« Ripetilo », dice Julia, molto piano.

« Era una battuta patetica. »

« Lascialo decidere a *me* », dice Julia, con durezza.

« Ho detto che forse bisognerebbe trasportare Bach quattro ottave più sopra per l'edificazione dei pipistrelli barocchi. »

Julia mi fissa, poi comincia a ridere. Ben presto le scorrono lacrime sulle guance: le uniche lacrime che ha sparso finora, e non sono quelle giuste.

« Sì, hai ragione, Michael », dice abbracciandomi, per la prima volta da una settimana. « Hai ragione. Era davvero patetica. »

4.7

Helen mi telefona tutta emozionata.

« A pranzo. Sì. Oggi. No, Michael, niente scuse. Offro io. È la viola. L'ho trovata! »

Ci incontriamo alla Taverna Santorini. Helen, che non vuole perder tempo con le sciocchezze, ordina per tutti e due.

«Ieri sono andata all'inaugurazione di questa meravigliosa mostra di ceramiche», dice Helen. «Molto cinese, molto stravagante, molto profonda. Ma qualche disgustoso collezionista è entrato prima che chiunque altro potesse vedere niente, e ha messo pallini rossi sotto tutti i pezzi. Ce ne andavamo tutti in giro con aria sconsolata, a girare i vasi e a fare una faccia sempre più lunga.»

«Perché non mi hai fatto dare un'occhiata al menù?»

«E cosa lo volevi guardare a fare, il menù?»

«Per vedere se magari c'era qualcosa che mi piaceva di più.»

«Oh, non essere ridicolo, Michael, il kleftikon è assolutamente delizioso. Ti piace l'agnello, no? Non me lo ricordo mai. E prendiamoci una bottiglia del rosso della casa. Ho voglia di festeggiare.»

«Guarda che abbiamo la prova fra un'ora e mezzo.»

«Oh...» Helen agita la mano. «Non fare sempre la palla al piede.»

«Sei tu che ti ubriachi, non io. O magari ti verrà sonno. O tutte e due le cose. Le donne si ubriacano con troppo poco, a pranzo.»

«Ah, è così, Michael?»

«Credi a me. E voglio gli spinaci.»

«Perché gli spinaci?»

«Mi piacciono gli spinaci.»

«Gli spinaci ti fanno male. Ti fanno sporgere gli occhi.»

«Che assurdità, Helen.»

«Non mi sono mai piaciuti gli spinaci», dice Helen. «E neanche a Piers. Almeno c'è una cosa su cui siamo d'accordo. Certe volte mi domando come mai mi ha chiesto di entrare nel quartetto. E mi domando perché mai l'ho fatto. Sono sicura che andremmo molto più d'accordo se non fossimo legati insieme in questo modo. O se non fossimo tutti e due musicisti. O se non si fosse preso lui per primo il violino. Non che me ne importi: tutti i compositori come si deve preferivano suonare la viola...

Ah, bene. » Ha appena notato che il cameriere è in piedi vicino a lei. «Prendiamo una bottiglia di rosso della casa. E il mio amico qui vuole degli orribili spinaci», dice Helen.

«Abbiamo solo ottimi spinaci, signora. »

«Be', allora gli porti un po' di quelli. »

Il cameriere si inchina e scompare. È chiaro che Helen è una venerata habituée.

Dopo un veloce bicchiere, Helen mi racconta che ha trovato qualcuno nella zona grigia della musica antica che ha risolto il suo problema.

«La vera difficoltà non era prendere una di quelle viole enormi – ce ne sono parecchie in giro – ma trovare le corde. Come la incordi una quarta sotto? Hugo – è una persona asso-lutamente brillante, non ho mai conosciuto nessuno come lui, sembra una specie di feto peloso ma è un vero tesoro – ha in-cordato le due corde inferiori con budello di grosso diametro rivestito in argento, e le due superiori con budello e basta, e sia-mo andati di corsa da un liutaio – a Stoke Newington, ci pensi? – per sistemare la tensione. È di fronte a un jazz bar e Hugo vuole che qualche volta ci andiamo, ma io non me lo sento *qui...* »

Helen si dà un colpo sul seno sinistro e inghiotte un bicchie-re con un'alacrità che ricorda Capitan Haddock.

Mi verso anch'io un secondo bicchiere. Se non contribuisco a vuotare la bottiglia, Helen non starà in piedi per quando suo-neremo la scala.

«Be'», continua Helen, «il primo tentativo di accordarla una quarta sotto è stato un disastro. Le corde avevano bisogno di una tensione enorme, e le tavole smettevano di vibrare. Si è completamente chiusa... No, è per lui... Davvero non capisco come fai a mangiarli, Michael. Io davvero li detesto. Quando avevo sei anni mi hanno messo nell'angolino per un'ora intera perché mi rifiutavo di mangiarli. Non li ho mai mangiati. E non ho nemmeno chiesto scusa. »

«Allora, Helen. Completamente chiusa. E poi? »

«Stavamo parlando di spinaci... »

«Stavamo parlando della tua viola. »

« Così eravamo a quel punto. Chiusa. Eccetera. E poi. Dove ero rimasta? »

« D'accordo, Helen, basta vino finché non hai finito la storia. »

« E poi... Poi, oh, sì, poi lui è andato a Birmingham o a Manchester o da qualche parte e ha trovato un tizio che è lo zar delle corde. Prende i budelli direttamente al macello, e gli stanno in giro a fumare nelle tinozze dappertutto. A quanto pare casa sua puzza come un vero mattatoio. » Con la forchetta Helen spinge da parte il kleftikon. « Sai, se non fosse per il fatto che non mi piace la verdura, di sicuro sarei vegetariana. »

« Va tutto bene, signora? » chiede il cameriere.

« Oh, sì, perfetto », dice Helen, con l'aria un po' assente. « Così Hugo è tornato puzzando di corde – belle corde grasse – e ne abbiamo provate un po'. Le abbiamo accordate giuste senza usare troppa tensione, ma naturalmente appena le ha toccate con l'archetto, le corde erano così lente che le vedevi vibrare letteralmente da un capo all'altro. »

Helen fa ondeggiare la mano a mo' di illustrazione, e rovescia il bicchiere che, per fortuna, è vuoto. Quando lo rimette in piedi, io lo sposto al sicuro.

« Io cerco di non pensare alle povere mucche. O sono pecore? » chiede Helen.

« Le tue corde... » dico.

« Sì. Suonavano strane, e dovevi pregarle in ginocchio perché facessero uscire un suono. Passavano ore da quando l'archetto si metteva in movimento a quando sentivi la nota. »

« Be', quello è sempre un po' il problema della viola, no? » dico mentre una serie di vecchie battute sulla viola mi attraversa la testa.

« Questa qui era centinaia di migliaia di volte peggio », dice Helen. « Ma con un po' di tentativi e di errori, e dopo averla di nuovo incordata con i budelli del nord, Hugo l'ha sistemata come si deve. Ha usato un archetto molto molto molto pesante che si è fatto prestare da un amico, ed è ancora lenta, ma il suono è meraviglioso. Devo solo esercitarmi per controllare il ritardo. Non so come ringraziarlo. Lui suggerisce... »

«È meraviglioso, Helen», dico. «Adesso finisci di mangiare. Questo successo merita di essere celebrato con un bel bicchiere di acqua minerale.»

«Acqua?» dice Helen, sbattendo gli occhi. «Acqua? È lì che arriva tutto il tuo entusiasmo?»

«Acqua», dico con fermezza, guardando l'orologio. «E magari un caffè, se abbiamo tempo.»

«Vino», dice Helen. «Vino. Senza la vita, il vino non è degno di essere vissuto.»

4.8

Billy ha l'abitudine di fare gesti esuberanti sulle corde vuote: una malattia comune a molti violoncellisti. Quando ne tocca una, soprattutto alla fine di una frase, solleva la mano sinistra dal manico del violoncello, in un gesto di ostentata distensione: guarda, mamma, senza mani. Quando accade sulla quarta corda, è quasi un gesto d'addio.

È una cosa che non mi è mai piaciuta. È un po' come quei pianisti che descrivono grandi parabole con le mani, o i cantanti di Lieder le cui teste ondeggiano come narcisi sullo stelo del collo.

C'è una pericolosa patina di attenzione sugli occhi di Helen. Considerando quello che si è ingollata a pranzo, sta suonando sorprendentemente bene. Ciò che è strano oggi, però, è ciò che fa ogni volta che ha una frase imitativa: risponde con una frase che è quasi un clone di quella del musicista precedente. All'inizio questa pratica si limita al suono, ed è già abbastanza seccante: Piers inciampa in un arpeggio di terzine in staccato, e Helen inciampa esattamente nello stesso punto allo stesso identico modo, come se un folletto dispettoso fosse saltato da lui dentro di lei. Avrei dovuto aiutarla di più con quel vino a tavola.

Stiamo suonando uno dei quartetti dell'opera 64 di Haydn, e lo attraversiamo di corsa e allegramente come spesso ci capita con lui, anche se tutto questo ci distrae un po'. I gesti di Billy, con tanti deliziosi do sulla corda vuota, sono diventati sempre più ampi, e l'imitazione di Helen si è estesa alle espressioni facciali. Ma adesso noto che sta facendo qualcosa di ancora più strano. Ogni volta che ha una corda vuota seguita da una pausa, anche lei stacca la mano sinistra dalla viola.

Ne sono tanto affascinato che non mi accorgo di aver cominciato a fare lo stesso. Ma vengo colpito da una specie di shock quando vedo Piers che fissa Helen e me, e poi comincia, con un largo sorriso, a togliere anche lui la mano dal manico. Tutti noi stiamo suonando con abbandono alla Billy sui nostri violoncelli in miniatura, gesticolando in maniera esagerata ogni volta che le nostre mani sinistre non hanno niente di meglio da fare.

La faccia di Billy diventa sempre più rossa, e i suoi gesti sempre meno ampi. E anche il suo suono diventa sempre più tormentato e sottile, finché, in mezzo a una frase, lui starnuta due volte e si ferma. Si alza in piedi, appoggia il violoncello alla sedia e comincia ad allentare il crine dell'archetto.

« Cosa c'è che non va, Billy? » chiede Helen.

« Ne ho avuto abbastanza », dice Billy. Ci rivolge occhiate di fuoco.

Io e Piers abbiamo entrambi un'aria contrita, ma Helen sembra semplicemente perplessa. « Abbastanza di cosa? » chiede.

« Lo sai benissimo », dice Billy. « Tutti. Quando avete pensato a questo scherzo? »

« Non abbiamo pensato a niente, Billy », dice Piers.

« È successo così, senza volere », aggiungo io.

« Che cosa è successo? » chiede Helen. Sorride a Billy, in una nebbia di benevolenza.

« Hai cominciato tu », dice Billy accusandola. « Tu, tu hai cominciato. Non fare l'innocentina. »

Helen dà un'occhiata ai biscotti al cioccolato, ma stabilisce che potrebbero più inasprire che addolcire Billy.

« Scusa, Billy », mormoro io. « Non credo nemmeno che Helen se ne sia accorta. Io e Piers non avremmo dovuto imitarla. »

« Se non vi piace quello che faccio con le corde vuote, è una maniera molto cattiva di farmelo sapere. »

Helen, a cui si affaccia finalmente un barlume di consapevolezza, si fissa la mano sinistra. « Oh, Billy, Billy », dice, alzandosi in piedi e baciandolo sulla guancia, « siediti, siediti, non avevo idea di quello che stavo facendo. Come mai sei diventato all'improvviso così permaloso? »

Billy, che sembra adesso un orso a cui fa male una zampa, accetta di sedersi, e tende di nuovo l'archetto. « Non sopporto quando vi mettete in combutta contro di me », dice con un'espressione ferita negli occhi. « Non lo sopporto. »

« Ma, Billy, noi non facciamo niente del genere », dice Piers.

Billy ci guarda cupo. « Oh, sì, certo che lo fate. Lo so che non volete suonare il quartetto che ho scritto. »

Io e Piers ci scambiamo un'occhiata, ma prima che uno di noi possa parlare salta su Helen: « Ma sì che vogliamo, Billy, certo che vogliamo, ci piacerebbe tanto suonarlo ».

« Leggerlo », aggiungo subito io.

« Una volta », aggiunge Piers.

« Tanto per il gusto di farlo, diavolo, qualche volta », borbotto con aria colpevole.

« Be', non è ancora finito », dice Billy.

« Ah », dice Piers con evidente sollievo.

« Forse dovremmo aspettare fino a dopo Vienna », propongo.

« E dopo che abbiamo cominciato a lavorare su Bach », aggiunge Piers.

Helen guarda piuttosto incuriosita Piers ma non dice una parola. Billy, le cui paure sono state confermate, non guarda nessuno di noi. Io mi butto a esaminare la musica del movimento seguente. Il frigorifero di Helen si mette a ronzare, emettendo una nota bloccata in maniera snervante da qualche parte fra sol e sol diesis.

4.9

Quasi tutto il tempo – fra spinaci e corde vuote e tutto – la mia mente continua a tornare a Julia, perciò non sono preparato a una telefonata di Virginie.

« Michael, sono Virginie. Se ci sei, per piacere rispondi, e non nasconderti dietro la segreteria telefonica. Ciao Michael, mi senti, per piacere rispondi al telefono adesso, per piacere, Michael, smettila di giocare con me, non ho intenzione di... »

« Ciao. »

« Perché non hai risposto prima? »

« Virginie, lo sai che ore sono? »

« Sono le undici e mezzo. E allora? Sono due settimane che non mi parli. Credi che dorma bene, io? »

« Virginie, non posso parlarti adesso. »

« Perché no? Hai avuto una giornata dura? »

« Be', sì, direi di sì. »

« Povero Michael, povero Michael, e hai molto fretta di tornare a dormire. »

« Molta fretta. »

« *Oh, qu'est-ce que tu m'énerves!* Parlerò come mi pare. Con chi stai andando a letto? Lei chi è? »

« Smettila, Virginie. »

« Non continuare a dirmi bugie. Lo so. Vai a letto con un'altra? »

« Sì. »

« Lo sapevo. Lo sapevo! » esclama Virginie. « E mi hai mentito. Hai continuato a dirmi bugie e dicevi che non vedevi nessuna. E io ti ho creduto. Quanto sei disgustoso, Michael. Fammi parlare con lei. »

« Virginie, calmati... Sii ragionevole... »

« Oh, vi odio, voi inglesi. Sii ragionevole, sii ragionevole. Avete cuori come cemento. »

« Virginie, ascolta. Sono affezionato a te, ma... »

« Affezionato. Affezionato. Passamela. Le dirò quanto mi eri affezionato. »

« Non è qui. »

« Non sono un'idiota, Michael. »

« Non è qui, Virginie, non c'è, va bene? Non renderti le cose più difficili. Sto male per tutta questa storia. Ma non so cosa fare. Cosa faresti al mio posto? »

«Come osi?» chiede Virginie. «Come osi chiedermi una cosa del genere? La ami?»

«Sì», dico piano dopo un secondo di pausa. «Sì, la amo.»

«Non voglio più vederti, Michael», dice Virginie, e la sua voce sta virando verso le lacrime e la furia. «Non voglio vederti mai più. Neanche per il violino né niente. Sono giovane, e mi divertirò. Vedrai. E lo rimpiangerai. Rimpiangerai tutto. Spero che lei ti renda infelice. Che non ti faccia dormire né niente. Tu mi hai sempre preso alla leggera perché ti amavo.»

«Buonanotte, Virginie. Non so cosa dire. Mi dispiace. Sul serio. Buonanotte.»

Riattacco prima che lei possa rispondere. Non mi richiama.

Mi sto comportando in un modo spaventoso e lo so. Ma non ho spazio di manovra. Non ho mai pensato che la usavo quando stavo con lei. Era una situazione della quale pensavo che lei fosse soddisfatta. Ma adesso ci vedo diventare due estranei, pensare sempre meno all'altro col passare delle settimane, e col tempo scivolare completamente fuori dalla vita altrui. Povera Virginie, mi dico, e mi vergogno un po' non appena lo penso. Spero che trovi qualcuno di diverso da me: meno esigente, felice di spirito e soprattutto non irreparabilmente segnato dallo stampo di un altro essere.

4.10

Un sabato mattina, appena prima delle otto, Julia si presenta alla Serpentine, lasciandomi senza parole. Di solito non la vedo nei weekend, ma James è via e Luke si è fermato a casa di un amico. Lei guarda quello che facciamo, meravigliata. Non credeva che lo facessi davvero, e adesso che lo vede continua a non capire perché lo faccio. Dopo tutto, non sono particolarmente sportivo. Le dico che il suo compito non è di fare congetture ma il tifo per me. Tuttavia, la sua presenza mi fa nuotare in diagonale, e finisco ultimo. I più sboccati degli altri mi chiedono ammiccando chi è. Gli dico che è la mia donna delle pulizie.

Quando torniamo al mio appartamento facciamo l'amore. La sua tensione si scioglie; e la sua torturata ambivalenza. Chiude gli occhi. Sospira, mi dice cosa fare. Le cose che le dico lei non può sentirle.

« Mi sento come un mantenuto », le dico più tardi. « Tu vieni a trovarmi; non posso mai essere sicuro esattamente quando. Poi non so mai dire se vorrai fare l'amore o no. Quando vieni qui sono in estasi, e il resto del tempo vado in giro a chiedermi quando capiterai qui. E poi tu mi porti i regali, cosa che mi piace, ma quando mai porterò i tuoi gemelli se non sul palcoscenico? »

« E Virginie, lei ti paga, ti pagava? »

« Stai cambiando argomento. »

« No, non è vero. Ti pagava? »

« Sì, per le lezioni, certo. »

« E ha smesso di pagarti, quando avete cominciato a fare l'amore? »

Guardo Julia, sorpreso. È una domanda molto brusca, fatta da lei. « No », rispondo. « Una volta gliel'ho proposto, ma ha detto che avrebbe significato che in realtà ero io che la stavo pagando. »

« Mi sembra una ragazza straordinaria. Forse non la consideri abbastanza. »

« Davvero? » dico, e la bacio. « Perché non facciamo la doccia insieme? »

« Santo cielo, Michael, cosa ti è successo negli ultimi dieci anni? »

« Su, dài. Ti lavo via la Serpentine di dosso. »

Ma è un tentativo abortito, perché, a metà, la volubile pressione dell'acqua di Archangel Court colpisce ancora, e lei rimane insaponata e coi capelli pieni di shampoo mentre dalla doccia viene solo un tiepido sgocciolio.

« Niente paura », dico. « Vado a prendere un po' d'acqua dal rubinetto. Di solito funziona. »

Lei strizza gli occhi per leggermi le labbra fra la schiuma. « Sbrigati, Michael », dice.

«Sei magnifica. Vado a vedere se c'è ancora pellicola nella mia macchina fotografica.» Mimo il clic del fotografo.

«Non è affatto divertente.» Sembra arrabbiata.

Suona il citofono. Sul piccolo schermo azzurro appare il giovane Jamie Powell, uno dei miei allievi. Gli dico di fare il giro dell'isolato e di tornare fra dieci minuti. È il più riluttante dei miei studenti, così sembra più contento che sorpreso.

Julia è rivestita per quando lui entra. Jamie è il solito adolescente buono a nulla, molto musicale, ossessionato dalla chitarra e senza speranze col violino. Perché i genitori insistano a mandarlo a lezione da me continuo a non capirlo, ma comunque è sempre una fonte di reddito.

Ci rivolge lo sguardo divertito dell'uomo di mondo. Faccio rapide presentazioni: «Jessica, lui è Jamie; Jamie, Jessica», prima che lei se ne vada, senza baciarmi né essere baciata. Ma Jamie ha in viso una perenne risata soppressa per tutta la durata della lezione.

Anche se siamo stati interrotti, anche se lei se n'è andata e potrei non vederla per diversi giorni, la sua visita mi ha fatto felice per il resto della giornata. Non penso quasi al futuro della nostra relazione, tanto sono sbalordito dall'intimità e dall'incredulità e dall'eccitazione di questa ripresa.

Quando siamo insieme parliamo praticamente di tutto: dei tempi di Vienna quando eravamo felici, della musica, e degli anni che abbiamo vissuto divisi, anni non più perduti, ma mancanti. Ma anche se parlo della forma che ha preso la mia vita durante quel periodo, non tocco l'oscurità, anche per me tuttora quasi inesplicabile, che mi ha avvolto e ha causato o forzato la rottura fra noi.

Le racconto della volta in cui, ascoltando la radio in taxi, ero sicuro che fosse lei a suonare. Ho avuto quella certezza nello spirito, le dico; non potevo essermi sbagliato. Lei ci pensa un secondo, e mi dice che invece devo proprio essermi sbagliato. In quel periodo lei non era in Inghilterra e comunque non aveva mai suonato Bach in pubblico. Non poteva essere lei, dice: doveva trattarsi di qualche altra donna.

« Donna? » le chiedo.

« Sì », dice. « Dato che dici che l'hai presa per me. »

4.11

Anche se parla della sua famiglia, Julia non tocca mai l'argomento di come o dove esattamente ha conosciuto James, e come lui l'ha corteggiata e conquistata. Né io ho voglia di saperlo.

Le parole con cui ci chiamiamo non sono le stesse. Rimproverato una volta, non mi rivolgo più a lei nel modo che prima era così naturale. C'è posto per un solo tesoro, e non voglio, anche se non la disturbasse, ricordarle il suo giardino di Elgin Crescent, il suo tavolo da pranzo, suo figlio, suo marito. Ma sento di conoscerla in un modo unico – come mai potrà l'uomo che vive con lei – al centro del suo essere: la grossa corda sfilacciata che la lega alla sua musica. L'ho conosciuta quando si è innamorata per la prima e – ma che ne posso sapere? – forse unica volta.

Le cose vanno bene fra noi, e le mie ore, anche quando sono solo, ruotano attorno a questa variabile luminosità. Ma lei abita mondi duplici, che scorrono stridendo uno sull'altro. Ha una vita oltre me, luoghi e persone che a me sono preclusi. A Vienna, i miei amici come Wolf e i suoi come Maria arricchivano la nostra relazione, diventavano amici di entrambi. Adesso viviamo in una bolla, e gli esseri degli altri sono finzioni del nostro discorso. Ci siamo ridotti alla dimensione delle tresche amorose. Ma siamo comunque diventati meno socievoli nel corso di questi anni passati lontano: lei non riesce a far fronte a una folla, e io sono semplicemente tornato alla solitudine della mia vita precedente.

Anche quando c'è un concerto che ameremmo entrambi, in una sala dotata di circuito a induzione, non ci andiamo. Chissà chi potrebbe incontrare lei, o chi potrebbe vederci. In più, il suo apparecchio acustico, anche sintonizzato sul circuito chiuso, talvolta le impedisce di sentire la giusta altezza di suono. Quando è stata con me non l'ha mai portato.

Mi sarei aspettato più proteste, più disperazione, più rabbia. Quando lo dico, Julia mi racconta di persone che ha conosciuto ai corsi di lettura labiale. Uno soffre di una malattia che gli procura terribili, nauseanti vertigini oltre a privarlo progressivamente dell'udito. Uno è diventato sordo dopo un grave ictus; va a sbattere contro la gente per la strada e viene spinto via come se fosse un ubriaco. Una donna sulla cinquantina ha perso completamente l'udito da un giorno all'altro, in conseguenza di un'operazione malriuscita. « Loro tirano avanti », dice. « Io sto molto meglio di loro. »

« Ma tu sei una musicista. È questa la cosa che rende così dura la tua sordità. »

« Be', adesso ho te con cui condividerla. »

« La stai prendendo troppo alla leggera. »

« Be', Michael, sono io che devo prenderla. Te la saresti cavata in qualche modo anche tu, se ti fosse capitata una cosa simile. Magari pensi di no, ma ce l'avresti fatta. »

« Ne dubito, Julia. Non so cosa mi sarei fatto... Io... Tu hai più coraggio di me. »

« Non è vero. Ricordo semplicemente a me stessa che una madre sorda è meglio di nessuna madre. »

Non riesco a pensare a niente per rispondere a questo.

« Se non altro », dice dopo un po', « se non altro non sono nata sorda. Almeno la memoria può dirmi com'è il quintetto per archi di Schubert. In questo sono più fortunata di Mozart – che non ne ha mai sentito una nota – o di Bach, che non ha mai sentito una nota di Mozart... »

Certe volte la maschera scivola per un attimo e percepisco la sua disperazione.

Le chiedo come fa a produrre ancora musica con le dita, come fa a suonare con la finezza, con la sensibilità che ancora si sentono nella sua musica. È una cosa che va al di là della mia comprensione. Lei, che è sempre ansiosa di parlare di musica in generale, si ritrae nella secchezza. Mi dice solo che trova un analogo mentale al modo in cui sente una frase, e poi lascia che il suo corpo la rappresenti. Per me la sua sordità ha infranto un sogno ideale, ma come posso interrogarla con maggiore aggressività? Cosa intende per «rappresentare»? Che segnale di ritorno le mandano le orecchie? Come fa a percepire esattamente quanto sostiene il pedale?

È sempre golosa dei piccoli piaceri che offre la vita. Uno di questi è osservare la città dal piano superiore degli autobus, e certe volte ci facciamo una corsa, seduti uno a fianco all'altra, divisi dal corridoio centrale. Questo deve ricordare a lei, come a me, il giorno in cui ci siamo rivisti per la prima volta. «Non mi sento affatto orgogliosa di questi appuntamenti», mi dice oggi. «Se qualcun altro facesse quello che sto facendo io, non saprei cosa pensare.»

«Ma questo li fa sembrare così spregevoli, Julia. Non puoi pensarlo sul serio. Non sei così poco felice di stare con me, vero?»

«No, come potrei?» mi dice, allungando una mano per afferrare la mia, prima di vedere il bigliettaio e ripensarci.

Com'è per lei vivere così? Come fa a reggere queste visite a me ed essere allo stesso tempo moglie e madre a casa sua? Dato che lei crede nella fedeltà, capisco la sua pena, eppure non ho il coraggio di indagare per paura che quel mondo si riversi nel nostro. Non le chiedo, né lei me lo dice, se in queste ultime due settimane è andata in chiesa, e se sì quali pensieri abbiano attraversato la sua mente.

Adulterio e peccato: è ridicolo, ma non ci sono parole più delicate. Ma Julia non può accettare tutto quello zolfo: dato che è una persona così gentile, deve credere in un Dio comprensivo. Tutto questo mi è estraneo, perfino incomprensibile. Ma forse l'ho costretta a qualcosa di più di quello che lei desiderava? Avremmo dovuto magari continuare a fare musica insieme e niente di più, per ricreare i legami di stimolo e di amicizia perduti da così tanto tempo? E così non ci sarebbe stata nessuna colpa? Si sarebbe rassegnata ad avere due mariti in due mondi diversi? Avrei resistito senza bruciare e senza deformarmi?

Inutile pensarci, adesso che le cose sono cominciate così. Ma se non fossero cominciate? Se non facessimo l'amore, noi il cui sangue batte della stessa pulsazione? Quanto sarebbe stato toccante, quanto casto, triste, profondo, meraviglioso; quanto autocelebrativo, quanto falso, quanto tormentoso, quanto sconsolato.

4.12

Noi quattro ed Erica siamo seduti in un taxi nero diretto alla Stratus Records. Erica ci ha appena detto che la nuova ragazza del suo ufficio ha prenotato quattro, e non cinque biglietti per Vienna e Venezia. Non si era resa conto che il violoncello di Billy ha sempre bisogno del suo proprio posto.

« Che assurdità, Erica », dice Piers con veemenza. « Licenziala. »

« Be', è nuova, è giovane, è appena uscita dall'università, non lo sapeva. »

« E allora cosa facciamo per l'ultimo biglietto? Oppure andiamo con due voli diversi? »

« L'agenzia di viaggi dice che ci faranno sapere per la fine della settimana. Io sono ottimista. »

« E quando non lo sei? » esclama Piers.

« Comunque », dice Billy, guardando imbronciato fuori del finestrino del taxi, « io non sono così entusiasta per Vienna. »

« Oh, e adesso cosa c'è, Billy? » dice Piers con impazienza. « Non ti sei mai lamentato di Schubert, prima. »

« Be', tanto per cominciare, credo che il nostro programma sia sbilanciato », dice Billy. « Non possiamo suonare sia il quintetto per archi sia la Trota. »

« Qual è il problema questa volta, Billy? Lo stress cronologico? Uno è troppo giovanile e l'altro troppo tardo? »

« Be', sì, e poi sono tutti e due quintetti e sono tutti e due monumentali. »

« Li suoneremo eccome », dice Piers. « Due pezzi di Schubert stanno sempre benissimo insieme. E comunque, se fosse vissuto fino a settant'anni, sarebbero state due opere giovanili. Se avevi delle obiezioni, perché non le hai sollevate all'inizio? »

« E poi preferirei davvero la parte di secondo violoncello nel quintetto per archi », aggiunge Billy.

« Ma perché? » chiedo io. « Il primo violoncello ha tutte le melodie più belle. »

« Ho già tutta la bellezza che riesco a reggere nella Trota », dice Billy impuntandosi. « E mi piacciono quei pezzi tempestosi del quintetto per archi. Duh-duh-duh Duh-duh-duh Duh-duh-duh Dum! Dovrei essere io a suonarli. Io sono l'ancora del quartetto. Perché la parte del secondo violoncello se la prende sempre il violoncellista aggiunto? »

Helen, che ha fatto di tutto per mettere le braccia attorno sia a Billy sia a me, stringe le sue spalle e, incidentalmente, anche le mie. « Qualche volta riuscirai a fare il secondo violoncello di qualche altro quartetto, vedrai », dice.

« Non so », fa Billy dopo un po'. « Comunque, non è per niente la stessa cosa. »

« Ma cosa succede a tutti voi, oggi? » chiede esasperata Helen. « Sembra che siate tutti nervosi per qualcosa. »

« Io no », dico.

« Oh, sì, anche tu. E lo sei da Dio sa quanto tempo. »

« E tu no? » chiede Piers a Helen.

« No, perché dovrei esserlo? » dice Helen. « Guardate! » Punta il dito fuori del finestrino verso un angolo di St James's Park. « È primavera. »

« Helen è innamorata di un tizio orribile che si chiama Hugo », dice Piers, a nostro beneficio. « Fa parte di un gruppo che si chiama qualcosa Antiqua, suona il violino barocco e porta sandali e ha una tremenda barba: avete capito il tipo. »

« Non sono innamorata », dice Helen. « E lui non è orribile. »

« Certo che lo è », dice Piers. « Devi essere cieca. »

« Non è per niente orribile, Piers. Fino a un minuto fa il mio umore era ottimo. »

« Sembra una lumaca pelosa », dice Piers.

« Non permetto che si parli così dei miei amici », dice Helen infuriata. « L'hai incontrato una volta sola, perciò non sai quanto è carino. Ed è grazie a lui che sono riuscita a trovare una viola più bassa, ed è solo per questo che possiamo fare questo disco. Non scordartelo. »

« Come se potessi », dice Piers.

« Non lo vuoi fare, questo disco? » chiede Helen. « Pensavo che ti avessimo convinto da un bel pezzo. »

« Be', siete tre contro uno », dice Piers, quasi fra sé.

« Piers », dice Helen, « a ognuno di noi, una volta o l'altra, sembra di sentirsi da solo contro gli altri tre. E nessuno ti vuole forzare a fare qualunque cosa. Quando Tobias era... »

Suo fratello le rivolge uno sguardo fulminante, e lei si ferma a metà della frase.

« Va bene, va bene », dice Helen. « Scusa. Scusa. Non volevo tirare fuori di nuovo quella faccenda. Ma è assurdo. Non si può parlare di Alex. Non si può parlare di Tobias. Non si può parlare di nessuno. »

Piers ha le mascelle serrate e non dice niente. Evita di guardare chiunque di noi.

« Negativo, negativo, negativo, siete tutti così negativi oggi », dice allegramente Helen. « Stamattina mentre mi preparavo il caffè mi sono resa conto all'improvviso di quanto sono noiosi i musicisti. Tutti i nostri amici sono musicisti e noi non siamo interessati ad altro che non sia la musica. Siamo deformati. Totalmente deformati. Come gli atleti. »

« Bene, truppa », dice Erica. « Eccoci qua. Adesso ricordatevi bene. Quello che ci serve è un fronte unito. »

4.13

Ysobel Shingle ci ingrassa di elogi appassionati, e non è affatto rigida sulle tabelle di marcia, sullo stile esecutivo, sull'ordine di quelle parti dell'*Arte della fuga* in cui sono possibili scelte diverse. È entusiasta al pensiero che, grazie alle insistenze di Billy e alle esplorazioni di Helen, sarà possibile suonare l'intera opera senza trasportare niente.

Ci chiede se preferiremmo registrare in un normale studio d'incisione o da qualche parte con un'atmosfera più naturale, e cita una chiesa che ogni tanto utilizzano. Erica dice che non possiamo deciderlo così presto e questo, come tutto il resto, non sembra preoccuparla.

Ysobel Shingle è estremamente tesa e nervosa durante tutta la discussione, e alla fine ci troviamo nella strana posizione di tentare di metterla a proprio agio. C'è qualcosa di spettrale nel suo tremulo pallore, come se fosse appena atterrata da un altro pianeta e stesse cercando di adattarsi alla dislocazione e allo stesso tempo di portare a termine la sua missione transgalattica.

Sembra terrorizzata da Erica, dal telefono, perfino dalla sua stessa segretaria, ma Erica ci ha già spiegato che in realtà Ysobel Shingle non si lascia terrorizzare da nessuno, comprese le figure del mondo della finanza che possiedono e controllano la Stratus Records. Va alle loro riunioni, e ogni volta che quelli criticano o mettono in discussione qualcosa, lei abbassa la voce fino a un sussurro e si mette a borbottare con tale intensità che gli altri lasciano cadere le loro obiezioni. Tutti hanno paura di perderla, dato che è lei la forza positiva dietro ciò che Erica chiama il loro «A e R», abbreviazione, si direbbe, di «Artisti e Repertorio».

Ogni tanto, anche nel corso della nostra riunione, la sua voce quasi scompare, e solo le labbra sembrano muoversi. Anche se questo ci lascia del tutto sconcertati, considero che Julia si sarebbe trovata benissimo in una situazione simile. Sono un po' stupito di questo pensiero, e anche di me stesso, per averlo pensato. Ma all'improvviso Ysobel Shingle sorride gelida, e sembra acquisire una specie di esitante fiducia, e il treno della sua voce emerge dal tunnel per dire: «Così potremmo, sapete, andare avanti anche con quello, se per voi è accettabile, naturalmente. Quelli del marketing mi scuoieranno viva se direte di no, ma dipende tutto da voi». Il suo sorriso diventa più smorto al pensiero dell'imminente martirio, e noi accettiamo rapidamente qualunque cosa ci abbia richiesto nel suo sussurro.

Piers si tiene le riserve per sé e all'esterno appare quasi entusiasta del progetto. Helen cerca di mascherare la sua sorpresa e la sua gratitudine. Dopo che è tutto finito, Erica, colma di felicità per come si sono svolte le cose, e scoprendo di essere in ritardo per l'incontro con una diva spagnola, dispensa baci – «muah-muah!» – a ciascuno di noi, abbraccia il ritroso Piers e si getta in mezzo alla strada per saltare su un taxi che si è fermato a un semaforo.

4.14

«Michael, sei tu, Michael?»

«Sì, ciao, papà. Cosa succede?»

«Oh, poca roba, Zsa-Zsa è malata. Domani la portiamo dal veterinario.»

«Niente di grave, spero.»

«Si è messa a vomitare dappertutto e, sai, sembra che non abbia più, più...»

«Energie?»

«Energie.» Mio padre sembra sollevato.

Ma non riesco a preoccuparmi di Zsa-Zsa, che più o meno una volta all'anno spaventa tutti e poi a tempo debito riemerge più sana di prima. Ha già superato le sue nove vite e sembra non esserne né consapevole né riconoscente.

«Tu stai bene, papà?» gli chiedo.

«Bene, bene... È un po' di tempo che non ti fai vivo.»

«Oh, sono stato molto impegnato.»

«Posso immaginarlo. A Vienna, sei stato, no?»

«No, papà. Ci dobbiamo ancora andare.»

«Come fai, non lo so.»

«A fare cosa?»

«Be', a fare tutto quello che fai. Io e Joan stavamo parlando di quanto siamo orgogliosi di te. Chi avrebbe mai detto che avresti fatto tutte queste cose... Ah, ecco cosa dovevo dirti. La signora Formby ti ha telefonato?»

214

«No, no, papà, non mi ha telefonato.»

«Oh. Be', voleva il tuo numero di telefono, e non mi è venuta in mente nessuna ragione per non darglielo.»

«Hai fatto bene, papà.»

«Non voglio mica dare il tuo numero a un sacco di gente. Non voglio che ti disturbino se tu vuoi stare tranquillo.»

«Giudica tu, papà. Se lo dai a qualcuno, a me va bene. Che cosa voleva? Te l'ha detto?»

«No, non me l'ha detto. Avrei forse dovuto chiederglielo?»

«No, no. Me lo chiedevo così.»

«Oh, ha detto che gli era piaciuto tantissimo il Christmas pudding che gli avevi portato. È una signora come si deve. Lo è sempre stata.»

«La zia Joan sta bene?»

«Sì, sì, sta bene, a parte, sai, le mani...»

«Artrite.»

«Appunto.»

«Salutamela tanto.»

«Certo.»

«Be', ciao, papà. Ti telefono presto.»

Ripeto fra me la conversazione. Immagino che fra poco riceverò una telefonata della signora Formby. Vado nella mia piccola sala da musica – più cella da musica che sala da musica – e apro la custodia del violino. Sollevo il coperchio foderato di velluto verde oliva e tiro fuori il Tononi. Con delicatezza, con molta delicatezza, col dorso della mano sfioro il suo fondo, il suo ventre. Da quanto tempo viviamo insieme noi due: il periodo di Vienna, gli anni di solitudine che l'hanno seguito, questi con il Maggiore. È entrato nella mia vita nello stesso anno in cui è entrata Julia. Da quanto tempo cantiamo con una sola voce. Quanto siamo cresciuti, uno nell'altro. Come potrebbe separarci qualcosa, adesso?

4.15

Ho paura del telefono. Nulla di buono può venirmi di lì. Julia non mi può parlare. Tutto quello che può uscire sono i rimproveri di una ragazza che si considera maltrattata, o la richiesta di una vecchia signora che, benché non mi abbia mai fatto altro che bene, ha il potere di separarmi da ciò che amo.

Virginie non telefona. La signora Formby non telefona. Spesso non c'è nemmeno un messaggio sulla segreteria telefonica, e ne sono grato. Certe volte ce ne sono parecchi. Ogni tanto vengo tormentato dai clienti della London Bait Company, che cercano articoli da pesca. Dovrei fare qualcosa per eliminare questa seccatura, immagino.

Mi guardo allo specchio. Quindici giorni dopo l'equinozio compirò trentott'anni. Alle tempie, vicino al limite delle orecchie, ci sono piccole chiazze di bianco. A che punto sono adesso, con la mia vita per metà passata? Dove sarò quando avrò l'età di mio padre?

Chi ha mai visto un banchiere con i baffi? Cosa c'era di così straordinario nel fatto di esserseli tagliati?

Io e Julia non possiamo passare troppo tempo insieme. Quello che riusciamo ad avere viene strappato al giorno. Tranne la prima volta, non ci siamo mai incontrati di sera, e non possiamo sperarlo. Così la sera e la notte mi vengono offerte senza che le possa condividere con lei: per lavorare, per leggere, per passeggiare senza scopo nel quartiere. Una volta passo dalla sua via. Ci sono crepe di luce ai bordi delle tapparelle chiuse. Adesso si trovano in quelle stanze o in quelle che si affacciano sul giardino?

Lei mi ha parlato delle sue sere. Sono un modello di vita familiare. Luke, James, il piano, i libri, la televisione con i sottotitoli, Buzby. Non escono spesso.

Anche se so quello che fa, non ho nessuna idea del passo, del ritmo di quelle cose. Sono al di là della mia portata. Eppure ciò che condividiamo di giorno è più di quello che, nelle piogge gelate dell'inverno, avrei mai potuto immaginare che sarebbe diventato parte della mia vita.

Magnolia, forsythia, clematide. È come se il clima fosse impazzito in questi ultimi anni, e tutto si è mischiato e confuso.

Mi chiedo se dovrei telefonare alla signora Formby, ma decido di no. I nostri strumenti sono l'altro quartetto; ciascuno ha la sua vita parallela. Helen si è abituata alla viola che le hanno prestato, con la nuova incordatura. Su di essa vaga nell'*Arte della fuga* per i territori più profondi della voce di tenore, mentre continua a suonare tutto il resto sulla sua viola. Chissà se l'enorme strumento che ha in prestito si ribella alla curiosa accordatura? Cosa pensa delle note basse e lente della sua voce rifatta? Guarda la collega più piccola e più utilizzata invidiandone il repertorio o disprezzandone la gracilità?

Il violino di Piers, immagino, è insicuro. Sa che Piers ne sta cercando un altro e ha in progetto di rivenderlo.

L'amato violoncello di Billy ha un'esistenza interessante. Oltre che suonare le creazioni ancora inedite del proprietario, viene spinto a sperimentazioni stilistiche e tecniche. Ultimamente Billy ha aumentato la propria duttilità nei tempi e nel fraseggio. Senza aumentare il volume di suono né perdere il senso del ritmo, riesce a far uscire la sua voce con un effetto sempre più raffinato e vivifica tutto ciò che suoniamo. Il violoncello, dopo tutti i pasticci, è riuscito a trovare un posto sul nostro stesso volo per Vienna.

Penso alla mia antica vita in quella città e a questo compendio che mai avrei osato immaginare. Percepisco in Julia, adesso che non ha nulla da nascondere, una serenità che faccio fatica ad accreditarle e a comprendere. Quando ciò che sta accadendo avrà compiuto il suo corso, riuscirà a udire solo ciò che avrà nella mente?

Suoniamo insieme un paio delle sonate di Manchester di Vivaldi. Il mio Tononi le canta in maniera estatica, come per dire che le ricorda benissimo, fin dai tempi in cui suonava nei concerti dello stesso Vivaldi. Julia esegue con chiarezza e finezza la parte per la tastiera. Solo adesso noto che molto di rado, alla fine dell'arco di una frase, il suo dito tocca sì un tasto, ma così delicatamente che non riesco a udire il suono che senza dubbio lei sente.

Le giornate che adesso condividiamo si fondono con le serate che un tempo passavamo insieme in quella città, metà temuta
e metà amata. Io ci tornerò presto: lillà in fiore, castagni coperti
di foglie rumorose. È strano pensare che adesso sua madre viva
lì, e lei a Londra.

Il Maggiore prova il quintetto per archi di Schubert senza il
quinto esecutore: per una prova completa dovremo aspettare
Vienna, dove incontreremo il nostro secondo violoncello. È un
esercizio curioso ma necessario; dobbiamo spesso suonare con
un compagno immaginario. Billy all'inizio è frenato, poi suona
la parte da primo violoncello con la consueta maestria. In un
punto ci fa ridere, quando gigioneggia su una melodia particolarmente sontuosa per farci vedere che non è addolorato.

Il pianista austriaco che suonerà la Trota con noi doveva venire a Londra la settimana scorsa per un concerto. Avremmo
dovuto accordarci per una prova insieme qui, ma non è stato
possibile. Per qualche ragione il suo concerto è stato cancellato,
e lui non è arrivato.

Questo viaggio a Vienna sarebbe stata una dura prova. Avrei
desiderato chiudermi nell'hotel, ma la mente mi avrebbe portato lo stesso in giro per la città: i parchi, i caffè, il Danubio, le
colline della zona settentrionale. Adesso che ci siamo di nuovo
incontrati, non temo più il dolore di quell'habitat esaurito.

Lillà, di sicuro, in maggio. E quel fiore bianco che ho visto
solo a Vienna, su tutti quegli alberi simili ad acacie.

4.16

Suona il campanello della porta. Indosso la vestaglia e vado ad
aprire.

«Chi è?»

Silenzio.

Guardo dallo spioncino. È Julia, in mezzo al corridoio, con
un'espressione divertita. Immagino che l'abbia fatta entrare
Rob. Le sarebbe bastato sorridergli.

«Oh, com'è buio! » dice Julia appena entra. «È troppo scuro. Tira su le tapparelle. Non vedo niente. E non sento niente. Non che fuori sia una bella giornata, comunque. Michael, sono le nove passate. Non puoi esserti appena alzato. Dobbiamo andare a fare shopping. »

«Non fare la prepotente », protesto io. «Stanotte siamo tornati tardi da Norwich. Sto recuperando il sonno. »

Ma Julia sta tirando su le tapparelle e non risponde. « Ah, così va meglio », dice.

«Andiamo a letto. Torniamo a letto », dico.

«Non abbiamo tempo. Lascia perdere la barba. Fatti una doccia. Io preparo il caffè. Smettila di sbadigliare. Carpe diem. »

Sempre sbadigliando, cerco di fare come dice lei. Nella doccia mi viene in mente una domanda, e grido: «Perché dobbiamo andare a fare shopping? » anche se, appena lo faccio, mi rendo conto che la sua risposta sarà coperta dal suono dell'acqua che scorre. Poi mi ricordo che non ci sarà nessuna risposta. Ma perché lo shopping? Preferirei restare a casa con lei.

«Perché fra una settimana è il tuo compleanno», dice Julia mentre prendiamo il caffè.

«Oh », dico, compiaciuto.

«Così sei nelle mie mani. »

«Sì, vedo. »

«Hai dei maglioni tremendamente rovinati, Michael. »

«Ma è quasi aprile. Non mi serve un altro maglione. »

«Hai bisogno di un maglione estivo. Vediamo cos'hai... Ma cosa hai combinato stanotte, Michael? Hai un'aria stanca. »

«Sono andato fino a Norwich per un concerto con la Camerata Anglica e sono tornato alle tre. »

«Alle tre? »

«Mi sono fatto dare un passaggio da un tizio. La chiave della macchina si è spezzata, e abbiamo dovuto chiamare il soccorso stradale. Ti risparmio i particolari. È bello vederti. »

«Idem. »

«Idem? Cos'è, un jamesismo? »

«Un jamesismo, hai detto? No che non lo è! »

« Dev'esserlo per forza. Non hai mai detto 'idem'. »

« Boh, mi è venuto così... Su, finisci alla svelta, Michael. Non abbiamo tutto il giorno. »

« Che tempaccio! Io voglio starmene a letto con un orsacchiotto e un giallo. »

Julia guarda fuori della finestra. Sta piovigginando. Le nubi, che coprono tutto il cielo, sono di ovatta color fumo, e palazzi grigi segnano l'orizzonte. Perfino le gocce di pioggia colano pigramente lungo i vetri.

« È una giornata piuttosto viennese », dice Julia. « A me piace. »

« Dove andiamo? »

« Da Harvey Nichols. »

« Non è il mio genere di negozio. »

« Neanche il mio. Ma è lì che dobbiamo andare. »

« Perché? »

« L'altro giorno il marito di una mia amica aveva indosso un maglione. Mi piaceva tantissimo, e voglio comprartene uno uguale. L'ha preso lì. »

Mezz'ora dopo siamo nel seminterrato, nella parte dell'abbigliamento maschile, cercando non solo maglioni ma anche cravatte e camicie. Una commessa ci sorride: una coppia che va insieme a fare shopping. Provo una momentanea euforia e poi ansia.

« Incontreremo qualche collega di tuo marito », dico a Julia.

« Certo che no, Michael. Se ne stanno tutti a Canary Wharf a consigliare il mondo sulle fusioni nei farmaceutici. Cosa te ne pare di questo? »

« Molto bello, davvero. »

Mi tiene contro il corpo un maglione marrone bruciato e ha un'aria seria. « No, non lo è. No, per te ci vuole qualcosa sul verde o sul blu. Ruggine, rossi, rosa eccetera non ti sono mai stati bene. »

Tira fuori qualcosa di verde scuro con il collo alto. « Non so », dico. « Mi ricorda la moquette del camerino della Wigmore Hall. »

Julia scoppia a ridere. «È vero. E non è poi così estivo. Però mi piace la morbidezza. È ciniglia.»

«Ti credo sulla parola.»

«Sei un caso disperato.»

«In realtà, Julia, mi sento un po' strano. Mi sembra di avere le vertigini.»

«Non ne dubito. Non ti è mai piaciuto andare a comprare vestiti.»

«No, Julia, sul serio.»

Davvero non mi sento bene: ho un senso di oppressione, le vertigini; la luce brillante, il gran numero di persone attorno a noi, il caldo, i colori, la percezione di essere sottoterra, forse anche la mancanza di sonno... Non so cos'ho, ma voglio sedermi. Mi sento come se fossi in due mondi diversi. È questa l'intimità assoluta: stiamo facendo shopping insieme, e le commesse ci sorridono.

Mi siedo contro un muro e mi copro gli occhi coi palmi delle mani.

«Michael, Michael: cosa c'è che non va?»

Da qualche parte sento una porta che si chiude su di me. I suoni si fondono: clienti in varie lingue, tacchini surgelati silenziosi in un obitorio, il ronzio del motore che fa andare il frigo della carne, un bisogno disperato di fuggire da tutto quello che mi circonda.

«Julia...»

«Stai bene?» mi sussurra.

«Sì, sì... Solo, aiutami ad alzarmi.»

«Michael, togliti le mani dalla bocca: non sento quello che stai dicendo.»

«Julia, aiutami ad alzarmi.»

Lei posa la borsetta sul pavimento, e in qualche modo, grazie al suo aiuto, riesco a mettermi dritto. Sono sempre appoggiato al muro.

«Starò subito bene. Starò subito bene. Ho solo bisogno di uscire.»

«Vado a chiamare aiuto.»

«No, no, usciamo da qui e basta.»

Raggiungiamo la scala mobile, poi la porta. Julia dice: «Oh, no... la mia borsetta. Michael, appoggiati qui. Torno fra un secondo».

Torna dopo mezzo minuto; la sua borsetta è al sicuro. Ma le leggo nello sguardo che devo fare spavento. Mi gocciola sudore dalla fronte. Qualcuno del negozio mi sta correndo incontro.

«Starò subito bene.» Riesco a tirar fuori un sorriso. «Spero che stia piovendo. Ho bisogno di aria fresca. Ho bisogno di un caffè.»

«C'è un posto di sopra...» dice Julia.

«No. Per favore. Da qualche altra parte.»

«Sì, povero tesoro, certo. Da qualche altra parte.»

Annuisco e mi appoggio a lei. «Scusami, scusami tanto...»

«Shhh», dice Julia, portandomi fuori, sotto la pioggia. Non può usare l'ombrello, e la pioggia le inzuppa i capelli e chiazza il suo vestito.

4.17

Siamo seduti in un caffè al primo piano in un piccolo passaggio cento metri più in là. Julia mi ha fatto sedere rivolto alla finestra. Abbiamo ordinato caffè. Io guardo fuori in silenzio per un po'.

«Erano anni che non mi capitava una cosa del genere», dico.

«Come ti senti adesso?» mi chiede.

«Mi sembrava che le cose mi soffocassero», dico, e chino la testa.

Julia allunga una mano per accarezzarmi dolcemente una guancia.

Rimango zitto per qualche minuto. Lei mi lascia riprendere fiato.

«Ecco perché abito dove abito», le dico, «su nel mio nido d'aquila. Ti ricordi come mi scioglievo appena uscivo dalla città?»

222

«Sì. Mi ricordo.»

Ma il modo in cui lo dice mi rivela che sta ricordando la scena della nostra separazione. Anche quella è accaduta ai margini della città. Era da Lier: una caraffa di vino bianco su un tavolo sotto un castagno, e una sfinita amarezza. Lei scese la collina da sola. Io non l'avrei seguita.

«Non sei mai stata con me al nord, a Rochdale. Ti avevo promesso, non è vero? di portarti a sentire le allodole nella brughiera.»

«Sì», dice Julia, guardandosi le mani. Le sue dita affusolate restano posate sulla tovaglia chiazzata di ketchup, accanto alla sudicia tazza da caffè. Adesso, come allora, non porta un anello.

«Come sono stupido», le dico.

«Be', potrei sempre vederle», dice.

«Le allodole non sono un granché, a guardarle.»

«Non posso venire al nord con te», dice Julia. Fa un mezzo sorriso. «Ma verrò a Vienna con te», dice con aria casuale.

Tutto quello che posso fare è fissarla.

«Pensavo di essere io ad avere problemi di udito», mormora.

«Mi stai prendendo in giro. Non puoi dire... ma tu dici sul serio.»

Un minuto fa ero nell'oscurità. Che cos'è questo folle cambiamento?

«Chiedi a Piers», dice lei.

«Piers?»

«E alla tua agente Alicia Cowan.»

«Erica. No! L'avrei saputo.»

«È successo tutto ieri. Suonerò la Trota con voi.»

Sento il sangue che mi lascia la faccia. «Non è possibile.»

«Be', cos'è più improbabile: che sia vero, o che io mi inventi qualcosa di così poco plausibile e mi aspetti di essere creduta?»

Julia si sta comportando con intollerabile freddezza: un segno chiarissimo di piacere.

«Fermati qui», le dico. «Non ti muovere.»

«Dove vai?»

«In bagno.»

« Be', sei contento? »

« Sono esterrefatto. »

Scendo di sotto e raggiungo una cabina del telefono. Piers non ci sarà, ne sono convinto; invece c'è.

« Cosa diavolo sta succedendo, Piers? »

« Ehi, ehi, calmati, cosa c'è che non va, Michael? »

« Cos'è questa storia della Trota e di Vienna e di Julia? È vera? »

« Oh, sì, perfettamente vera. Si è combinato tutto ieri. Ho cercato di mettermi in contatto con te ma non c'eri. Dov'eri? »

« A Norwich. »

« Ah, bene. Mi piace quella parte del mondo. Siete passati da Newmarket o da Ipswich?... Oh, ecco cosa volevo dirti. Non so come mai hai fatto così tanta fatica a trovare la musica del quintetto in do minore che abbiamo suonato. C'è un'ottima edizione Henle. Ieri sono passato da Chappell's, e... »

« Piers », dico con aria minacciosa, « sto parlando di Vienna, non di Chappell's. »

« Non hai ricevuto il mio messaggio? » mi chiede.

« Non ho sentito i messaggi. Siamo tornati alle tre. Cosa diceva il tuo messaggio? »

« Che dovevo parlarti con urgenza. Ecco tutto. Comunque, non è niente di clamoroso. E poi tu non suoni nella Trota. »

Questo, rifletto, è fin troppo vero. Ha un pianoforte e quattro archi, d'accordo, ma fra questi non c'è il secondo violino.

« Conosci Julia Hansen? »

« Se la conosco? »

« Be', l'hai chiamata Julia, perciò do per scontato che tu la conosca. Suona bene? »

« Sei impazzito, Piers? »

« Senti, Michael, se non riesci a essere civile... » dice Piers, con un'aria più stanca che bellicosa.

« D'accordo, d'accordo », dico. « Scusami. Dimmi i fatti e basta. »

« C'è stata un'emergenza. Otto Prachner ha avuto un leggero attacco di cuore, e non può suonare per qualche mese. Ecco perché non è potuto venire a Londra per quel concerto. Per qualche incomprensibile ragione, il suo agente ha contattato Lothar solo ieri. E Lothar ha chiamato subito Erica e la direzione del Musikverein e anche – con grande correttezza, e immagino per risparmiare tempo – direttamente me, il 'primarius' del quartetto, come mi chiama lui. Ha proposto Julia Hansen, che è anche lei una sua rappresentata. A quanto pare è brava, c'è una connessione viennese, come per il povero vecchio Otto, ed è disponibile. Ieri volavano fax dappertutto. Sei sempre lì, Michael? »

« Sì, sono sempre qui. »

« Be', mi sono messo in contatto con gli altri prima di accettare, dato che loro suonano nella Trota. E ho provato anche a contattare te. Ma dato che tu non sei direttamente coinvolto, non capisco perché ti scaldi tanto. La conosci personalmente? Spero proprio che vada bene. Di sicuro Lothar non proporrebbe una mezza calzetta per suonare Schubert davanti ai viennesi. »

Non riesco a capacitarmi. « Non hanno già stampato i programmi? » sbotto. « Mancano solo poche settimane al concerto. »

« Oh, no », dice Piers con una voce più rilassata. « A quanto pare, il programma vero e proprio viene stampato solo un paio di giorni prima del concerto. Comunque, cosa ci puoi fare se uno si ammala? Ma non hai risposto alla mia domanda. »

« Sì, sembra che oggi sia questo il mio problema. Non rispondere alle domande cretine. »

« Scusa? »

« Lo sai benissimo, accidenti, Piers, che conosco Julia. »

« E come diavolo dovrei fare a saperlo? » replica con rabbia Piers.

« Anche *tu* conosci Julia. Julia è Julia. Banff, ti ricordi? La Wigmore Hall? Il mio trio di Vienna. Cristo, Piers! »

« Oh! » dice Piers. « Non vorrai dire che è lei? »

« E chi altrimenti? »

« Ma non si chiamava Julia Mackenzie o qualcosa del genere? »

« Vuoi dire che davvero non lo sapevi? »

« È quello che sto cercando di dirti da mezz'ora. »

Scoppio a ridere, in una maniera vagamente folle, immagino. « Michael? » chiede Piers preoccupato.

« Non riesco a crederci. »

« Be', se è quella Julia, mi sembra di ricordare da Banff che è molto brava. »

« È lei, è lei », replico.

« Allora per te va bene? »

« Più che bene! »

« E allora perché eri così arrabbiato? »

« Pensavo solo che tu sapessi chi era, e non ti eri preoccupato di parlarne con me. »

« Oh, capisco. Bene. Bene. Mi hai fatto preoccupare. »

« Lothar non ha detto nient'altro a te o a Erica? » chiedo.

« In che senso? »

« Be', che in questo periodo non suona molto in complessi da camera. »

« Oh, e perché? »

« Non lo so... Credo che adesso preferisca il repertorio da solista. »

« Oh, be', non è molto importante... Tra parentesi, Lothar ha detto qualcosa sul fatto che abita a Londra. Dovremmo fare un paio di prove prima di Vienna. »

« Sì... sì. »

« E, Michael, a proposito di prove, Helen dice che il posto di mercoledì dovrebbe essere cambiato. Ha i muratori in casa, e... »

« Scusami, Piers. Ho quasi finito i soldi. Ti chiamo dopo. »

Esco dalla cabina. Mi fermo sotto la pioggia e rido. Lascio che l'acqua mi inzuppi i capelli e mi raffreddi il cranio.

4.18

Julia ha ordinato un altro caffè, e lo sta sorseggiando con un'espressione preoccupata sul volto. Una giovane donna armata di un paio di borse di Harrods è in piedi a chiacchierare accanto al suo tavolino. Le risposte di Julia sono monosillabi.

Il suo viso si illumina quando mi vede. Non fa nessun tentativo di nasconderlo.

«Sonia, Michael», dice meccanicamente Julia. «Scusami, Sonia, abbiamo un po' di questioni musicali da discutere, roba che tu troveresti molto noiosa.»

La donna afferra il suggerimento e se ne va con grandi effusioni: «Devo andarmene comunque, Julia cara. Che piacere averti incontrata, e in un posto come questo. La pioggia ci costringe proprio a cercare rifugio dove si può. Tu e James dovete venire da noi uno di questi giorni». Mi sorride, più con la bocca che con gli occhi, e scende le scale.

«Chi era?»

«Oh, la madre di un amico di Luke», dice Julia. «Donna invadente. Tormenta gli insegnanti perché diano una bella parte al figlio nella recita di Natale. Hai i capelli bagnati. Dove sei stato?»

«È incredibile», dico stringendole forte la mano. «Non riesco ancora a crederlo. *Mohnstrudel! Guglhupf! Palatschinken!*»

«Mmm!» dice Julia, e il suo viso si illumina al pensiero dei suoi dolci preferiti. «Ahi! Lasciami la mano.»

«Ho parlato con Piers.»

«Ah», dice Julia alzando le sopracciglia.

«Non riesco a crederci. Non riesco a crederci, giuro.»

«È stata la mia reazione ieri quando ho visto il fax del mio agente.»

«Come facevi a sapere che io non sapevo?»

«Era ovvio. Non saresti riuscito a restare calmo per tutto questo tempo», dice ridendo.

«E tu sì?»

«Be', non ci sono riuscita?» Ha un'aria radiosa.

Sono sul punto di baciarla, poi ci ripenso. Chi può sapere quante altre Sonie si acquattano in giro? «Non ho più bisogno di un regalo di compleanno», le dico.

«Be', immagino che dovrò sceglierne uno per conto mio.»

«Julia, Piers non sa della faccenda dell'udito.»

«No», dice Julia, e la radiosità si spegne. «No. Certo che no.»

«Il tuo agente lo sa?» le chiedo.

«Sì. Ma crede che sarebbe disastroso se si spargesse la voce nell'ambiente. Finché riesco a suonare bene, che importanza ha?»

«È vero», le dico. «Ma per quanto tempo si potrà tenere nascosto?»

«Non lo so», dice Julia.

«Come hai fatto finora?»

«È uno sforzo impossibile», dice. «Non so se ci sono riuscita del tutto. Ma se qualcuno sospetta, per adesso nessuno me l'ha fatto capire.»

Annuisco, distratto. Il mio disagio di prima adesso è una foschia lontana. È una gioia bizzarra e stridente, questa sensazione dei miei due mondi che tornano a unirsi: prove qui a Londra, e poi a Vienna per dieci giorni. Julia e i miei colleghi suoneranno insieme, e io sarò solo un osservatore, un uditore. Ma devo partecipare a queste prove. Saranno cariche di rischi per lei. E a parte questo, cosa non darei per sentirla ridare vita alla Trota?

4.19

Ma, nel frattempo, sono stato invitato a una serata fuori con Julia, per la prima volta dalla nostra separazione.

È il mio compleanno e James non è in città. Siamo in un ristorante non lontano da dove abita lei. È ampio, senza musica e con una buona illuminazione. I muri sono bianchi, con nicchie verde scuro e indaco di varie forme. Qua e là sono distribuite orchidee bianche in vasi celadon. Ha prenotato lei, anche se a nome mio. Io arrivo un po' in anticipo, lei un po' in ritardo. Mi vede, sorride, e dà una rapida occhiata al ristorante prima di sedersi.

« Preferisci sederti qui? » le chiedo. « Per la luce, voglio dire. »

« Va bene così », dice.

« Non c'è nessuno che conosci, vero? » le chiedo.

« No, e se anche ci fosse, sono semplicemente uscita a cena con un amico. »

« Lascerai che ti porti fuori io, vero, al tuo compleanno? »

« Be'... »

« Non voglio dire proprio il giorno del compleanno, ma nei dintorni. »

« Forse », dice Julia, sorridendo, « ma tu dovrai vestirti meglio se usciremo ancora. Tu sei bello, Michael: come fai a vestirti così male? Non hai un vestito come si deve? »

« Mi pare di vestirmi bene », protesto. « E sto portando i tuoi gemelli. »

« È quella camicia... »

« Be', non sei stata con me per educarmi. Comunque, non ha senso che mi vesta bene. Quando c'è qualche occasione mondana se siamo in tournée, di solito è subito prima o subito dopo il concerto, e abbiamo la nostra tenuta standard da pinguini. »

« Michael », dice Julia con un'aria che all'improvviso si è fatta seria, « dimmi tutto degli altri membri del quartetto. »

« Ma li conosci. »

« Appena. Come sono le prove con loro? Ho cominciato a preoccuparmi in questi ultimi giorni. Dammi un'idea di quello che mi devo aspettare. »

« Be', non so da dove cominciare. Le prove sono molto intense. Piers cerca di tenere la ciurma sotto il suo ferreo controllo. Billy ha le sue idee. Una volta che si è ficcato una cosa in testa, è difficile schiodargliela. E Helen, be', è una musicista meravigliosa, ma si distrae facilmente. A proposito, sarai lieta di sapere che Billy è sempre in ritardo, perciò avrai compagnia. Oh: Billy preferisce le prove al concerto, o così dice. Le prove gli consentono di esplorare, i concerti lo rendono semplicemente nervoso. »

« Ma sono tutti in buoni rapporti con gli altri? » chiede Julia.

« Sì, fondamentalmente... Al momento. »

« È un sollievo. Sarà già abbastanza complicato così. »

Il cameriere incombe su di noi; ordiniamo.

« Contorno? » chiede il cameriere.

« Che cosa avete? » chiede Julia.

Il cameriere inspira profondamente. È chiaro che non abbiamo studiato i menù con il rispetto che meritano. « Broccoli, zucchine, fagiolini saltati, porri, spinaci », dice.

« Vorrei i fagioli in insalata », dice Julia.

Il cameriere la guarda con una certa sorpresa. Julia lo nota e ha un'aria ansiosa.

« Ho paura, signora », dice il cameriere, « che non abbiamo fagioli in insalata. »

Un'espressione di momentanea perplessità le attraversa il viso. « Volevo dire fagiolini », aggiunge rapidamente.

Il cameriere annuisce. « E cosa gradiscono da bere? Hanno consultato la carta dei vini? O preferiscono parlare con il sommelier? »

Io scelgo qualcosa a caso sulla carta dei vini.

Julia è turbata dal suo errore e sembra abbattuta.

« Non siamo obbligati a cenare qui, sai? » le dico quando il cameriere è scomparso.

« Oh, lasciamo perdere », dice. « Alla fine della giornata certe volte esaurisco le energie. A dire il vero, preferisco i fagiolini. Cosa c'è che non va? »

« Be', non mi piace il tizio che ci serve. Sembra un attore disoccupato che ce l'ha con noi. »

« Be', quel tizio non ci serve », dice Julia. « A cosa stai pensando? Hai uno sguardo perso in lontananza. »

« Niente... » dico. « Vorrei essere io a suonare la Trota con te. »

« È stupefacente, vero? » dice, « che Schubert non sia fra i compositori sul fregio dell'Albert Memorial. L'ho letto proprio l'altro giorno. Mi viene voglia di prendere uno scalpello e incidere il suo nome insieme agli altri. »

Scoppio a ridere. « Andiamo a farlo stanotte. »

« È una cosa per cui vale la pena di farsi arrestare? »

« Sì. James può pagare la cauzione. »

Appena lo dico vorrei non averlo fatto. Ma con mia sorpresa l'osservazione scorre via senza nessun effetto sul suo umore. Non tira fuori nemmeno la questione dell'incontro con James. Insostenibile, insostenibile: come ha potuto pensare che ci potremmo incontrare? Quanto spesso fanno l'amore? Si sono conosciuti prima che lei andasse a Venezia con Maria? Perché lei ha deciso di suonare proprio adesso con il Maggiore? Per Vienna? Per la possibilità di suonare la splendida Trota? Per me? Cosa c'è che non va nella mia coscienza, che fa sì che io possa essere preoccupato per lei, ma non sentirmi in colpa?

Forse lui ha dovuto curarla tanto in questi ultimi tre anni che è rimasta solo la tenerezza. Forse la passione, se mai c'è stata, è svanita. È la *vita* con lei ciò di cui sono geloso? Lei deve farsi domande su di me e sulle altre donne, ma non mi ha chiesto se ce n'è stata qualcuna in tutti questi anni a parte Virginie. Anche questo è un terreno proibito, come le ragioni per cui ha sposato James: una discrezione reciproca fra di noi?

Sì, lei sa leggermi le labbra, ma no, non ancora il pensiero. Parliamo del più e del meno. Arriva il vino, poi i piatti. Attorno a noi c'è un ininfluente ronzio di conversazioni. Julia non mi sta guardando. Sembra preoccupata.

« In certa gente l'udito è sprecato », dice con un'improvvisa fiammata di amarezza. « Qualche giorno fa stavo parlando con un violoncellista della Philharmonia, una persona così indurita. Era chiaro che non ne poteva più del suo lavoro ed era annoiato dalla musica: sembrava quasi che la odiasse. E credo che debba essere stato un ottimo musicista. Forse lo è ancora. »

« Be', ce ne sono tanti così », dico.

« Posso capire che uno che lavora in banca o un cameriere possano odiare il proprio lavoro, ma non un musicista. »

« Oh, su, Julia. Anni di esercizi, lunghe ore di lavoro, paga patetica, e non essere capaci di fare nient'altro, e non aver scelta su cosa suoni: puoi benissimo sentirti intrappolato, anche se una volta amavi quel mondo. Mi sono sentito un po' così, quando facevo il freelance a Londra. Anche adesso le cose non sono così facili. E, dopo tutto, anche tu hai rinunciato a suonare per un po'. L'unica differenza, immagino, è che tu te lo potevi permettere. »

Lei corruga la fronte, poi la distende. Non dice nulla, e beve il vino con determinata serenità. Il mio sguardo passa dal suo viso al piccolo orologio d'oro, e poi si posa di nuovo sul viso.

« Non era l'unica differenza », dice alla fine.

« Non avrei dovuto parlarne. »

« Non riesco a immaginare che *tu* possa odiare la musica », dice.

« No, hai ragione », dico. « Anzi, Helen mi prende in giro per le mie estasi. E poi pensa che il rapporto che ho con il mio violino sia un po' esagerato. »

« Be', io sono molto legata al mio piano. »

« Ma non puoi tirartelo dietro in tournée. »

« Allora? »

« Be', non credo che il rapporto sia lo stesso se tu ti eserciti su uno strumento a casa e poi suoni in pubblico su un altro. »

Julia si acciglia.

« Non che Helen sia un'anima così pratica », aggiungo subito. « La settimana scorsa è stata sconvolta da un programma sull'universo, in cui si diceva che potrebbe tutto finire fra Dio sa quanti miliardi di anni. Perché uno deve farsi sconvolgere dal destino dell'universo? »

« Quando ci sono tante cose molto più a portata di mano che ci possono sconvolgere? » chiede Julia, di nuovo divertita.

« Be', appunto. Non è vero? »

« Fra parentesi, cosa è successo alla tua signora Formby? » mi chiede inaspettatamente Julia.

« La signora Formby? Come mai all'improvviso tiri fuori la signora Formby? »

« Non lo so », risponde.

« Ma non l'hai nemmeno mai vista, Julia. »

« Non so come mai l'ho tirata fuori. Stavo pensando a Carl – o forse stavo pensando al tuo violino – e mi è venuta in mente lei. Per qualche motivo ho pensato spesso alla signora Formby in tutti questi anni. »

« Più spesso di quanto tu abbia pensato a me, scommetto », commento con insolenza.

« Michael, ho pensato a te come a uno che si era suicidato, senza lasciare un biglietto. »

Abbassa lo sguardo sul piatto. Non mi è permesso di rispondere. Per un po' resto immobile, troppo sbalordito per fare qualunque cosa. Le tocco un piede, e lei alza gli occhi.

« La signora Formby sta bene », dico. « Com'è l'anatra? »

« Ottima », dice Julia, che non l'ha toccata negli ultimi due minuti. « Davvero non ti importa niente dell'universo, e di tutte quelle cose? »

« Oh, no, non voglio farmi trascinare in una discussione religiosa », le dico con cautela.

« Però ti piace leggere Donne. 'Donne l'apostata', lo chiamavano le nostre suore. »

« Questo non vuol dire, Julia. Mi piace leggerlo proprio perché non mi importa di quello che sta dietro a lui. Lo trovo rilassante, la sera tardi. »

« Rilassante! » dice Julia, esterrefatta.

« Mi piace la sua lingua. Rimugino sulle sue idee. Non mi importano le discussioni bibliche... Non riesco mai a capire perché la gente si agita tanto sulla faccenda di Dio », aggiungo brutalmente.

« È solo che non riesci a sopportare l'autorità, Michael, in qualunque forma », dice Julia. « Tu hai il culto degli eroi, ma non sopporti l'autorità. E Dio protegga i tuoi eroi se alla fine risulta che hanno i piedi d'argilla. »

« Per l'amor del cielo », dico, seccato da questa analisi del mio carattere, un'attività alla quale Julia è sempre stata incline.

« Mio padre non era più lui verso la fine », dice. « Mi ricordo di aver pregato perché morisse presto. Ogni volta che andavamo a trovarlo sembrava più ostile, più incomprensibile. Alla fine non gli importava più niente nemmeno di Luke. Se non altro è morto prima che perdessi l'udito. Sarebbe stato un grande spunto comico: lui che non capiva me, io che non capivo lui. »

Allungo la mano oltre il tavolo e la poso sul suo polso. Sembra contenta, ma poi ritira la mano.

« Forse avremmo dovuto andare da qualche altra parte, più lontano da casa tua », dico. « Terrò le mani a posto. »

« Non è quello, Michael. Tanto è chiaro che non siamo solo amici. »

Mentre portano via i piatti tento di cambiare discorso. « Non devi preoccuparti della prova », dico.

« Ci sarai anche tu, vero? » mi chiede.

« Certo. »

« Non che tu sia obbligato. »

« Ci sarò perché voglio sentirti. »

« È una parte così straordinaria, per il pianoforte. »

« E per il violino », dico con rimpianto.

« E per il violoncello », aggiunge. Canticchia un pezzo del violoncello da una delle variazioni.

Il cameriere ci chiede se vogliamo il caffè o il dessert, ma lei continua a canticchiare. Lui è in piedi dietro di lei, ed è solo quando si accorge del mio sguardo che Julia capisce che ci è stato chiesto qualcosa. Si volta verso di lui, lo vede pronto a prendere l'ordinazione, e dice rapidamente: « Sì, va bene. Prendo quello ».

Il cameriere getta quasi impercettibilmente gli occhi al cielo e poi si produce in un'esibizione di enfatica pazienza. « Quale, signora? »

« Quale? Oh, chiedo scusa, può ripetere cosa stava dicendo? »

« Espresso, cappuccino, latte, americano; decaffeinato o normale », dice, facendo pause esagerate fra le parole.

Julia arrossisce, ma non dice niente.

« Allora, signora? »

« Niente, grazie. »

« Dessert? Abbiamo... »

« No, grazie. Se può portarci il conto. » È agitata e spinge indietro la sedia.

« Mi dispiace », dico. « Mi dispiace davvero. Avrei dovuto dirgli qualcosa. È stato maleducato. »

Lei scuote la testa.

« Non poteva sapere cosa stava succedendo », dice. « Avrei

dovuto dirgli che ho un problema di udito e chiedergli di ripetere quello che aveva detto. È la prima cosa che ci insegnano: non aver vergogna di dirlo. Perché lo trovo impossibile? Perché non mi posso permettere che la gente in generale sappia di me? O è semplice vigliaccheria? »

Il cameriere porta il conto. Lei paga lasciando, noto, una mancia generosa, e ci alziamo per uscire. Ma lei continua a sembrare a disagio.

La serata sta finendo su una nota infelice. Le chiedo di venire a casa mia, sapendo quale sarà la risposta prima ancora che mi dica che deve andare a casa da Luke. Ma acconsente se non altro ad andare al Julie's Bar, non molto lontano da lì. È una sera limpida e tiepida, ci sediamo fuori e lasciamo che la felicità di stare insieme scorra di nuovo fra noi. Indugiamo su caffè e liquore, e prendiamo un dolce in due. Alla fine la ringrazio ma non la bacio. La accompagno sulla strada di casa ma non, su sua richiesta, fino alla porta.

4.20

« Non mi ero resa conto », dice Julia, « che avremmo provato senza contrabbasso. »

Piers, Helen, Billy e Julia si sono riuniti per la loro prima prova del quintetto « La trota » di Schubert. Siamo riusciti ad assicurarci una sala con un pianoforte decente al Royal College of Music. Per questa parte sono uno spettatore, ma seguirà una breve prova del nostro quartetto.

Se ci avessi riflettuto, mi sarei reso conto che l'assenza del contrabbasso avrebbe potuto danneggiare Julia: la sua profonda pulsazione ritmica per tutto il pezzo l'avrebbe immensamente aiutata. Se solo l'avessi avvertita in anticipo, o se avessi fatto qualcosa.

« Be', il problema è che il contrabbasso sta a Vienna », dice Helen. « Non ci si può fare niente. Faremo un paio di prove con lei quando arriviamo lì. »

«Lei?» dice Julia, un po' sorpresa.

«Sì. Petra Daut», dice Piers.

«Scusa, non ho capito il cognome. Come si scrive?»

Io resto zitto, e lascio che sia Piers a ripetere. Meno facce lei deve tenere sott'occhio meglio è.

«D, A, U, T. La conosci? Voglio dire, con i tuoi legami viennesi...»

«No, no», dice Julia. «Ma poi, non giro per orchestre, così non ho troppi contatti con i contrabbassisti.»

«Cominciamo?» chiede Piers.

«Piers», chiede Julia. «Prima di cominciare, solo un paio di cose...»

«Sì?»

«Faremo un'altra prova prima di partire per Vienna, vero?» chiede con una voce intenzionalmente rilassata. «Mi piacerebbe... Davvero mi piacerebbe farla col contrabbasso. Credo che non riusciremmo ad avere una vera sensazione del pezzo senza il contrabbasso.»

«Vuoi che cerchiamo una contrabbassista donna?» chiede Helen. Billy alza per un secondo gli occhi dal violoncello.

Julia rifiuta di farsi provocare. «Non sono schizzinosa sul sesso», dice.

Salta su Billy: «Anche secondo me dovremmo provare con il contrabbasso. È uno dei pochi pezzi in cui qualcuno mi sostiene da sotto, e mi piace. Posso chiedere a Ben Flath se è disposto a farlo».

«Non gli dà fastidio fare le prove con noi senza suonare in concerto?» chiede Piers.

«È un amico», dice Billy. «Lo farà per aiutarci, e per il piacere di farlo, e a condizione che io non suoni più forte di lui nello Scherzo, e se gli offro un paio di bicchieri dopo. Svariate paia», aggiunge Billy.

«A me va benissimo, Billy», dice Julia. «Grazie, grazie a tutti.»

«Domani sera suono con la Philharmonia, perciò lo incontro», continua Billy. «Gli chiedo se vuole e quando è libero?»

Tutti fanno cenno di sì.

«Vuoi che ti giri le pagine?» chiedo a Julia.

«Non occorre, grazie, Michael, non uso la musica, e quindi è una distrazione inutile averla davanti. Ma puoi tenere tu la mia partitura e seguirla, così se ci fermiamo in mezzo a un movimento, puoi indicarmi il punto da cui ripartiremo?»

«Sei sicura che non vuoi la musica?» le chiedo.

«Sicurissima. La conosco fin troppo bene. Spero che la prima volta la faremo tutta senza interruzioni. Anzi, stabiliamolo subito, se va bene per tutti.»

Piers alza le sopracciglia. La frase di Julia è più di una richiesta. Noi archi siamo abituati a comunicare fra di noi mentre suoniamo, e siamo più contenti se siamo noi a dare tutti i riferimenti, lasciando che gli altri si arrangino, soprattutto se, come in questo pezzo, i tre archi formano una curva con il pianista cacciato dietro, in una posizione quasi invisibile.

«Be', d'accordo, per noi va bene», dice Piers abbastanza gentilmente, anche se so che non è felice di prendere istruzioni da un esterno.

Do un'occhiata alla partitura. Vedo molte pause nella parte del piano, e sono preoccupato per le entrate di Julia. Affrontando tutto il pezzo dall'inizio alla fine senza interruzioni, forse lei riesce a percepire meglio il ritmo.

«Va bene?» chiede Piers, battendo il tempo: «TUM-mmm-umtata-tatata-TUM?»

«Mi sembra un po' lento», dice Billy. «Ma tu cosa ne pensi, Julia? È la tua frase.»

«È Allegro Vivace. Perciò, magari un po' più vivace», dice Julia, mostrando sul pianoforte il tempo che desidera.

Piers annuisce. «Va bene. Io do il levare. Pronti?»

Fisso Julia, col cuore che martella. Lei sembra rilassata, attenta, con gli occhi posati sugli altri esecutori, non sulla tastiera né sulla partitura. Adesso capisco perché è così decisivo che si sia imparata tutto il pezzo – e non solo la sua parte – a memoria.

Mentre le dita estraggono le note dai tasti, gli occhi scorrono da Piers a Billy con l'attenzione di una persona che legge sullo spartito. Le loro dita, i loro archetti, i loro respiri le danno i riferimenti. All'inizio, dove tutto ciò che avrebbe espresso il contrabbasso sarebbe stato un continuo rombo senza demarcazioni, avrebbe dovuto farlo comunque. Ma altrove capisco che in sua assenza Julia deve fare molta più fatica. E i suggerimenti visivi che le avrebbero fornito le dita del contrabbassista... Ma è inutile ormai mettersi a congetturare su quello che avrebbe potuto essere: mi sembra di essere su una corda tesa sull'abisso ad ascoltare un uccello che risale dal basso e canta alto sopra di me, sempre più in alto; immagine bizzarra per un pezzo che ha il nome di un pesce.

Nel suo tema, Julia suona col punto un paio di crome che spesso si eseguono senza. Immagino che sia una variante, ma Helen alza gli occhi con durezza.

« Da capo? » chiede Julia mentre si avvicinano alla prima decisione da prendere.

« Avanti di seguito! » dice Piers con esultanza.

Scorrono tutto il primo movimento. È ingiusto, in realtà, dire « scorrere »: lo suonano meravigliosamente. Ma io non riesco quasi a godere di quella bellezza a causa della tensione. In alcuni punti, dove non me lo aspetto, Julia prende lei la guida, per non essere costretta a seguire parti intricate; in altri, si guarda le mani, e non riesco a capire come faccia a rimanere in sincrono con gli altri. Quando arrivano all'accordo finale di dodici note – undici senza il contrabbasso – che rispecchia l'accordo di dodici note all'inizio del movimento, la mia mano sinistra, posata sulla partitura, sta tremando.

« Saltiamo tutti i ritornelli? » chiede Piers.

« Tranne che nello Scherzo », dice Billy.

Dopo aver determinato il tempo, suonano l'Andante; ci sono alcuni problemi, ma niente che li costringa a fermarsi. Poi arriva il terzo movimento, lo Scherzo, e una completa impasse.

Il problema sta nella primissima frase. Piers e Helen hanno tre crome in presto seguite da una semiminima in prima battuta, sulla quale entrano tutti gli altri.

Provano e riprovano, ma non riescono mai a entrare tutti insieme. Non ha senso correre avanti come prima. Bisogna risolvere il problema. Julia, lo indovino, è sempre più agitata, gli altri sono sempre più confusi. Dato che prima ha suonato così bene, non può essere una questione di abilità musicale.

« È sempre difficile la prima volta che si suona con un nuovo gruppo », dice Billy.

« Facciamo una pausa di cinque minuti », propone Piers. « Ho bisogno di una sigaretta. »

« Si può fumare qui? » chiede Billy.

« Perché no? Oh, be', forse è meglio che esca. »

« Vado a sgranchirmi le gambe », dice Helen con un'aria in un certo modo preoccupata. « Venite? »

« Certo », dice Billy. « Buona idea. Certo. »

« Io mi fermo qui », dico.

Julia non dice niente. Sembra sprofondata in un mondo tutto suo, lontana da me, da tutti noi.

Le mie ansie si sciolgono. Appena restiamo soli dico: « Hai l'apparecchio acustico? »

« Sì, in un orecchio. All'inizio aiutava, ma poi ha cominciato a innervosirmi, Michael, il modo in cui distorceva l'intonazione. Non potevo sistemarlo senza che se ne accorgessero, così l'ho spento dopo il primo movimento. Poi nel secondo mi sono accorta che non riuscivo bene a seguire, e l'ho riacceso a una pausa. Adesso mi ha completamente confuso. Sono sicura che con il contrabbasso... »

« Non risolverebbe il problema dell'inizio dello Scherzo », dico con calma. « O negli altri punti dove ritorna quella frase. »

« È vero. Forse dovrei semplicemente dire come stanno le cose... »

« No, non farlo, per il momento. Non pensarci neanche. Non suoneresti meglio quella frase, e tireresti fuori tutto un nuovo verminaio. Rilassati. »

Julia sorride, ma tristemente. « È come dire 'Non pensare a una giraffa'. È garantito che si ottiene l'effetto opposto. »

« E non devi badare a Helen. »

« Non lo faccio. »

« Senti, Julia, se i tuoi riferimenti sono il tempo e il levare – cioè riferimenti visivi – forse ti conviene togliere l'apparecchio.

Tanto non vedo come tu possa avere il tempo di reagire al suono, soprattutto se è distorto.»

«Forse.» Julia non sembra affatto convinta del consiglio di una persona che nemmeno può immaginare cosa lei sente e non sente.

La bacio. «Su. Prova con me. Non hai niente da perdere.» Tiro fuori il mio violino, tendo rapidamente l'archetto e, senza preoccuparmi di accordarlo con precisione, le do il tempo, faccio un paio di cenni con la testa ed eseguo la prima frase.

Dopo qualche tentativo, funziona, o almeno funziona molto meglio di prima.

Julia non sorride. Dice semplicemente: «Qualche altro suggerimento?»

«Sì. Nell'Andante, dove tutti gli altri suonano tre note per battuta e tu ne suoni tre per ogni loro nota, rallenti molto. Tutti gli altri cercavano di spingere un po', ma, per una volta, non li stavi seguendo con gli occhi.»

«Be', stavo guidando io», dice Julia.

«Sì, da dietro.» Scoppio a ridere, e anche lei ride. «Avanti, prova con me», le propongo, riprendendo l'archetto; e lo facciamo.

«Ottimo così», dice Piers.

Faccio un salto, e anche Julia trasalisce. Non mi ero accorto che era rientrato.

«Continuate pure», dice Piers.

«Hai dimenticato l'accendino?» gli chiedo, seccato.

«Qualcosa del genere», dice Piers senza espressione mentre esce.

La prova continua quando ritornano tutti. Eseguono tutto lo Scherzo senza crisi, e proseguono con il quarto e il quinto movimento.

Alla fine, Piers dice: «Molto buono, molto buono. Ma comunque, sapete, preferirei continuare il lavoro sui particolari con un contrabbasso. Perciò oggi smettiamo con la Trota. Spero che non ti dispiaccia, Julia. Il quartetto adesso deve provare un paio di pezzi, e il tempo stringe. Quando Billy si fa dire le date da Ben Flath – ammesso che sia disponibile – avviserò tutti per la prossima prova. Non mi pare di avere il tuo numero di telefono », dice, rivolto a Julia.

« Puoi mandarmi un fax? » chiede Julia. « Il telefono mi rovina la concentrazione quando studio, cioè quasi tutto il tempo, in questi giorni. »

« Non hai una segreteria telefonica? » chiede Piers.

« Un fax sarebbe meglio », dice Julia con un tranquillo cenno del capo, e gli dà il numero.

4.21

Piers abita in Westbourne Park Road, ai confini della zona delle ristrutturazioni signorili, in un monolocale seminterrato. Il soffitto è alto, per essere un seminterrato, e questa, data l'altezza di Piers, è una buona cosa. Sopra di lui c'è un'agenzia di viaggi specializzata in vacanze a poco prezzo in Portogallo; accanto all'agenzia di viaggi c'è una pizzeria take-away, e dall'altra parte un giornalaio. Di fronte c'è un palazzone massiccio, e subito accanto un centro residenziale di mattoni scuri.

Piers mi ha chiesto di passare a bere qualcosa, e adesso apre una bottiglia di vino rosso. È ospitale, ma sembra preoccupato. È il giorno dopo la prova.

« D'estate si prende un po' di luce fino a tardi, su quella parete », dice.

« Non siamo orientati a nord? » gli chiedo.

« Più o meno », dice Piers con aria assente. « L'ho comprato da un artista. » Poi, seguendo la direzione dei miei pensieri aggiunge: « Hai ragione, è un po' strano. Al tramonto, in estate, viene per qualche minuto da quella direzione. Magari viene riflessa da qualcosa. Una bella chiazza rossastra. L'anno scorso il giornalaio ha fissato un enorme espositore alla ringhiera, e così l'ha ridotta. È molto seccante ».

« Perché non gliene parli? »

« Gli ho parlato. Ha detto che hanno cominciato a rubargli i giornali e le riviste messe fuori dalla porta, e non ha altra scelta che fare quello che ha fatto. Sono sicuro che dovrei insistere, e chiedergli almeno di spostarlo dalla mia linea di luce, ma...» Piers scrolla le spalle. «Lo sai di che cosa ti devo parlare?»

«No, pensavo fosse solo un appuntamento!... Sì, lo so. Sono sicuro che lo so.»

Piers annuisce. «Dimmi tu, io non lo capisco. Qual è esattamente il problema di Julia? È una pianista meravigliosa, è così, be', musicale quando suona; capisci cosa voglio dire. È un vero piacere suonare con lei, ma siamo tutti perplessi... Non è che siamo preoccupati né niente, ma, be', puoi spiegarmi quel problema all'inizio dello Scherzo? È solo un tic che succede ogni tanto?»

Sorseggio il vino. «È stato risolto, no?»

«Sì», dice Piers, con cautela.

«Ti garantisco che quando ci sarà anche Ben Flath, non avremo più nessun problema.»

«Avremo?» dice Piers con un sorriso.

«Avrete, per essere precisi.»

Forse Piers nota la traccia di rimpianto. In ogni caso, mi confonde con l'osservazione seguente.

«Voglio che suoni tu il violino nella Trota.»

«No!»

La parola mi sfugge contro la mia volontà, ma è chiaro che significa «Sì!»

Piers sta picchiettando un sottile accendino d'argento con l'indice della mano destra. «Dico sul serio», fa.

«Ma a te piace immensamente, Piers», esclamo, ricordando cosa era successo quando Nicholas Spare aveva denigrato la Trota.

«Cosa è successo esattamente all'intervallo?» chiede Piers, evitando così una risposta.

«All'intervallo?»

«Be', sai, quando siamo usciti dalla stanza.»

Scrollo le spalle. «Oh, abbiamo solo suonato un po', abbiamo provato i punti difficili con una prospettiva un po' diversa...»

«C'è stato qualcosa d'altro», dice Piers con calma. Dopo un po' aggiunge: «Senti, scusami se te lo chiedo, ma...»

«Chiedimi pure.»

«Non è che sei preoccupato di non farcela? Non fraintendermi. Quello che voglio dire è, sai, siccome di solito suoni in un registro...»

«Vuoi dire se ce la faccio con la variazione impiccata del quarto movimento?»

Piers annuisce, un po' imbarazzato. «Sì, quella, e anche altri punti. È una parte così esposta.»

«Ce la farò», dico, senza sentirmi offeso. «L'ho già suonata, al conservatorio. È stato secoli fa, ma dovrebbe tornarmi. Ma senti, Piers, lo so che ti piacerebbe tantissimo suonare la Trota. Sei sicuro di voler essere così generoso?»

«Non sono generoso», dice Piers con un tono irritato. «È un pezzo che o si fa in maniera brillante, oppure muore del tutto. E il vero dialogo è tra il violino e il pianoforte. Al momento, posso anche dirtelo, sarà un sollievo non farlo. Ho molta roba in ballo: troppa. E do per scontato che se il Musikverein può accettare un cambio di esecutore, ne possa accettare anche due.»

«Che cos'hai esattamente in ballo?» chiedo con un sorriso.

«Oh», dice Piers, restando sul vago, «una cosa e l'altra.»

«E l'altra?» dico senza pensare.

«Cosa?»

«Scusa, scusa... È solo una cosa che mi è venuta in mente. Una risposta automatica. Lascia perdere.»

«Sei uno strano tipo, Michael.»

«Be'?»

«Be' cosa?»

«Che cos'altro hai in ballo?»

«Farò la Sinfonia Concertante con St Martin-in-the-Fields, e ho un concerto da solista subito dopo Vienna, e c'è questa cosa di Bach, su cui tu e gli altri sembrate così determinati.»

«E tu no?»

Piers allarga le braccia. «Sto cominciando solo adesso a considerarla come una cosa che non mi è stata appioppata per obbligo. Stanotte, per qualche motivo, la stavo studiando... ed erano le due. Dà dipendenza. »

« Probabilmente i tuoi vicini sceglierebbero un'altra espressione. »

« Quali vicini? » dice Piers con un sorriso storto. « Non ho vicini in questo buco. C'è un'agenzia di viaggi qui sopra. »

« Sì, certo. »

« In ogni caso », dice Piers, « non è la prima volta – come sai – che mi sono trovato in disaccordo con i miei colleghi, o partner, o coorti o quello che siete. Deve esserci una parola. »

« Con-quarti? »

Piers continua; la battuta, più che non piacergli, gli è passata sopra senza lasciare traccia. « È la cosa più assurda, un quartetto. Non saprei a cosa paragonarla. A un matrimonio? A un'azienda? A un plotone sotto il fuoco nemico? A un sacerdozio autocelebrante e autodistruttivo? Ha dentro di sé così tante e diverse tensioni, frammiste ai suoi piaceri. »

Verso un po' di vino in entrambi i bicchieri.

« Non credo che sapessi davvero quanta fatica e quanto dolore portasse con sé », dice, per metà a se stesso. « Prima Alex; poi tutta quella faccenda con Tobias. Dopo un certo numero di anni capita qualcosa di devastante. Ed è destino che capiti. »

« Alex era prima di me », dico, cercando di evitare una discussione su ciò che aveva colpito tutti noi quando Tobias si era impadronito dell'anima di Piers.

« L'unica cosa buona di quel mostro di palazzone lì davanti è la luce del mattino che riflette verso le undici », dice Piers. « Questo posto sarebbe ancora più tetro, senza. »

Annuisco, e non dico niente.

« Era la luce di Venezia, sai », dice Piers, quasi a se stesso. « Ci abbiamo passato un mese. All'inizio gli provocava terribili emicranie, poi all'improvviso sono cessate e ha cominciato ad amarla. È stato solo pochi giorni dopo che abbiamo avuto la grande idea di formare il quartetto. L'ha avuta Alex, a dire il vero. » Abbassa di nuovo gli occhi sull'accendino, poi dice, come se avesse perso la pazienza con se stesso: « Ma perché sto parlando di questo? »

« Mi chiedo se il Maggiore continuerà anche quando tutti noi saremo scomparsi uno a uno », dico. « Dopo essere diventati brizzolati e famosi, naturalmente. »

« Spero proprio di sì », dice Piers. « Una dozzina d'anni non è molto nella vita di un quartetto, immagino, anche se certe volte sembra un secolo. Be', il Takács ha due nuovi membri, il Borodin ha mantenuto solo il violoncello originario, nel Juilliard sono cambiati tutti. Ma sono sempre loro. »

« Come l'ascia di George Washington? » suggerisco.

Piers corruga la fronte, aspettando una spiegazione.

« Ha cambiato due volte la lama e tre volte il manico, ma è sempre la sua ascia. »

« Ah, sì, capisco... Oh, e un'altra cosa: ti ricordi del quintetto di Beethoven, e del fatto che volevi la parte del primo violino? »

« È improbabile che me ne sia scordato, no? » dico con aria guardinga.

« Già, appunto. Be', stavo considerando quella faccenda. O meglio, riconsiderandola. Non voglio che nascano le tensioni che sorgevano quando io e Alex ci alternavamo come primo e secondo violino. »

« No, sono d'accordo anch'io. »

« Ma tu potresti considerare il fatto di essere sempre il secondo violino come qualcosa di opprimente. O di frustrante. » Piers beve un sorso di vino e mi rivolge un'occhiata, che trasforma l'affermazione in una domanda.

« No, in realtà no », dico, chiedendomi se davvero lo penso. « È, be', è uno strumento diverso rispetto al primo. È una specie di camaleonte, che salta dalla melodia all'accompagnamento e viceversa. È più... be', lo trovo interessante. » Immagino, dopo tutto, di pensarla davvero così, nel complesso.

« Ma volevi suonare da primo violino in quel quintetto? » insiste Piers.

« Era per una ragione particolare, Piers, e te l'ho detto. Quel quintetto per me significa una cosa precisa. »

« Be', » dice Piers, « la mia domanda è semplicemente questa: considereresti l'idea, vorresti, ti dispiacerebbe suonare la parte di primo violino, o dell'unico violino, quando non suoniamo rigorosamente in quartetto d'archi?» Nota il mio sguardo sorpreso e continua: «Per esempio, in un sestetto d'archi o in un quartetto col flauto o in quintetto col clarinetto o qualcosa del genere?»

«Piers», dico, sbalordito, «questo vino ti sta dando alla testa. O stai andando da uno psicoanalista?»

«Né una cosa né l'altra, te l'assicuro», dice Piers con una certa freddezza.

«Be', di sicuro non mi dispiacerebbe, e potrei considerare l'idea, ma non sono sicuro di volerlo.»

«È una risposta piuttosto complicata, e un po' contraddittoria.»

«Sì, certo. Quello che intendo è questo, ed è una cosa che hai detto anche tu. Non dipende solo da noi due prendere decisioni in questa materia. A Billy e Helen non piacerà. Si sentivano scombussolati, quando tu e Alex vi alternavate. E nel caso di quintetti e sestetti d'archi l'effetto su di loro sarà per forza lo stesso.»

«E in un quartetto col flauto? O un quintetto col piano, come la Trota?»

«Potrebbe essere un po' diverso, hai ragione. Be', ci penserò sopra, e... No, anzi, non ci penserò sopra. Sto bene dove sono.»

«Allora non farai la Trota?»

«Certo che la farò!» dico subito.

«Perché? Un'altra associazione specifica?»

«No, è ancora più specifica. Voglio suonare con Julia. Potrebbe essere una delle ultime volte che lei...»

«Lei cosa?»

«Che suonerà con altri musicisti.»

«Cosa intendi precisamente?» Piers mi osserva con cura, tendendo tutte le antenne. «Ha davvero grossi problemi a suonare con gli altri?»

«No, in realtà no.»

«Michael, non mi sembra che tu sia del tutto sincero con me.»

«Certo che lo sono. Ti sto dicendo solo che lei intende costruirsi una carriera da solista. E questo significa smettere gradualmente di suonare la musica da camera. Ma non so con precisione quando deciderà di smettere. Non so neanche se ne ha proprio l'intenzione.»

«Così a lei non piace suonare in complessi da camera?» dice Piers.

«Non volevo dire quello», dico, scaldandomi.

«Be', allora cosa volevi dire? Cosa c'è che non va in lei, esattamente? Cosa è successo alla prova? Voglio dire, ha dei crolli improvvisi di concentrazione? È un problema con quel pezzo in particolare? O è la vostra, be', la vostra amicizia? Devi saperlo. O almeno devi esserti fatto un'idea.»

Cerco di sfuggire a questa salva nervosa e aggressiva. «Non lo so, Piers», dico. «Comunque, in futuro non sarà più un problema.»

«Ma è un problema», dice Piers. «Sto cominciando a rimpiangere di non essere riuscito a contattarti *prima* di accettare di suonare con lei. È chiaro che sai qualcosa che noi non sappiamo. Siamo in un quartetto. È fondato sulla fiducia reciproca. Allora cosa c'è? Sputalo.»

Sono chiuso all'angolo. Ho mentito sotto costrizione, ma ho mentito, e Piers lo sa. «Non posso dirtelo finché non ho parlato con Julia», dico alla fine.

Piers mi fissa con uno sguardo da inquisitore. «Michael, non ho un cazzo di idea su che cos'è, ma so che mi preoccupa. Ed è chiaro che preoccupa anche te. Qualunque cosa sia, devi dirmelo, e devi dirmelo adesso.»

«È un problema di udito», dico con un soffio di voce, guardando per terra.

«Un problema di udito? Che razza di problema di udito?»

Non dico niente. Sono sommerso da ciò che Piers mi ha costretto a rivelare. Ma non sono stato io ad aprire lo spiraglio sul quale lui ha potuto fare leva?

«Be'?» dice Piers. «Dimmelo, Michael, altrimenti telefono subito a Lothar e lo scopro da lui. Dico sul serio. Gli telefono in questo preciso momento.»

«Sta diventando sorda, Piers», dico, disperato. «Ma per l'amor di Dio non dirlo a nessuno.»

« Ah, tutto qui? » dice Piers. La sua faccia ha perso ogni colore.

« Sì, tutto qui. » Sto scuotendo la testa da parte a parte. Piers può essere perplesso, ma so che mi crede. « È vero? Sì o no. Solo una parola. »

« Sì. »

« È meglio che telefoniamo a Lothar », dice con calma. « È un disastro. »

Si sta alzando. Lo afferro per un braccio e quasi lo costringo a sedersi di nuovo.

« No », gli dico, guardandolo negli occhi. « Non pensarci nemmeno. Non è un disastro. »

« Billy lo sa? E Helen? »

« Certo che no. Non gliel'ho detto. Non avrei dovuto nemmeno dirlo a te. »

« Avresti dovuto dircelo prima », fa Piers con una traccia di disprezzo nella voce. « Coma hai potuto tenerci all'oscuro? Ce lo dovevi, e lo dovevi a te stesso. »

« Non dirmi cosa vi devo », dico con ferocia. « Ho rotto una confidenza dicendo quello che ho detto. Dio sa se potrò mai essere perdonato. Non avevo nessuna intenzione di dirtelo. Spero solo che questo la aiuterà in qualche modo: voglio dire, se tutti noi capiamo quali riferimenti dobbiamo darle, e dove lasciare che sia lei a guidare... »

« Così dovremmo andare avanti con lei, vero? »

« La sua esecuzione sarà meravigliosa. Sbalordirà te e i bravi borghesi di Vienna, e Billy evocherà lo spirito di Schubert che ci benedica tutti, uno per uno. »

« Me compreso, l'osservatore silenzioso? »

« Te compreso, dato che saprà ciò che hai sacrificato. »

« Adesso non mi sembra più questo grande sacrificio », dice beffardamente Piers.

« Vedrai che lo è », dico con fervore.

Mi aspetto che dica qualcosa di cattivo su Julia ma mi sorprende.

« Be', lo spero proprio », dice. « Per il nostro bene e per lo spirito di Schubert. » Medita per qualche secondo con una cal-

ma quasi sconvolgente. «Forse mi sono infuriato per le osservazioni di Nicholas perché ho sentimenti contraddittori verso la
Trota. È un pezzo strano. Si ferma e riparte e ha così tanti ritornelli, ma lo amo davvero. Sembra assurdo che avesse solo venti-
due anni.»

«Possiamo sempre rinunciare», dico.

Dopo un'altra lunga pausa, Piers dice: «Be', sì, è quello che
ho pensato per molto tempo. Ma adesso ho smesso di credere
che tutto ciò che non è creare un capolavoro sia inutile. Mi
pongo semplicemente due domande su quello che sto facendo
nella mia nicchia della galassia. È meglio farlo o no? Ed è meglio che faccia questo o qualcos'altro?» Fa una pausa, poi dice:
«E suppongo di averne aggiunta un'altra: è meglio che lo faccia
qualcun altro, invece di me?»

«Capisco, Piers. Grazie. Dal profondo del cuore.»

Piers alza il suo bicchiere con serietà. «E dal fondo del tuo
bicchiere?»

Annuisco, e faccio un brindisi solenne.

«Immagino che tu sia sorpreso del fatto che non ho detto
quanto mi dispiace per Julia.»

«No, non sono sorpreso», rispondo, dopo aver considerato
la questione per un momento.

Ma sono sorpreso di me stesso, del fatto che all'improvviso
ho violato la sua fiducia, che con le mie risposte ho cospirato,
benché senza premeditazione, a liberare me stesso – e lei, continuo a ripetermi, sperando che sia vero – del fardello di questo
segreto. Ma come ho potuto farlo, senza permesso, senza mandato? Faccio promettere a Piers che non lo dirà né a Helen né a
Billy, a condizione che sia io a farlo domani.

4.22

Le mando un fax appena torno a casa. Questa volta nessuna
buffa parodia di stile burocratico, solo la nuda affermazione che

è assolutamente necessario che ci vediamo domani mattina. Anche se ha solo dieci minuti liberi, deve venire a casa mia.

Lo fa. Immagino che abbia appena lasciato Luke a scuola. Questa volta, quando ci baciamo, lei capisce che c'è qualcosa che non va, perché si ferma all'improvviso per domandarmi cos'è che mi preoccupa. Ha un'ora di tempo, ma propone che usiamo subito i dieci minuti dell'urgenza.

« Julia, lui lo sa. Ho dovuto dirglielo. »

Lei mi guarda con un'espressione vicina al terrore.

« Gliel'ho detto ieri sera. Non ho potuto farne a meno. Mi spiace. »

« Ma ieri sera c'ero io con lui », dice Julia.

« Con chi? »

« Con James. »

« No, no. Volevo dire Piers. Si è accorto che c'era qualcosa che non andava. »

« Ma... Di che cosa stai parlando, Michael? Se Piers lo sa, conta poi tanto? Perché tutta questa urgenza? » Comincia a rilassarsi, anche se è ancora confusa.

« Devo dirlo oggi a Billy e Helen. È per questo che prima dovevo parlare con te », dico.

« Ma, Michael, non capisco... Che cosa gli hai detto esattamente? »

« Be', di te, del tuo problema. »

Chiude gli occhi, evidentemente sconvolta.

« Julia, non so cosa dire... »

Ma i suoi occhi sono ancora chiusi. Le prendo la mano e me la porto alla fronte. Dopo un po' lei riapre gli occhi, ma adesso non sta guardando me, ma qualcosa attraverso me, oltre me. Aspetto che sia lei a dire qualcosa.

« Non potevi parlarne prima con me? » dice alla fine.

« No, non ho potuto. Me l'ha chiesto di punto in bianco. Era una questione di fiducia. »

« Di fiducia? Di fiducia? »

« Non potevo guardarlo negli occhi e continuare a mentire. »

« E cosa credi che debba fare io a casa mia, a proposito di te? Non è una cosa facile. È solo che l'alternativa è peggiore. »

Le spiego cosa è successo e come è successo. Le dico che potrebbe essere perfino una cosa positiva, se il risultato saranno più aiuti, simpatia, assistenza. So che tutto questo è patetico e autoassolutorio.

« Forse », dice Julia con calma. « Ma alla lunga, perché uno che lo sa dovrebbe chiamare me? »

Alla sua domanda non ci sono risposte.

« Ti ho fatto del male », dico. « Lo so. Perdonami. »

« Non sono una sciocca, Michael », dice dopo qualche momento. « Doveva saltare fuori, prima o poi. Mio padre diceva che il mondo accademico non sa tenere i segreti, ma quello musicale è peggio. Magari c'è della gente, oltre a Lothar, che lo sa o lo sospetta già. Ho cercato di procurarmi una fama di eccentricità, solo per camuffare le cose. Ma adesso tutto questo è inutile. »

« Gli farò giurare di mantenere il segreto. »

« Sì », dice con una voce stanca. « Sì. Mi raccomando. Adesso devo andare. »

Se nessuno vorrà più suonare con lei, avrò affrettato ciò che più temevo. Come faccio a dirle adesso che suonerò con lei nella Trota? Non può essere il momento giusto. Ma se non ora, quando?

« Fermati ancora un po'. Lascia che ti parli, Julia. »

« E il contrabbassista, l'amico di Billy? » dice.

« Non lo so. »

« Devo andare. »

« Cosa hai intenzione di fare? » le chiedo.

« Non lo so. Una passeggiata. »

« Nel parco? »

« Penso di sì. »

« Non vuoi che venga anch'io con te? »

Lei scuote la testa. Non aspetta nemmeno l'ascensore, questa volta, ma comincia a scendere per le molte rampe di scale.

4.23

Helen, Billy e io ci incontriamo in un caffè vicino a casa mia. Helen ha i muratori in casa, e io non propongo di trovarci nel mio appartamento, dove aleggiano ancora i fantasmi di questo incontro con Julia. Ho deciso di comunicarlo a entrambi in una volta sola. Mi scuso con Billy per il luogo e la rapidità del preavviso, ma lui dice che doveva comunque venire in centro. Dirglielo separatamente sarebbe stato intollerabile: voglio semplicemente farla finita alla svelta.

Appena arrivano i caffè dico quello che devo dire. All'inizio, nessuno riesce a crederci. Helen ha un'aria quasi colpevole. Billy mi interroga in profondità sugli effetti pratici della sua condizione nel fare musica. Dico loro che ne ho parlato a Piers, ma che non deve saperlo nessun altro. Helen annuisce. Sono evidenti il suo turbamento e la sua compassione. Billy dice che lo dirà solo a Lydia.

« Per favore, Billy », gli dico. « Nemmeno a Lydia. »

« Ma non ci sono segreti fra noi », dice, aggiungendo sottovoce: « È su questo che si fonda il matrimonio ».

« Gesù, Billy, non voglio sapere su cosa si fonda il matrimonio. Questo non è mica un segreto fra voi. Ti sto affidando la sua vita musicale. Non credi che Lydia capirebbe? »

Billy non dice niente ma sembra stupefatto.

« E il contrabbassista, il tuo amico Ben... »

« Sarà impossibile tenerglielo nascosto », dice Billy, tornando in sé per affrontare la questione. « È intelligente. Non è tanto per come suona Julia, ma per come ci comporteremo tutti noi. Lascia che ci pensi io. E no, non lo dirò a Lydia. Cercherò di evitarlo in ogni modo. »

« Fra tutti i concerti doveva essere proprio questo », dice Helen. « E al Musikverein, fra tutti i posti. Cosa dovremmo fare? Cosa possiamo fare? Non è che non mi dispiaccia immensamente per lei. »

Billy dice: « Be', ci sono solo quattro possibilità. Possiamo rinunciare al concerto. Possiamo vedere di trovare qualcun altro, immediatamente. Possiamo semplicemente andare avanti con

252

lei e non dirlo a nessuno. O possiamo eliminare la Trota e cercare di fare qualcosa d'altro con il permesso della direzione. Io personalmente credo che dovremmo fare un'altra prova e vedere come va. L'ultima volta è andato tutto bene tranne quello strano intoppo nello Scherzo. Comunque, di sicuro si chiarisce un mistero. Cosa pensa Piers?»

«Piers non suonerà nella Trota», dico. «Suono io.»

Helen e Billy mi fissano entrambi stupefatti.

«E io dico che dovremmo andare avanti», continuo. «Anzi, dobbiamo andare avanti. Ho un'incredibile sensazione su questo concerto. Sarà un'esibizione straordinaria. Credetemi, sbalordiremo i viennesi. So che niente potrà andare storto quella sera.»

4.24

Mando per fax a Julia la novità sulla Trota. È l'unico modo per dirglielo prima della prova. Non c'è tempo di organizzare un incontro, ammesso che lei voglia ancora incontrarmi. Non ricevo nessun fax di risposta.

Ci incontriamo alla prova. Ho studiato per giorni e ho la calma esteriore di uno stordito dal nervosismo. Lei mi fa un cenno con la testa, senza particolare calore. Forse sta cercando di porre una distanza uguale e bilanciata fra sé e ciascuno di noi. Ben Flath – presumibilmente su consiglio di Billy – ha voltato appena il suo contrabbasso verso il pianoforte, così che lei possa avere una migliore percezione del movimento delle sue mani. La pulsazione profonda del basso è di immenso aiuto. Ugualmente aiutano gli esagerati movimenti in levare della testa di Billy, e i suoi gesti sulle corde vuote, che adesso si sente del tutto legittimato a fare. Tutto questo spettacolo visivo dovrà essere abbassato di tono quando proveremo a Vienna, ma qui ci è utile.

Suonare con lei, suonare la Trota, che ho suonato una sola volta prima – e a Manchester, anni e anni fa – è il compimento di un'attesa non percepita. Eppure, nonostante tutta la felicità racchiusa nell'opera, c'è qualcosa nella nostra musica che è teso e strano. Dove lavoriamo su grandi archi del brano, ci sono pochi problemi. Dove approfondiamo quasi battuta per battuta, Piers, il nostro osservatore, con tatto e con analisi e con pochissimi movimenti esagerati della bocca e indicazioni col dito, aiuta a spiegare ciò che lei potrebbe non aver colto con quel residuo di suono che ancora colpisce i suoi nervi.

All'inizio mi sorprende il fatto che Piers partecipi a questa prova. In fondo, ha appena abdicato alla sua parte. Si comporta non come un fanatico del controllo, ma come una sorta di consigliere esterno in una situazione senza precedenti sia per il nostro quartetto sia per Julia, che per la prima volta condivide con altri musicisti la consapevolezza del suo problema fisico.

Nonostante tutta la sua freddezza verso di me, alla fine della prova sento che ci siamo ritirati da un precipizio.

Ma quando Piers dice: «Penso che dovreste tutti fare un'altra prova prima di Vienna», tutti annuiscono, compreso il cortese Ben Flath.

4.25

Ci incontriamo ancora una volta. Questa volta funziona tutto bene. Lo zum-zum del contrabbasso è ben legato alla pulsazione del pianoforte. Ma appena abbiamo finito di suonare, lei se ne va, rivolgendomi solo una o due parole, non più di quanto dice a tutti gli altri.

Non so che cosa temere in tutto questo. La sua fiducia si è ridotta oppure ha solo bisogno di tempo da passare da sola per afferrare questo pezzo? Non ho sue notizie da giorni. Il campanello non suona; lei non scrive. È una cosa che divora la calma che avevo conquistato. Penso tutto il tempo a lei.

Queste notti sono fresche, questi giorni sono luminosi di primavera. Il verde sugli alberi si è diffuso fino alle cime, e nel parco l'ampia vista che tanto amavo su lago e poggio attraverso reti di rami nudi mi viene ridotta dalle foglie. Il mondo è in fiore, e se io sono triste e irritato dipende dalla sensazione, sempre più forzata col passare dei giorni, che non posso condividerlo. Fra poco sarà maggio, e saremo tutti su quell'aereo.

Alla fine mi manda un biglietto: andrò a pranzo da loro fra due giorni? A James va bene: la fine della settimana, il giorno di riposo, un pisolino fra azioni e dividendi. Ma lei dice che ha sentito la mia mancanza. Va meglio il pranzo perché così Luke non dovrà andare a letto, e anche lui vuole vedermi. Mi mandano tutti i loro cari saluti.

Sono le sue prime vere parole, eppure cosa vogliono dire? Perché devo incontrarlo proprio adesso? Perché correre questo rischio? O è proprio quello che vuole? È necessario che io sia legato e sferzato per quello che ho fatto? Non conosco James, eppure mi mandano tutti i loro saluti. Che cosa posso dire?

Tutti loro: marito, moglie, figlio, cane. Dalla mia tana elevata osservo il mondo. Dirò di sì, certo, e cercherò di simulare, meglio che posso, la calma che non provo. Coloro che lei ama non devono essere feriti. Ma so che non sono bravo in queste cose: se facessi a modo mio non ci andrei affatto. Troverei qualche mezzo, qualche scusa di tempo o di lavoro per rinunciare. Ma non la vedo da tanto. Se è un rischio, è un rischio che è stato preso per me, uno su cui, mi piaccia o no, si è stretta la mia presa. Le rispondo, a disagio, per dire che sarò felice di andare.

4.26

Ho un dolore pulsante dietro l'occhio sinistro. Suona una campana, quella che batte un sol, della chiesa accanto a me. È il giorno del pranzo a casa di Julia. Mi rado con cura. Questi occhi sono pieni di dubbi.

Cosa sa James Hansen? Quanto potrebbe avergli raccontato Julia, per il loro bene? Molti anni fa era amareggiata per la nostra separazione a Vienna. Se non c'era nessuna soluzione, nessuna risoluzione per tutto ciò che il suo cuore aveva dovuto sopportare, lei gliene avrebbe parlato? Ne avrebbe parlato con lui, con tutto quello che lui avrebbe provato per non essere stato il primo a essere scelto, o la prima scelta?

Ma perché suo marito dovrebbe sapere del nostro passato? Io sono uno degli amici musicisti di Julia, niente di più; un collega di tanti anni fa, nella città dove anche lui l'aveva conosciuta. Lei non mi ha raccontato del corteggiamento di James, se andavano insieme da Mnozil, o da Lier, o al Café Museum, se queste zone, le zone della nostra intimità, ammettevano un intruso, o se proprio questi erano i posti che lei evitava con maggior cura. Perché avrebbe dovuto raccontargli di me, dei nostri incontri in stanze grigie, del nostro addio a un tavolo sotto i castagni?

Quali segreti sopravvivono a nove anni di matrimonio, o a nove volte quegli anni?

E se io e James non ci piacessimo? E se invece mi piacesse?

È stato lui che l'ha spinta a riprendere a suonare, cosa della quale tutti coloro che l'abbiano ascoltata gli saranno per sempre grati. Io gliene sono grato. Non posso desiderare di incontrarlo. Lei non avverte pericoli?

Perché vuole che ci incontriamo da lei? La sua prima, lunga lettera parlava di finestre, pianoforti, giardini: lei conosceva il mio stile e i miei spazi; non dovrei anch'io conoscere i suoi? Ma perché unificare esistenze disparate: la sua vita con me, la sua vita con lui? O la mia visita mitigherà la nostra colpa? O stornerà i dubbi quando Luke parla di me? Oppure lei sa che fra noi non può funzionare? Sarò io stesso una di quelle lettere da lasciare senza intenzione – ma in verità intenzionalmente – in vista, così che si possano far capire le cose senza doverle spiegare?

Non potrei darmi malato? Ma allora, non vederla? Non sentire quel suo profumo delicato, o scavare il ricordo di quel muschio più scuro? Lei dice che sente la mia mancanza. Deve essere vero. Percorro a piedi le piazze bordate di case bianche e le strade che mi conducono da lei.

4.27

È lui ad aprire la porta, non lei.

«Salve. Sono James. Tu sei Michael?» Mi stringe la mano e sorride con naturalezza.

Annuisco. «Sì. Felice di conoscerti.»

È più basso di me, e più robusto. Ben rasato, occhi azzurri come lei, capelli chiari. I capelli scuri di Luke devono essere un atavismo. Ha un netto accento bostoniano, che non sembra curarsi di anglicizzare.

«Entra. Julia è in cucina. Luke è fuori in giardino. Mi ha detto che vi siete incontrati.»

«Sì.»

«Be', vuole farti qualche indovinello... Ma stai bene?»

«Ho solo un po' di mal di testa. Passerà.»

«Tylenol? Nurofen? Paracetamolo?»

«No, grazie.» Lo seguo in salotto.

«Be', cosa vuoi da bere? Non dire succo d'arancia. Un bicchiere di vino? Un martini? Ne faccio uno che ti fa passare il mal di testa in un minuto.»

«Allora va bene il martini.»

«Bene. A me piace, ma a Julia no. E a nessuno dei suoi amici. E a nessuno in questa nazione.»

«Come mai me l'hai offerto?»

«Non perdo mai la speranza di trovare qualcuno a cui piaccia. Sei stato in America?»

«Sì. In tournée.»

«E fra una settimana porti Julia a Vienna.»

«Sì. La portiamo.»

«Bene. Ha bisogno di una pausa.»

«Be', non è esattamente una pausa», dico, provando a questa osservazione – e sforzandomi di non mostrarlo – uno strano risentimento. «Per lei significa molto lavoro. Lo sarebbe per chiunque. Ma con la sua sordità...»

«Sì», è tutto quello che riesce a mettere insieme. Si dà da fare a prepararmi il cocktail. Poi, dopo una pausa: «Lei è stupefacente».

« Lo pensiamo tutti. »

« Come suona? »

« Anche meglio di allora. »

« Allora quando? »

« Ai tempi di Vienna », dico, osservando attraverso il bovindo del salotto un platano senza foglie che non sembra essersi accorto che siamo in aprile.

« Certo », dice James Hansen. « Ora, l'ho mescolato, non l'ho shakerato. Non sono un purista, ho paura. »

« Nemmeno io », dico prendendo il bicchiere. « È il vantaggio di non essere un grande esperto. Per me la parte migliore sta nell'oliva. » Ma di che cosa sto blaterando? Mi cade lo sguardo su una fotografia del matrimonio, su un'altra del padre di Julia che tiene in braccio (immagino) Luke appena nato. Fotografie, dipinti, libri, tappeti, tende, cuscini: una stanza popolosa, una vita solida come una roccia.

James Hansen scoppia a ridere. « Questa è una cosa interessante », dice. « È chiaro che per esempio nelle attività di una banca la competenza rende. Ma nelle arti potrebbe essere uno svantaggio. Se uno non ha alcun senso delle differenze di valore, apprezza molte più cose. »

« Non lo credi sul serio », dico.

« No, hai ragione », dice con equanimità.

È questo l'uomo che è sposato con Julia? È questo l'uomo che dorme con lei ogni notte? Perché sto qui a scambiare spiritosaggini con lui?

« Be' », dice, « dobbiamo aspettare finché compare Julia o è meglio andare a vedere cosa sta facendo? Caroline – la ragazza che ci aiuta – ha il giorno libero, così Julia ha deciso di fare una specie di stufato, e questo di solito vuol dire che non deve starsene tutto il tempo ai fornelli. Ma forse non ha sentito il campanello. »

La cucina è nel seminterrato, se lo si guarda dalla strada, ma si apre sul giardino. Luke sta entrando di corsa e Julia sta girando una manopola del forno quando noi, stringendo in mano i bicchieri, arriviamo in fondo alla scala.

« Luke! »

«Papà! Buzby stava inseguendo il gatto della signora Newton, e lei... Oh, ciao!»

«Ciao, Luke... Ciao, Julia», dico, perché Julia si è voltata e ci sta sorridendo.

Non ho mai visto finora Julia nella veste di Hausfrau. Figlio, marito, un'enorme cucina; uno squarcio di camelie color panna in giardino; pentole di rame appese al soffitto; grembiule; mestolo. Sono disturbato da questa radiosità.

«Dov'è Buzby?» chiedo a Luke, sentendo un improvviso senso di vuoto nella mente.

«In giardino, chiaro», dice Luke.

«Bene, è pronto», dice Julia. «Ma prima di mangiare, vorrei portare Michael a fare un giro in giardino. Potresti apparecchiare tu, tesoro?»

Si scioglie il grembiule, apre la porta e mi conduce nel piccolo appezzamento privato che precede il giardino pubblico della strada. Siamo soli.

Parla per un po' delle sue piante: tulipani, rossi e dorati, alcuni già fioriti; rigogliose violacciocche gialle e marroni; qualche viola del pensiero, rosso bruciato e porpora, che resistono ancora; e, oh, naturalmente, queste stupefacenti camelie tardive.

Lui, allora, è il «tesoro». Io sono un ospite: sopportato o riverito, fa poca differenza. La mia ospite è la squisita Julia... Julia e James, una coppia meravigliosa... fatti l'uno per l'altra, sì, anche i monogrammi coincidono... un'incantevole aggiunta alla nostra piccola comunità... anche se lui è americano, come probabilmente saprete.

Julia segue il mio sguardo fino al vecchio glicine contro il muro, con i grappoli in tutti i possibili stadi di vita – dallo spuntare alla pienezza alla decomposizione – e le api indaffarate intorno. Quanta parte di un giardino sta nei suoi suoni, morti ai sordi? I nostri passi sulla ghiaia, lo sgocciolio dell'acqua dalla fontanella, il canto degli uccelli e il ronzio delle api? Quanta parte di una conversazione deve essere letta negli occhi?

«Non li ho mai incontrati», sta dicendo Julia. «È venuto James e ha organizzato tutto lui; io stavo passando un periodo difficile. Era una famiglia che ha abitato qui per vent'anni.»

Annuisco. Non mi fido a parlare. Mi sento per metà folle. Vent'anni. Misuriamoli in pile di fotografie, in tasse scolastiche, in pasti condivisi, nei teneri piaceri del letto coniugale, nelle difficoltà affrontate insieme, nella nodosità del glicine. Misuriamoli in fiducia, così pesante e tuttavia immateriale.

« Quel profumo così stordente di limone e gelsomino viene da questi fiorellini bianchi qui. Non lo si direbbe mai, vero? »

« Oh, pensavo che fossi tu. »

Julia arrossisce. « Non sono splendide? » chiede, indicando adesso le camelie color panna. « Si chiamano Giallo della Giuria. »

« Sì », dico. « Grazioso. »

Lei corruga la fronte. « Il problema con le camelie, sai, è che quando stanno per morire non te lo dicono in tempo. Se hanno troppo poca acqua, per un po' non sembrano affatto infelici, e non mostrano che stanno soffrendo; muoiono e basta. »

« Perché mi hai fatto venire qui? Perché? »

« Ma, Michael... »

« Sto impazzendo. Perché ho dovuto incontrarlo per forza? Non riuscivi a immaginare cosa sarebbe successo? »

« Perché hai accettato, se la pensavi così? »

« Come facevo altrimenti a vederti? »

« Michael, per favore... Per favore non fare una scena. Non deludermi ancora. »

« Ancora? »

« James ci sta venendo incontro... Per favore, Michael. »

« Il pranzo è in tavola, bellezza », dice James Hansen avvicinandosi. « Chiedo scusa se vi tronco il giro, ma sto morendo di fame. »

Il pranzo passa in una chiazza indistinta. Di che cosa parliamo? Del fatto che di solito non hanno più di due ospiti perché è difficile seguire la conversazione. Che è stato bandito il sedano perché Julia non riesce a sentire nessuno quando lei o loro lo stanno sgranocchiando. La grandinata di due settimane fa. Le lezioni di musica di Luke. La sua materia scolastica meno amata. Lo stato della Gran Bretagna e lo stato degli Stati Uniti. La differenza fra gli Steinway tedeschi e quelli americani. Qualcosa su questioni bancarie: non ricordo nemmeno che domanda ho fatto, né perché l'ho fatta, dato che non ho nessun interesse per la materia. Sì, stufato d'agnello. Sì, squisito. Oh, project finance? Cuscus, il mio preferito, sì.

Suo marito è un uomo perspicace, un uomo di spirito e di sostanza, che non rientra nella mia presunta immagine di un banchiere della East Coast. Non capisco come fa a non capire; ma sarebbe così calmo e cordiale se lo capisse? Budino di riso con uva passa. Mamma orsa, papà orso e il piccolo orsetto mangiano la loro zuppa d'avena. Provo un odio ottuso per quest'uomo perbene.

«La nonna arriverà fra una settimana. Fa un budino di riso ancora più buono», dice Luke. «Ci mette anche più uvetta.»

«Oh, davvero?» dice Julia.

«Credevo che sarebbe stata a Vienna per il nostro concerto», dico.

Luke comincia a ridere. «Quella è Oma», dice, «non la nonna.»

Cosa ci faccio qui? Non è una cosa sconsiderata? O la vera sconsideratezza è stata la sua, quando è venuta nel camerino della Wigmore? Sono una specie di alga su questo scoglio?

«Per quello che ho capito volate tutti insieme», dice James.

«Be', sullo stesso aereo», rispondo. «L'agente ce l'ha fatta ad avere un sesto biglietto perché c'è stata una cancellazione.»

«Lui vi accompagna in tutte le tournée?»

«Lei... No, non lo fa.»

«È una grande sala quella in cui suonate», dice James. «Julia dice che ha la migliore acustica del mondo. Ci siamo andati parecchie volte. Per quel che ne capisco io andava bene.»

Non dico niente.

«Noi suoneremo nella sala più piccola, tesoro, il Brahms-Saal», dice Julia a suo marito. «Non mi pare che abbiamo mai sentito un concerto lì.»

«E allora per chi è il sesto biglietto?» chiede James.

«Per il violoncello di Billy», dico. Che mirabile normalità riesco a mettere nella voce.

«Vuoi dire che viaggia con i passeggeri?»

« Sì. »

« E riceve anche la sua porzione di caviale? »

Julia scoppia a ridere. Luke si unisce, incerto. « Non in economy », dico.

No, Julia, non ho fatto una scena. Ma perché sono qui? È per far ribollire il mio cuore per quello che ho fatto? Non sono molto lontano dall'odiarti.

« Mette la cintura di sicurezza per il decollo? » chiede Luke.

« Sì, penso proprio di sì... Sapete, mi dispiace, ma devo proprio andare. »

« Ma non hai visto il resto della casa », dice Julia. « Non hai visto la mia sala da musica... »

« E non ti ho fatto i miei indovinelli. »

« Mi dispiace, Luke, mi dispiace davvero. La prossima volta. Pranzo meraviglioso. Grazie tante per l'invito. »

« Almeno finisci il caffè », dice James con un sorriso.

Lo faccio. Per quello che ne so potrebbe essere candeggina.

« Be', è stato un piacere », dice James alla fine. Si volta rispetto a Julia per dirmi: « Non è il caso di tutti gli amici di Julia. È maleducato da parte mia dirlo, immagino. Be', spero che ci incontriamo di nuovo, presto ».

« Sì... sì... »

Mentre ci avviciniamo alla porta suona il campanello: un suono lungo e insistente, un accordo di due note, una alta, una bassa. Julia sembra sentirlo.

« Non aspettiamo nessuno, no? » dice James.

Sulla soglia ci sono una donna vestita con troppa eleganza e un ragazzino.

« ... passando davanti, e lui ha insistito, e naturalmente siccome eravamo così vicini ci sembrava inutile chiamarvi col cellulare, e poi dicono che comunque è così pericoloso usarlo in macchina... oh, salve », dice la donna guardandomi.

« Salve », rispondo. Ha un'aria familiare, ma non riesco a concentrarmi su niente, per come le cose mi pulsano dietro gli occhi.

La strada taglia una via trafficata. Chi può percorrerle entrambe allo stesso momento? Tutto si sta chiarendo, e le cose fioriscono troppo tardi, o troppo presto, e la banca è arrivata e ha preso possesso. Luke conterà vent'anni, quarant'anni, sessant'anni in uvette del budino di riso. Chi deve seguire le prerogative, le storie nascoste di questa parola-camaleonte, *amore*? Che cosa ha a che fare quest'uomo con Vienna? Lì almeno anche noi abbiamo avuto un passato. Nessuno straniero poteva davvero varcare le frontiere. Lui ci è passato, ecco tutto, ma la città appartiene a noi.

PARTE QUINTA

5.1

BILLY e il suo violoncello siedono uno accanto all'altro sul volo per Vienna del tardo pomeriggio. Vicino stanno Piers e Helen. Io e Julia siamo quattro file più indietro, lei accanto al finestrino, io sul corridoio. Poco fa Julia stava leggendo. Adesso si è appisolata.

Una hostess della Austrian Airlines passa con un vassoio di panini avvolti in tovaglioli di carta colorati. «*The cream ones are cheese, the other salmon*»,* dice offrendomeli.

«Prego?» dico, sforzandomi di sentire quello che dice sopra il rombo dell'aereo. Non riesco a vedere niente che ricordi vagamente la panna.

«Quelli panna sono formaggio, gli altri salmone», ripete con una voce alla Dio-ci-liberi-da-questo-cretino.

«Non sono un imbecille, sa?» le dico. «E parlo inglese. Quali sono 'quelli panna'?»

«Questi», dice, con uno sguardo sconcertato, ma segnandoli col dito.

«E cosa c'entra la panna? È spalmata nel panino?»

Lei mi guarda con aria incredula. «La carta, no?... Oh, mi scusi, signore, non mi ero resa conto che lei è daltonico.»

«Non sono daltonico. Daltonica sarà lei. Questi sono verdi.»

I suoi occhi si spalancano, sbalorditi, e, dopo che ho preso i miei panini, continua con il vassoio. Poi all'improvviso corre via per riprendersi senza servire nessun altro.

* «Quelli panna sono formaggio, gli altri salmone.» (*N.d.T.*)

«Ha continuato tutto il tempo a dire *green*», dice Julia, che deve essersi svegliata per assistere a gran parte della conversazione.

«E allora perché non me l'hai detto, che così evitavo di fare la figura dello stupido?»

«Di solito la situazione è ribaltata. A vederle, *cream* e *green* sono molto diverse. Comunque, perché sei stato così scortese con lei?»

«*Io* scortese con lei?»

«Quando vedi qualcuno in una posizione dominante ti si arruffano le penne. Tutto quello che ci vuole è un'uniforme.»

«E dove sarebbe tutto questo dominio delle hostess?»

«Alluminio?»

Comincio a ridere.

«Ridi, ridi», dice Julia. «Ma è difficile leggere le labbra a quest'angolo e a questa distanza. È più facile in business.»

«Non ne dubito», dico. «È ancora più facile in prima classe. Ti credo sulla parola.»

Non ci siamo visti dal pranzo a casa sua. Julia ha quasi perso l'aereo: è arrivata nella zona delle partenze mentre ci stavano imbarcando. Quando si è spento il segnale luminoso delle cinture, l'ho trovata seduta accanto a un signore coi capelli grigi immerso nei misteri del duty-free sulla rivista di bordo. Gli ho chiesto se gli sarebbe terribilmente dispiaciuto scambiare il posto con me. Io e mia moglie eravamo arrivati troppo tardi al check-in per trovare due posti vicini. L'ho chiamata «tesoro» un paio di volte. Lui è stato molto cortese, e appena si è spostato Julia mi ha fatto capire di essere seccata.

Ma ho deciso che ciò che abbiamo dietro le spalle è dietro le spalle. Adesso siamo in volo per Vienna. Non penserò alla prima sera che l'ho vista, o al tramonto della nostra separazione. La calma dei caffè ci rigenererà. Ma siamo qui come musicisti, non come amanti.

Non parliamo del pranzo a cui mi ha costretto. Lei mi dice che si fermerà da sua madre per poco più di una settimana dopo la nostra partenza. A Londra c'è sua suocera che si prenderà cura di Luke. Mi comunica che Maria ci ha invitato a pranzo per domani.

« Nervosa? » le chiedo.

« Sì. »

« Strano, vero? » dico. « Ti ricordi che avevamo quasi trovato una viola e un contrabbasso per suonare la Trota col nostro trio? »

« Maria vuole che vada in Carinzia con lei. »

« Puoi? »

« Non proprio. »

« Non puoi dire a tua madre che ti fermerai con noi all'hotel solo per questi quattro giorni? In fondo, starai più di una settimana con lei, dopo. »

Scuote la testa. I suoi occhi si richiudono. Ha un'aria stanca.

Avrebbe potuto Londra farci recuperare ciò che avevamo perso a Vienna? Potrà Vienna farci recuperare ciò che abbiamo perduto a Londra? Affondo i miei pensieri nel morbido rombo dell'aeroplano e guardo attraverso il suo viso il cielo della sera.

5.2

Le nuvole sono scomparse; il tramonto e la sera sono su di noi. La sera è nera. Abbracciata da una foresta nera come un lago appare Vienna: la grande ruota del Prater, un grattacielo, griglie d'oro, qui un bianco sperone d'argento, lì una zona senza luci che non riesco a identificare. A tempo debito atterriamo.

Parliamo poco, io e Julia, mentre il nastro gira caricandosi e scaricandosi di bagagli. È qualcosa di troppo strano e familiare. Parlo con Billy mentre la tengo sott'occhio. La sua valigia arriva subito.

C'è la signora McNicholl a prendere la figlia per portarla a Klosterneuburg. Pochi minuti dopo si presenta Lothar a darci il benvenuto e portarci all'Hotel am Schubertring. Parla di centinaia di cose, nessuna delle quali viene registrata dalla mia mente.

268

Sono troppo inquieto per dormire. A mezzanotte mi alzo dal letto e indosso qualcosa. Oltrepasso la circonvallazione dei tram ed entro nel cuore della città. Cammino per ore: qui è successo questo, lì è stato detto quello.

Non riesco a vedere la città come l'ho vista un tempo: con freschezza, con un incantato senso di sorpresa. Queste forme sono per me stati mentali. Alta, fredda e pesante di pietre, per metà spettrale, per metà *gemütlich*, cuore sproporzionato di un corpo mozzato, Vienna adesso è silenziosa.

Still ist die Nacht, es ruhen die Gassen. I miei passi percorrono le vie spopolate. I miei pensieri si spengono uno a uno. Verso le tre ritorno a letto, e dormo senza sogni, o almeno non ricordandoli. *Gute Ruh, gute Ruh, tu die Augen zu.**

5.3

Il mattino dopo Julia arriva all'hotel dopo la colazione, e noi cinque, più Lothar, raggiungiamo il lungo edificio nel quarto distretto che ospita l'antica fabbrica di pianoforti Bösendorfer, una parte dei loro uffici, una piccola sala da concerto e un certo numero di stanze di prova, una delle quali è a nostra disposizione. Di solito l'edificio sarebbe chiuso la domenica, ma Lothar ha sfruttato i suoi contatti. Il nostro concerto è martedì, perciò non abbiamo molto tempo per provare.

Petra Daut e Kurt Weigl, che suoneranno con noi, sono già lì quando arriviamo. Ci conosciamo solo di fama, perciò tocca al tarchiato e gioviale Lothar fare le presentazioni.

Petra, la contrabbassista della Trota, ha una faccia tonda, capelli neri e ricci e un sorriso pronto che rende i suoi tratti, che di per sé non hanno nulla di notevole, singolarmente attraenti. La notte scompare nel Triangolo delle Bermude, dato che si

* La notte è silenziosa, riposano le vie... Buon riposo, buon riposo, chiudi gli occhi. (*N.d.T.*)

guadagna da vivere soprattutto suonando jazz in un night-club. Lothar ci ha tuttavia assicurato che ha un'ottima reputazione come musicista classica, e che ha eseguito molte volte la Trota.

Kurt, il secondo violoncello nel quintetto per archi, è pallido, alto, educato, diffidente, calmo e riflessivo nelle sue opinioni. Ha dei baffetti biondi. Il suo inglese è eccellente, con qualche occasionale arcaismo, come quando manifesta il suo fermo disaccordo con quei critici che ritengono si possa « negligere » la Trota. Questo è gentile da parte sua, dato che non la suona. Sapeva che l'avremmo provata per prima, ma aveva deciso di assistere lo stesso fin dall'inizio per abituarsi al nostro stile. Come risultato, tuttavia, Lothar ha dovuto rivelare anche a lui il problema di udito di Julia.

Petra è stata informata settimane fa. Piers ed Erica avevano insistito che dovesse saperlo col maggiore anticipo possibile. Secondo Lothar, ha fatto una pausa di un secondo al telefono e poi ha detto: « Tanto meglio. Così non sentirà tutti i miei pasticci ». Ma Julia adesso le spiega che in realtà il contrabbasso è ciò che sentirà più chiaramente. Noi tre ci mettiamo da parte a discutere i metodi per far funzionare al meglio le cose, in termini di vista e di suono. Mi accorgo che la conversazione è un grosso sforzo per Julia, che negli ultimi mesi ha avuto pochissime opportunità di esercitarsi nella lettura labiale del tedesco. Il problema è che Petra continua a scivolare nel tedesco dall'inglese ogni volta che ha paura di non rendere con precisione una sfumatura.

Il luogo è cavernoso e deserto. Quando entriamo nella nostra sala di prova, scopriamo che contiene uno stupefacente piano a coda rosso decorato con disegni astratti in foglia d'oro. Perfino il coperchio e i fianchi sono bordati di rosso, e le gambe d'ottone sono state disegnate per ricordare i pedali. Julia lo fissa con affascinata repulsione.

« È chic », dice Petra.

« Non posso suonare su questa roba », dice Julia, sorprendendomi.

« Come fai a saperlo? Non l'hai nemmeno sentito », dice Petra.

Julia scoppia a ridere, e Petra sembra imbarazzata.

« Be' », dice Julia, « è come se la mia vecchia zia avesse deciso all'improvviso di mettersi una minigonna rossa e oro per andare al suo caffè preferito. È difficile parlare normalmente con lei mentre è vestita in quel modo. »

« Non ti piace il rosso, vedo », dice Petra, esitando.

« Va benissimo per la macchina della Coca-Cola accanto all'ascensore », dice Julia indicando l'atrio.

« Sì », dice all'improvviso Helen. « Cerchiamo qualcosa d'altro. Orribile bestia pacchiana. Io non vorrei suonare Schubert su una viola a pois. »

Per fortuna troviamo una grande sala di prova, vuota, con moquette grigia e l'usuale pianoforte funereo. Petra si è portata lo sgabello pieghevole, che adesso sistema e adatta così che Julia possa vederla meglio. La prova comincia. Leggiamo il pezzo quasi senza interruzioni.

Petra, china in avanti, con gli occhi chiusi, ondeggiando, dà enorme enfasi alle sincopi dell'ultimo movimento e poi urla gli ottavi in levare.

Helen, seduta proprio davanti a lei, smette di suonare, e si volta verso Petra. « Petra, credo che dovremmo darci una calmata qui ».

« Ma è quello che faccio », dice Petra. « Questo vorrebbe essere molto freddo, molto cool. Ur-cool. »

« Mi piace il jazz », dice Helen. « E sono sicura che anche a Schubert sarebbe piaciuto il jazz. Ma non era jazz quello che scriveva. »

« Oh », dice Petra. « Vorrei che suonassimo al Konzerthaus. Sono così borghesi, gli spettatori del Musikverein. Hanno proprio bisogno di essere svegliati. »

« Per favore, Petra », dice Helen. « Non è contaminazione. È solo la Trota. »

Petra sospira; ci accordiamo per provare uno stile meno « innovativo », e il movimento continua.

Nonostante il grande nervosismo di Julia, e il mio, la prima prova è andata bene. Ciò che per me è stupefacente è il modo in cui lei prende il ritmo da Petra, che non produce affatto una pulsazione puramente meccanica. Soprattutto nell'ultimo movimento, dove le terzine del contrabbasso creano una specie di basso brontolio rullante, quasi indifferenziato, il piano non perde la sua pulsazione, ma veleggia sopra con precisione e facilità.

Getto un'occhiata verso di lei e quasi smetto di suonare. Come suona bene; come suona bene con noi. Per quali strane vie siamo stati ricondotti qui? La Trota e la stessa Vienna: non sono per noi faccende incompiute? Col passare del tempo i miei dubbi si disperdono, e sembro apprezzare la scena da una prospettiva nella quale, contro la sua abitudine, il passato si leva per benedire, e non per turbare coi suoi fantasmi il presente, e nella quale ogni impossibilità sembra ancora possibile.

5.4

Dopo aver scorso un'altra volta la Trota, proviamo il quintetto per archi. Poi restituiamo le chiavi del palazzo e usciamo alla luce del sole.

Nella strada silenziosa e quasi deserta, proprio di fronte al palazzo della Bösendorfer c'è un appezzamento vuoto coperto d'erba e delle teste gonfie dei denti di leone. Al centro, sotto un'acacia piena di fiori bianchi, c'è l'improbabile statua bianca di un orso. È a grandezza naturale, a quattro zampe, con le spalle alte e la testa abbassata, più simile a un grosso, tenero cane.

Gli altri se ne vanno. Io e Julia ci fermiamo. Attaccati ognuno a un orecchio dell'orso, parliamo di come sono andate le cose.

« So quanta tensione ti deve procurare tutto questo », le dico. « Ma hai suonato benissimo. »

« Era uno dei miei giorni cattivi », dice.

« Non l'avrei mai detto. »

« Il contrabbasso aiuta. »

« È una brava musicista. Anche se sono d'accordo con Helen... »

« Non intendevo quello », dice Julia. « Volevo dire, non credo che potrei farcela senza contrabbasso. Le cose stanno peggiorando. Quanta musica da camera ha un contrabbasso? »

Non dico niente per un po', poi esco con: « Be', c'è Dvořák... no, stavo pensando al quintetto per archi ».

Julia si volta. Senza guardarmi, dice: « Questo concerto sarà l'ultima volta che suono con qualcun altro ».

« Non puoi dire sul serio! »

Non risponde, dato che si è resa cieca alla mia risposta.

Poso le mani sulle sue, e lei si volta verso di me. « Non puoi dire sul serio », dico. « Non puoi. »

« Sai che è così, Michael. Le mie orecchie sono rovinate. Se continuo, mi rovinerò anche la mente. »

« No, no! » Non posso sentire una cosa del genere. Comincio a battere con la testa contro la schiena dell'orso di pietra.

« Michael, sei impazzito? Smettila. »

Smetto. Lei mi posa la mano sulla fronte.

« Non ho picchiato forte. Volevo solo che smettessi di dire quello che stavi dicendo. Non posso sopportarlo. »

« *Tu* non puoi sopportarlo », dice Julia, con una traccia di derisione nella voce.

« Io... non posso. »

« È meglio che andiamo da Maria, altrimenti faremo tardi », dice Julia.

Evita il mio sguardo finché saliamo in macchina. Quando lei guida, non posso dirle più nulla.

5.5

Sulla porta della casa di Maria il nostro trio, di nuovo insieme, non riesce a trovare niente da dire per un paio di secondi. Poi ci sono gli abbracci, i « quanto tempo è passato », i « non sei cambiato per niente ». Ma sotto tutto questo ci sono le rapide ellissi della terra, e la goffa consapevolezza che le cose sono completamente diverse.

Se lei e Julia si sono incontrate varie volte negli ultimi anni, io non vedo Maria da quando ho lasciato Vienna.

Un bambino riccioluto con i capelli castani la tira dentro. «*Mutti*», grida, «*Pitou hat mich gebissen.*»

«*Beiss ihn*»,* dice seccamente Maria. Ma il piccolo Peter è insistente, così la madre deve esaminargli la mano, dichiara che è un bambino straordinariamente coraggioso, e gli raccomanda di non stuzzicare il gatto, perché si trasformerà in una tigre.

Peter ha un'aria scettica. Poi, notando che lo stiamo osservando, prima si nasconde dietro la madre, e poi scappa dentro.

Maria si scusa perché Markus, suo marito, è fuori città, ma dice che ha una sorpresa per me. Arriviamo in cucina e troviamo Wolf, il mio amico del cuore del mio primo anno a Vienna, che si sta rendendo utile mescolando una grossa insalata. Sorride e ci abbracciamo. Ci siamo tenuti in contatto per alcuni anni – lui se n'era andato prima di me – ma non avevamo più notizie l'uno dell'altro da tre o quattro. Anche lui è entrato in un quartetto, sebbene nel suo caso Carl Käll non lo avesse rimproverato perché aveva abbandonato la carriera da solista.

«E cosa ci fai qui?» gli chiedo. «Sei venuto fin qui per sentirci suonare, naturalmente.»

«Hai un segno rosso sulla fronte», dice Wolf.

«Sì», dice Julia. «L'ha attaccato un orso. O piuttosto, lui ha attaccato un orso.»

«Ho sbattuto contro una porta», dico. «O piuttosto, la porta ha sbattuto contro di me. Andrà via nel giro di un'ora.»

«Spero che tu non parli per esperienza», mi dice Julia prima di allontanarsi con Maria.

«Non posso venire al vostro concerto», dice Wolf. «Devo tornare a Monaco domani.»

«Che peccato», dico. «E allora cosa ci fai qui? Un concerto col tuo quartetto?»

«A dire il vero, loro non sanno che sono qui, anche se lo scopriranno abbastanza presto», dice Wolf. «Per adesso è una

* «Mamma, Pitou mi ha morso.» «Mordilo anche tu.» (*N.d.T.*)

specie di segreto. Sono stato invitato a provare come secondo violino del Traun. »

« È incredibile! » esclamo.

Il Traun è uno dei più famosi quartetti del mondo; hanno tutti passato i cinquant'anni, ed erano già importanti a Vienna quando noi eravamo studenti. Non riesco quasi a immaginare il mio amico Wolf in mezzo a loro. Ricordo il loro violoncellista, un ottimo musicista ma con un carattere bizzarro, così timido che non riusciva a guardare in faccia nessuno. Ci eravamo incontrati dopo un concerto, e lui si comportava come se si aspettasse un commento devastante sulla sua esecuzione da un umile studente come me: un comportamento così inconcepibile che all'inizio credevo mi prendesse in giro.

« È stata una cosa molto strana », dice Wolf. « Il mio quartetto sta cadendo a pezzi. Semplicemente due di noi non sopportano gli altri due, e non c'è niente da fare. Be', girava la voce che il Traun cercasse un nuovo secondo violino dopo che Günther Hassler aveva deciso di ritirarsi, così gli ho scritto. Mi hanno provato per un'ora o due con diversi pezzi, ed eccomi qui. Vogliono che suoni in un paio di concerti di prova fra qualche settimana. Non ho aspettative, ho un vero e proprio timore reverenziale di tutti loro, so che stanno provando anche altre persone, ma, be', non si sa mai... Adesso dimmi: cosa avete messo nel programma oltre alla Trota? Della Trota mi ha detto Maria. »

« Il *Quartettsatz* per cominciare, e il quintetto per archi dopo l'intervallo. »

« Tutto Schubert, eh? Grosso programma. »

« Troppo grosso? »

« No, no, no, per niente. Come mai suoni tu nella Trota? » Gli racconto della proposta di Piers.

« Che differenza dal nostro primo violino », dice Wolf, colpito. « È un gesto molto nobile. Sul serio. Sai cosa avresti dovuto fare in cambio? »

« Cosa? »

« Proporgli di sostituire il *Quartettsatz* con il più lungo dei due trii per archi. La lunghezza è più o meno la stessa, e il vostro primo violino sarebbe comparso senza di te. Così le cose fra di voi sarebbero state pari. »

Rifletto per qualche secondo sulla sua idea. « Vorrei averci pensato », gli dico. « Ma, sai, probabilmente avrebbe detto che almeno una volta dovevamo comparire sul palcoscenico come quartetto. »

« Una brava persona. »

« Non proprio brava », dico. « Però buona, forse. »

« Cos'è questa storia su Julia? » chiede Wolf con aria cospiratoria.

« Quale storia? »

« Maria è tutta discreta ed evasiva, perciò deve esserci sotto qualcosa. »

« Vuoi dire fra Julia e me? »

« Oh, è tutto qui? » chiede Wolf, deluso. « Quello lo vedono tutti. Pensavo che ci fosse qualcosa d'altro. Be', c'è? Voglio dire, qualcosa di misterioso? »

« No, che io sappia. »

« In Germania lei ha un certo nome, sai, anche se non suona molto spesso: solo qualche concerto all'anno, da sola. Ha suonato a Monaco un paio di anni fa. Qualcuno mi ci aveva portato, e così ho scoperto che era lei... È la prima volta che suoni al Musikverein? »

« Sì. »

« Nervoso? »

« Be'... »

« Non è il caso. Non puoi farci niente, dunque perché preoccuparsi? Hai intenzione di fare tutti i trilli all'ottava superiore, nella prima variazione? » Wolf fa una ridicola imitazione di un violinista disperato che stride su e giù per la prima corda, mancando la maggior parte delle note più acute.

« Cosa vuoi dire, se ho intenzione di farli? Ho qualche altra possibilità? »

« Certo. Una delle fonti li porta all'ottava sotto. Quelli acuti mi sembrano comunque ridicoli. »

« È troppo tardi; ormai ce li ho in testa e nelle mani. »

« Una volta l'ho sentita suonare nell'altro modo », dice Wolf.

« Era molto meglio, ma naturalmente tutti pensavano che il violinista se la facesse sotto e li avesse saltati per vigliaccheria... Lo sostieni il suono? Sostenere, sostenere, sostenere », dice Wolf. « Sai che è malato, vero? Hai fatto la pace con lui? Non aspettare quando è morto. »

« Stavo pensando a lui stanotte, mentre camminavo per Vienna. »

« Da un bar all'altro. »

« Non ero con te. »

« Be', e allora? »

« E niente; semplicemente pensavo a lui. Fra centinaia di altre cose. »

« Qualche mese fa suonavamo a Stoccolma, e dopo Carl è venuto dietro le quinte », dice Wolf. « Faceva spavento... Tu sei stato troppo impaziente con lui. »

« *Io* troppo impaziente con *lui*? »

« Proprio », dice Wolf, che non ha mai potuto decidere se è un pagliaccio o un saggio.

Lui non si spiega e io non gli chiedo di spiegarsi. Tanti anni fa, Julia sosteneva qualcosa di simile. Ma come si fa a combattere contro le coazioni che uno ha nella testa? Mi era altrettanto impossibile suonare il violino sotto gli occhi di Carl Käll che se mi fossero state spezzate le dita. Un'orribile incapacità si era impadronita di me. Mi sentivo impotente allora, come lei deve essersi sentita impotente oggi. Ma almeno il mio stato poteva essere mitigato o addirittura completamente rovesciato col tempo.

5.6

Durante il pranzo, Maria parla di più – e più nervosamente – di quanto ricordavo le fosse solito, ma se lo faccia per evitare che sia Julia a parlare e così si possa tradire con Wolf, oppure perché da questo punto di vista il matrimonio, la famiglia e il tempo l'hanno cambiata, non riesco a capirlo. Lei, come Julia, si è sposata « fuori dalla musica », ma ha mantenuto ai fini professionali il nome di Maria Novotny. Salta con rapidità da un argomento all'altro: il tetro inverno grigio di quest'anno senza tracce di sole, l'improvviso arrivo anticipato dell'estate senza la primavera in mezzo, i grossi cespugli di lillà nel giardino sul retro che dobbiamo assolutamente vedere dopo il pranzo, i piani familiari di passare la Pentecoste nella cittadina natale di suo marito in Carinzia, dove dà per scontato che andrà anche Julia, i rapporti di Peter con il gattino Pitou, che ha solo un anno e ama dormire nella custodia del violoncello quando lei suona, il suo rimpianto di non essere lei la violoncellista aggiunta nel quintetto per archi...

Wolf deve andare, e lo salutiamo sulla porta.

« Bisogna scappare da Vienna a Pentecoste », dice Maria mentre beviamo il caffè. « Ci sono centinaia di autobus parcheggiati nello Stadtpark, e migliaia di italiani, oche allegre, allegre. E giapponesi, oche serie, educate. »

« Perché i giapponesi dovrebbero celebrare la Pentecoste? » chiedo.

Maria mi guarda per un secondo, poi continua, rivolta a Julia. « Allora hai deciso cosa fai dopo il concerto? Vieni in Carinzia con noi o ti fermi a Vienna da tua madre? Non passi più neanche un po' di tempo con me da quando lei è venuta ad abitare a Vienna. »

Julia esita. « Non ne sono ancora sicura, Maria. È diventata molto possessiva. E oggi arriva anche mia zia, e come farò a trovare il tempo di lavorare sulla musica non lo so. »

« Ma la Carinzia? »

« Non so, non lo so ancora. Andiamo fuori a vedere i lillà. Questo tempo è così meraviglioso. »

« Prima vado a svegliare Peter. »

Peter è un po' arrabbiato dopo il sonnellino, ma sorride quando vede Pitou accucciato sotto un cespuglio di lillà. Gli corre incontro, inciampa e cade. Dopo aver calcolato la preoccupazione sul viso della madre, si mette a piangere. Maria lo riporta dentro, e io e Julia restiamo soli.

Un profumo meraviglioso pervade il giardino.

«Maria sa di noi due?»

«Be', magari se a tavola mi guardavi un po' meno...»

«Stavo immagazzinando la tua immagine nella mente, per consultazioni successive... Così stasera stai da tua madre?»

«Sì.»

«Allora vieni adesso all'hotel. Possiamo almeno passare un'ora o due insieme.»

Julia scuote la testa. «Sono le tre. Devo andare a casa a studiare prima che si presenti mia zia. E poi, be', non ho avuto ancora il tempo di andare in chiesa.»

Mi tocca la fronte, dove si è formato un piccolo bernoccolo.

«È tanto tempo», dico.

«È vero», fa lei, interpretando male. «È così strano, noi tre insieme, qui. Ho quasi voglia di dire 'Maria, tira fuori il trio in do minore di Beethoven...' Stavo per dire di andare a pranzo da Mnozil domani, ma, sai, Mnozil non esiste più.»

«Non esiste più?» dico. È come se fosse evaporato Schönbrunn. Scuoto la testa, incredulo; più che incredulo, sgomento. È strano che i vagabondaggi di stanotte non mi abbiano condotto da quelle parti.

«No», dice Julia. «Non c'è più. Adesso al suo posto c'è uno di quei locali impersonali e senza cuore, luminosi e tristi.»

«Ma come mai non me l'avevi ancora detto? A Londra, cioè. Cosa è successo? Lui è ancora vivo?»

«Credo di sì. Credo che abbia semplicemente venduto.»

Scuoto di nuovo la testa.

«Be', Asia c'è ancora?» Quando, nei fine settimana, il cuore della città si spegneva, il ristorante cinese era quasi l'unico posto in cui noi studenti potevamo mangiare qualcosa di decente.

«Sì», dice. «Almeno, un anno fa c'era.»

«Julia, facevi sul serio, facevi davvero sul serio, quando hai detto che non suonerai più con altri musicisti?»

«Sta peggiorando, Michael. Non credo di riuscirci ancora.» I suoi occhi si riempiono di dolore.

Maria è tornata da noi. Ci guarda con una certa incertezza e, me ne accorgo, con una specie di disapprovazione, diretta soprattutto a me.

«Dobbiamo andare», dice Julia.

«Bene», dice Maria, senza fare domande. «So che siete molto impegnati in questi pochi giorni. Ma dopo il concerto dovremmo passare un pomeriggio sulle rive del Danubio, come ai vecchi tempi. Markus ultimamente lavora fino a tardi quasi tutte le sere e anche nei weekend, perciò sono sicura che riuscirà a prendersi un paio d'ore per venire con noi. Una bella gita di famiglia. D'accordo?»

«Senz'altro», dice subito Julia. «Vero?»

«Ottima idea», dico, cercando di eliminare dalla mia voce tutto il rimpianto che provo.

Il giorno dopo il concerto è un giorno libero per il Maggiore; quello successivo dobbiamo volare a Venezia. È un tempo prezioso, un tempo che noi due avremmo potuto passare da soli.

5.7

Studio nella mia stanza d'albergo, usando la sordina. Inspiegabilmente ribelli all'inizio, nel giro di un'ora dita, cervello e cuore prendono un ritmo calmo e sereno.

La mia stanza è all'ultimo piano. È silenziosa. In alto c'è una finestra dalla quale si vede la torre della cattedrale di Santo Stefano.

Helen mi telefona per chiedermi se cenerò con loro; non mi hanno visto molto; e siccome sono l'unico del quartetto che parla tedesco e conosce la città, sarei la guida migliore. Tiro fuori qualche debole scusa, e assicuro che se la caveranno benissimo anche con l'inglese. Di sera, in questa città, la giovialità di gruppo mi farà impazzire.

Alle otto penso di ordinare uno spuntino e di andare a letto presto; ma appena cala la luce, lascio la stanza, attraverso il labirinto di corridoi fino all'ascensore e scendo nell'atrio. Gigli, felci, lampadari, specchi, portaombrelli; gli occhi di Schubert mi fissano dal banco della reception. L'impiegato sta strappando fogli di carta.

Mi appoggio al banco e chiudo gli occhi. Il mondo impazzisce di suoni: moduli si strappano; tram passano sferragliando, facendo vibrare il pavimento; tintinnano tazze da caffè, e al di sopra del mormorio del bar affollato sento il cigolio peristaltico di... È un fax o una telescrivente? Cosa pensa Schubert di questi rumori?

« Cosa posso fare per lei, signore? » No, non è viennese. Che accento ha? Serbo? Sloveno?

« Niente, niente. Sto solo aspettando qualcuno. »

« La camera è di suo gradimento? » mi chiede, tendendo la mano verso il telefono che si è messo a squillare.

« Perfetta... Potrei andare al bar a bere qualcosa. O potrei prenderlo qui nell'atrio? »

« Certo. Lo dico al cameriere. Si accomodi dove preferisce... *Hallo?* Hotel am Schubertring. »

In un angolo dell'atrio, lontano dal fumo del bar, mi bevo un bicchiere di vino di Krems. Helen, Billy e Piers mi passano davanti. Abbasso gli occhi sulle peonie e le rose disposte in un cesto sul tavolino.

« ... e sarà meglio se non ti porti la guida di Spartacus per sparire nel Triangolo delle Bermude », dice Helen.

« Fino al concerto conserverò le mie energie », ribatte Piers con calma.

« Di cosa state parlando, voi due? » chiede Billy mentre escono dal mio campo uditivo.

Un altro bicchiere di vino; e adesso è buio. Ora di andare; ma sono tre ore prima di quando sono uscito ieri notte, e la città è più viva. I ricordi e la disperazione piombano su di me, pulsazioni di intollerabile pressione, seguite da rilassamento, ebbrezza quasi. Accanto alla Musikhochschule sento di poter ricreare il passato, di poter raddrizzare ogni svolta sbagliata, di entrare da Mnozil e vedere il vecchio, come un antico Cesare, guardare fisso davanti a sé, rispondere con brevi osservazioni poco impegnative, senza uno sguardo diretto, alle domande di un cliente abituale seduto in un angolo invisibile: problemi di famiglia, la perdita del lavoro, preoccupazioni economiche. Le domande e le confessioni più improbabili: ma perché uno dovrebbe mettere a nudo il proprio cuore davanti al rude Mnozil, che della scortesia aveva quasi fatto un'arte?

Non riesco a ricordare di aver mai avuto una vera conversazione con lui; un anno e mezzo di frequentazione del suo locale, prima da solo, poi con Julia, probabilmente non era abbastanza per un tale privilegio, anche se sul nostro tavolo c'era una bottiglia di vino, avvolta in carta da regalo, poco prima di Natale nel mio primo, grigio, felice inverno. Frau Mnozil emergeva di rado dalla cucina, ma la sua presenza boemo-viennese era ampiamente rappresentata nel menù: *Knödelsuppe* o *Krenfleisch* o *Schokonuss-Palatschinken*... una litania di delizie. Non che potessimo spesso permettercelo. Di solito, quando non ce la facevamo più a sopportare il cibo della mensa studentesca, c'era zuppa di verdure con patate per quaranta scellini, più un lungo e tollerato indugiare nell'aria viziata che sapeva di fumo, di aglio e di caffè.

Lui non si degnava mai di servire. Al banco andava il cameriere, e Herr Mnozil, che aveva già sentito l'ordinazione, gli passava le bevande. Non era tollerante verso le ultime mode. Se uno sfortunato turista capitato per caso gli chiedeva un'acqua minerale, si sentiva chiedere a sua volta, in un indignato accento viennese, se la voleva per lavarsi i piedi: «*Wüsta die Füss' bod'n?*» Alla timida reazione: «Cosa consiglierebbe invece?» la risposta dell'oste era sdegnosa: «*A andres Lokal!*»*

Una volta ero felice qui. Ma che genere di vita avrei potuto offrirle? E come avrei fatto a stare ancora sotto il regime del mio mentore? Anche lui veniva qui, ma sedevamo in tavoli lontani. Alla fine quasi non ci parlavamo. Adesso passo davanti al locale; tutto cambiato, totalmente cambiato: tavoli lucidi e poco accoglienti, un posto indistinguibile da centinaia di altri. Così il mio ricordo è affidato alla storia.

Accanto al banco c'era una vetrina che conteneva verdure – ravanelli, peperoncini e così via – e salsicce e formaggi incartati. La cosa buffa era che nessuno li ordinava mai. Io e Julia avevamo una scommessa in corso: il primo che avesse visto un cliente

* «Un altro locale!» (*N.d.T.*)

prendere qualcosa dalla vetrina avrebbe vinto una cena. Passò un anno tra quella scommessa e la nostra separazione, ma nessuno dei due riuscì a farsela pagare.

5.8

A tarda notte comincia a cadere la pioggia. Pesanti salve contro la finestra mi tengono sveglio e, quando crollo addormentato per la stanchezza, mi svegliano.

Mentre mi rado, noto che il bernoccolo sulla fronte è quasi sparito.

Stamattina la prova è al Musikverein. Non possono concederci il Brahms-Saal dove suoneremo domani sera, e allora proviamo in una bella sala lunga e stretta con vista sulla Karlskirche. La prova va piuttosto bene, ma quando abbiamo finito io sono assalito da una specie di presentimento.

Osservo la chiesa strana e maestosa attraverso le foglie dei tigli: la sua cupola azzurra, e uno dei suoi due minareti da moschea. Mi ricordano per appropriatezza e stranezza i minareti della sinagoga di Bayswater, non lontano dal mio appartamento. Londra e Vienna si proiettano l'una sull'altra. Domani andrà male qualcosa, terribilmente male. Temo per me, e temo per Julia.

All'Asia, dove io e Julia pranziamo per conto nostro, non dico quasi una parola. Dopo le propongo di andare in hotel.

« Michael, devo andare a casa. »

« Oh, no, anche questa volta. »

« Non posso. Devo studiare. Devo sistemare delle cose che sono venute fuori stamattina. »

« Come fai a essere così pragmatica? »

Scoppia a ridere, poi allunga la mano sul tavolo e stringe la mia. Sento che sta tremando.

« Cosa c'è che non va? » mi chiede con delicatezza.

« Sono preoccupato per domani. È come se vedessi Carl fra

il pubblico, che mi giudica, mi disapprova, mi dà un brutto voto... Sono solo preoccupato, Julia. Non dovrei dirlo a te. »

« Non devi esserlo. »

« Vieni a Venezia con me. »

« Michael... » Mi lascia la mano.

« Non so come ho fatto a vivere senza di te tutti questi anni. »

Come mi sembrano deboli e trite le mie parole, come se le avessi prese da una fantasia di casalinga.

« Non posso », dice Julia. « Semplicemente non posso. »

« Né tua madre né Maria sanno con certezza se ti fermerai da loro. E allora perché devi fermarti da una di loro? »

« Non posso... Michael, come faccio a venire a Venezia con te? Pensa solo a cosa mi stai chiedendo di fare... Per favore, non avere quell'aria così infelice. Se vuoi, possiamo andare insieme da mia madre adesso, e potremmo esercitarci tutti e due. E poi uscire a cena. »

« Non ho una voglia particolare di incontrare tua madre. »

« Michael, smettila di piegare quella forchetta. »

La poso sul tavolo. « Che piano ha? » le chiedo, afferrando la prima cosa a cui riesco a pensare.

« Un Blüthner. È in famiglia da un centinaio di anni. Perché? Hai detto 'piano', vero? »

« Sì. E ha ancora un bassotto? »

« Michael! »

« Un caffè? Da Wolfbauer? »

« È meglio che torni a casa. Non mettermi sotto pressione. Per favore. »

« D'accordo. Vengo a casa tua », le dico.

Il tempo diviso con altri è meglio di nessun tempo. Perché guastare una gioia così sporadica con lunghi esami prima e dopo? Ci dirigiamo a nord. Al momento delle presentazioni, sua madre ha un evidente sobbalzo. Anche se non ci siamo incontrati all'aeroporto, lei deve avermi di sicuro riconosciuto dalle fotografie. Per anni l'ho visualizzata come una donna imponente trascinata avanti e indietro da un cagnolino. Julia è calma, e si rifiuta di ratificare la nostra antipatia.

Io mi esercito nella mansarda, lei nella sala da musica che conduce al giardino. Alle quattro Julia mi porta il tè e mi dice che alla fine non riusciremo a uscire a cena. Ci ritroviamo alle sette per un pasto silenzioso sorvegliato da sua madre, interrotto da guaiti agitati che provengono da una stanza lontana. Una delle principali obiezioni della signora McNicholl all'idea di continuare ad abitare in Inghilterra era l'assurdità delle nostre norme sulla quarantena. L'altra, secondo Julia, era il desiderio di tornare a vivere in una nazione cattolica. Dopo la cena dico a Julia che ne ho abbastanza e torno in città.

« Neanch'io vado avanti a studiare », dice rapidamente lei. « Per oggi abbiamo fatto abbastanza. Andiamo a fare un giro in macchina. »

Frigidi ringraziamenti a Frau McNicholl sono ricompensati da frigide espressioni di piacere per esserci incontrati. Lei è in piedi sotto un faggio rosso del giardino – faggio sanguigno, come lo chiamerebbe in tedesco – e dice a Julia di guidare con attenzione, e di stare attenta.

In macchina le chiedo: « Dovevi proprio dire a Maria che avresti passato con lei il nostro ultimo giorno insieme? »

« Non ci avevo pensato. Adesso vorrei non averlo detto. »

Alti pioppi corrono paralleli ai binari lungo il Danubio e una luce incantevole sfiora le cime dei lunghi boschi di castagni. Dall'altra parte della strada, la luce si attarda sui muri delle case e sul monastero di Klosterneuburg.

« Perché la Pentecoste è così importante qui? » mi chiedo a voce alta, sempre pensando, seccato, a Maria.

« Che cos'hai detto? » dice Julia, dando un'occhiata verso di me.

« Perché la Pentecoste è così importante qui? »

« Non lo so. Forse perché l'impero austro-ungarico era così poliglotta. »

« Cosa vuoi dire? »

« Michael, è meglio non parlarmi mentre guido, a meno che sia assolutamente necessario. Devo tenere gli occhi sulla strada. »

Lei svolta a Nussdorf e percorre la tortuosa strada di Kahlenberg.

« Ma... Julia! »

Si ferma e accosta.

« Dove pensi di andare? » le chiedo.

« Esattamente dove pensi che stia andando. »

« Julia, no. Fra tutti i posti possibili, perché proprio qui? »

« Fra tutti i posti possibili, perché no? »

Siamo diretti alla scena del nostro ultimo incontro, anni fa; anche se quel giorno siamo arrivati qui col tram e a piedi.

Vienna si estende davanti a noi oltre le pendici ricoperte di vigne: una mappa in rilievo dei ricordi. Andiamo avanti; ci fermiamo; parcheggiamo a qualche distanza, e raggiungiamo a piedi il locale. Forse, come Mnozil, anche lui sarà scomparso, o cambiato. Ma no.

Accanto alla casa si innalzano due grandi castagni, con i rami coperti di foglie. Foglie più piccole si affollano direttamente attorno ai tronchi. Attorno alla pompa dell'acqua fioriscono gerani. Sulle lunghe tavolate all'aperto siedono, bevono, mangiano e parlano nella luce del crepuscolo giovani coppie, amici, gruppi di studenti.

Una caraffa di vino della vigna lì accanto. Il calare della notte. Beviamo in un silenzio di vicinanza, non di amarezza. Il mio violino, che non è assicurato contro il furto dall'auto, sta accanto a me, nella sua custodia. Ancora una volta lei mi tocca la fronte, nel punto che ha colpito l'orso di pietra.

Contro le lampade, noto le venature delle foglie traslucide. Un ramo illuminato splende bianco contro il cielo. Al di là, la notte è nera.

Parliamo poco, forse perché la candela sul tavolo distorce le mie parole.

Le sto riempiendo il bicchiere quando lei dice: « Verrò con te a Venezia ».

Non dico nulla. Non mi ero mai aspettato una cosa del genere. Ringrazio qualcosa da qualche parte nel buio, ma non dico niente a lei. Non verso nemmeno una goccia. La mia mano non trema. Adesso riempio il mio bicchiere, e lo alzo, senza parlare:

a lei? A noi? Allo spirito dell'amore fuggitivo? Qualunque cosa io intenda, lei annuisce come per dire che ha capito.

5.9

La mattina del concerto è azzurra e calda.

Spedisco il fax che Julia ha scritto ieri sera a una sua amica di Venezia – sul retro di un foglio da musica trovato nella custodia del mio violino – e aspetto finché l'impiegato della reception me lo restituisce.

Il Maggiore si incontra nell'atrio. Siamo tutti tesi e ansiosi, ma quella specie di presentimento che mi aveva assalito ieri è scomparso. Andiamo a piedi al Musikverein, a un paio di minuti di distanza. L'ultima prova di stamattina è nel Brahms-Saal.

Il pianoforte sta sulla pedana fra due pilastri rosso opaco. Julia ne ha provati svariati ieri, e ha deciso che preferiva la meccanica di questo. Quanto al suono, sono tutti ben sperimentati, e Julia pensa che se Claudio Arrau ha potuto salire sul palcoscenico senza aver nemmeno suonato una nota sul piano che gli era stato assegnato, lei è in buona compagnia.

Ha chiesto due cose a Piers, il nostro osservatore: primo, di consigliarla sul bilanciamento del suono del pianoforte in questa sala, sia in assoluto sia in relazione agli archi. Secondo, di seguire con attenzione la partitura quando lei ha un piano o un pianissimo, per accertarsi che le note che sta suonando non siano udibili solo da lei, in astratto.

La sala è cambiata dall'ultima volta che l'avevo vista, seduto fra il pubblico, molti anni fa. Sono cambiati i colori: allora c'era molto più bianco e oro, adesso molto più rosso scuro e verde marezzato. Ma il busto bianco del vecchio Brahms veglia come sempre sulla sala su cui un tempo regnava, e sono lieto che, contrariamente a Helen e Billy, dal punto in cui dovrò sedere non lo vedrò.

Lo scontroso usciere che ieri ci ha guidato verso la sala di prova oggi è meno scontroso perché gli ho dato una mancia. Ricordo che, da studenti, io e Julia spesso riuscivamo a entrare ai concerti della sala principale, il Grosser Saal, dando una mancia alle maschere con cui avevamo fatto conoscenza. In più, in un edificio così traboccante di scale e corridoi era quasi sempre possibile trovarne uno incustodito. All'intervallo – e Julia, con tutta la sua timidezza, da questo punto di vista era la più sfacciata – avanzavamo fino ai posti vuoti delle prime file, salutavamo con un cenno i nostri vicini, e ci sedevamo. Lei si giustificava dicendo che gli artisti erano molto più felici se almeno le file davanti erano tutte occupate.

Julia e Petra stanno discutendo cosa indossare stasera per evitare stonature. Julia metterà un vestito di seta verde, Petra uno blu scuro. Kurt parla con Piers di simili questioni di vanità: preferiamo il frac o lo smoking? Piers gli dice che non abbiamo frac. E la fascia di seta? chiede Kurt; la consideriamo, secondo le sue parole, «di grande momento»? No, dice Piers, non la consideriamo tale.

Helen si tiene lontana da tutto ciò: piega di lato la testa prima su una spalla, poi sull'altra, poi guarda all'insù tendendo il collo. È preoccupata, è sempre stata preoccupata, del quintetto per archi. La viola è volubile nelle sue alleanze: un trio con i due violini, con le altre due voci centrali, con i due violoncelli... In tutta questa bellezza per lei non c'è un ruolo stabile, solo sabbie mobili di piacere.

Io e Billy stiamo esaminando il sottile programma dorato per il concerto di stasera: apprezziamo la sua eleganza e ci diverte l'allegra considerazione di sé del Musikverein. Sotto «Franz Schubert» e prima delle date di nascita e morte e dei brani che suoneremo, c'è la didascalia «*Mitglied des Repräsentantenkörpers der Gesellschaft der Musikfreunde in Wien*».* L'unica ragione, naturalmente, per cui il povero Schubert poteva diventare un membro del Musikverein era che, a rigor di termini, era un dilettante, senza una posizione musicale ufficiale nella città di Vienna.

---

* «Membro del Comitato dei rappresentanti della Società degli amici della musica di Vienna.» (*N.d.T.*)

Niente di troppo sorprendente salta fuori per gran parte della prova, tranne che a un certo punto, all'improvviso, a proposito di non so cosa, Petra dice del nostro compositore: « Ma è uno psicoterrorista! » Io, Helen e Billy ci scambiamo un'occhiata, e continuiamo a suonare. È una musica gioiosa e la suoniamo con gioia. Ogni tanto penso che ieri Julia mi ha detto che le è impossibile suonare ancora con altri musicisti. Come fa a essere vero, quando quella frase è in contraddizione con ciò che mi dicono oggi le mie orecchie?

Tra noi e il sole deve essere passata una piccola nuvola. Per qualche minuto il brillante lucernario diventa smorto, e la sala si oscura. Ma poi la luce del sole torna a riversarsi dentro, e il breve e cupo interludio viene inghiottito nell'intensità di questa prova finale.

Nell'ultimo movimento della Trota capita qualcosa di strano, che non era venuto fuori in nessuna delle prove precedenti. Io e Helen abbiamo suonato il primo tema in due frasi di due battute ciascuna, ma Julia, stupendoci, replica come se fosse una singola frase di quattro battute con un continuo diminuendo. Ha ripensato l'interpretazione, o è l'impulso del momento? In ogni caso, questo conduce a una discussione, e decidiamo che la prima volta che introduciamo il tema probabilmente funzionerebbe meglio alla sua maniera. Così, quando si interpongono nuovi accenti – e, più avanti, le sincopi – il contrasto sarà ancora più efficace.

Se Julia avesse potuto udire esattamente ciò che suonavamo noi, avrebbe fatto ugualmente come ha fatto? E noi avremmo ripensato e corretto l'interpretazione? Tanto di guadagnato. Ma ancora una volta provo un senso di disagio, per la paura che qualcosa del genere possa succedere durante il concerto, fra poche ore: qualcosa di fuori posto che non abbiamo potuto, prima, mettere a posto.

5.10

La statua di Beethoven nel porticato del Musikverein sembra che tremi di freddo in questa sera calda.

Un giovane funzionario dell'amministrazione, leggermente untuoso, ci comunica che siccome il concerto fa parte di un ciclo di musica da camera venduto in gran parte in abbonamento, possiamo aspettarci un pubblico numeroso. Ci accompagna ai camerini. La stanza di noi uomini è luminosa ma in qualche modo anche grigia, con pareti a strisce rosse, un pavimento grigio, uno specchio e facsimili incorniciati di partiture ingiallite. Julia, Petra e Helen sono accanto a noi, in una stanza con il pianoforte, un osceno ritratto di Fritz Kreisler con le labbra rosso acceso, e un enorme attaccapanni con una macchia d'acqua nella moquette di sotto. Ne emergono come sontuose farfalle, verdi, blu e oro: Petra in blu, con le spalle nude, sorridente; Helen, con un vestito oro pallido, si preme una mano contro un lato del collo come se provasse un dolore nervoso; e Julia con lo stesso vestito verde che portava quella sera alla Wigmore Hall. Mi guarda con quella che mi sembra preoccupazione, il più delicato, più meditativo tocco di preoccupazione. Ma adesso non sono calmo? Andrà tutto bene, anche se è come un addio.

Sul tavolo c'è una bottiglia di acqua minerale, e ne bevo un po'; e Piers beve un sorso di whisky dalla boccetta di Helen. Billy è alle prese con un attacco di starnuti. Tutti siamo consapevoli che gli esigenti viennesi conosceranno ogni nota del loro Schubert. Adesso Helen sta accordando con calma al pianoforte. Quel verde, quell'oro, quel blu. Come sembreremo seri e contegnosi io e Billy in mezzo a queste meravigliose creature.

Al di là del corridoio, stanno aspettando le orecchie per le quali suoneremo. Piers posa l'occhio sullo spioncino della porta.

«Sala piena.»

«Sono le sette e ventotto.» Questo è Billy.

«La scala», dice Piers, portandosi il violino al mento. «Do minore.» E lentamente noi quattro la risaliamo e lentamente, grado per grado, ritorniamo alla nostra tonica. Ho gli occhi chiusi; ma immagino Julia e Petra e Kurt, un po' sbigottiti dal nostro rito, che si guardano l'un l'altro.

Il giovane direttore di servizio fa un cenno, e il Maggiore si raduna alle porte. Mentre noi quattro entriamo, salendo i bassi gradini di legno fino al podio, la confusione di voci si risolve in un applauso. In mezzo all'applauso sento comunque lo scricchiolio di antico legno sotto i piedi. Do uno sguardo attorno: alla mia destra, tende lucide tirate contro la luce della sera, e un lampadario che illumina il busto di Brahms, non esattamente sotto di lui; davanti a me, in fondo alla sala rettangolare, alte cariatidi dorate e facce incerte in galleria; e a entrambi i lati, su entrambe le pareti, gallerie lunghe e sottili, tutte piene tranne alcuni posti nel palco del sovrintendente. Le poltrone, al buio, sono quasi tutte piene; e in seconda fila vedo la madre e la zia di Julia, con un posto vuoto accanto. Se in parte adesso devo vedere il pubblico, non sarò costretto a farlo quando suoneremo la Trota.

Silenzio, adesso. Anche qui uno squarcio nel soffitto lascia entrare la luce del sole dall'alto; e a quest'ora, la luce che si riversa dal cielo equivale a quella irradiata dalle lampade. Ci inchiniamo; sediamo; accordiamo ancora una volta per pochi secondi; e Piers, prima che io abbia il tempo per rendermene conto, ha cominciato all'improvviso; e adesso anch'io; e ora Helen; e ora Billy: svolazziamo come api impazzite all'inizio del *Quartettsatz*.

Un accordo rapido, pieno; e adesso, per la maggior parte, io e Helen siamo calmi, mentre Piers e Billy sfrigolano e brontolano sopra e sotto. L'autore di capolavori perfettamente incompiuti ci regala questo, un primo movimento così simmetrico e pieno da non aver bisogno di legarsi a nessun altro. E cos'altro ci aspetta stasera? Un pezzo quasi troppo finito a richiesta di un mecenate; e poi l'opera che ha segnato la fine della sua vita di per sé incompiuta. Se fosse vissuto solo, generosissimo Schubert, per diventare vecchio quanto Mozart!

Le api ritornano, ronzando con furia, e con tre punture nette e dolci è finito. Celestiale concisione! Ci alziamo in piedi, ci inchiniamo grati davanti ad applausi anch'essi grati. Usciamo, entriamo, usciamo, entriamo, e mentre Billy sta ancora passando dalla porta del palcoscenico al corridoio, l'ultimo applauso si smorza.

«Tua madre è in seconda fila», dico a Julia. «E tua zia.»

«Mi siederò con loro dopo l'intervallo.»

«Ma non c'è un circuito elettrico nella sala. Come farai a sentire qualcosa?»

«Guarderò.»

«Piers?» dico, voltandomi da Julia.

«Sì?» risponde lui.

Gli batto l'archetto sulla spalla, lasciando due strisce *regimental* di pece sulla sua giacca. Lui non si preoccupa di spazzolarle via, ma mi sorride col suo solito mezzo sorriso. «Buona fortuna, allora, Michael», dice. «È andata bene; e andrà bene.»

Ma io sento un formicolio di nervi adesso che tocca alla Trota. Le punte delle dita della mia mano sinistra cominciano a pizzicare appena, come se toccassero un filo a basso voltaggio.

La sensazione passa. Torno di nuovo me stesso. Piers fa un passo indietro. Julia e Petra si uniscono a noi. Entriamo, ci inchiniamo, ci disponiamo sul palcoscenico, e da tutti e cinque si leva nella sala il primo glorioso accordo del quintetto della Trota.

5.11

C'è ancora luce in alto; qualcuno qui davanti sta usando il programma dorato come ventaglio; i nostri suoni sono un tutt'uno, come le facce qui sotto; adesso è Helen a guidare, perché non può torcere il collo all'indietro per vedere cosa sta facendo Julia; ma tutto si fonde e va avanti. Il contrabbasso è il motore. Di chi è questo tocco delizioso e leggero? È il violoncello; ha gli occhi chiusi. Le mie orecchie si sono tagliate fuori, non riesco a sentire, ma so che queste agili dita hanno preso possesso del pezzo. La loro intonazione è perfetta. Le dita sono mie, la tastiera su cui danzano è di ebano. Il silenzio che sento, è questo a cui lei è confinata? I fantasmi tutti attorno gravano su di me: oltre il mio sguardo, da qualche parte alla mia destra, c'è la statua di Carl Käll, che un tempo regnava sulla mia vita; e in galleria c'è la signora Formby seduta accanto al mio vecchio insegnante di tedesco. C'è Schubert, e la madre di Julia. Sono venuti ad assistere alla bellezza di ciò che stiamo ricreando.

Il pavimento a spina di pesce della sala diventa asfalto: ebano nero, avorio bianco; è un parcheggio coperto di neve, che si scioglie nella Serpentine. Un agile pesce dalle squame argentate guizza dal bassofondo fangoso. Ogni volta che emerge è di un colore diverso: oro, rame, grigio acciaio, blu argento, smeraldo.

E adesso l'ultimo movimento, che Billy dice che può funzionare solo con la frenesia. Non mi ha mai acceso di entusiasmo, eppure se è l'ultimo pezzo che lei suona in ensemble, pochi minuti significano tutto; un ritornello è tutto; l'ultima frase deve essere stampata per sempre; e l'ultima nota. È una morte, un trapasso: perché lei suonerà mai? – lei non suonerà mai più – con nessun altro. Getto un'occhiata verso di lei al pianoforte, una visione lucente di verde. Non sono un agente ma un mezzo, transitorio come l'oro dei suoi capelli, l'azzurro dei suoi occhi, gli impulsi elettrici che un tempo avvolgevano la coclea, serpentina, dove il corpo ha attaccato se stesso. Non suonerà mai più insieme ad altre mani?

Il membro del Comitato dei rappresentanti della Società degli amici della musica di Vienna aveva freddo, poi fame, poi si era ammalato; e, per essere un uomo allegro e sereno, era pieno di dolore e di precipitazione. Grazie, allora, miei cari concittadini, per aver ascoltato oggi questo pezzo, per la vostra acuta attenzione a ciò che era semplicemente l'elaborazione di una canzone; anche il mio unico concerto era stato sotto questi auspici, e sono sicuro che ce ne sarebbero stati altri, se avessi avuto tempo. Ma non scappate; applaudite questi musicisti, poi bevetevi il vostro Sekt, bravi borghesi, e tornate qui, perché dopo l'intervallo ascolterete ciò che sarebbe piaciuto anche a me ascoltare attraverso budello, crine e legno, e non semplicemente con la musica della mia mente. Ma era l'anno in cui andai in pellegrinaggio sulla tomba di Haydn; era l'anno della mia morte; e la terra portò la mia carne piagata dalla sifilide, le mie budella devastate dalla febbre tifoidea, il mio cuore invano colmo d'amore molte volte attorno al sole prima che il mio quintetto per archi venisse udito da orecchie umane.

Risuonano gli applausi per la Trota. Applausi e perfino grida di entusiasmo. Questo dalla posata Vienna. Forse qualche studente? Ma dove mi trovo adesso?

«Michael.» Sobbalzo alla voce di Julia, preoccupata, pressante.

Loro sono in piedi, si sono alzati da tempo. Io continuo a stare seduto. Mi alzo.

Adesso siamo nel corridoio. Non riesco a tornare sul palcoscenico.

La voce di Julia: «Piers, puoi mettere da parte il suo violino? Michael, appoggiati al mio braccio. Dobbiamo tornare a ringraziare».

I gradini che scricchiolano, l'applauso. Tutti sorridono. Non riesco a stare dritto. Mi volto e mi dirigo verso il corridoio, da solo.

Il braccio di lei mi circonda le spalle. La voce di Piers, spaventata, che dà ordini.

«Credo che può bastare. Sta male. Fatelo sedere. Non tornate dentro. Lasciateli applaudire, non ha importanza... Cosa c'è, Michael? Cosa c'è, per l'amor del cielo? Helen, dagli un bicchier d'acqua. Petra, è stato grandissimo: ben fatto! Ma sentite, abbiamo bisogno subito di qualcuno dell'organizzazione. Dov'è andato Wilder? Quanto è lungo questo maledetto intervallo?»

5.12

Riesco a emettere solo un sussurro. «Il bagno... Piers... Billy...»

«Ti porto io», dice Billy. «Su, Michael, reggiti a me.»

«Fra due minuti starò bene. Scusa, Billy.»

«Lascia perdere le scuse. Un respiro profondo. Rilassati. Ci vorrà ancora un po'. Helen ha un po' di whisky.»

«Non posso andare avanti.»

«Certo che puoi. Lo farai. Non aver paura.»

«È che non ce la faccio.»

Le pareti grigie; le piastrelle grigie; sul pavimento piccole piastrelle grigio opaco. Un quadrato di metallo grigio sulla parete: mi piego per guardarmi in faccia. È la faccia della morte.

Da fuori, la voce di Billy. «Michael, non c'è più molto tempo. È meglio che vieni fuori.»

«Billy... Per favore.»

«Nessuno ti costringerà a fare niente.»

Mi lascio guidare da lui nel camerino.

Piers e Kurt stanno parlando con qualcuno dell'organizzazione, che tiene aperto un grosso libro rilegato in pelle pronto ad accogliere le nostre firme. Ha anche una serie di buste in mano.

«*Was ist denn los, Herr Weigl, was ist denn los, Herr Tavistock?*»*

«Se non le dispiace, Herr Weigl, per questo non possiamo aspettare dopo il concerto? Uno dei nostri colleghi, Michael Holme, sì, il nostro secondo violino... e suona nel quintetto... No, non è mai capitato prima...»

Ma è successo, sta succedendo, succederà.

Confusione: una decina di persone. Qualcun altro che non conosco: una donna anziana, gentile, abituata alle crisi, qualcuno più alto in grado nella gerarchia. Tanta gente. Il mio nome ripetuto, fluttuante.

Sono su una sedia. Ho la testa fra le mani. Julia mi sta parlando: parole di conforto, lo so, ma per me incomprensibili. Alzo gli occhi sul suo viso.

Herr Wilder sta guardando l'orologio: «*Wenn ich die Herrschaften bitten darf...*»**

* «Cosa succede, Herr Weigl, cosa succede, Herr Tavistock?» (*N.d.T.*)
** «Se posso pregare i signori...» (*N.d.T.*)

Kurt sembra assalito dal panico. Appoggia la testa al manico del violoncello. Billy, Piers, Helen...

«*Bitte, meine Herren...*» dice Herr Wilder. «Signori, vi prego, se voleste essere tanto gentili... Signor Holme... siamo già un po' in ritardo...»

Qualcuno mi mette il violino in mano. Che cosa dovrei farci?

Julia ha lo sguardo fisso sulla parete, a uno dei manoscritti incorniciati. «Guarda qui, Michael.»

Lo guardo. Riesco a distinguere che è un Lied di Schubert, *Die Liebe*.

«Suoniamolo...» dico.

«Michael, non è il momento...» comincia lei.

«Suonatelo», dice Billy, staccandolo rapidamente dal muro e posandolo sul leggio del pianoforte.

Julia comincia a suonare entrambe le sue linee, poi solo il basso insieme alla parte della voce. È breve, non dolce, urgente, non lirica, agitata, incerta.

«Accorda, Michael, presto, mettiti lì; è nella tua estensione», dice Billy.

Accordo rapidamente il violino; suono la parte della voce. Nessuno ci interrompe.

«Pensavo che non avresti più suonato con altri», dico a Julia.

«Adesso vai sul palco», dice lei, stringendomi la mano.

Ho raggiunto gli altri in corridoio. La foschia si dirada per precipitarmi nel terrore. «La mia musica... la mia musica... non ho la mia musica.»

«È già sul leggio», fa Helen, e la sua voce è bianca, prosciugata.

Le porte si aprono. Con calma, senza fretta, al suono dell'applauso che ci saluta, raggiungiamo il semicerchio di cinque sedie sul palcoscenico.

5.13

Durante il quintetto sopra di noi si fa buio, come se le cellule della vita stessero morendo. Nel lucernario, il grigio diventa più fosco, più scuro. L'ultimo bagliore del giorno si spegne con il trio, lento e grave. Nobile, pensoso, addolorato, aiuta a sopportare il mondo, e tutte le paure di ciò che può accadere nella notte senza sole.

Queste mani si muovono come quelle mani si muovevano sulla carta. Questo cuore batte e si ferma come quel cuore batteva e si fermava. E queste mie orecchie. Ma davvero lui non l'ha sentito suonare, nemmeno una volta, mai?

Amato Schubert, nella tua città sono alla deriva. Sono consumato da un amore passato; i suoi germi a lungo incubati, in qualche modo tenuti sotto controllo, sono tornati di nuovo virulenti. Per me non c'è speranza. Ho voltato le spalle quattromila notti fa, e il sentiero mi è stato sbarrato da alberi e rovi.

Sono divorato da una futile compassione. Do troppo peso a troppo.

Da una città con i resti di un antico potere perduto e delle glorie di una musica passata sto per raggiungerne un'altra. Che ci sia un qualche cambiamento nel mio stato. O che almeno io possa vivere in un luogo dove la speranza non è una parola. Come posso desiderare ciò che non afferro?

5.14

Alle otto del mattino vedo un fax infilato sotto la porta. È dell'amica veneziana di Julia. Invece di chiederci di stare con lei, ci ha messo a disposizione un piccolo appartamento di sua proprietà. Vado alla stazione a comprare due biglietti. Quando torno passo dalla stanza di Piers, ma lui non c'è. C'è invece Helen, in camera sua. Prima che lei possa dire qualcosa di ieri sera, le spiego che non andrò in aereo con loro a Venezia, ma arriverò in treno.

Non voglio parlare, non voglio pensare a ieri sera. Per il pubblico, per tutti quelli che erano dall'altra parte del palcoscenico, è stato un successo; più di un successo. Per parte mia, sono sopravvissuto: non è quello che è capitato dieci – undici – anni fa. Ma senza *Die Liebe*, senza l'aiuto dei miei amici, come avrei potuto riprendermi? Durante il quintetto per archi, mentre mi sentivo attraversare dalla tempesta del secondo movimento, fissavo la poltrona dove avrebbe dovuto sedere lei, e per poco quella vertigine non mi ha di nuovo travolto.

Cosa devono pensare di me? Cosa dirà Julia quando ci incontreremo?

Ieri sera, prima che chiunque altro potesse venire dietro le quinte, sono scappato: prima in hotel e poi, per paura che mi venissero a cercare lì, per le strade.

« Vuoi stare per conto tuo? » mi chiede adesso Helen.

« Voglio solo andare in treno. »

« Ma il biglietto dell'aereo è già pagato. Non è rimborsabile. Vieni con noi, Michael, ti prego. Starò seduta vicino a te. »

« I biglietti del treno non li pagherò con la cassa del quartetto. »

« Biglietti? »

« Viene anche Julia. »

« E starà nel palazzo con noi? »

« No, a Sant'Elena. »

« Ma è... Non è fuori dal mondo? »

« Ha un'amica che ha un appartamento libero, ed è lì che staremo. »

« Michael, non puoi andare laggiù. Dovremmo stare insieme, noi quattro. L'abbiamo sempre fatto. E – be' – non possiamo rifiutare adesso l'ospitalità che abbiamo accettato. Sono sicura che i Tradonico troveranno posto anche per una persona in più. »

« Helen, non è quello che ho in mente. »

Il viso di Helen si colora. Sta per dire qualcosa, poi si ferma. Si vede per un istante allo specchio, e questo sembra aumentare la sua irritazione.

«Stavi bene prima di incontrarla di nuovo», dice senza guardarmi.

Rifletto qualche secondo. «No, in realtà no.»

«Be', farò meglio a dirlo agli altri. Ci chiedevamo dove fossi finito. Abbiamo bussato alla tua porta, prima, ma non c'eri.»

Annuisco. «Grazie, Helen. Non so cosa è successo. Devo arrivare a capirlo dentro di me. Preferirei non farne una questione del quartetto.»

Quest'ultima osservazione, a prima vista ottusa, suscita un'occhiata furente da parte di Helen.

«E il pranzo di oggi?» dice. «E la cena? O non devo neanche chiederlo?»

«No. Sarò fuori.»

Helen respira profondamente. «Hai il numero di telefono e tutte le indicazioni per il palazzo, vero?»

«Sì. Mi farò vivo domani sera. E questo è l'indirizzo e il numero di telefono del nostro appartamento.»

«Il nome di una via con un numero. È davvero ai limiti dell'universo conosciuto.»

«Sì, lontano dai turisti come voi», dico, sperando di alleggerire la tensione con questa piccola punzecchiatura.

«Turisti?» dice Helen. «Andiamo a lavorare a Venezia, non scordartelo. La vita non finisce con il Musikverein.»

Qualunque cosa io pensi, non contraddico ad alta voce la sua opinione.

5.15

Passo dagli uffici amministrativi del Musikverein per scusarmi per ieri sera e per firmare la pagina del grosso libro degli ospiti, che contiene tutte le firme degli esecutori tranne la mia. Vedendomi con un impiegato, il cortese e gioviale segretario generale, che indossa un vestito ocra, mi fa entrare nel suo ufficio e mi offre una sedia. Vuole rassicurarmi dicendo che cose del genere capitano «anche con i più grandi fra gli artisti»; spera che non ci siano state mancanze da parte loro; dice che il concerto è stato un grande successo, e che il «*Londoner Klang*», esemplificato da noi, sarà presto famoso come quello viennese.

Un ritratto di Monteverdi ci guarda con aria scettica. «E così Vienna è servita», mormora fra le sue antiche labbra. «Capisci, sono inchiodato qui fra tutti questi incantevoli tedeschi, e non sento una parola in italiano per mesi e mesi. Almeno il tuo Tononi può tornarci. Spero che vi piaccia il viaggio a Venezia.»

Considerando che viaggio disastroso aveva fatto lui quando era finalmente riuscito a partire per Venezia, l'augurio non è particolarmente gentile.

«Oh, quello...» dice il signor Monteverdi, leggendomi il pensiero. «No, quella volta è stato tutt'altro che piacevole. Ma voi non viaggiate con tutti i vostri beni terreni. E io... be', dovevo a tutti i costi andarmene da Mantova, e mi stava bene così.»

L'attenzione del segretario generale è distratta da qualcosa che compare sul monitor che ha sulla scrivania. Ci stringiamo la mano e mi augura buona fortuna.

«Naturalmente, Tononi era molto dopo il mio periodo», mormora Monteverdi. «Ma lui di dov'era? Brescia? Bologna? L'ho scordato.»

«Bologna», gli dico.

«*Bitte?*» dice il segretario generale, voltando lo sguardo dallo schermo.

«Oh, niente, niente. Grazie infinite. Sono felice che le sia piaciuto il concerto. E grazie per tutta la vostra gentilezza.» Me ne vado rifiutandomi di incontrare lo sguardo di Monteverdi.

5.16

Dopo aver mangiato in fretta un würstel in un chiosco nelle vicinanze, torno all'hotel dove passano a prendermi Maria e suo marito Markus e il piccolo Peter, che sta facendo i capricci. Passiamo da Klosterneuburg per prendere Julia. La signora McNicholl, per fortuna, è fuori. Julia emerge dalla casa in jeans e con un piccolo cesto in mano. Le passo senza dire una parola il fax della sua amica e uno dei due biglietti. Lei apre la bocca per parlare ma non dice nulla.

« L'ho letto. Spero che non ti dispiaccia. »

« No, certo che no. »

« E ho deciso di mettermi subito in azione. »

« Vedo. E, come risultato, io dovrò dare qualche spiegazione. »

« Be', meglio che esitare. Parte alle sette e mezzo domani mattina. »

« Che cos'è questa storia? » chiede Maria, che ha sentito le ultime parole.

Quando Julia glielo spiega, lei è visibilmente seccata, ma tutto quello che dice è: « È una pazzia ».

Julia resta in silenzio per un po'. Probabilmente è d'accordo con Maria e sta rimpiangendo il suo improvviso consenso. Poi dice: « Maria, se tu e Markus siete d'accordo, io stanotte mi fermerei da voi e domani mattina presto prenderò un taxi per la stazione. Dovrò dire a mia madre che sarò vostra ospite per i prossimi giorni. Ma ti darò il mio numero di Venezia – e anche il numero della mia amica Jenny – nel caso che ci sia un'emergenza ».

« A cosa vuoi che mi serva? Tanto come faccio a parlare con te? » sbotta Maria.

« Se risponde Michael, può ripetere le parole che sente, e io potrò leggerle sulle sue labbra, abbastanza almeno per cogliere il succo delle cose e rispondere. »

« Sono contenta di non essere sorda », dice Maria, mentre un istinto le fa voltare la testa così che Julia non possa leggere quelle parole brutali.

All'inizio sono troppo sconvolto per parlare. Poi, proprio mentre sto per dire qualcosa a Maria, ci ripenso. Se Julia non sa ciò che è stato detto, perché dovrei attaccare l'osservazione, e costringere così Julia a conoscerla?

« Ho portato un paio di mazzi di carte », dice Julia, salendo in macchina. « Dove andiamo? »

« Cosa ne dite di Kritzendorf? » dice Markus.

« Dove? »

« Kritzendorf », ripeto.

« Oh, ottimo! » dice Julia, infilando una mano nel paniere ai suoi piedi e porgendo a Peter un pezzo di cioccolato.

« *Das Weinen hat geholfen* »,* dice Peter con aria meditativa, quasi a se stesso, come se stesse valutando le tecniche dei negoziati internazionali.

« Cosa vuoi dire, Peter? » gli chiedo.

« È stato molto cattivo », dice Maria. « Stavamo lasciandolo a casa di un'amica ma lui ha insistito per venire, e ha continuato a piangere finché abbiamo ceduto per sfinimento. Cattiva educazione. Non sai quanto riescono a sfinire i bambini, sfinire completamente, completamente. Comunque, quando giocheremo a bridge, il morto dovrà badare a lui. »

Peter guarda fuori del finestrino e si mette a canticchiare.

« È ovvio che ha imparato una lezione molto utile », dice Markus.

« Utile a chi? » fa Maria.

È una giornata meravigliosa, però, con una freschezza che risana, e ben presto il nostro spirito si innalza.

Castagni e lillà dappertutto, con l'aggiunta qui o lì di un'acacia coi suoi fiori bianchi o un tiglio o un platano o perfino un salice. Io e Julia ci teniamo per mano. Se fossimo soli, lei mi avrebbe chiesto di ieri sera, anzi si sarebbe sentita in dovere di farlo; perciò in un certo senso sono felice che abbiamo compagnia, soprattutto visto che non è il mio ultimo giorno con lei, ma il primo di una serie.

È incredibile come tutte le paure si dissolvano alla luce del sole. Abbiamo parcheggiato la macchina, è stato comprato un ghiacciolo a Peter, abbiamo camminato fino al Danubio, ben educato e rettilineo, con l'erba che cresce fin sugli argini. La tovaglia è stata stesa, e ci siamo messi i costumi da bagno, Julia in uno rosso bordello che le ha prestato Maria, io in cascanti calzoncini da ginnastica kaki. Carte, cibo, macchina fotografica, tovagliolini, creme solari e un giornale. Nessun segno di musica

* « Piangere è servito. » (*N.d.T.*)

da nessuna parte, assolutamente nessuno. Passa un grosso battello a vapore bianco suonando la sirena. Io sono già nel fiume. Un cane che non obbedisce al regolamento corre lungo l'argine, abbaiando. Un passero si arruffa in una buca di sabbia fine come polvere. Peter, con un bracciale gonfiato per braccio, arriva fino al bordo ghiaioso del fiume.

« Michael, stagli attento, lasciagli solo bagnare i piedi », grida Maria.

Peter minaccia di avventurarsi più in là di dove è sicuro in questa rapida corrente, e lo trascino a riva, nonostante le proteste e i pianti.

« Stavolta piangere non è servito », non posso impedirmi di dire. Peter pesta i piedi.

« Guarda. *Fukik!* » dice Markus, per distrarlo, indicando qualcosa nel cielo.

« *Flugzeug!* »* dice disgustato Peter, rifiutandosi di tornare al linguaggio dei bambini, anche se non smette di piangere.

« Guarda quel buffo uccello », dice Maria. « Buffo, buffo uccello. Adesso noi quattro giocheremo a bridge, e tu dovrai essere molto buono e molto tranquillo mentre parliamo. Poi, quando abbiamo finito di parlare, uno di noi giocherà con te fino alla mano seguente. D'accordo? Guarda, un merlo. »

« *Amsel, Drossel, Fink und Star* »,** cantilena allegro Peter.

Julia guarda lui, e il merlo, e il Danubio, e si appoggia all'indietro sui gomiti, con un'aria irresistibile e, per il momento, felice del suo mondo.

5.17

Alle 7.27 del mattino seguente, Julia irrompe sulla banchina della stazione portando una valigia e una piccola borsa da viag-

* « Aeroplano! » *Fukik* è la deformazione infantile di *Flugzeug*. (*N.a.T.*)
** « Merlo, tordo, fringuello e storno. » (*N.d.T.*)

gio. Agito freneticamente le braccia verso di lei. Alle 7.30 il treno parte.

Il nostro scompartimento è vuoto tranne che per noi.

«Buongiorno», dico, molto formalmente.

«Buongiorno.»

«È diventata un'abitudine?»

«Mi sono svegliata tardi...» dice senza fiato. «Guarda, siamo soli. Fuori il treno è coperto di graffiti: sembra la metropolitana di New York, non Vienna.» Julia esamina vari interruttori della luce, manopole del riscaldamento e controlli degli altoparlanti. «È bello qui dentro.»

«Ho esagerato col lusso e ho preso biglietti di prima classe. Spero che il viaggio meriti di aver aspettato un decennio per farlo.»

«Michael, non arrabbiarti, ma...»

«No.»

«Per favore.»

«No.»

«Almeno lasciami pagare la mia metà. Tu non te lo puoi permettere.»

«Offro io, Julia», dico. «Mi rimborseranno il biglietto dell'aereo. E in più, tu hai trovato l'alloggio.»

Si sistema accanto al finestrino, di fronte a me, esita un po', poi dice: «Stanotte ho fatto un sogno piuttosto sgradevole. Ero nel Danubio, a nuotare, e mio padre era su una zattera con un'intera pila di volumi rilegati in pelle. I libri continuavano a cadere e lui si affannava disperatamente nel tentativo di salvarli. Io cercavo di nuotare verso di lui, ma la zattera si allontanava sempre più. Volevo gridare per chiamare aiuto, ma non ci riuscivo. Era veramente orribile. Sapevo che era un sogno, eppure... Ma, be', probabilmente non vuol dire niente. Comunque, eccoci qui. Vediamo se sarà un giorno buono». Batte le mani due volte, con forza, vicino all'orecchio sinistro, poi ripete il gesto vicino a quello destro.

«Cosa diavolo stai facendo?»

«È un test, una specie di esame dell'udito. Sì, sarà un giorno migliore del solito, credo. Stamattina ero così di fretta che ho scordato di farlo. Ma naturalmente il rumore del treno potrebbe ingannarmi. »

« Ho tanto sonno », le dico. « Tutta quella tensione, e poi una giornata al sole... »

« Sono sicura che puoi stenderti. Lo scompartimento sarà vuoto per tutto il viaggio? »

« No. Solo fino a Villach. C'è scritto sul quadro qui fuori. Lì salgono in quattro. Saremo al completo. »

« C'è ancora un bel po' di tempo. »

« Quattro ore. Subito prima del confine. Com'è il tuo italiano? »

« Appena passabile... E adesso che non posso usare le orecchie, probabilmente patetico. »

« Be', il mio è inesistente. Come faremo? »

« Faremo benissimo. » Julia sorride.

Cosa potrebbe passarle per la testa? Qualunque cosa abbia dovuto sopportare per arrivare a questo punto, non sembra infelice. Non dovrebbe essere con me, ma c'è. Non dovrebbe essere felice, ma lo è...

« È meglio dare un'occhiata al mio frasario », dico. « ... 'Conosco una buona discoteca.' 'Potrebbe controllare la pressione delle gomme?' 'Posso arrivare in macchina in centro città?' »

« Cosa hai detto? » chiede Julia.

« 'Posso arrivare in macchina in centro città?' Come si dice in italiano? »

« Quando cambi argomento così bruscamente, Michael, mi perdo subito. Comunque, quella è una frase che non ci servirà a Venezia. »

« Era solo un piccolo esame. Allora? »

« Parliamo di qualcosa di serio. »

« Be', di che cosa vuoi parlare? »

« Michael, che cosa è *successo*? »

« Julia, per favore... »

« Perché? »

« È solo che non voglio... »

« Ma è come l'ultima volta. Non hai mai parlato, non hai mai spiegato... »

« Oh, Julia. »

« Sono stata così male per te », dice. « Naturalmente ho pensato al tuo crollo di allora. Cosa avrei dovuto pensare? »

« *Questo* non è stato un crollo », insisto.

« Non puoi chiamare le cose con il loro nome? » grida Julia. Poi, più gentilmente, aggiunge: « La cosa più incredibile è il modo in cui l'hai superato. Tutti hanno detto che il quintetto per archi è stato davvero meraviglioso, perfino mia madre. Se solo avessi potuto sentirlo ».

Non parliamo per qualche secondo. « Ciò che hai suonato mi ha salvato », le dico.

« Davvero, Michael? »

« Voglio ringraziarti per *Die Liebe* », dico. « Non l'avevo mai sentito prima. »

« Nemmeno io. A me non è nemmeno piaciuto molto, da quello che sono riuscita ad afferrare. Davvero un estremo rimedio. »

« Ha funzionato. » Le prendo la mano. « Tua madre era preoccupata quando non sei arrivata al tuo posto dopo l'intervallo? »

« Be', non si poteva fare altrimenti. Quello che l'ha fatta arrabbiare davvero è il fatto che non passo questi giorni con lei. »

« Tiriamo una croce sopra Vienna », dico. « Una doppia croce. »

« Parli come se fosse tutta colpa della città », dice Julia, facendo scivolare la mano via dalla mia. « Come se tu la odiassi. »

« Non la odio. Forse non mi crederai, ma amo quella città più di quanto la odi. Ma mi fa cose che non riesco a spiegare. »

Al di sopra del brutale gracchio elettrico dell'altoparlante veniamo salutati in tedesco e poi invitati, in inglese, a fare *puon fiaccio*.

Julia non viene minimamente sfiorata dall'annuncio. Ripenso all'osservazione di Maria.

« Julia, non te l'ho mai chiesto: ma essere sordi qualche volta non è un vantaggio? Immagino che tu possa evitare le chiacchiere insulse. »

« Oh, ma non posso evitarle... Almeno con la gente che non sa che sono sorda. Ed è la maggior parte del mondo. »

« Come sono stupido... Sai, quando ho accordato il violino un tono sotto per la fuga di Bach, finché non mi sono abituato a leggere le note in un certo modo le mie orecchie continuavano a ribellarsi. Ho dovuto mettere i tappi nelle orecchie, cercare di farmi sordo. Ma è una circostanza piuttosto eccezionale. »

« Ci sono uno o due vantaggi », dice. « Negli hotel posso godermi le stanze con vista sulla strada senza preoccuparmi che il rumore mi tenga sveglia. E quando suono non sento gli spettatori che tossiscono, o scartano le caramelle contro la tosse. »

« Vero. » Sorrido.

« Niente squilli dei cellulari. Niente clic degli occhiali ripiegati dopo che la gente ha dato un'occhiata alle note del programma. Oh, sì, e non sento più te che canticchi, grazie a Dio. »

« Mi hai convinto », le dico, ridendo.

« Però non posso più nemmeno sentire il suono della pioggia su un lucernario. »

Se non la conoscessi bene, non avrei capito dalla sua voce quanto profondamente sembri ferirla questa perdita così banale. Aveva buttato lì l'osservazione quasi casualmente.

« Questo è triste », dico. « Ma non pioveva sul lucernario del Brahms-Saal quando suonavamo... Sei stata disturbata dalla tempesta di qualche notte fa? A me ha tenuto sveglio. »

« No », dice Julia, con un tocco di rimpianto. « In realtà, c'è un unico grosso vantaggio per un musicista sordo, ma me lo tengo per la prossima volta. »

« Perché non me lo dici adesso? » le chiedo. Ma Julia non dice nulla, dato che ha voltato lo sguardo al finestrino.

Su entrambi i lati ci scorrono accanto vigneti; e i papaveri che coprono un tratto di terreno incolto lampeggiano brillanti per un istante. Un uomo grasso in maglietta avanza su un sentiero nel bosco accanto ai binari. Un biancospino rosa mi fa tornare in mente Londra e il parco.

« Hai dei problemi con gli altri? » mi chiede alla fine.

« Non lo so. Forse avremmo dovuto accettare di fermarci a Palazzo Tradonico... »

«È meglio così.»

«Molto meglio... Quello che volevo dire era che, dopo quello che è successo a Vienna... per senso del dovere, sai... Ma preferisco di gran lunga stare solo con te.»

«Dovete fare molte prove?» chiede.

«No, non molte. È tutto vecchio repertorio. Il primo concerto è per una specie di festa di compleanno di un'americana che ha affittato il secondo piano del palazzo. Si chiama Wessen. Ha preso anche il primo piano. Piers l'ha chiamato piano qualcosa...»

«Piano nobile.»

«Sì, be', l'ha preso per la festa e adesso sta cercando di attirare tutta la società veneziana... Helen dice che hanno un debole per scroccare gli inviti, ancor più dei londinesi.»

«Cos'è che vuole fare? Non ho capito bene.»

«Invitare tutti quelli che sono qualcuno a Venezia.»

«E voi come diavolo siete stati coinvolti?»

«La conosce Erica. Noi dobbiamo suonare alla Scuola Grande di San Rocco – ma te l'avevo già detto – e anche in un altro posto appena fuori Venezia. Erica l'ha convinta che, con un nome come il Maggiore, siamo l'ideale per una festa veneziana, e la signora Wessen deve pagarci solo l'ingaggio, non l'alloggio, dato che dovevamo comunque venire a Venezia. Questa è di sicuro una buona cosa anche per noi. Vienna, con tutta la sua gloria, dal punto di vista finanziario è stata un disastro.»

Alla nostra destra c'è una fila di basse colline azzurre sotto un cielo blu. Avanziamo lentamente dentro di esse, e adesso siamo chiusi nei ripidi fianchi di una valle verde, dove tutto è disposto ordinatamente alla rinfusa: baite, campi, colline, nuvole, cavalli, mucche, lillà e laburni. È tutto molto austriaco, molto bello. Così è questo il treno che sto prendendo con dieci anni di ritardo.

Julia sonnecchia. La guardo per un po', felice solo di vederla seduta lì, poi mi alzo e passeggio in corridoio. Un allegro americano e sua moglie, entrambi sulla sessantina, sono in piedi a un finestrino, parlando fra loro. Lei porta un vestito giallo e ha una borsetta con sopra delle bacche; lui ha un papillon verde, pantaloni kaki spiegazzati, e una piena voce da sigaro.

«Elizabeth, guarda come è tutto organizzato. Guarda, organizzato!»

«Il mio stomaco sta malissimo», dice lei.

«Hai il mal di mare?» chiede il marito. «Perché non entri a riposarti?»

Lei se ne va; lui guarda intorno, stabilisce che so parlare inglese e continua: «Oh, ragazzi, che bellezza!... E c'è gente che ci *abita*. Amo questo Paese. Per me è... Vedo questa gente... è nazionalismo... Se c'è qualcosa lo ripuliscono. Ora, New York, il New Jersey, vecchi frigoriferi, macchine vecchie... Dove sono le lattine di birra? Dov'è la vernice spray?»

«Be', ce n'è un po' sui vagoni di questo treno, fuori», dico.

Fa un gesto tollerante, come a dire che sono cose di poco conto. «Avevo una fattoria», dice. «Ma l'ho venduta. Posso starmene seduto sulla veranda con una birra in mano e senza televisione a guardare il tramonto, ma dov'è il negozio di gastronomia? Dov'è quello dei sigari? Questo è il problema.»

«Vero», dico, e all'improvviso mi sento senza nessuna ragione colmo di piacere.

I binari curvano e si inclinano, e il treno ringhia mentre entra in una galleria.

La valle si allarga; le nuvole scompaiono. Tutto è in fiore: castagni coperti dalle lunghe candele dei fiori, papaveri solitari, nei campi, e poi intere distese di papaveri, uno splendore rosso che si estende per centinaia di metri, lupini color porpora, ombrellifere bianche di tutti i tipi, e lillà in ogni sfumatura dal bianco al viola intenso. Ogni tanto, come una sorta di esotica conifera, appare un traliccio dell'alta tensione; e teneri vitelli, con il manto morbido e setoso come pelle scamosciata, si abbeverano sulla riva di un torrente.

Torno nello scompartimento. Julia è sveglia. Non parliamo molto, ma ogni tanto indichiamo dal finestrino le cose che vogliamo condividere.

«Julia, qual è il grande vantaggio di non poter sentire?» le chiedo dopo un po'.

« Allora ti ho messo una pulce? »

« Un po'. »

« Be', dovresti averne avuto un'idea dal modo in cui ho suonato la Trota. »

« Il problema è che non so a che cosa stai pensando. »

« Be', è questo », dice Julia. « Quando vado a un concerto o ascolto un disco, ricavo solo una sensazione generale di quello che succede. Tutte le sottigliezze della musica suonata dagli altri sono ormai perdute per me. Così, quando suono qualcosa, soprattutto qualcosa che non ho mai sentito prima, sono assolutamente costretta a essere originale... Non che l'originalità in sé sia abbastanza. Non sto dicendo questo. Ma almeno è qualcosa da cui partire. Nel caso della Trota, naturalmente, l'avevo sentita abbastanza spesso prima che le cose si mettessero ad andare male, e l'avevo suonata. Ma tutto svanisce se non viene rafforzato. Troppi musicisti, quando devono suonare qualcosa, vanno a comprarsi il CD ancora prima di dare un'occhiata alla partitura. Io non ho quella possibilità. O, piuttosto, non mi serve a granché. »

Annuisco. Torniamo assorti nei nostri pensieri, e il panorama entra in qualche modo nelle nostre meditazioni. Avevo creduto che dicesse qualcosa sulla sofferenza che costringe a capire il mondo. Ma in una strana maniera sono felice che abbia detto ciò che ha detto.

Klagenfurt. Un grande lago. Villach. Ma in realtà non sale nessuno. Abbiamo ancora lo scompartimento tutto per noi. Il confine. Un uomo obeso e insoddisfatto vestito di grigio mostra un distintivo e ci grida: « *Passaporto!* » Io gli lancio un'occhiata feroce. Poi noto che Julia mi guarda come se avesse previsto la mia reazione. « Con piacere, *signor* », mormoro dolcemente.

Giungono in vista rupi gessose, alte balze di roccia con ghiaioni sulle pendici più basse; e le trecce bianche e azzurre di un ampio fiume quasi secco, con una polverosa fabbrica di cemento sulla riva.

Anche se siamo soli, non ci baciamo; siamo quasi timidi. Il viaggio non poteva essere migliore. Il giorno diventa sempre più caldo, e io mi sento un'ape intorpidita.

Ben presto siamo nel Veneto; muri di terracotta e ocra, una città dai tetti rossi all'ombra di una montagna che incombe; sambuco lungo la ferrovia, giardini di iris e di rose; le discariche e i binari di raccordo di Mestre.

Mentre avanziamo rapidamente lungo la sopraelevata sulle acque grigioverdi della laguna, la meravigliosa città si mette in vista davanti a noi: campanili, cupole, facciate. Anche se con qualche anno di ritardo, finalmente ci siamo arrivati. Siamo in piedi nel corridoio con il nostro bagaglio e guardiamo fuori, oltre l'acqua. Io pronuncio sottovoce, fra me, il suo nome, e lei in qualche modo lo percepisce – o è un caso? – e pronuncia il mio.

PARTE SESTA

6.1

Le quattro e mezzo del pomeriggio di un giorno feriale non è un'ora magica. Ma sui gradini della stazione, quasi appoggiato a Julia, soccombo all'odore e al suono di Venezia, e alla vista vertiginosa.

La stazione ci ha riversati insieme a centinaia di altri. Non è alta stagione, ma siamo lo stesso in tanti, e io resto a bocca aperta, come è giusto, perché tutto ciò riesce meravigliosamente a non deludermi.

« Così questo, allora, è il Canal Grande. »

« Questo, allora, lo è », dice Julia con un sorrisetto.

« Avremmo dovuto venire per mare? »

« Per mare? »

« Per mare al tramonto? »

« No. »

« No? »

« No. »

Mi faccio più silenzioso. Siamo seduti a prua di un vaporetto che avanza sbuffando nella sua dolce maniera pragmatica, sbattendo contro gli attracchi, caricando e scaricando passeggeri. Tutt'intorno c'è un suono vivace, smorzato, senza automobili, non febbrile.

La brezza modera la calura del giorno. Un gabbiano si getta nella fangosa acqua turchese, animata da chiazze di luce.

Da entrambi i lati passano solidi e fantastici i palazzi e le chiese che cingono il canale. I miei occhi colgono una casa da gioco, un cartello che indica la direzione del Ghetto, un delizioso giardino con glicine intrecciato su un pergolato. Una piccola barca da lavoro, con due giovani in camicia arancione, supera il vaporetto. Alla Ca' d'Oro sale una donna anziana, molto elegante, con grosse perle e una spilla, seguita da una donna che spinge una carrozzina che contiene la spesa. La schiuma verde al limite dell'acqua si allunga sui gradini di pietra, sui pali d'ormeggio a righe.

« Come farebbe Venezia senza i gerani? » dice Julia, guardando all'insù.

Mi allungo verso di lei e la bacio, e lei ricambia il mio bacio, non esattamente con passione, ma apertamente. Mi sento euforico, e comincio all'istante a chiacchierare.

« Dove abitavi l'ultima volta che sei venuta qui? »

« Oh, all'ostello della gioventù. Ero con Maria, e non avevamo molti soldi. »

« Spero che la custode della tua amica abbia capito quello che le ho detto. Quando ha alzato il telefono, io ho semplicemente letto quello che avevi scritto tu. Ma se non c'è nessuno ad aspettarci alla fermata di Sant'Elena... »

« Ce ne preoccuperemo se capiterà. »

« I nostri bagagli sono al sicuro là dietro? » le chiedo. « La custodia del violino è posata sotto la nostra panchina, con la cinghia intrecciata alle mie gambe. »

« Dove vuoi che scappi uno che se li piglia? »

« Guarda, un'altra gondola! » dico.

« Sì », dice con pazienza Julia, prendendomi la mano. « Ne abbiamo viste a decine. »

« Dobbiamo assolutamente fare un giro in gondola. »

« Michael, non riesco nemmeno a sentire quello che penso. »

« Be', allora, non mi devi guardare », dico e mi immergo nella guida.

Il ponte in pietra di Rialto, quello in legno dell'Accademia, la grande cupola grigia della Salute, le colonne e il campanile di San Marco, i confetti rosa e bianchi del Palazzo Ducale passano sopra di noi o accanto a noi uno dopo l'altro; e tutto in maniera così sfarzosa, così prevedibile, così languida, così rapida, così stupefacente che c'è qualcosa di molesto, di ingordo. È un sollievo passare nel bacino aperto della laguna, senza piu essere circondati dallo splendore.

Alla nostra destra c'è la chiesa isolata di San Giorgio Maggiore. La guardo con un meravigliato senso di riconoscimento. «Ma dov'è Sant'Elena?» chiedo.

«Fra poche fermate.»

«Quando l'ho detto a Helen, lei ha fatto una faccia sconvolta, come se mi stessi confinando a Clapham.»

«Esiliato a Sant'Elena.»

«Proprio così.»

«A me piace Sant'Elena», dice Julia. «Ci ho girovagato una volta per sbaglio. È verde, suburbana, piena di famiglie e di cani. Niente macchine, naturalmente, e niente turisti, a parte i cartograficamente inetti come me e Maria. Ma è molto vicina a una cosa che voglio farti vedere.»

«Che cosa?»

«Vedrai.»

«Cos'è: animale, vegetale o minerale?»

Julia ci mette un secondo per capirlo, poi dice: «Animale, ma probabilmente fatto di vegetale e minerale».

«Be', come tutti noi.»

«Come noi, è vero.»

«Sarebbe stato bello fermarci a Palazzo Tradonico, non credi? Voglio dire, quando mai avremo un'altra possibilità di stare in un palazzo? Non fosse stato per te, ecco dove sarei: sdraiato in una vasca da bagno, con un bicchiere di champagne in mano.»

«Prosecco, è più probabile.»

«Quello che dici tu.»

«Dov'è, comunque, il vostro palazzo?» chiede Julia.

«Come faccio a saperlo? Non conosco Venezia.»

Julia fa un verso d'impazienza e prende la guida. «Ah, sì, Palazzo Tradonico. È vicino a San Polo.»

«Che non so cos'è.»

«È il più grande campo di Venezia, a parte San Marco, che è l'unico campo che si chiama piazza.»

«È troppo chiaro perché ci capisca qualcosa.»

«Sei solo mezzo addormentato. È tutto il giorno che sei mezzo addormentato.»

«Sei tu quella che ha dormito durante il più bel viaggio del mondo.»

«Ho fatto solo un pisolino. Venti minuti.»

«Non credo che andrò da nessuna parte senza di te. Venezia è troppo complicata.»

«Oh, certo che ci andrai. Io non verrò a tutte le vostre prove. Ti insegno un trucco, Michael. Chiama un lato del Canal Grande Marco e l'altro Polo. Poi cerca di ricordare se una cosa è sul lato Marco o sul lato Polo, e saprai se devi attraversare il canale per arrivarci.»

«Ma perché non verrai a tutte le nostre prove? Ne faremo solo un paio... Be', solo tre o quattro.»

«Dopo Vienna, è molto meglio che suoni senza di me. E senza che io ti guardi.»

Scuoto la testa.

«Lo sai che cos'è quella?» chiede Julia indicando col dito. «Quella facciata bianca...»

«Veramente non mi interessa», dico quasi con violenza.

«È la chiesa di Vivaldi», dice lei.

«Oh», faccio io, pentendomi di quello che ho detto.

«Non avrei dovuto nominare Vienna», dice Julia. «Cercherò di non farlo più.»

«Sei tu quella che ha il problema vero, e io sto qui a frignare.»

«Quello che ti è successo è stato fin troppo vero», dice Julia.

«Non sei triste perché ti ho portata qui?» le chiedo.

«È bello stare con te», dice. «E mi ci sono portata da sola.» Mi guarda negli occhi, e all'improvviso mi sento così felice che mi metterei a suonare la grancassa! Dieci giorni con lei, dieci giorni, e qui, poi.

«Verdi. Wagner», dice Julia dopo un po'. Attorno a noi è diventato tutto azzurro e aperto, e verde sulla riva. Seguo i suoi occhi fino ai due busti antagonisti sui loro pilastri, nel parco. Un albero li separa; guardano verso l'acqua.

«È la prossima fermata.»

Siamo appoggiati al parapetto, a guardare la pineta che orla la riva, e mi chiedo cosa porterà Sant'Elena.

6.2

La signora Mariani ci saluta ansimando, come se avesse tenuto d'occhio il vaporetto e si fosse interrotta a metà di una frase per arrivare di corsa alla zattera di metallo che fa da fermata. Ha i capelli grigi, è piccola e molto cordiale. Si metterebbe a spettegolare con noi, credo, se almeno uno di noi sapesse spettegolare in italiano. Mentre attraversiamo la piccola pineta per entrare nella vera e propria isoletta di Sant'Elena, la signora saluta svariati curiosi con esplosioni di parole torrenziali, delle quali non riesco a distinguere altro che «*amici della signora Fortichiari*». Fa un cenno a un fruttivendolo, mi sposta per non farmi calpestare una cacca di cane, e si offre, periodicamente e in maniera poco convincente, di aiutarci a portare le valigie. Ci guida lungo una via piuttosto larga fino a un piccolo cortile con un glicine arrampicato su un cancello di ferro battuto. Estrae un complicato mazzo di chiavi e ci mostra come usarle per il cancello del cortile, per il portone della casa e (dopo tre piani di scale ripide) per la porta dell'appartamento.

È un appartamento semplice e incantevole, col pavimento di legno e vista sia sulla strada sia sul cortile dove, al di sopra di una piccola magnolia, sono tirati i fili per stendere il bucato, carichi di vestiti e biancheria, di molti colori, comprese mutande e sottovesti marroni di pizzo, che appartengono, a giudicare dall'origine del filo, alla vicina che sta di fronte, in diagonale e un piano sotto. Io e Julia ci scambiamo uno sguardo divertito e felice. La signora Mariani ci guarda e ride con un'aria di cospirazione, poi all'improvviso chiude le persiane. Indica la camera da letto con le lenzuola bianche pulite, il telefono con segreteria, la lavatrice, l'estintore, il vaso di fiori gialli, e accanto la lettera su carta color panna della signora Fortichiari. Poi, prima che ce ne rendiamo conto, è sparita. Poco dopo il portone d'ingresso sbatte con violenza e una voce indignata urla qualcosa nella tromba delle scale.

« Fermati, Michael », dice Julia, ridendo, mentre la trascino in camera da letto.

Le mordo un orecchio. « Mmm, peluria. »

« Dài, Michael. Lasciami leggere il biglietto di Jenny. »

« Dopo. »

Siamo sdraiati sul letto, fianco a fianco, ancora quasi completamente vestiti. Qualunque suo desiderio sul modo di fare l'amore mi sta bene. Oggi lei vuole che faccia con calma, senza forzare il passo solo perché è passato tanto tempo dall'ultima volta. Tante cose sono successe nel frattempo, tante tensioni e tante speranze inaspettate, che averla di nuovo fra le braccia è qualcosa che anch'io voglio non finisca mai.

Sono tentato di aprire le persiane, ma lei scuote la testa quando lo propongo. Ci accontentiamo della luce che filtra dalle altre stanze. Le tolgo la camicetta e premo la mia faccia su di lei. Stamattina non ho avuto tempo di radermi e lei se ne lamenta un po'.

« Le tue labbra potrebbero essere un po' più delicate », dice.

È una conversazione a senso unico, dato che lei non riesce a leggere le mie parole. Percepisce col tatto le mie intenzioni, ma può esprimere ad alta voce ciò che sente e vuole che io faccia. All'inizio sembrava timida, ma adesso è molto più sfrontata di quanto sia mai stata: è come se questo viaggio sull'acqua e questa stanza sconosciuta l'abbiano liberata da ogni ritegno.

A metà devo alzarmi per frugare nella valigia ancora chiusa, ma nemmeno questo spezza il flusso della nostra eccitazione. Lei posa la testa su un braccio e mi guarda, e quando torno a letto è come se nessun dubbio e nessun pensiero si siano intromessi per frenare la nostra estasi.

Dopo, vado a prenderle il biglietto. Lei si siede sul bordo del letto; accendo la luce. Ha un'aria seria. A quanto pare, la sua amica è più o meno segregata in casa, dato che i bambini hanno il morbillo. Vuole che nessuno vada a casa sua, ma chiede se Julia può pranzare con lei dopodomani da Cipriani, con me, se lo desidero. Le hanno assicurato che lei non è contagiosa.

« Be', Michael, verrai anche tu? » mi chiede Julia, vagamente ansiosa.

« No, preferirei di no », rispondo. « E anche tu lo preferisci. »

Sto ancora pensando all'amore, e il morbillo è una strana intrusione.

Julia annuisce. « È una mia grande amica, fin dai tempi della scuola. Cinque anni fa ha sposato un veneziano, e adesso ha due figli, una femmina e un maschio. »

« Jenny coi capelli neri e unti? »

« Sì, quella che si è trasformata in una bellezza. »

« Allora sarà meglio che non venga a conoscerla », dico, accarezzandole il collo con una mano e muovendo con delicatezza le dita verso la schiena. « ... Mi chiedo se saranno arrivati gli altri. Il loro aereo doveva atterrare alle sei. Come si fa ad arrivare dall'aeroporto? »

« In barca. Spero davvero, Michael, che tu non abbia intenzione di incontrarli stasera. »

« No, neanche per sogno. Però ho detto che li avrei chiamati. C'è una prova domani pomeriggio. »

« Cosa potremmo fare? »

« Sono nelle tue mani. »

« Braccia. »

« Per essere precisi. Hai un'aria così inghiottibile. » Julia fa una faccia contrariata. « Perché quella smorfia? Cosa pensi che abbia detto? »

« Fottibile. »

« No: inghiottibile. »

« Non è una parola. »

« Adesso sì... Be', cosa facciamo stasera? »

« Potremmo semplicemente andare in giro », dice Julia. « Ecco cosa mi piacerebbe davvero. E abbiamo tanto tempo. »

« Non abbastanza. Per niente abbastanza. »

Si volta e mi bacia sulla fronte. « Sai », dice, « non abbiamo mai ballato insieme. Non potremmo trovare un posto dove si balla? »

« Oh, no... » dico io. « Non sono capace, lo sai. Sono completamente scoordinato quando si tratta di ballare. Mi sentirei goffo, tu ti sentiresti goffa, e questo rovinerebbe la nostra prima sera. Andiamo in giro, come dicevi tu. »

Facciamo una doccia, ci vestiamo, e usciamo senza meta. Il crepuscolo è chiaro. Molto lontano, sul Lido di fronte a noi, un'enorme insegna al neon con la scritta « Campari » splende rivolta a noi. Le boe sull'acqua si accendono come candele. Mentre scende la sera diventiamo sempre più taciturni. Camminiamo lungo la laguna per un po', poi aspettiamo il prossimo vaporetto che ci porti dove gli pare.

6.3

Scendiamo un paio di fermate prima di San Marco, e rimaniamo per un po' davanti alla Pietà, la chiesa di Vivaldi o, piuttosto, la chiesa che sorge dove sorgeva la sua. In questo punto il mio violino deve aver suonato spesso. Di fronte, oltre l'acqua nera, splende la facciata di San Giorgio Maggiore, illuminata di bianco. In questo punto è stato concepito il nostro quartetto.

Concordiamo di tornarci domani, quando la Pietà, speriamo, sarà aperta. Intanto, passeggiamo attraverso l'enorme piazza San Marco, poi nelle piccole calli intorno. Julia mi dice che quando è stata qui l'ultima volta non aveva notato che ogni calletta, di notte, ha almeno un lampione acceso. Questo significa che se c'è qualcosa da dire, io posso sempre dirlo. Ma io sono contento di dirle molto poco.

Torniamo a vagabondare sull'ampia riva che costeggia il bacino. Voci in una quantità di lingue ci circondano o, piuttosto, mi circondano. Di notte, quando la vista diminuisce, il suono dovrebbe prendere il sopravvento. Ma di tutto questo – lo sciacquio dell'acqua contro la pietra, un palloncino pizzicato da un bambino, ruote che rimbalzano sui gradini di un ponte, il battito dell'ala di un piccione, tacchi alti contro il selciato del portico – lei cosa sente? Forse il ronzio profondo del motore di un vaporetto, forse nemmeno quello.

Eppure eccoci camminare, anonimi, mano nella mano. Quel profumo al limone si fonde con l'odore della città, per metà fresco, per metà salmastro. Le chiedo se ha fame, e risponde di no. Qualcosa da bere? Sì. Un bicchiere di prosecco in un bar. Lei è irrequieta, e propone un posto alla Giudecca. Io sono felice di farmi guidare sulla terra, e ancora più felice di essere trasportato sull'acqua.

Il bar è tutto illuminato. Il tavolo accanto al nostro è occupato da due uomini d'affari francesi con una carrozzina che ospita un neonato, un cellulare, un pacchetto di sigarette e varie riviste. Un'anziana coppia di americani li osserva con curiosità, poi ordina due espressi doppi decaffeinati. Il gestore vestito di grigio schizza qua e là, controlla, serve ai tavoli, frusta l'aria mettendo e togliendo gli occhiali, fa piazza pulita di un cesto di grissini che lo offende. Arriva il nostro prosecco e noi lo sorseggiamo e parliamo di niente, della probabilità che piova, e di cosa faremo se dovesse succedere. Il mio quartetto e la sua famiglia non sono mai esistiti.

Seduta al tavolo dietro di noi, una donna dall'aria dolce, inglese, a giudicare dall'accento, sta parlando con un'amica: «È la folla del Tradonico, sai...» comincia e, attratto dal nome, io presto attenzione. «È proprio quello che ti aspetteresti da loro. Loro... loro usano le donne per le cose che possono fare, i vestiti che disegnano, la gioielleria che vendono, usano le donne come musica di sottofondo... Quanto al libro, ti dirò cosa ne penso: è un articolo di giornale, ma letteratura no, no di sicuro... Non sono stata invitata, ma non ci sarei andata lo stesso... Buttano una nocciolina, e le scimmie ballano... Io li *disprezzo*.»

Julia mi guarda con curiosità, ma non si volta.

«Non ne vale la pena», dico sottovoce, sbigottito da queste osservazioni velenose. «Sta dicendo qualcosa della folla del Tradonico. Suppongo che intenda la gente del palazzo. Perché siamo venuti proprio qui, tra tutti i posti possibili?»

« Io e Maria ci siamo state una volta. Mi era sembrato molto seducente, e mi domandavo se fosse cambiato. »

Chiediamo il conto e paghiamo; o piuttosto, lo fa lei prima che riesca a impedirglielo.

« Stai sbadigliando, Michael », dice Julia mentre aspettiamo il vaporetto.

« Devo essere più stanco di quanto mi rendessi conto. In realtà, più che altro sono affamato. »

Il resto della serata passa felice senza eventi particolari: una cena in trattoria, una passeggiata fra viuzze strette, un'altra sosta in un bar per bere qualcosa. Lei è la donna che amo, e siamo a Venezia, così suppongo che questa sia gioia. Lo è. Prendiamo uno degli ultimi vaporetti fino all'appartamento, e cadiamo addormentati quasi castamente l'uno nelle braccia dell'altra.

6.4

Stanotte ho dimenticato di chiudere le persiane, e adesso la luce inonda la camera. Lei apre gli occhi, come se percepisse che la sto osservando, poi li richiude subito, mormorando: « Lasciami dormire ».

Da tanti anni non mi risvegliavo accanto a lei. Anche quando eravamo studenti a Vienna, era solo in occasione delle gite in campagna che passavamo tutta la notte insieme.

Quando torno dal bagno lei ha indossato una vestaglia bianca.

« Perché ti vesti sempre di seta? »

« Seta? Davvero? » dice Julia. Batte le mani due volte a ogni lato della testa.

« Un giorno buono? » le chiedo.

« Così così. » Sorride, poi scrolla le spalle.

Esploro la cucina in cerca di qualcosa per la colazione e riferisco che c'è solo caffè. Devo uscire a prendere qualcosa? Julia mi suggerisce di prendere con me il frasario e indicare le parole necessarie. Giro per i negozi e torno con pane, marmellata e latte. Il caffè è venuto su e ci sediamo a berlo, quasi goffi. Passare insieme la mattina sembra più intimo, più deliziosamente goffo che dormire insieme.

No, è stato anche a Banff che eravamo insieme, giorno dopo giorno, per settimane. Mi ha detto che ricordava i fischi dei treni in lontananza. Ma adesso, con le sirene sulla laguna?

«Cotone stamattina», dice Julia mentre ci prepariamo a uscire.

«E perfino un tocco di rossetto!»

«Sono in vacanza.»

«Hai portato una macchina fotografica?» le chiedo.

«Non abbiamo bisogno di fotografie», si affretta a dire Julia. «Comunque, ne ha fatta qualcuna Maria al picnic... Non dovresti telefonare agli altri? Ieri sera te ne sei dimenticato.»

Telefono a Palazzo Tradonico e parlo con Piers. Mi dice che ci dobbiamo incontrare alle undici. Dal suo tono capisco che è seccato per qualcosa, ma non riesco a capire se sia a causa della sua sistemazione o perché mi sono scordato di chiamarli ieri o per quello che è capitato al concerto o per i suoi ambivalenti ricordi di Alex e Venezia.

Naturalmente loro tre avranno parlato di me, e mi domando se mi metteranno di fronte a una specie di posizione comune. Julia mi dice di non preoccuparmi, e di stare calmo quando li vedrò.

Attraversiamo il verde della nostra isola – un paesino senza traffico, che odora di erba tagliata – fino a uno dei ponti che ci conducono nella vera e propria Venezia. Alla nostra sinistra c'è dell'acqua stagnante, quasi pastorale; a destra un canale di lavoro, dove lucidi tubi di sfiato vengono scaricati da una chiatta, e tre uomini si urlano da mezzo metro di distanza, non per rabbia, ma per scambiarsi informazioni. Attraverso le vie lungo le quali avanziamo è steso il bucato, e gli inevitabili gerani fioriscono nei vasi di plastica.

Percorriamo un sentiero di ghiaia bordato di alti tigli con tronchi scuri e foglie giovani, piene di luce. Ai due lati del sentiero ci sono giardini trascurati. Alla fine del sentiero c'è una statua, Garibaldi con un leone, circondata da piccioni, pesci rossi, tartarughe, cani, bambini, neonati in carrozzina e madri che chiacchierano: almeno un centinaio di vite interdipendenti. Ci fermiamo un po' prima di proseguire.

«Dobbiamo passare dagli Schiavoni», dice Julia. «È lì che c'è la cosa che volevo farti vedere.»

Quando ci arriviamo, però, è chiuso.

«Ma non è lunedì», dice Julia. Picchia alla porta. Nessuna risposta. Altri turisti si radunano intorno a noi, scrollano le spalle, parlano fra loro, guardano la porta con aria irritata o indifferente, e se ne vanno. Julia dà un altro colpo alla porta.

«Julia, lascia perdere.»

«No, per niente.» Sembra insolitamente determinata, quasi arrabbiata.

«Che cos'ha di speciale questo posto?»

«Tutto. Oh, sono così delusa. Nessun cartello, nessuna spiegazione, e qui non c'è nessuno. E non sono nemmeno riuscita a vedere il mio Vermeer a Vienna. Hai un foglio di carta?»

Tiro fuori una matita e un foglio dalla custodia del violino, e Julia scarabocchia qualcosa che comprende le parole «telefonare» e «subito» in lettere maiuscole, e poi getta il foglio nella buca delle lettere.

«Sarebbe orribile se fosse chiusa per restauri o qualcosa del genere», dice.

«Ma cosa gli hai scritto?»

«Di telefonarmi, se non vogliono affrontare la mia furia.»

«Ma tu non hai furia.»

«No?» dice Julia, quasi tra sé.

«E anche se ci telefonano, io non capirò niente, e tu non potrai sentirli.»

«Capiterà quando vedremo cosa fare.»

«Scusa?»

«Volevo dire, quando capiterà vedremo cosa fare», dice Julia, stringendo gli occhi verso una barchetta azzurra che avanza per il rio della Pietà. «E adesso la tua chiesa, voglio dire quella di Vivaldi.»

6.5

Ma anche quella è chiusa, o almeno chiusa per i nostri scopi. Apro la porta esterna, ma un'enorme cortina scarlatta e un cartello multilingue mi sbarrano l'entrata in chiesa. Sento che il mio Tononi è avvilito. È troppo.

Una ragazza con la faccia tonda sta seduta a un banco alla destra dell'entrata. Sta leggendo, a giudicare dalla copertina, un romanzo dell'orrore.

« Non possiamo entrare? » le chiedo in inglese.

« No. Non è possibile. » La ragazza sorride.

« Perché? »

« È chiuso. Da molti mesi. Tranne che per pregare Dio. »

« Noi vogliamo pregare. »

« La domenica. »

« Ma domenica andiamo a Torcello! »

Lei scrolla le spalle. « Stasera c'è un concerto. Volete un biglietto? »

« Cosa fanno? »

« Prego? »

« Bach? Mozart? »

« Oh! » La ragazza ci mostra il programma di un concerto di un ensemble veneziano. La prima metà fanno Monteverdi e Vivaldi, la seconda musica moderna, compreso un pezzo con un titolo in inglese di un compositore italiano contemporaneo: *Things are what they eat.** Anche se non fossi con Julia, non sarebbe roba per me.

« Quanto costa? »

« Trentacinquemila lire », dice la ragazza.

« Oooh! » gigioneggio, evitando lo sguardo di Julia. « È troppo. *Molto caro* », aggiungo in italiano, ricordando un'espressione.

La ragazza sorride.

« Sono un musicista », dico, sollevando la custodia del violi-

---

* Le cose sono quello che mangiano. (*N.d.T.*)

no. «Violinista! Vivaldi! Questa è la sua chiesa.» Alzo le mani in un gesto di adorazione. Lei sembra divertita. «Per favore.»

Posa il libro, si alza da dietro il banco, si guarda in giro per accertarsi che non ci stia guardando nessuno, e tira di lato per un secondo la cortina scarlatta per lasciarci entrare.

«Ecco fatto», dico a Julia. «Fascino, non minacce.»

«Ripeti.»

«Fascino, non minacce.»

«Non c'era nessuno da affascinare agli Schiavoni», precisa Julia.

Nel soffitto sopra di noi, in alto, c'è una mandorla di spazio e di luce, bordata di angeli e musicanti, che nel suo centro è una splendida effusione di azzurro, ocra rosata e bianco. Il Padre, il Figlio e lo Spirito Santo incarnato in una colomba incoronano la Vergine.

Mentre osserviamo meravigliati l'affresco, da un punto presso l'altare esplode una delirante cacofonia. Un pianoforte, disposto su un palco e in qualche modo collegato a un amplificatore, è assalito da un folle. Prima, un'intera montagna viene fatta a pezzetti, poi, come una scarica da un ghiaione, milioni di topolini impazziti precipitano dalle ottave più alte fino a essere trasformati in orsi agghiaccianti in fondo alla tastiera. Sarà questo *Things are what they eat*?

Anche Julia è turbata, ma soprattutto dal mio turbamento.

All'improvviso torna il silenzio, e il pianista e il tecnico del suono fanno qualche aggiustamento prima di riprovare un'altra volta il loro pezzo. Poi è di nuovo silenzio, il coperchio viene chiuso e, se Dio vuole, i due se ne vanno all'improvviso come erano comparsi.

«Era davvero così orribile?» chiede Julia.

«Oh, sì. Credimi. Per un secondo ti ho invidiato.»

«Suona il tuo Tononi, allora, ed esorcizza la chiesa.»

«Ci cacceranno fuori. Non dovremmo nemmeno essere qui.»

«Michael, se non suoni il tuo violino qui, lo rimpiangerai per il resto della vita.»

«E immagino che il mio violino non mi perdonerà mai.»

«Ecco...»

«Ma, Julia...»

«Ma, Julia, cosa?»

«Allora devi aiutarmi», dico, guidandola verso il piano-forte.

«Oh, no, Michael. Oh, no. Non devi farmi suonare. Lo sai che non ce la farò.»

«L'hai già suonato.»

Dalla custodia del violino estraggo il Largo della prima sona-ta di Manchester di Vivaldi – fotocopiato su un bel foglio in formato A3 – lo spiego e lo metto sul leggio del pianoforte.

Julia si siede. Osserva la musica per un secondo, ondeggian-do un po' da parte a parte mentre la esamina. Io accordo.

«Sei un prepotente, Michael», dice Julia, con molta dolcez-za, con molta serietà.

In risposta suono il mio attacco e lei, senza fare resistenza, entra alla nota seguente.

È un'estasi, ed è presto finito. Niente di più incantevole è mai stato scritto per questo strumento, e il mio violino capisce che è stato scritto personalmente per lui, perché lui lo suonasse qui. Da quale altra parte, in fondo, sarebbe giusto eseguirlo? Proprio qui Vivaldi educava le ragazzine dell'orfanotrofio, e le trasformava nelle migliori musiciste d'Europa. E dato che il ma-noscritto di questo pezzo è stato scoperto solo alcuni anni fa nella stessa biblioteca di Manchester dove ho appreso gran par-te di quello che so di musica, io sento che è stato scritto anche per me.

Nessuno ci interrompe. Non c'è nessuno in chiesa, tranne noi. Ascoltano solo i musicanti in alto, con le loro viole e le trombe e gli arciliuti. «È stato perfetto», dico appena è finito. «Rifacciamolo.»

«No, Michael», dice Julia, chiudendo il coperchio del pia-noforte. «Se è stato perfetto – dato che è stato perfetto – di si-curo non bisogna rifarlo.»

6.6

Mentre percorriamo strette callette e piccoli ponti per raggiungere Palazzo Tradonico, sento uno strano rumore di qualcosa che batte o rimbalza, e che si rivela come il suono di un pallone da calcio colpito da un gruppo di ragazzini. Il palazzo non è circondato dalla terra, ma si apre su un piccolissimo canale. La sua facciata principale, grigia e scrostata, dà su una piazzetta irregolare, il campiello Tradonico, da cui non passa nessuno degli itinerari turistici principali, ed è così il rifugio ideale per un gioco che sembra una via di mezzo fra il calcio e lo squash. Sulle punte innalzate al livello del primo piano ci sono alcuni palloni bianchi e neri impalati. Sono rimasti lì, a sgonfiarsi giorno dopo giorno senza mai essere completamente sgonfi, e limitano e adornano il palazzo come ananas o doccioni o altre più tradizionali escrescenze architettoniche.

Suono il campanello. Una voce femminile dice qualcosa in italiano, e io rispondo « *Signor* Holme, Quartetto Maggiore », e il risultato è un clic di benvenuto. Apriamo il pesante portone e ci troviamo in un immenso atrio di pietra, buio e vuoto, con una rampa di scale che si apre lungo una parete e porta di sopra. Non si accende nessuna luce, così saliamo a tentoni fino al primo piano, dove una porta si apre non appena la raggiungiamo.

La figlia adolescente del conte Tradonico ci saluta, ci fa entrare, si presenta come Teresa e dice che gli altri membri del quartetto sono riuniti nella sala da musica. Ci dà le indicazioni per raggiungerla, sorride e scompare.

Il pavimento nero e ocra del corridoio principale, lucente e crepato, percorre tutto il palazzo dalla facciata al retro, con la luce che lo inonda da entrambi i lati. Dopo l'esterno cadente e il lugubre atrio non mi aspettavo niente del genere.

Ogni stanza che attraversiamo diventa sempre più fantastica, ricolma degli splendori assortiti e del bric-à-brac dei secoli: arazzi, divani dorati con schienali di broccato, poltrone di velluto, porte dipinte con cammelli e leopardi, un enorme tavolo con gambe decorate e piano di marmo verde, ignaro di qualunque linea retta, lampadari di cristallo che culminano in ali e fiori, orologi sostenuti da orsi che sbadigliano, un folle mélange di vasi cinesi, statuette che ci spiano e ci salutano da ogni nicchia e quadri che vanno dai ritratti di famiglia a piccoli schizzi a matita, da Madonne del latte a un sanguinario *Giuditta e Oloferne* che guarda giù da una parete sopra un tavolo da pranzo.

Da una stanza interna compare Billy, e ci saluta con calore. « Tutto bene? »

« Sì », rispondo.

« Sicuro? »

« Certo », dico.

« Abbiamo il controllo di questo posto », mormora Billy.

« È stupefacente! » dice Julia.

« Noi stiamo al secondo piano, quello della signora Wessen, ma il concerto si farà in questo. C'è perfino un giardino privato », dice, indicando un piccolo ponte sospeso che supera un canale. « È più piccolo del mio a Leytonstone, ma Piers dice che per gli standard veneziani è un campo da golf. »

Il viso di Julia si illumina al pensiero di fuggire da tutto quel fasto per rifugiarsi in un giardino. « Andiamo a dare un'occhiata », propone. « Oppure gli altri stanno aspettando Michael? Posso andarci da sola? »

« Oh », dice Billy, « ci vuole un minuto. Andiamoci insieme. »

Superiamo il ponte e ci troviamo in un mondo del tutto diverso, semplice e fresco, un rifugio di piante a foglie piccole e profumati fiori bianchi, edera, oleandri e cipressi. Qualche foglia galleggia su una piccola vasca di pietra per gli uccelli. Un leone stanco e consunto, con gli artigli posati su uno scudo, prende il sole davanti a una fontana.

Non c'è traffico sul piccolo canale. Non ci sono suoni, tranne il canto di un uccello e la campana lontana di una chiesa; non si sente nemmeno il pallone nel campiello. Spezzo una foglia di alloro, e Julia annusa il profumo sulla mia mano.

« Bene », dice Helen, che è comparsa all'improvviso e senza far rumore alle nostre spalle. « Tutto questo è davvero incantevole, ma forse è meglio che cominciamo la prova. » Non si rivolge direttamente a nessuno di noi. Mentre passiamo sopra il rio, lascia cadere qualche foglia nell'acqua.

La sala da musica contiene sia un pianoforte sia un clavicembalo.

«Sai, Julia, dovremmo suonare Vivaldi qui», le propongo. «È molto più logico con un...»

«No», dice subito Julia, con durezza, alzando per un secondo lo sguardo. I miei occhi seguono i suoi e vedo un'enorme massa di putti di stucco, grigi e dorati, che si agitano con le gambette e le braccia e i sederi che sporgono dal soffitto.

«Bene», dice Piers, che è rimasto qui ad aspettarci. «Possiamo cominciare, finalmente?» La sua voce è fredda, e non fa nessun tentativo di salutarci.

«Scusatemi tutti», dice Julia. «Sono venuta solo a salutarvi, e verrò per il concerto, ma adesso devo andare.»

«Ma, Julia...» protesto.

«Ho delle spese da fare», dice. «Ho le chiavi.»

«E per il pranzo?»

«Va' con i tuoi amici. Hai passato troppo poco tempo con loro. Io farò qualche giro e ci troviamo alle sei all'appartamento. Va bene alle sei?»

«Be', sì, ma...»

«Allora alle sei. Arrivederci.»

«Fra un'ora o due abbiamo finito», le dico. «Perché non ti fermi a leggere in giardino?»

Ma Julia, esasperandomi, si è voltata. Io mi alzo, preoccupato che possa inciampare per le scale buie, e la raggiungo sulla porta.

«Michael, torna indietro.»

«Ti accompagno di sotto.»

«No.»

«Cosa c'è che non va?»

«Niente.»

Siamo arrivati alle scale, ed è troppo buio perché possa parlarle.

«Riuscirai a trovare la strada per tornare?» le dico preoccupato, mentre tengo aperto il portone.

Ma Julia, dopo un rapido cenno, sta attraversando il campiello, senza fare nessuna concessione alla presenza o alle tattiche degli sbalorditi giovani calciatori.

6.7

Billy sta strimpellando nervosamente il pianoforte quando ritorno.

« Nessun problema, spero », dice Piers con una certa indifferenza.

« No », dico, per niente soddisfatto del suo atteggiamento di ostilità nei confronti di Julia, e ancor meno di quello di Helen.

« Non abbiamo avuto tempo di discutere su quello che è successo », dice. « Ho avuto una discussione con Lothar il giorno dopo il concerto. Ci ha chiamato, be', per congratularsi con noi. Il concerto è stato, naturalmente, un grande successo. »

Annuisco, guardingo.

« Gli ho detto che secondo me avrebbe dovuto venire. È l'agente di Julia oltre che il nostro, e avrebbe dovuto rendersi conto che, date le circostanze, avrebbero potuto esserci delle difficoltà, di un genere o di un altro. »

Il discorso così stranamente formale di Piers mi irrita. « Credo che avesse un impegno da qualche altra parte », dico.

« Sì, è quello che ha detto lui. »

« Be', mi sembra abbastanza ragionevole, Piers. Ha organizzato tutto. È venuto perfino a prenderci all'aeroporto e ci ha accompagnato alla prima prova. Oltre tutto, la sua base è Salisburgo, no? Non capisco dove vuoi arrivare. Non lo sapevo io quello che stava per succedermi. Come avrebbe potuto immaginarlo lui? Non sa nemmeno che conoscevo già Julia. »

« O che continui a vederla adesso », aggiunge Helen. « Billy, ti dispiace? »

Billy smette di strimpellare.

« Credo che Lothar avrebbe dovuto parlarci del problema di

Julia», dice Helen. «Non ti pare? Per poco non è successo un disastro.»

«Come fai a dire una cosa del genere?» esclamo.

«Come fai tu a negarlo?»

«Helen, cerca di vedere le cose come sono andate», dico, lontanissimo da quella calma che Julia mi aveva raccomandato. «Il problema non era suo, ma mio. E comunque, vi ho parlato *io* di quel problema, perciò che importanza ha se Lothar l'ha fatto o no?»

«È una cosa che ci ha messi tutti sotto pressione.»

«Questa conversazione l'avete preparata?» chiedo.

«Naturalmente no», dice Piers con durezza. «È solo che siamo tutti molto preoccupati per quello che è successo. Compreso Billy, che sta cercando di non dire niente.»

«Che cosa proviamo per primo?» chiedo, guardandomi in giro. «Mendelssohn, vero?»

«Dobbiamo discutere fino in fondo di questa faccenda», dice Piers posandomi una mano sulla spalla, quasi imprigionandomi. «Se mai un concerto ha avuto bisogno di un bilancio fatto tutti insieme, è stato quello.»

Scosto la sua mano. «Non c'è proprio niente da discutere», dico, lottando per controllarmi. «Julia non suonerà mai più con nessun altro. D'accordo? Quella parte della sua vita si è conclusa. Noi non suoneremo mai più con lei, perciò perché devo mettermi in agitazione per una cosa del genere?» Tiro un respiro profondo, poi riprendo. «Mi dispiace molto, moltissimo per quello che è successo a Vienna. Sul serio. È stato orribile per me, è stato orribile per lei, e so che è stato orribile anche per voi. Non sto cercando scuse. Non sarebbe dovuto succedere. Vi ho piantato in asso. Ma come può capitare un'altra volta qualcosa del genere? E come fate a essere così insensibili verso di lei? Prendetevela con me, d'accordo, ma cosa c'entra lei?»

C'è un silenzio che dura qualche secondo. Né Helen né Piers sembrano molto convinti.

«Hai ragione», dice Piers all'improvviso. «Lasciamo perdere.»

«Bene. Mendelssohn», dice Billy, sollevato.

Helen non dice niente, ma annuisce appena.

« La scala, allora? » dice Piers.

La suoniamo lentamente, e piano piano, quasi con dolore, cade come una pelle di serpente gran parte dell'acrimonia che c'era fino a poco fa. Alzo gli occhi e vedo di nuovo lo strano intrico di bambini sul soffitto. Abbasso gli occhi sul pavimento e torno a immergermi nei lenti gradini della scala, che prima salgono e poi scendono.

« Ancora una volta », dice Billy quando arriviamo all'ultima nota e, tutti insieme, compatti, aderiamo a questa richiesta senza precedenti. Helen e Billy suonano con calma e in modo uniforme, ma Piers sembra perso in un mondo tutto suo, come, ricordo, era accaduto il giorno in cui ero stato ammesso nel quartetto.

Alla fine della prova decidiamo che non ne abbiamo bisogno di un'altra prima del concerto.

« Perché non andiamo tutti a San Giorgio Maggiore domani? » propone Helen, tornata la solita Helen. « Non abbiamo fatto niente insieme in questo viaggio. Possiamo chiedere a qualcuno di fotografarci contro le colonne, sarebbe una bella foto pubblicitaria. Non dirmi che sei impegnato tutto il giorno, domani, Michael. »

« Credo che potrei farcela. Magari verso l'ora di pranzo? »

« Ma forse la chiesa è chiusa a quell'ora », dice Billy.

« Be', allora cosa ne dite di domani mattina? » propone Helen. « O magari oggi pomeriggio. »

« Adesso voglio fare una passeggiata », dico. « Però potremmo trovarci lì alle tre o giù di lì. »

« Piers? » chiede Helen.

« No, non sono libero. »

« Vuoi dire oggi? »

« Sì. »

« E domani? »

« Sì », dice Piers, più inebetito che esasperato.

« Allora domani mattina va bene? » insiste Helen.

Piers scuote la testa e sospira. « Sono occupato anche domani. »

« Come? Tutto il giorno? » dice Helen. « Cosa diavolo devi fare? Su, di' che vieni, Piers. Sarà così divertente. E la vista dal campanile è così meravigliosa. »

« Non voglio andare su quell'isola », dice Piers, riponendo il violino nella custodia. « So com'è la vista dal campanile. È incisa nella mia mente. Per l'amor di Dio, Helen, non far finta di essere stupida. Non voglio tornare più su quell'isola, né oggi, né domani, né mai. Odio Venezia. Ci sono volte che vorrei che lui non avesse mai proposto di formare il quartetto. »

Piers esce dalla stanza. Noi tre ci guardiamo l'un l'altro, sbigottiti dalla sua veemenza, senza sapere cosa dire.

6.8

Io e Julia stiamo cenando a lume di candela nell'appartamento. Lei ha cucinato e io ho apparecchiato la tavola. Dopo averle raccontato dello sfogo di Piers, le chiedo come mai il suo umore era così strano al palazzo. « Era per via di Helen? » le chiedo.

« È una tale fatica. »

« Mi dispiace tantissimo. »

« Voglio dire che davvero è tutto magnifico, Michael, ma non riesco a leggerti le labbra a lume di candela. Cos'era la faccenda dell'amore? »

« L'amore? »

« Oh, non ha importanza. Tra parentesi, la luce della segreteria telefonica sta lampeggiando, perciò abbiamo ricevuto un messaggio. Mi chiedo se sia di Jenny. »

« Potrebbero essere quelli degli Schiavoni. »

« Vero. »

« Nel qual caso sarà in italiano. Come faremo a capire qualcosa? » le chiedo.

« Se lo ascolti dopo mangiato e scrivi semplicemente come suona, cercherò di ricavarne un senso. »

Mi alzo e accendo la luce. « Ecco fatto... Ma è davvero una fatica così grande? Voglio dire, semplicemente stare qui. »

« Sono felice di essere qui con te. »

« Be', ma quello che intendevo era stare lontani da... da Londra. »

« Mi mancano », dice Julia. « Ma sarebbe stato lo stesso anche se mi fossi fermata a Vienna. Ma non è semplicemente quello. Oggi ho ritirato un po' di soldi con la carta di credito, e ho pensato: i rendiconti mostreranno che è successo a Venezia. Non sono abituata a pensare in quel modo. È un sotterfugio ignobile. »

Rimane in silenzio per un po'.

« James non ha mai... »

« Sospettato? »

« No. Dormito con un'altra? »

Julia soppesa il modo in cui – o forse se – rispondere a questa domanda. La trova volgare? Ma non volevo parlare di fedeltà.

« Solo una volta, che io sappia », dice alla fine. « Parecchi anni fa. Ed è successo quando sembravamo vicinissimi. Ma era una cosa diversa. Era in viaggio, e solo, ed è stato per una notte e basta. Non credo che adesso vada a letto con un'altra donna. »

« E tu come l'hai scoperto? »

« Non l'ho scoperto. Me l'ha detto lui. Allora mi era sembrata una cosa molto bizzarra. E ancora oggi lo credo... Ma questo non mi giustifica per quello che sto facendo. È molto peggio perché ti amo; come potrei mai dirglielo? Appena comincio a pensare a queste cose la mia testa si mette a girare. È tutto il giorno che ho nell'orecchio una specie di frastuono... Ti ho comprato un regalo di compleanno. In ritardo, lo so. »

« Davvero? Fammelo vedere. »

« Te lo darò presto. Prima devo fargli una cosa. »

Riempio i nostri calici di vino. « Mi sembra un po' sleale che tu possa cambiare così brutalmente argomento e io no », dico.

« È una piccola compensazione », dice Julia. « Una volta ero timida, come probabilmente ricordi, ma non puoi essere timida se sei sorda. Adesso, se non capisco qualcosa, cambio argomento, e tutti gli altri devono venirmi dietro. »

«Non sei mai stata timida.»

«Davvero?... Sai, forse dovrei mandare un fax a James da qui. Jenny ha un fax, e ci vediamo a pranzo domani.»

«Perché non puoi dirgli semplicemente che sei a Venezia? Soprattutto dato che potrebbe scoprirlo comunque.»

«Sì, hai ragione, perché non dovrei?»

«A meno che, naturalmente, Maria abbia parlato con lui e gli abbia detto che tu stai da lei.»

«Credo che siano stati i putti sul soffitto di quella sala dove avete fatto le prove a mettermi sottosopra», dice Julia.

«Cosa vuoi dire?»

«Ormai è più di una settimana», dice.

«Ma non c'è la nonna che si occupa di lui?» le chiedo.

«Sì. Sono sicura che non sente per niente la mia mancanza. Non posso sopportarlo. Il mio povero bambino.»

Sento montare dentro di me un'improvvisa ondata di risentimento contro quel povero bambino. Come potrò mai competere con lui? Come potrei anche solo pensare di separarli?

6.9

Dopo cena usciamo a prendere un caffè, ma solo fino alla piazza vicina, adorna di ginkgo, nespoli del Giappone e tigli; poi torniamo a casa sotto il glicine, stando attenti a non sbattere il portone.

Lei mi tiene stretto durante la notte, e ogni tanto dice il mio nome. Mi ha insegnato l'alfabeto tattile, così che anche al buio possa leggere dalle mie dita una o due parole d'amore, abbastanza almeno da ridere dei miei errori di ortografia. Faccio fatica ad addormentarmi, stretto da lei. Alla fine troviamo una posizione in cui la sua testa è posata tra la mia spalla e il mio braccio, e dormo bene.

La mattina la guardo pigramente, tenendo il mento sulla mano, mentre si trucca. È così bella, ancora più incantevole qui, alla luce di questa città di giorno. Lei mi chiede, un po' seccata, se non ho niente di meglio da fare. Perché non leggo qualcosa su Venezia? Perché non studio l'*Arte della fuga*, che ho portato con me? Perché non mi faccio la barba? Perché non faccio qualunque altra cosa, invece di guardare la sua toilette? Lei non mi guarda mentre mi rado, e non capisce tutto questo interesse da parte mia.

Ma come potrei non esserlo? Facciamo l'amore con una tale facilità, qui alla fine di Venezia. Camminiamo mano nella mano, dappertutto. Siamo una coppia: la coppia di inglesi, gli amici della signora Fortichiari. Non c'è nessuna storia per me in tutta Venezia, tranne quella di una promessa. Per lei c'è il ricordo di una visita senza di me, ma Sant'Elena – che quasi non è stata toccata, è leggera, non è carica di memorie – sfugge ai legami col passato.

Il messaggio sulla segreteria telefonica veniva proprio dalla Scuola di San Giorgio degli Schiavoni. Il custode era stato male all'improvviso, e non era riuscito a trovare subito un sostituto, ed è per questo che abbiamo trovato chiuso, ma adesso il sostituto è arrivato e l'edificio sarà di nuovo aperto dalle nove e mezzo del mattino.

Arriviamo a piedi alla Scuola. Non è affollata. Julia mi dice il nome dell'artista di cui mi ha portato a vedere i quadri: Carpaccio. I miei occhi devono abituarsi alla luce fioca dell'interno, e appena lo fanno resto a bocca aperta per la meraviglia. Nessun quadro mi ha mai colpito come i dipinti appesi ai pannelli di legno che foderano le pareti. Ci fermiamo insieme davanti al primo: un drago ripugnante, attaccato da san Giorgio, si contorce malignamente, mentre la lancia gli trapassa la bocca e il cranio. Attorno si stende una landa desolata e arida di decomposizione. È piena di oggetti ributtanti: serpenti, rospi, lucertole, teste, membra, ossa, teschi, cadaveri. Il torso di scorcio di un uomo, che ha più o meno lo stesso aspetto che avrebbe avuto il ricciuto san Giorgio se fosse caduto vittima del drago, guarda fuori dal quadro, privo di un braccio e di una gamba. Una vergine, divorata nella metà inferiore, riesce in qualche modo a sembrare ancora virtuosa. Tutto è smorto e grottesco; eppure, in lontananza, dietro quest'albero avvizzito e questo fatale deserto, c'è una zona di serena bellezza: una scena di navi e acqua, alti alberi, palazzi opulenti.

Passiamo da una scena all'altra lungo la parete, senza parlare, a un quadro di distanza uno dall'altra. Io resto indietro a leggere la guida. Il drago domato e rattrappito aspetta il colpo di grazia della spada di colui che l'ha sconfitto; monarchi pagani vengono convertiti in maniera spettacolare, mentre un piccolo pappagallo rosso getta uno sguardo cinico e meditativo fuori del quadro e mordicchia la foglia di una pianta; un santo esorcizza una bambina da un bizzarro basilisco; oltre l'altare, sull'altra parete, il mite san Gerolamo va in giro col suo ancor più mite leone, e spedisce i monaci timorosi a fuggire qua e là per la tela come pipistrelli clonati; il pappagallino rosso ricompare mentre san Gerolamo muore piamente; e poi, il quadro più stupefacente, la notizia della sua morte appare a sant'Agostino nel suo studio ricco e tranquillo, adorno di libri allineati e di spartiti aperti; lì sta seduto il santo, da solo, con il suo splendido, impeccabile, educato, adorante, riccioluto cagnolino bianco, del quale non esiste nulla di più perfetto né più necessario in questa stanza, o a Venezia, o nel mondo.

Un foglietto di carta vicino a lui, non più significativo dei libri di musica aperti, afferma che Vittore Carpaccio l'ha dipinto. Ma è possibile? Può colui che fece il drago aver fatto te? Nella mano del tuo padrone si è immobilizzata la penna, sul suo viso c'è la luce della conoscenza anticipata, e le lunghe ombre della sera frastagliano il pavimento, vuoto tranne che per la tua presenza, o splendido bastardino. Come è umido il tuo naso, come lucido e attento è il tuo occhio. Il quadro è inimmaginabile senza di te. Cristo potrebbe scomparire dalla sua nicchia senza che se ne senta la mancanza.

Un'improvvisa piccola orda di scolaretti francesi con berretti gialli sta discutendo i quadri sotto la supervisione di un insegnante socratico. Sono seduti sulle panche, si guardano attorno, poi si affollano attorno a scene particolari. « *Chrétien... une bête féroce... jeune fille...* » Con l'orecchio della mente odo una cantilena: « *Fou* ».

« *Non, soûl.* »

«*Non, fou.*»

«*Non, soûl.*» Mi agito, poi mi calmo. Stiamo sulla destra, senza ostacolarli. Julia mi tiene la mano. Un ragazzino, rispondendo a una domanda, dice timidamente: «*Le chien sait*». E ha ragione, il cane sa, anche se non è così scaltro come il pappagallo rosso, delle cui ragioni diffido. È calmo nella sua conoscenza. Ha fede nel modo in cui accadono le cose, e dignità, e devozione.

Quando saliamo di sopra, siamo soli. La bacio. Lei mi bacia con tenerezza e abbandono. C'è una panca accanto alla finestra. Un piccione tuba, il vento scompiglia la tenda rossa, e dall'altra parte del canale viene il rumore di gente al lavoro: stanno togliendo l'intonaco a un muro di mattoni. Possiamo – posso, cioè – sentire i passi di chiunque salga per la scala. Ci baciamo a lungo. Mi siedo sulla panca, lei si siede a cavalcioni su di me, muovo le mani su di lei, e sotto il suo vestito.

Le sussurro nell'orecchio cosa vorrei fare, sapendo che non può sentirmi.

«Oh, Dio...» dice lei. «Fermiamoci subito! Fermiamoci!»

Sento qualcuno sulle scale. Ci separiamo di scatto, e ci immergiamo nella guida e nei pannelli del soffitto, dove varie sante figure sono impegnate nelle loro sante occupazioni.

Un vecchio viene lentamente su per le scale, rigido, ci osserva con freddezza, poi ridiscende senza dire una parola. Anche se non poteva sapere cosa stavamo facendo, la sua apparizione è sufficiente a castigarci.

Di sotto, diamo un'ultima occhiata ai quadri. Adesso le panche sono piene, con almeno cento scolari che parlano in maniera incontrollabile.

Entriamo in una stanza laterale, una specie di sacrestia che contiene calici, paramenti sacri, tre Madonne con bambino, e il monitor azzurrato di un sistema a circuito chiuso, con la telecamera puntata sulla panca vuota del piano di sopra dove eravamo seduti un minuto fa.

«Usciamo di qui», dice Julia inorridita; ha le guance rosse di vergogna. Il vecchio non lo si vede da nessuna parte.

Usciamo subito, attraversiamo il ponte, e sprofondiamo in un labirinto di calli prima che lei parli: « È orribile, orribile... »

« Julia... »

« È così volgare... »

« Senti, era solo un vecchio che faceva il suo lavoro. »

« Ho la nausea di tutto questo... » Comincia a piangere.

« Julia, ti prego, ti prego, non piangere. »

« Oh, Michael... »

La stringo a me; lei non fa resistenza, come temevo che potesse fare.

« Perché mi hai lasciata?... Non può continuare... odio tutto questo... e adesso Cipriani... James ci è andato una volta... » Distinguo parole incoerenti, e le dico parole incoerenti, ma soprattutto aspetto che si calmino i suoi singhiozzi.

Raggiungiamo la riva.

« Che faccia ho? » dice Julia, prima di salire sul motoscafo che la porterà all'hotel.

« Tremenda. »

« Lo immaginavo. »

« Ma non è vero. Sei splendida come sempre », le dico, tirandole dietro un orecchio una ciocca sparsa di capelli. « Sarò qui ad aspettarti alle tre e mezzo. Non essere così triste. Siamo tutti e due troppo tesi, ecco tutto. »

Ma questo è un patetico addolcimento della realtà. So che c'è di più. Qualcosa si è rovinato. La piccola barca marrone si allontana attraversando il bacino. Compare alla vista un'enorme nave bianca. Cielo azzurro e limpido, laguna azzurra e affollata: per distrarre la mente da ciò che è accaduto, cerco di dipingere la scena nella memoria, inserendo tutto come un moderno Canaletto: nave da crociera, traghetto, motoscafo-taxi, lancia della polizia, gondola, un paio di vaporetti, una piccola barca piatta simile a una chiatta. Ma è inutile, questi pensieri non verranno scacciati. Cerco di immaginarmi senza di lei. Mi volto, arrivo in piazza San Marco, poi mi infilo nelle calli strette e tortuose.

Mi fermo su un piccolo ponte sopra un canale laterale e osservo un pontile, con i pali azzurri dorati in cima. Qui c'è l'ingresso dall'acqua del teatro d'opera: ci sono frammenti di metallo contorto, una spatola di legno, porte carbonizzate, un uccello arrugginito. Sui muri neri un graffito proclama: *Ti amc. Patrizia*. Questa è la fenice che è già bruciata un'altra volta e questa volta non è risorta. Di sicuro ciò che è stato perduto così stupidamente, così brutalmente e in un tempo così breve può essere recuperato, rifatto, riportato ancora una volta alla vita.

6.10

Vedo una piccola rana blu di porcellana, e la compro per lei. Alle tre e mezzo ci incontriamo dove ci eravamo lasciati. Julia sembra più calma. Andiamo sull'isola di Murano, dove prendiamo un disgustoso gelato all'albicocca e visitiamo una vetreria piena di oggetti da incubo. Le propongo di comprare uno zainetto Invicta per Luke. Poi, all'improvviso, mi dice che la sua amica ha detto che posso fermarmi nell'appartamento anche dopo che lei sarà partita, cosa che farà martedì.

« Martedì? » le dico, sbiancando. « Perché così presto? »

Nulla di quanto dico riesce a dissuaderla. E adesso dice che non può venire nemmeno al concerto di stasera. Perché no? Le chiedo. È per il palazzo? Gli stucchevoli stucchi? I miei colleghi del quartetto? Lei scuote la testa, è difficile avere una risposta. Ha bisogno di mandare un fax, e lo farà mentre torniamo a casa. Andrà a letto presto.

Le racconto crudelmente i rumori di Venezia, e adesso è il suo viso che sbianca, anche se lei non dice niente. Li descrivo con tenerezza. Come fa a lasciarmi martedì? Come? Come? Così saranno solo quattro i giorni interi che passeremo insieme qui? E oggi è già il secondo.

Durante il concerto la mia mano si muove con precisione sulla tastiera. Haydn e Mendelssohn vengono evocati come si conviene. Il concerto viene applaudito, e come bis facciamo un movimento del quartetto di Verdi, richiesto in precedenza dalla signora Wessen. Il conte Tradonico e la contessa si comportano anch'essi da anfitrioni, prestando una squisita attenzione agli estranei come agli amici; il loro fascino è sereno, professionale. Un acido fratello del conte, uno scultore, si aggira tetro fra gli ospiti. Vorrei parlare con lui, ma all'improvviso mi passa la voglia. Non riesco a collegare i pettegolezzi del bar alla Giudecca con niente che veda qui, né conciliare l'una cosa all'altra.

La quindicenne Teresa ci sorride, soprattutto a Billy, il suo favorito. Sta piovendo, perciò nessuno si avventura sul ponticello per raggiungere il giardino. Nella sala con i bimbi grigi e oro appesi al soffitto si inghiottono tartine e prosecco, nasce una soddisfacente confusione. La signora Wessen si lancia in effusioni rumorose. È un sollievo non conoscere nessuno, non appartenere a nessuno stormo di questa società. Io non parlo molto nemmeno coi miei colleghi del Maggiore, a parte gli accordi per fissare le prove dei prossimi due concerti veneziani. Torno a Sant'Elena.

Ho bevuto troppo prosecco; di sicuro lei sentirà l'odore sulla mia pelle. Sulla strada per il vaporetto mi fermo in un bar a smaltire la sbornia, e bere qualcosa d'altro, stavolta una grappa robusta. Divento fraterno, loquace senza badare alla lingua. Scopro che è mezzanotte passata.

Di notte i vaporetti compaiono all'improvviso sull'acqua nera; devi stare attento a non perderli.

Nessuna luce filtra dalle persiane. Nell'appartamento posso far rumore, ma non accendere la luce, dato che lei dorme, e i suoi sogni potrebbero bloccarsi. Mi spoglio e mi sdraio accanto a lei. Con l'avanzare della notte, nonostante tutte le fratture della giornata, ci dirigiamo senza accorgercene l'uno nelle braccia dell'altra. O almeno credo, dato che è così che ci risvegliamo.

6.11

Parte la sveglia. Mi sembra di non aver quasi dormito.

Guardo le cifre luminose dell'orologio: 05.00.

Lei, naturalmente, continua a dormire. Ma se ha puntato la sveglia su un'ora così folle, si vede che vuole essere svegliata.

La sveglio con delicatezza, baciandola sulle palpebre. Si lamenta un po'. Le faccio il solletico su un piede.

« Lasciami dormire », dice.

Accendo la luce. Lei apre gli occhi.

« Sai che ore sono? » le chiedo.

« No... Oh, ho così sonno. »

« Perché hai puntato la sveglia alle cinque? »

« Oh, sì », sbadiglia, « non volevo che perdessimo l'alba. »

« L'alba? » ripeto come uno stupido. « Credo di avere un mal di testa da sbornia. »

« Mettiti qualcosa di pesante, Michael. »

« Perché? »

« Vaporetto fino a San Marco, poi a piedi fino alle Fondamenta Nuove, e il vaporetto delle sei per Torcello. »

« Oh, no. »

« Oh, sì. »

« Il vaporetto delle *sei*? »

« Sei. »

« Allora prima un caffè. Lo metto su io. Non riuscirò a muovermi senza un caffè. »

« Potremmo perdere l'alba. »

« A che ora è l'alba? »

« Non ne sono sicura. »

« Be', allora mettiamo sulla bilancia una cosa sicura contro una incerta, e prendiamo una tazza di caffè. » Ma lei ha un'aria così delusa che capitolo subito.

C'è un fruscio fra i pini. Il cielo è coperto, con qualche tocco dorato. Gli uccelli stanno facendo un terribile baccano al pontile, che cigola e ondeggia mentre osserviamo il lido. Arriva il suono di qualcosa che si avvicina: un vaporetto, quasi vuoto, dato che è domenica mattina, e non sono ancora le cinque e mezzo.

Luci dorate splendono sulla laguna aperta; il rumore del motore si innalza e si abbassa di tono. Arriviamo presto a San Marco.

« E adesso? » chiedo.

« Adesso attraversiamo la piazza vuota, e assaporiamo la solitudine. »

« Attraversiamo piazza vuota. Assaporiamo solitudine. Capito. »

Non c'è nessuno nella piazza, a parte una moltitudine di piccioni e un uomo con una scopa. La assaporo meglio che posso.

Un gatto grigio raggiunge i piccioni; non fa nessun tentativo di assalirli, e loro non danno il minimo segno di allarme.

« Cos'è questo profumo di limone che continui a usare? È incredibile. »

« Non è di limone, Michael », dice Julia, irritata. « È floreale. E non è un vero profumo. È solo un'eau de toilette. »

« Scusa, scusa, scusa. Comunque, è splendido. Quasi splendido come te. »

« Oh, smettila, Michael, altrimenti comincerò anch'io a dire che sei splendido. »

« Davanti ai piccioni, vuoi dire? Be', non lo sono? »

« Sì. Se preferisci. »

« Quello che vuoi dire davvero è: sta' zitto. »

« Sì. »

« Ma posso canticchiare? »

« Sì. »

Anche una coppia di giapponesi, che devono essere matti come noi, è in giro a passeggio. Emergono dai portici, e la donna persuade lo spazzino a prestarle la scopa per farsi fotografare. Lui gliela passa. Lei viene fotografata con la scopa stretta in mano con sfondo di San Marco e contorno di piccioni.

« Dov'è l'alba? » chiedo. Il cielo sta diventando chiaro.

« Sono queste nuvole. Non credo che la vedremo », dice Julia, triste.

Io sono ancora intontito. Continuiamo a zigzagare, finendo un paio di volte in calli che terminano nel canale. Il ragazzo di un fornaio emerge da qualche parte con un vassoio in mano, un uomo spinge fuori un espositore di giornali, piccioni atterrano con un battito d'ali in un'enorme piazza aperta. Un cavaliere di bronzo ci controlla dalla sua altezza insonne. Arriviamo alle

Fondamenta Nuove giusto in tempo per vedere il nostro vaporetto che si stacca dalla riva.

« Troppo tardi », dico. « E adesso? »

« Adesso ci assaporiamo il cielo », propone Julia.

« Bene. »

Raggiungiamo un ponte, e ci fermiamo lì, guardando verso nord l'isola che il suo gelato all'albicocca ci ha reso memorabile. La nostra nave sta andando in quella direzione.

« Se non fossi stato così lento... » comincia Julia.

« Se tu non avessi sbagliato strada tante volte... » preciso io.

« Eri tu quello che doveva leggere la cartina. »

« Ma eri tu a pretendere di sapere la strada per esperienza. »

« Be', devi ammettere che è una meraviglia. »

Lo ammetto. Il cielo si è aperto con un'esplosione di oro pallido sopra l'isola del cimitero e un limpido tocco rosa sopra Murano. Ma per il prossimo vaporetto bisogna aspettare più di un'ora. Fa troppo freddo per fermarci qui sul ponte, e la fermata per Torcello è troppo desolata, così ci sediamo a una vicina dove almeno c'è un po' di movimento. Le passerelle cigolano quando arriva un vaporetto. Scende un prete con una veste marrone e salgono alcuni manovali con una camicia blu. Apre la pasticceria di fronte, e andiamo a prendere un altro caffè. Poi entriamo nel bar di fianco che ha appena aperto e bevo una grappa di sfida.

Julia tiene per sé i suoi giudizi. Due minuti prima che arrivi il nostro vaporetto ordino un'altra grappa.

« Il bicchiere della staffa », dico.

« Lo fai apposta? » dice lei.

« Lasciamela assaporare. Ho assaporato un sacco ultimamente. »

« Michael, vado senza di te. »

« Ti ricordi il treno? L'aereo? Li hai presi, vero, ma solo per un pelo. »

Lei mi fulmina con un'occhiata, afferra la grappa dal banco, se la inghiotte lei e mi trascina alla nave.

6.12

Fasci di tronchi come mazzi di asparagi segnano le vie d'acqua nella laguna. I cipressi abitano l'isola dei morti, ben popolata di uomini illustri come il grandioso cimitero di Vienna. Schiuma immobile chiazza l'acqua grigia. Mi volto a guardare l'orlo verde-nero di Venezia. Troppo presto, troppo presto: è già domenica.

Un faro, alto e bianco, è addolcito da un fregio della Pietà. Passiamo sotto le finestre infrante di una fabbrica, poi siamo di nuovo in mezzo alla bassa laguna, quasi priva di caratteri definiti.

L'aeroporto è alla mia sinistra. Come è piccolo quell'aereo; e fra due giorni lei sarà lì, molto più piccola, nell'aria; e lì le sue labbra, i suoi occhi, le braccia, le gambe, il seno, l'anima, le spalle, i capelli, le dita, la voce, tutti che si allontanano rapidamente; e nella stiva la rana blu di porcellana che devo ancora darle.

C'è bassa marea? I gabbiani sono seduti sulle distese fangose che affiorano nella laguna malarica, picchettata da campanili storti. Guarda: c'è un essere umano che fa qualcosa di faticoso con un palo e una cosa bianca sulla distesa fangosa alla nostra sinistra. Cosa sta facendo con tanto sforzo? Ci deve interessare? Adesso suoniamo la sirena e avanziamo nel passaggio fra due isole. Adesso siamo arrivati.

Tutti gli altri sono scesi a Mazzorbo. E allora cosa stiamo facendo noi due alle otto di mattina a Torcello? Su due panchine rosse siedono due gatti grigi tigrati.

Il canale che fiancheggiamo è grigio come risciacquatura di piatti. C'è un vento fresco. Cantano dolci uccellini, i galli gracchiano in lontananza, avanza un motore. Procediamo lungo i mattoni a spina di pesce. Uiii-uiii-uiii-uiii-uiii-ciac-ciac-ciac-ciac. Lei non può sentire nulla. Ma può vedere vigne e fichi, papaveri, rose scure davanti a una taverna; può vedere un cane che abbaia, con la coda ritta, gli occhi furiosi. Cane a tre zampe, grasso e ben nutrito, perché devi proprio ringhiare? Annusi, pisci, corri accanto a noi, ti slanci goffamente su per il Ponte del

Diavolo. Lasciaci passare, lasciaci ammirare questi alberi con le foglie argentate, questo deserto mattutino. Non ti stremare; non infrangeremo questa pace. Ciac-ciac-ciac. Uiiii.

Pace nella piccola Santa Fosca. Lei si inginocchia in silenzio, io mi siedo in una gragnuola di suoni. Un prete basso e grasso vestito di nero si asciuga la fronte sotto un orlo di capelli bianchi. Un vecchio sagrestano tira fuori un sacchetto arancione. Le offerte della settimana si rovesciano nel sacco dalle varie cassette, una a una. Soldi, soldi, voluttuose lire: le monete piovono dentro, e il fruscio distinto di banconote mescolate a esse, la chiusura delle cassette, il rumore di una camminata dinoccolata; e in mezzo a tutto questo il canto degli uccelli, così netto, e il motore in lontananza che entra smorzato dalla porta aperta.

Il prete tossisce, si inginocchia davanti a Mammona nella navata, voltando la schiena a Cristo. È una cassetta di legno per le elemosine su un tavolino. Sono inquieto e mi devo alzare; alla sinistra dell'altare, Maria, coronata di dodici stelle grazie a piccole lampadine elettriche, tiene il bambino fra le braccia. È un bravo bambino, non fa sorrisi furbi come altri, che sanno di essere la luce del mondo. Sulla destra, un uomo si inginocchia davanti a un Dio benevolo e fidato; ha posato il martello e gli altri arnesi del mestiere e solo il mento è visibile mentre piega il capo all'insù e alza nella preghiera le braccia che gli oscurano il viso.

Lei accende due candele, e mi guarda. Esito per un istante, e poi ne accendo una anch'io.

Usciamo, nel sole, e dopo un po' entriamo nella cattedrale.

6.13

Nel grande fienile di Dio vengono pesate le anime. In grembo al nemico siede il falso Cristo, gentile e perspicace. Grosse travi si protendono dal muro e sostengono il tetto. La regina di grazia, tutta vestita d'azzurro, solleva il bambino dalla faccia savia.

Il giorno del giudizio è avvolto nell'oro. Le belve feroci

ascoltano l'ultimo suono della tromba e vomitano coloro dei quali si sono saziate. I morti si liberano dei sudari. I dannati, calmissimi, bruciati da fiamme rosse, non mostrano dolore. Nere strisce di vermi perforano i loro teschi.

I salvati stanno in piedi e lodano Dio. È questo il loro destino nei secoli dei secoli.

Ancora una volta lei s'inginocchia. La campana suona. Il sacerdote e il suo piccolo gregge, non più di dieci persone in quest'ampia navata, attaccano un canto. Finisci il tuo lamento, prete rotondo, non cantare su e giù: è un canto stonato e fuori tempo, è uno strazio per le mie orecchie.

Sono annoiato, urtato. Faccio come per andare. Lei non vuole. Sto seduto per tutta l'ora della messa, ma non sono qui.

Il pane e il vino vengono consacrati. Incerta dapprima, lei si alza e va a prendere l'ostia. E poi, sia lode al Signore, non ci sarà altro da fare che uscire.

Ma adesso la guardo e vedo la trance in cui è immersa. Oh, essere commossi in questo modo, essere così colpiti, sentire che alla fine c'è questo scopo, questo chiaro bene. Anch'io mi inginocchio, ma non a Questo o a Quello. Non sono stato trapassato fino all'osso come lei. Cosa dirò io a lei o lei a me quando avremo lasciato questo posto?

6.14

Emergiamo in una folla: bevande fredde, tovaglie di pizzo, chincaglierie; vetri di Murano. In un'ora, il deserto è diventato un mercato. Compro qualche cartolina. Papà e zia Joan amano ricevere cartoline separate dall'estero. Con una fitta di senso di colpa mi rendo conto che non gli ho mandato niente da Vienna.

Fuggiamo nelle paludi con i loro canali salmastri e l'aria salata. Un cuculo canta una terza discendente, e ripete all'infinito il suo verso. Deve aver piovuto durante la cantilena del prete; i campi sono bagnati. Lungo il sentiero crescono orzo e avena, e dove si sbuca nel pantano verde limone, bottiglie di plastica, latte di benzina e gusci rotti di polistirolo formano banchi di detriti.

Per cinque minuti o anche di più lei non parla.

Dalla mia tracolla estraggo la rana di porcellana e gliela do. Il suo blu è il lapislazzulo del manto di mosaico della Madonna.

« È bella. »

« Vero? »

« Grazie per essere stato così paziente in chiesa. »

« Non c'è di che », dico, un po' remissivo. « E dov'è il mio regalo? »

« L'ho lasciato a casa; voglio dire, all'appartamento. Adesso è pronto. Ci ho lavorato stanotte. Comunque, se cercassi di aprirlo qui si bagnerebbe tutto. »

« Perché te ne vai così presto da Venezia? »

« Devo. Non rendermelo difficile. Non continuare a chiedermi perché, ti prego. »

« Domani devo studiare almeno per un'ora. E poi c'è una prova. Il tempo sta correndo troppo veloce. »

« Se solo ci potessero essere due me. »

« Torni a Londra o a Vienna? »

« Londra. »

« E tutto questo sarà finito? »

« Michael, sono felice qui con te. Tu sei felice qui con me. Non è vero? È già un miracolo il semplice fatto di essere qui. Non è abbastanza? »

Resto in silenzio per un po' e mi concentro sulla sua frase. Sì, è vero, ma no, non è abbastanza.

6.15

Siamo seduti su una panchina di pietra accanto alla fontana nel giardino di Palazzo Tradonico. È la tarda mattinata di lunedì. Splende il sole. Siamo all'ombra di un albero che non conosco, con foglie lucide e piccoli fiori bianchi intensamente profumati. C'è un libro posato sulle mie ginocchia. Il biglietto del legatore è caduto per terra. Lo raccolgo: nome, numero di telefono, l'indirizzo con un numero del sestiere di San Marco, il nome della via, Calle della Mandola.

«Cosa vuol dire 'Mandola'?» chiedo leggendo il biglietto.

«Mandolino», dice lei. «O è la mandorla? No, mandolino.»

«Oh, davvero?»

«Oh, davvero?» fa lei con un sorriso. «È tutto quello che hai da dire?»

«Non riesco a dire niente. Davvero. Nessuno mi ha mai fatto un regalo così bello. Neanche tu.»

È un libro fatto a mano che proviene da una piccola legatoria davanti alla quale eravamo passati il nostro primo giorno qui. Come un vecchio quaderno da musica, è più largo che alto. La copertina è di un grigio chiaro marmorizzato, e contiene più di cento pagine di carta spessa. Ogni pagina ha otto pentagrammi vuoti. Sulle prime pagine, con un inchiostro marrone scuro così diverso dal suo solito blu, Julia ha copiato dalla mia partitura un'ottantina di battute – in realtà, l'intera prima fuga – dell'*Arte della fuga*.

Nemmeno una nota è stata cancellata con un tratto di penna o il bianchetto, a quanto posso giudicare. Deve esserle costato ore e ore, a faticare con le chiavi antiche, eppure le pagine scorrono fluide, naturali.

Sulla costa, impresse a rilievo in piccole lettere maiuscole senza grazie, argento opaco, stanno le parole: *Das Grosse Notenbuch des Michael Holme*.

Sulla prima pagina lei ha scritto: «Caro Michael, grazie per avermi convinta a venire qui, e per questi giorni. Con amore, Julia».

Poso la testa sulla sua spalla. Lei mi fa scorrere la mano sulla fronte e fra i capelli. «Dovresti entrare. Sono quasi le undici.»

«La suonerai per me? Abbiamo ancora qualche minuto prima della prova.»

«No. Come faccio?»

«Mi ricordo che la suonavi a Vienna, tanti anni fa.»

«Quello era solo per me. Mi hai spiato!»

« Be'? »

« Non sono capace di leggere bene queste chiavi, Michael. Non hai portato la tua partitura con te, vero? Ha una trascrizione per pianoforte. »

« No, è all'appartamento. Se l'avessi saputo... »

« Be', così ho una scusa. »

« Magari ti è rimasto qualcosa nelle dita... »

Lei sospira, e acconsente.

Attraversiamo il ponte ed entriamo nella sala da musica. Poso il mio dono sul piano e mi fermo per voltare le pagine. Lei si siede, suona la linea del basso per un paio di battute, poi passa al soprano e alle parti intermedie. Chiude gli occhi, e lascia che le mani e l'orecchio interno ricordino. Di tanto in tanto le sue dita si fermano; lei apre gli occhi, osserva un altro po' e continua. Ciò che suona è paradisiaco: un paradiso interrotto. Finalmente, all'incirca a metà della fuga, alza le mani e dice: « È qui, da qualche parte, ma dove? »

« Stai suonando benissimo. »

« Oh, no, no, e lo so. »

« *Io* no. »

« Ho suonato questa fuga la notte dopo avervela sentita suonare alla Wigmore Hall. Dovrei ricordarla meglio. »

« Be', allora, a Londra? »

Julia esita. Quella parola definisce la sua vita instabile, troppo stabile? Dice sottovoce: « Non lo so, Michael ».

« Forse? »

« Be', forse. »

« Falla diventare una promessa, Julia. La seconda metà del mio regalo. »

« Non posso prometterlo. È una... situazione così diversa. Non so nemmeno se vorrò suonarla, a Londra. »

« Mi hai portato via cinque giorni, Julia. Non puoi darmi questo in cambio? »

« D'accordo », dice alla fine. « Ma è una cosa che non suonerei mai per nessun altro, all'infuori di te. »

6.16

Lei toglie il mio libro dal pianoforte e torna in giardino.

Dopo qualche minuto entrano Helen, Piers e Billy, e accordiamo. Stiamo provando per il concerto di domani alla Scuola Grande di San Rocco. L'aereo di Julia parte alle 6.30 del pomeriggio. Non potrò nemmeno andare a salutarla all'aeroporto.

Uno dei pezzi che suoniamo è il quartetto di Brahms in do minore che abbiamo eseguito alcuni mesi fa. Lo suono meglio di allora perché non riesco quasi a preoccuparmene. Non vengo assalito dalla frustrazione come mi accadeva. In ogni caso, gran parte di me è nel giardino oltre il piccolo rio. Se gli altri percepiscono la mia assenza, non lo dicono.

Facciamo una pausa molto prima di quanto mi aspettassi. Raggiungo il giardino. Julia deve essere rientrata. Il libro è posato sulla panchina sotto l'albero. Accanto, per terra, c'è la sua borsa.

Noto un foglio di carta che spunta dalle pagine, e lo apro. È un fax indirizzato a suo marito nella sua fluida calligrafia inclinata. È un messaggio privato, ma i miei occhi senza vergogna, avidi di qualunque cosa riesca a imparare di lei, mi costringono a leggere.

Carissimo Jimbo,
    mi manchi terribilmente, mi mancate terribilmente tutti e due. Non vedo l'ora di rivedervi. Jenny ti manda tutti i suoi saluti. È costretta in casa per la maggior parte della giornata, così non abbiamo passato insieme tutto il tempo che avremmo voluto. È duro per lei; mi pare di averti detto che i bambini hanno il morbillo. E anche se è aiutata, loro non vogliono stare senza di lei. Secondo Jenny, i bambini passano la maggior parte del tempo a fare la lotta: fraternamente, ma con molto impegno. Ma adesso sono troppo fiacchi e pieni di macchie anche per quello. Tra parentesi, adesso non sono più infettivi, per cui i miei due Hansen sono al sicuro. Così non dovrò, come i bassotti e i pechinesi di Mutti, essere messa in quarantena.

Sono stata benissimo qui a Venezia. Sono così contenta di essere venuta. Vienna stava diventando troppo faticosa, e se fossi andata con Maria in Carinzia, con suo marito e il bambino piccolo, mi sarei resa la vita impossibile.

Avevo bisogno di questo stacco. Mi sento così rinnovata. Ogni giorno cammino per chilometri. Ma sento la vostra mancanza e non riesco a sopportare il pensiero di stare un'altra settimana lontana da voi. È per questo che torno prima. L'altro giorno io e Jenny abbiamo pranzato da Cipriani, e ho pensato a te, che te ne stavi a Londra senza di me e pensando a me. Di' a Luke che se mi perdona la lunga assenza avrà due sorprese, una piccola e una grande, da Venezia, oltre che un regalo della sua Oma. Un enorme abbraccio al mio orsetto Benetton. Non che, con la nonna che si occupa di lui e lo vizia all'inverosimile, si ricorderà di me quando mi rivedrà.

Tornerò domani (martedì) con il volo Alitalia che arriva a Heathrow alle 7.25 di sera. Mi guarderò in giro per vederti ma ti prego, tesoro, non disturbarti a venire all'aeroporto se devi lavorare o hai qualche altro impegno. Lo so che non ti ho dato molto preavviso. Prenderò un taxi. Non ho molti bagagli.

Ti amo tanto e penso tutto il tempo a te. Spero che tu non abbia lavorato troppo. È così duro non poterti telefonare. Una delle mie peggiori paure è che perderò il suono della tua voce.

Tanto, tanto amore,

JULIA

Strappo un mazzo di quei fiori bianchi e profumati. Mi sento male. Mi sento come un ladro che è entrato in una casa e dentro trova cose rubate dalla sua.

Il leone consumato e annoiato, appoggiato al suo scudo, sbadiglia come per dire: « Be', non sarà mica una tragedia? Cosa ti aspettavi? »

Una carpa nera ne tocca una rossa di fianco, e continua a girare in tondo senza scopo nella vasca.

Attraverso il ponte. Da qualche stanza interna sento l'allegra e rapida parlata italiana di Teresa, seguita dalla voce di Julia, più esitante. Riesco a distinguere le parole « Wessen », « Billy », « Londra ». Mi sento male nel profondo del cuore.

Continuiamo con la nostra prova. Tutto va come dovrebbe. Il nostro concerto di domani dovrebbe essere uno dei nostri soliti successi.

6.17

« Che cos'hai? » mi dice lei. Ha acceso la lampada del comodino e mi sta guardando, sconvolta e spaventata.

Prima la mordevo delicatamente, sul collo, sulle spalle, sulle braccia, morsi leggeri che, non so bene come, tirano fuori il profumo sconvolgente del suo corpo – forse è la strana eredità di Virginie – ma stanotte nell'amarezza della mia passione non so cosa è successo. A stento sentivo che stavo facendo l'amore con lei; non ero padrone di me.

« Sei matto », mi dice. « Guarda questi segni. »

« Povero Jimbo. Mi domando cosa penserà quando verrà a prenderti a Heathrow. Pensi che si porterà dietro l'orsetto Benetton, oppure per lui è già l'ora della nanna? »

La mia lingua è brutale come i denti. Lei mi fissa e getta un grido – un orribile suono di rabbia e dolore e incredulità e senso di essere stata violata – poi si copre il viso con le mani e i capelli. Cerco di toccarla. Lei mi allontana con violenza la mano.

Comincia a piangere quasi con furia. Cerco di stringerla fra le braccia, ma lei me le scuote via. Cerco di dire qualcosa, ma non può vedere le mie parole.

All'improvviso spegne la luce, e giace nel buio, senza parlare. Provo a prenderle la mano; me la spinge via. Le bacio la guancia, il bordo delle labbra. Le lecco le lacrime. Lentamente si calma. Le prendo di nuovo la mano, per esprimere una parola di scusa. Capisce le prime due lettere e ritira ancora una volta la mano. Quale scusa ci può essere per la mia frode?

Stranamente, si addormenta quasi subito, e io vengo lasciato a vegliare, amareggiato verso di lei e il mondo in cui è così avviluppata, e per la vergogna e il rimpianto per ciò che ho fatto.

Le sue braccia addormentate sono attorno a me quando mi sveglio, ma sento che non sono stato perdonato. Sulla sua spalla ci sono ancora i lividi. Diventeranno gialli e dureranno per giorni. Come possono le parole farli sparire?

6.18

Una passeggiata fino alla fine del mondo, alla zolla del terremoto, da solo; le distese fangose della subsidenza e delle inondazioni, e l'eremo di colei che ritrovò la vera croce. Allora in città il giorno del terremoto nacque un fragile prete i cui scritti vennero dispersi, e di mano in mano giunsero alla biblioteca con la parete curva. Lì rimasero finché l'estasi si levò non udita verso gli angeli incoronanti e la colomba. Se fossimo delfini, cosa suoneremmo? Se avessimo quattro mani, la mente di Bach si sarebbe ancor più ramificata? Che i nostri pollici siano opponibili agli angoli opposti. Che i nostri denti vengano estratti, che ci spuntino fanoni come alle balene, cosicché il nostro amore-plancton possa crescere, cosicché possiamo spruzzare e giocare senza digrignare.

Rimpianto e dolore, rimpianto e dolore, spezzano in due l'errante cuore. Chiamano il volo, lei deve essere seduta al posto 6D, senza vedere, a tutta velocità fra i venti. Atterrerà, è atterrata, può atterrare, farsi controllare e timbrare i documenti? I suoi occhi sono d'oro, i suoi capelli azzurri? Ha marmorizzato l'appartamento di grigio. Ha scritto *die Liebe* sul mio quaderno. Campari chiama dal Lido, e a quella vista canto la Trota. Dall'alto la luce si scurisce su piloni rossi, colore delle alghe, e la musica fluttua sulle scogliere e i fondali non ancora insabbiati.

La signora Mariani può fare quello che vuole delle lenzuola. La contea Tradonico può curare i suoi boschetti di nespoli del Giappone e usare uno spaventapasseri contro una valanga. Che l'affumicato Käll si sostenga su Marte, e Yuko deponga rimpianto sulla tomba di Beethoven. Che il signore del feudo di Rochdale getti la sua bara su una canoa e si diverta sulle acque. Che Zsa-Zsa dorma su un cuscino di merluzzi nella custodia del violoncello di Maria. Che la signora Wessen viva fino a vedere la sua millesima luna. Che Ysobel distenda la sua fronte. Che la povera Virginie smetta di piangere. Che le cose, tutte e nessuna, accadano e passino, perché come passerò io questi giorni?

Un uovo sodo non può tornare crudo, né la fiducia infranta risuggellarsi. Suoniamo qui nella Scuola cupa e presaga dove la croce pende volgarmente in avanti, eppure il pubblico applaude. Suoniamo lì in una villa nella terraferma d'Italia, con le sue rose cotte dal sole, gli iris morenti nel campo murato grande come un sestiere di Venezia. Ci sono due grandi cani bianchi, orsi polari che si divertono. Le ciliegie sono mature, e giro per il frutteto, baciandole e mordendole via dagli alberi.

Ho esaurito le mie risorse. Ho visto un cane su una barca, l'incarnazione del cane di Carpaccio. L'ho visto, era piccolo e bianco e fedele, e attento a ciò che succedeva attorno a sé. Ha preso nota del valore delle perle della donna, ha soppesato il dolore dell'adolescente con lo zaino Invicta. Con lenta dislessia sotto i ponti serpeggiava la S, sulla quale stava svogliatamente la chiatta: il cane era il gioiello sulla sua prua. Le sue zampe anteriori erano così immobili. La mia mano è stata fermata allora, o è stato dopo? Ogni animale è triste, dopo, eppure come sono pochi i penitenti.

Guarda come il fulmine illumina e sconvolge la nera laguna fino alla chiesa illuminata, con la sua facciata bifronte, insieme maggiore e minore. Lì è il fonte battesimale in cui è stato immerso e ha ricevuto il nome il nostro comune amnio, anche se abbiamo fatto l'inchino e siamo fuggiti. Piers, Helen, Billy, Alex, Michael, Jane, John, Cedric, Peregrine, Anne, Bud, Tod, Chad, James, Sergei, Yuko, Wolf, Rebecca, Pierre: quali categorie di navi e di seme riempiranno questo reggimento, questa fabbrica, questa pelle di salsiccia? Queste isole non sono serene e sono piene di rumore. Una rastrelliera viene sollevata dietro quel muro bianco-rosa. Una nave da crociera muggisce e un passero grida. Acqua verde che sciaborda, il palloncino di un bambino, campane di bronzo. Lei legge queste parole sulle mie labbra: le sue sbiancano.

PARTE SETTIMA

7.1

« BENTORNATO a Londra, bentornato, bentornato, bentornato. Ho sentito che è stato un *enorme* successo », dice Erica. « Congratulazioni, congratulazioni, ben fatto! Lothar era in *delirio*. »

« Lothar non c'era », replico io, allontanando un po' la cornetta dall'orecchio.

« Lo so », dice Erica, più sobria. « Era a Strasburgo... Scusa, Salisburgo: che stupida! »

« Pranzo al Sugar Club, Erica? »

« No, no, no, solo un lapsus. Spero che Piers non ci abbia fatto troppo caso. Tendono a girargli i cinque minuti per cose del genere. Pensa che debba esserci sempre qualcuno, a puntare coltelli alla gola, a far la corte alla stampa e alle autorità costituite. Ma ci sono state belle recensioni, perciò deve essere soddisfatto. Avrei voluto esserci io a tenere tutte le vostre manine, in special modo durante quell'intervallo, ma è andata così. La prossima volta! »

« Chi te l'ha detto? »

« Che cosa? »

« Dell'intervallo. »

« Nessuno, nessuno; l'ho saputo così, una cosa da uno, una da un altro. L'uccellino, voci che girano... Terribilmente drammatico, devo dire. Certe volte il risultato è un concerto fantastico, tutta quell'adrenalina che scatta intorno... che scorre intorno, volevo dire. »

« Fin dove è arrivato? »

« Non troppo in là. Cioè, in confidenza, è stato Lothar, e a lui l'ha detto uno della direzione del Musikverein. Credevano che fosse necessario dirglielo; e Lothar, lui è la discrezione fatta persona; cosa che, naturalmente, gli ha fatto passare dei guai con Piers. Sinceramente, *entre nous*, mi sto un po' stufando di Piers; e mi dicono che anche lui si sta stufando di me. È così? » All'improvviso Erica sembra molto attenta.

« Cosa vuoi dire? » le chiedo.

« Be', la tua Julia, sai. Dirlo o non dirlo. Lothar non l'ha detto o non ha potuto dirlo, e Piers l'ha presa come un tradimento. Quella povera ragazza è sorda come una campana, di sicuro avevamo il diritto di saperlo, cose del genere. Sai com'è fatto Piers. Pensi che stia cercando di liberarsi di me? »

« No, credo di no, Erica. Tu sei una manager meravigliosa. Cos'è che ti ha fatto venire quest'idea? »

« Un'agente. Solo un'agente. Niente di più spettacolare. Be', è tutta una serie di cose. L'*Arte della fuga*, ultimamente. Oh, be', sto solo sondando un po' tutti », dice Erica ingenuamente (o è finta ingenuità?). « Piers è un eterno scontento. Lo è sempre stato, no? Anche se ho sentito che se l'è spassata a Vienna, fuori orario. E tu, hai fatto il bravo? »

« Cosa intendi per bravo? »

« Be', da' tu una definizione, caro il mio ragazzo evasivo, e poi rispondi alla domanda. »

« No, dalla tu una definizione... Tra parentesi, Julia non è sorda come una campana. »

« No, no, certo che no, certo che no, ma sarebbe una bomba, per promuoverla. Lothar non dovrebbe tenerlo nascosto. Cosa c'è dietro quel sorriso triste? Suona come un angelo, ma non può sentire una nota... Lavorandoci sopra, si potrebbe riempire tutta la Albert Hall. »

« Per l'amor del cielo, Erica! Cos'è, il circo Barnum? »

Ma i pensieri di Erica sono già corsi avanti. « È questa la cosa più difficile, con voi: come fai a promuovere un quartetto? Chi *è* un quartetto? Qual è la sua vera personalità? Quattro volti senza volto. Ora, se riuscissi a dividere le vostre quattro personalità, come le Spice Girls, ci sarebbero fantastiche possibilità, al di fuori del solito giro della musica classica. »

« Erica, per favore! »

«Oh, Michael, non essere sempre così rigido. Sto solo pensando a come portare a casa un po' più di becchime... Ysobel, sai, è tremendamente astuta sotto questo aspetto. Ma è così schizzinosa, dal punto di vista musicale, che riesce sempre a farla franca. Be', devo scappare.»

«Pisolino pomeridiano per fartela passare dormendo?»

«Ah! E tu cosa fai?»

«Studio la viola. Cerco di riabituare le dita dopo tanto tempo. È che ci sono fantastiche possibilità di crampi. E naturalmente c'è il vibrato...»

«Oh, spiritosone... allora spero di vederti presto... stammi bene... e sta' dalla mia parte se Piers dice brutte cose... *tanti* baci... ciaaoo!» dice Erica, e riattacca subito.

7.2

Rivivo il nostro ultimo giorno a Venezia, mio e di Julia.

Io ho una prova, lei un aereo da prendere. Siamo alle strette, eppure abbiamo paura di affrontarci. Stiamo precipitando in un'oscurità già sperimentata, solo peggiore. Lei sta facendo la valigia ed evita il mio sguardo.

Ciò che ho fatto era imperdonabile, ma nemmeno io ho voglia di perdonare. La notte prima che mi regalasse il libro, avevamo fatto l'amore, perfino più per suo desiderio che per il mio. Eppure, poche ore dopo, una lettera del genere all'altro uomo: sì, sì, suo marito, sì.

«Come hai potuto leggere quella lettera? Come hai potuto mettere in mezzo Luke? Credevo che operassimo su un livello diverso.»

Perché queste parole? Cosa sono, un carrello elevatore?

«Non odio lui. Non odio te. Scusami per quello che ho fatto.»

Mi guarda come se non mi credesse. «Devo pure nascondermi da qualche parte e continuare a mentire a James. Devo pur dirgli che vado a trovare qualcuno o sto facendo qualcosa. Non ti capisco più, ammesso che ti abbia mai capito. Cosa vogliono dire le tue scuse? Non potrò neanche vedere Luke. »

« Nemmeno io ti capisco più, ammesso che ti abbia mai capita. Perché stai giocando con me? Perché mi hai invitato a casa tua a conoscere tuo marito? Ancora non me ne capacito. Perché sei venuta qui con me se tutto fra noi è una menzogna? »

Il bilancio si fonde con un altro, più antico. C'erano tre lati anche in quella crisi, dunque? Non era solo una questione fra insegnante e allievo, in una guerra di volontà? Ma non abbiamo già discusso fino in fondo questa faccenda? La depressione mi aveva reso brutale. Mi sentivo tagliato fuori, anche da lei. Anche il mio legame con Carl era cominciato quasi come amore. « Non posso affrontare nessuno a questo punto », è quanto sostiene che io abbia detto allora. Ma posso aver detto quello e niente di più? Mi sentivo sminuito da quella ragazza più giovane, vagamente sprezzante nei confronti della mia ignoranza? « Credevo che operassimo su un livello diverso. » Non ho mai avuto ciò che lei dava – dà – per scontato.

E adesso mi dice che cosa non ha letto. « Le tue lettere erano a Vienna, in un baule. Le ho trovate la settimana scorsa. È stato uno shock. Avevo chiesto a mio padre di non mandarmele. Non sapevo che le avesse conservate; comunque, devono essere arrivate lì con le altre sue carte. Le ho trovate insieme a vecchie bambole e altra roba che mia madre non aveva messo in ordine né gettato via. Non le ho lette: come avrei potuto farlo? Non era solo il fatto che tu eri di nuovo vicino a me. Temevo i ricordi che potevano far emergere, pensieri di dieci anni fa veri solo a metà per noi. »

« È stato per quello che hai deciso di venire a Venezia con me? »

« Non lo so... Stavano succedendo tante cose... Sì, probabilmente, in parte. »

« Allora le hai lette. »

« No, no... Ho cominciato a leggerne una. L'ho aperta a caso. Non potevo andare avanti. Smettila. »

Ma non c'è nessun altro in questo appartamento dove siamo stati felici. Lei lascia che le posi per qualche secondo le mani sulle spalle. I miei palmi restano fermi, le dita non scorrono lungo i segni sulla sua pelle. Lei l'ha letto, allora, il mio crudo rimorso e il dolore. Quello non è invecchiato di certo.

«Michael, non scrivermi», mi dice.

«Mi chiamerai – mi manderai un fax – o passerai da casa mia?»

«Non lo so. Forse. Sì, fra un po' di tempo. Adesso lasciami stare.» Ma qui sento di nuovo la voce di suo padre: una piccola bugia, per staccarsi più facilmente.

Esce a mandare un fax. Ritorna dopo un'ora. Le porto le borse alla fermata. Mi dice di tornare indietro. Rifiuto. Restiamo lì senza parlare finché non arriva il vaporetto che la porta al Lido, da dove andrà dritta all'aeroporto. Sale velocemente a bordo. Nessun bacio, nemmeno per evitare una scena pietosa.

Vado alla prova. Continuo a stare nell'appartamento di Sant'Elena. Leggo e passeggio e faccio le solite cose. È questo che succede quando la vita non è più nelle tue mani?

Sì, sono arrivato dove mi trovo partendo da qualche altro luogo. Ma anch'io sono soggetto a poteri superiori: alla musica, ai miei colleghi, alla vita di qualcuno che sta meglio senza di me. Anche la musica, posso servirla adesso? Talvolta le dita si muovono sul libro che lei mi ha donato come se conoscessero una nuova forma di braille. Anche qui a Londra è un talismano che mi calma in queste settimane in cui l'aspetto.

7.3

Dal suo libro con la copertina marmorizzata, aperto sul leggio della mia stanza da musica, suono il primo contrappunto, ma questa volta con una viola. È scritto, in effetti, in chiave di contralto, perciò è facile da leggere.

Ci siamo resi conto che avremo bisogno non di due ma di tre viole per il nostro lavoro sull'*Arte della fuga*. L'usuale strumento di Helen, la speciale viola più grande, accordata bassa; e una per me, per suonare le mie parti che scendono sotto l'estensione del violino. Per questo non posso semplicemente prendere in prestito la solita viola di Helen, perché avrò bisogno anche di esercitarmi a casa.

Ho preso in prestito da un mercante la viola che sto suonando. È uno strano piacere per me riprendere in mano dopo tanti anni lo strumento più grande. Avevo dimenticato – non esattamente dimenticato: mi ero disabituato – quanto è più necessario estendere le dita.

Stiamo cominciando – provando qualcosa di vicino a un trauma – ad affrontare la complessità del nostro progetto. Che cosa con esattezza bisogna includere nella nostra incisione? In quale ordine devono essere suonati i vari canoni e fughe? Dove suonano solo tre di noi, chi fra me e Piers dovrà fare la voce più alta? Quali fughe precisamente richiedono a Helen di riaccordare o a me di cambiare il violino con la viola? Qual è il miglior tempo per questi pezzi, dato che Bach non ne ha indicato alcuno?

Abbiamo deciso di lasciare tutto questo, in prima istanza, a Billy. Sarà lui il nostro ricercatore, soppesatore, e direttore. Se ci dice di suonare qualcosa in un tempo funereo, lo suoniamo in un tempo funereo; se a capofitto, a capofitto. Dopo averlo provato secondo la sua maniera possiamo approvare o apportare qualche aggiustamento o ribaltare tutto. Può darsi che solo uno con l'istinto del compositore riesca a guidarci attraverso queste selve musicali. Piers lo sa e lo accetta. Non mi ero reso conto che avesse nuovamente espresso a Erica i suoi dubbi sull'*Arte della fuga*.

In un periodo straordinariamente breve – e sospetto che abbia cominciato a lavorarci sopra durante il viaggio a Venezia – Billy ha prodotto un testo di una dozzina di pagine nel quale ha affrontato la maggior parte delle nostre potenziali domande: esclusioni, ordine, tempi, sostituzioni, accordature, organico, lezioni alternative. Parla del manoscritto di Bach, dell'edizione a stampa del 1751, pubblicata l'anno successivo alla sua morte, dell'incerta questione del corale da lui dettato mentre era cieco e morente (se dovesse far parte dell'opera o no), della posizione della grande fuga incompleta « a tre soggetti », che se completata avrebbe quasi certamente incluso come quarto soggetto il tema principale dell'opera, delle ricerche sull'ordine previsto da Bach, partendo sia da principi generali sia dall'esame dei numeri di pagina cancellati nelle copie esistenti della prima edizione a stampa, e perfino di alcune arcane questioni numerologiche che concernono le lettere del nome di Bach.

Ha anche prodotto, il dolce Billy, col suo computer, le parti per me, Piers e Helen nelle chiavi più adatte agli strumenti che suoneremo. Questo deve avergli richiesto secoli di battitura.

Di solito non studiamo niente senza averlo prima letto e suonato tutti insieme, e fino a ora abbiamo suonato insieme solo il primo contrappunto. Ma in quest'opera, soprattutto per Helen e (in misura minore) per me, sarà necessaria una lunga preparazione se vogliamo suonarla con fluidità. Così, dopo aver suonato il primo pezzo sul libro di Julia e aver sfogliato una per una le sue pagine bianche, proiettandovi l'acqua e il cielo e le pietre di Venezia, torno alle parti generate dal computer di Billy.

Sono queste che percorro per ore in attesa della nostra prima prova, pensando a loro e suonando finché la mente e le dita si estendono per conformarsi a ciò che suona davanti agli occhi e alle mie orecchie.

7.4

Scrivimi qualche parola d'amore e di conforto. O lascia un messaggio sulla segreteria telefonica. O compari alla mia porta, o nel piccolo schermo azzurro. Ti ho scritto; so che il fax è passato.

È giugno: gli scoiattoli mangiano i fichi acerbi sul muro, i fiori secchi dei castagni vengono spazzati via sulla ghiaia.

Non ho avuto tue notizie. Non hai risposto al mio fax non richiesto. Forse non sei in città? Sei andata da qualche parte con tuo marito e sua madre e tuo figlio? Con la sua piccola giacca grigia e il cappellino verde, le sue giornate non sono più numerate e segnate dai voti?

Dove ti sei nascosta per la settimana necessaria a far scomparire i segni che ti ho lasciato? Di nuovo a Vienna, a casa di tua madre? Ti erano avanzati alcuni giorni, quelli che avevi sottratto a me. Non mi perdono. E non è tutto quello che ti ho fatto.

I giardini delle piazze sono accesi di laburni, e vicino al giardino incassato il biancospino, simile a un grosso fungo, è fitto di fiori rosa. I piccoli mostri in grigio marciano in fila per due.

Il biancospino bianco è ciò che amo, e il lillà lilla; eppure i colori di moda li scacceranno tutti. Continuo a camminare, e tu suoni Bach per me. L'amore è così leggero sulla bilancia? Ma vedo piedistalli e pilastri e frontoni dall'alto degli autobus. È un film che scorre davanti alla mia vista: è questo ciò che il grande scalpellino, con i suoi quattro volumi, ha fatto alla città di Londra. Simili azioni sono lente, ma una volta avviate non si fermano più.

Vedo anche gatti, coi miei occhi e in visione. Una sera tardi avevo visto una donna mentre passeggiavo. Era sulla riva dell'Arsenale, e undici gatti la seguivano mentre lei li chiamava e dava loro da mangiare. Lei, una vecchia, gettava avanzi da una borsa, e loro miagolavano di gratitudine e di bisogno. Erano magri e duri di spirito e piagati di rogna, non come l'adorata Zsa-Zsa, adesso tanto malata, lassù al nord.

Hai detto che avrei dovuto aspettare la tua visita. Quanti minuti dovrò aspettare, io che ti ho toccata dopo anni? Posa con dolcezza su di me quei tuoi occhi grigiazzurri. Sì, potresti sorridere, potresti benissimo sorridere e ridere. Sii ragionevole!

Poi mi viene in mente il cortile di bucato e glicine che vedevamo dalla stanza in cui abbiamo fatto l'amore, in quei giorni feriali e la domenica.

Poso la mano sulla spalla dove hai posato la tua testa. Poi dico il tuo nome una volta, due volte, tre, quattro. Alcune notti dormo così, ricordandoti; altre mi addormento solo quando arriva l'alba.

7.5

Ma adesso sono qui alla tua porta. Luke è a scuola, la ragazza che aiuta sua madre coniuga congiuntivi all'Istituto Francese, e James fa scattare il suo abaco a Canary Wharf. Come farà a sentire il campanello? Deve esserci qualche meccanismo, perché lei compare alla porta. È felice di vedermi? Sì e no. Ma non è sorpresa. Sembra così stanca; la sua faccia è tirata. È il sonno che le manca, o la pace? Fa un passo indietro, e io entro.

« Ti dispiace? » le chiedo.

« Ho bisogno di un po' di tempo per conto mio. »

« C'è qualcuno in casa? »

« No. Ti parlerei così se ci fosse qualcuno? »

« Mi perdonerai, Julia? Non intendevo dire quello che ho detto né fare quello che ho fatto... »

« Sì », dice lei, troppo velocemente.

« Non so cosa mi era preso... »

« Ho detto di sì. Non andare avanti. »

« Non ti chiedo perché non sei venuta a trovarmi. Ma non potevi scrivermi? »

« Dopo quello che è successo, perché avrei dovuto ingannare anche te? »

Non dico niente; poi: « Puoi farmi vedere la tua sala da musica, oggi? »

Mi guarda con una specie di spossatezza. Non poteva aspettarsi questa richiesta, tuttavia si comporta come se nulla possa più sorprenderla. Annuisce, ma è una concessione senza parole, come se mi concedesse una libera scelta del mio ultimo pasto.

Saliamo le scale. Tutto il primo piano è un unico salone. Al centro, accanto a un caminetto non utilizzato, c'è uno Steinway nero. Davanti a un bovindo una scrivania guarda sul giardino della strada. Sulla scrivania, la mia rana blu di porcellana sta acquattata su una pila di fogli, davanti a una lettera lasciata a metà. Distolgo lo sguardo.

« Stai lavorando tanto? » dico quando i nostri volti tornano a guardarsi.

« Sì. Vienna ha deciso le cose per me. »

« Così d'ora in poi suonerai da sola. »

« Sì. »

« Non esiste la possibilità di un impianto cocleare o qualcosa del genere? » mi scappa detto.

« Di che cosa stai parlando? Non sai niente di niente », dice, con la rabbia che le cresce dentro. Una volta ho pensato che non ci fosse furia in lei?

Da qualche parte, in casa, il telefono squilla quattro volte, poi si interrompe.

Noto le *Variazioni Goldberg* aperte sul pianoforte. « Be', dato che tutto quello che dico suona stupido, perché non suoni qualcosa tu? »

Si siede all'istante, senza protestare né mostrare un'accettazione attiva, e senza preoccuparsi di aprire il volume suona la venticinquesima variazione, ma come se io non ci fossi. Resto in piedi, con gli occhi chiusi. Quando ha finito, si alza in piedi e chiude il coperchio. Io guardo per terra.

« Sto suonando il primo pezzo dell'*Arte della fuga* », dico.

« Puoi alzare la faccia? Grazie. Sì? »

« Sto suonando il primo pezzo dell'*Arte della fuga*. Con la viola. Usando il tuo manoscritto. »

Lei ha un'aria astratta, distratta. Le parole l'hanno condotta in un labirinto di pensieri.

« Vuoi copiarmi la prossima fuga sul mio libro? » le chiedo. Non lo voglio veramente, ma sento che posso continuare a farla parlare solo attraverso una serie di domande e richieste.

« Sto lavorando troppo », dice. Non riesco a ricavare niente dalla sua risposta.

« Chopin? Schumann? » dico, pensando al suo concerto alla Wigmore Hall.

« E altre cose. » Non vuole approfondire. Sembra inquieta. I suoi occhi vanno al tavolo dove è posata la rana blu.

« Non riesco a dormire senza di te », dico.

« Non dire una cosa del genere. Tutti riescono a dormire, alla fine. »

«Cosa dovrei dire allora?» le chiedo, ferito. «Come va il giardinaggio? Come vanno gli acufeni? Come sta James? Come sta Buzby? Come sta Luke? Sul serio, come sta Luke?»

«Immagino che stia crescendo giorno dopo giorno in statura accademica, artistica, musicale, sociale, spirituale, fisica e morale», dice Julia con voce sognante.

Comincio a ridere. «Davvero? È un bel po' di crescita per un ragazzino.»

«Sto citando l'opuscolo della scuola.»

La bacio sul collo, dove non c'è traccia di segni.

«No, no, lasciami stare. Non fare pazzie. Non voglio.»

La lascio andare e vado alla finestra. Un merlo sta beccando qualcosa sotto un rododendro inzuppato di pioggia. Forse lei sta pensando di essere stata troppo aspra. Mi raggiunge e posa con estrema leggerezza la mano sulla mia spalla.

«Non possiamo essere semplicemente amici?»

Così eccole qui, alla fine, queste parole.

«No!» dico, senza voltarmi. Che legga la mia alzata di spalle.

«Michael, pensa un po' a me.» Così, finalmente, mi concede di essere chiamato per nome.

Scendiamo di sotto. Non mi offre un caffè.

«È meglio che vada», dico.

«Sì. Non ho voluto io che venissi, ma sei qui», dice, guardandomi disperata negli occhi. «Se non ti amassi, le cose sarebbero molto più semplici.»

Allora verrà a trovarmi? Posso tornare di nuovo? Qualunque sia la risposta, non avrò pace. Non è l'amore che sa come rendere ruvide le cose lisce e lisce le cose ruvide?

Mi prende la mano, ma non per una formalità forzata. La porta si apre, si chiude. Guardo giù dal gradino più alto. L'acqua, profonda dieci metri, scorre giù per Elgin Crescent, giù per Ladbroke Grove, attraverso la Serpentine fino al Tamigi, e vaporetti rossi a due piani sputano fumo come battelli a vapore del Mississippi. Un piccolo cane bianco sta immobile sulla prua e starnuta. Avanti, allora, segui l'onda, e non fare scenate, e impara la saggezza del cagnolino, in visita da un altro luogo e che sa che ciò che è è, e, o dura conoscenza, ciò che non è non è.

7.6

Siamo a casa di Helen per la prova.

«Devo mettermi a dieta», dice Billy. «Mi hanno detto che sono sovrappeso.»

«No!» dice Helen. «Che infame calunnia.»

«Il dottore», spiega Billy, «dice che sono clamorosamente sovrappeso, clamorosamente, e la mia pressione è pericolosamente alta, e se voglio bene a Lydia e a Jango sarà meglio che cominci a dimagrire, perciò ecco quello che devo fare. Non ho scelta. La settimana scorsa sono andato tre volte in palestra, e credo di aver già perso quasi un chilo.»

Helen comincia a sorridere.

«È troppo orribile», dice Billy. «Ha detto 'clamorosamente'... Non ha nemmeno provato a usare un po' di tatto... Avete letto tutti i miei appunti?»

«Sono incredibili», dico io. Billy si rincuora. Helen e Piers annuiscono per comunicare la loro approvazione. Così eccoci qua, tutti insieme. Anch'io adesso ho la mia famiglia.

«Devi averci messo delle settimane a scrivere le parti», dico.

«Oh, no», dice Billy. «Ho scannerizzato la partitura. Poi le ho ripulite, ho sistemato qualche chiave, e le ho stampate. Sono incredibili le cose che si riescono a fare al giorno d'oggi.» I suoi occhi si illuminano al pensiero delle possibilità. «Il mio programma adesso ha un'opzione per il pianoforte che si chiama *espressivo*: un po' di irregolarità controllate, e si fa fatica a capire che è un computer che suona, non un essere umano. Fra poco lo perfezioneranno, e allora davvero non si capirà più. Per ogni scopo pratico, i musicisti saranno superflui...»

«I compositori no, immagino», dice seccamente Piers.

«Invece sì», replica Billy, in gioiosa contemplazione della

sua stessa obsolescenza. «Prendete le fughe, per esempio: già adesso si può fare qualunque cosa col computer. Gli dite che volete ripetere un soggetto alla dodicesima, aumentato, invertito, e con un ritardo di una battuta e mezzo; toccate qualche tasto, ed è fatta.»

«Ma dov'è l'immaginazione, in tutto questo? Dov'è la musica?» chiedo io.

«Oh», fa Billy, «quello non è un problema. Basta generare un sacco di combinazioni, controllare la compatibilità armonica, e provarle sugli umani per giudicare la bellezza. Sono sicuro che nel giro di vent'anni i computer ci batteranno anche con i giudizi alla cieca. Magari troveremo anche la formula della bellezza, sapete, basata su vari parametri. Non sarà perfetto, naturalmente, ma comunque più perfetto della maggior parte di noi.»

«Disgustoso», dice Helen. «Agghiacciante. Una specie di scacchi.»

Billy sembra ferito. «Una specie di scacchi *santificati*.»

«Be'», dice Piers. «Torniamo al nostro imperfetto presente. Tutto questo è molto affascinante, Billy, ma cosa ne direste di cominciare?»

Billy annuisce. «Pensavo che potremmo cominciare con qualcosa che non richieda a Michael di suonare la viola», dice. «Questo non è un voto di sfiducia, naturalmente...»

Lo scruto con attenzione.

«No, sul serio», dice Billy. «Sul serio. È solo per mantenere le cose semplici, sai, più semplici possibile. E all'inizio è probabilmente meglio se Helen non prova a suonare la viola più grande accordata bassa.»

Helen fa un leggero cenno con la testa.

«Be'», dice Billy, «questo restringe le possibilità ai contrappunti cinque o nove. Qualche preferenza?»

«Sei tu il capo», fa Piers.

«Oh, d'accordo», dice Billy. «Numero cinque. Pizzicato dall'inizio alla fine.»

«Cosa?» diciamo noi altri tre quasi all'unisono.

Billy è molto soddisfatto dell'effetto che ha ottenuto. «Be', che cosa avete da perdere? » chiede. «Ci vorranno solo tre minuti, più o meno. Avanti. Michael, comincia», dice, vagamente dittatoriale. «Ecco il tempo.»

«Billy, tu sei matto», dico io.

«Non abbiamo ancora suonato la scala», precisa Helen.

«Mi ero scordato della scala», dice Billy. «Facciamola, allora. Scala di re minore. Pizzicato.»

«No!» dice Piers, spinto all'azione da questo sacrilegio. «Non possiamo suonare la scala pizzicato. Sarebbe una parodia. Prima la faremo con l'arco, poi farai di noi quello che ti pare.»

Così suoniamo prima la scala con l'arco, e poi Billy ce la fa pizzicare, cosa molto bizzarra, e poi continuiamo con il contrappunto cinque. Anche se non otteniamo nessuna vera idea della lunghezza delle note tenute, e il pizzicato dei violini è patetico in confronto a quello del violoncello, il contrappunto emerge con scolpita chiarezza. In più, è una specie di esercizio di intonazione. Non l'avevamo mai fatto quando studiavamo il primo contrappunto per il bis. Forse avremmo dovuto.

Billy ci guida per mano. La volta seguente lo suoniamo con il tipo di vibrato che usiamo di solito. La terza volta e le seguenti sono quasi senza vibrato: lo stile nel quale Billy intende farci registrare o eseguire l'opera. È un cammino lento, ma rivelatore. Dopo un'ora passiamo all'altro pezzo che sta nella nostra estensione, e lo affrontiamo all'incirca allo stesso modo.

Poi, con un colpo di bacchetta magica, il quartetto viene trasfigurato: il suono, la struttura, l'aspetto. Passiamo direttamente a un pezzo in cui sia Helen sia io dobbiamo usare strumenti più grossi e più gravi del solito. Sembriamo e ci sentiamo sproporzionati: verso di noi e con gli altri. Io suono la viola che ho preso in prestito, e che potrebbe forse essere chiamata una viola tenore. Fa un suono stupefacente, pigro e ringhioso e molto ricco e bizzarro, e all'improvviso tutti e quattro ci mettiamo a ridere di piacere – sì, piacere, perché il mondo esterno ha perso peso, spessore, esistenza – senza smettere di suonare.

7.7

Passiamo da un pezzo all'altro nell'ordine pensato da Billy. La prova era programmata dalle due alle sei, ma decidiamo di continuare dopo cena. Helen e Billy cucinano la pasta al sugo, mentre io e Piers ci occupiamo del vino, dell'insalata e della tavola. Billy telefona a Lydia per dire che farà tardi e anche Piers fa una telefonata.

La cena improvvisata a casa di Helen: è la prima volta da mesi che tutti noi quattro – come facevamo spesso una volta – mangiamo insieme, ed è strano che debba capitare a Londra, piuttosto che in tournée. Né a Vienna né a Venezia abbiamo pranzato o cenato insieme. Non potevo fare a meno di quei pochi giorni con Julia, né condividerli. E quando lei se n'è andata io ho continuato a fare il solitario.

Billy resiste alla tentazione di servirsi una seconda volta. Il fatto di avere varie ore di prova davanti a noi non conta. È ancora così eccitante il fatto che stiamo suonando l'*Arte della fuga*, e per un disco, e un tale sollievo che lo strumento di Helen, accordato in un modo così improbabile, sia esattamente quello che avremmo desiderato che fosse, che c'è un'atmosfera di festa più che di lavoro.

«La bambina di Rebecca si chiamerà Hope», dice Helen.

«Così è una bambina?» chiede Piers.

«No, non ne sono sicuri. Non hanno voluto saperlo in anticipo. Ma la chiameranno comunque Hope.»

«Stupido padre, stupido nome», dice Piers. «Io al battesimo non ci vado. Stuart è l'uomo più noioso che conosco.»

«Non puoi offendere Rebecca», dice Helen. «In più, lui non è noioso.»

«È noioso. È una specie di microonde della noia. Vieni annoiato a puntino in trenta secondi. Ed esci tutto molliccio», dice Piers macinando grandi quantità di pepe sulla sua pasta.

«Cosa fa di lavoro?» chiede Billy.

«Qualcosa di elettronico», dice Piers. «E ne parla tutto il tempo, con una tremenda voce nasale, anche quando nella stanza non c'è nessuno che abbia la minima idea di quello di cui parla. È di Leeds. »

« Liverpool », dice Helen.

« Be', di qualche posto dimenticabile », dice Piers.

Una volta sarei scattato per battute del genere, ma era anni fa.

« Hanno lanciato uno shampoo speciale per i capelli rossi », fa Helen.

« Bene », dice Piers con un interesse ostentatamente finto. « Benone. Dacci altri particolari. »

« Pensate che dovremmo puntare a fare in concerto l'*Arte della fuga*, prima o poi? » chiede Billy.

« Oh, Billy, piantala », dice Piers.

« Perché? » chiedo io. « Parliamone. È sempre meglio che parlare di Rebecche e di Stuart che né io né Billy conosciamo. »

« Non sapete la fortuna che avete », dice Piers.

« Rebecca è nostra amica da quando è nata », dice Helen. « Ed è stata la prima fidanzata di Piers. »

« Neanche per sogno », dice Piers. « Comunque, io non ho niente contro Rebecca. »

« Sì. Credo che dovremmo suonarla in concerto », dico. « Dopo tutto, il nostro bis è andato benissimo. »

« Ma riusciremo a tenere un pubblico così a lungo? » chiede Billy. « Tutto il pezzo è nella stessa tonalità, o almeno ogni fuga comincia e finisce così. »

« Questo vale anche per le Goldberg », dice Helen. « Be', la tonica è la stessa. E i pianisti con le Goldberg riempiono le sale. »

« Ma è anche l'uniformità dell'*Arte della fuga* che mi preoccupa », dice Billy. « Voglio dire, è molto omogenea, per un pezzo da concerto. D'altra parte, di sicuro è una cosa che ha uno sviluppo architettonico. Forse ne potremmo suonare metà... »

« Perché non ne hai parlato nelle tue note, Billy? » gli chiedo.

« Oh, non so, pensavo che fossero già troppo lunghe. »

« No, affatto », dice Helen.

Billy esita per un secondo, poi continua. « Personalmente – e questo non ha niente a che vedere con Ysobel o la Stratus o il nostro quartetto in quanto tale – credo che gli archi siano ideali per far venir fuori le fughe, ideali. Tengono le note meglio del clavicembalo o del pianoforte. Esprimono meglio le linee individuali. E al contrario, per esempio, dei fiati, consentono di suonare due voci contemporaneamente, come abbiamo dovuto fare io e Piers alla fine del primo pezzo di oggi, quando quattro parti sono diventate sei. In più, Mozart e Beethoven sono d'accordo con me. »

« Ah, davvero? » dice Piers. « E quando hai usato ultimamente il tuo filo diretto celeste? »

« Non ce n'è stato bisogno. È ben noto che Mozart ha arrangiato alcune fughe di Bach per quartetto d'archi, e Beethoven una di Händel. »

Noi abbiamo un'aria sbalordita.

« È ben noto, vero? » chiede minacciosamente Piers.

« Be', forse non in certi ambienti », dice Billy con un sorriso soddisfatto.

« Se è vero... » comincia Helen, « se è veramente vero, non potremmo magari suonare la prima metà dell'*Arte della fuga* e poi – dopo l'intervallo – questi arrangiamenti di Mozart e Beethoven? Sarebbe un grande programma, e darebbe al pubblico un po' di varietà. »

« Sì », geme Piers, « perché non costruiamo tutta la nostra vita attorno a programmi di fughe? »

« Le fughe emancipano le voci centrali », dice Helen con un certo compiacimento.

« Emancipano. Emancipano », dice Piers. « Chi è che ti parla di emancipazione? No, non dirmelo. Sento odore di sandali. »

« Oh, Billy », dice di punto in bianco Helen, « ho il dessert ideale per te. Ci vorranno esattamente trenta secondi. »

Salta su, corre al freezer, poi al microonde, lo accende per dieci secondi, ed emerge con cinque ciliegie gialle su un piatto, che mette davanti a Billy.

« E queste cosa sono? » chiede Billy.

« Ciliegie gialle. Calorie irrilevanti. »

« Ma cosa gli hai fatto? »

« Mangiale alla svelta, poi chiedimelo. Alla svelta. »

Billy se ne mette una in bocca con cautela, poi fa roteare gli occhi, in estasi. Ne mangia un'altra, poi un'altra ancora, finché non sono finite.

«Sono un miracolo», dice. «Fuori sono come ciliegie sciolte, e dentro sorbetto croccante. Sposami, Helen.»

«Sei già sposato.»

«È vero. Come le hai fatte?»

«Le ho comprate, lavate, surgelate e messe al microonde. Tutto qua.»

«Sei un genio.»

«Le chiamo microsorbetti di ciliegia. Sto pensando di aprire una scuola.»

«Grandioso», dico. «La scuola di cucina di un quartetto d'archi. Helen potrebbe essere la direttrice, io e Piers gli studenti, e Billy la cavia. Erica non avrebbe più problemi per trovarci un marchio di fabbrica.»

«Perché Erica ha bisogno di marchiarci?» chiede Piers.

«Be', lei crede che abbiamo bisogno di qualcosa che ci renda più noti al pubblico musicale. I quartetti d'archi sono difficili da promuovere.»

«Tipico di Erica», dice Piers. «Ho cominciato a farmi qualche domanda su di lei. Credo che dovremmo considerare l'idea di prendere un altro agente.»

Billy, Helen e io, in maniere diverse, siamo contrari.

«Non sono stato contento di questo viaggio», dice Piers. «Dal punto di vista finanziario abbiamo fatto fatica ad arrivare in pari, e... be', c'erano anche altre cose.» Piers evita di guardarmi. «Adesso abbiamo il quintetto per clarinetto con Cosmo. Abbiamo già suonato con lui, perciò sappiamo che è a posto, ma se non lo fosse, come faremmo a saperlo? Come facciamo a fidarci del nostro agente, se non ci tiene perfettamente informati?»

«Erica non sapeva di Julia», dico. «Sii onesto, Piers. Lothar lo sapeva, ma ha deciso che non poteva dirlo. Se stai pensando di liberarti di qualcuno, dovrebbe essere lui. Solo che non lo farai, perché è il miglior agente in Austria.»

«Vorrei qualche altra ciliegia», dice Billy.

Helen prepara ancora la sua creazione, e questa volta ne riceviamo tutti una porzione. Versa della grappa che ha comprato a
Venezia, e i rapporti fra colleghi tornano ottimi.

Comincia la seconda metà della prova. Ma adesso non riesco
a dimenticare il mondo esterno, e di tanto in tanto ho piccoli
attacchi di panico che durano pochi secondi ciascuno, quando
la mano, ma non la mente, è sulle note che ho davanti agli occhi, e sento il bagno grigio accanto al Brahms-Saal che incombe
su di me.

7.8

Torno a casa tardi e controllo i messaggi sulla segreteria.

« Michael, sono James, James Hansen. Ho bisogno di parlare
con te. Per favore, chiamami *in ufficio* », comincia il messaggio.
C'è una breve pausa e un fruscio di carta. Mi dà il numero, e
aggiunge, piuttosto bruscamente: « Ti sarò grato se mi chiami il
più presto possibile ».

Dopo c'è un altro messaggio, ma non riesco ad afferrarlo, e
devo riavvolgere il nastro per capirlo. Qualcosa che riguarda il
prestito scaduto di una partitura in una biblioteca. Stringo ed
estendo la mano sinistra, che mi dà qualche fastidio (la prova è
stata lunga, e non mi sono ancora abituato a suonare la viola).

Perché ha chiamato lui e non Julia? Perché vuole che gli telefoni in ufficio? Cosa gli ha detto Julia?

I miei pensieri sono interrotti dal telefono. Chi può essere a
quest'ora? Devono essere le undici.

« Ciao. Michael? » dice la voce di mio padre.

« Papà? Che cosa c'è? Va tutto bene? »

« È morta. Zsa-Zsa è morta. Questo pomeriggio. Ti ho telefonato ma continuava a rispondere la segreteria. » La voce di
mio padre è querula, lacrimosa.

« Mi dispiace tanto, papà. »

« Non so cosa fare. »

« L'hai dovuta far sopprimere? »

«No. Si è messa sotto il tavolo come fa di solito dopo pranzo, e un'ora o due dopo l'abbiamo trovata lì.»

«Oh, papà. Mi dispiace tanto. Era una gatta meravigliosa.»

«Avrebbe potuto morirmi in braccio.» Sento la voce di mio padre che si spezza. «Ricordo il giorno in cui tua mamma l'ha battezzata.»

«Come sta la zia Joan?»

«È sconvolta», dice, cercando di riprendere il controllo di sé.

Povera Zsa-Zsa. Povera vecchia gatta furba, fedele, aggressiva, territoriale, ladra di salmoni. Ma ha avuto una vita lunga e anche piena di avvenimenti.

«Papà, vengo a trovarti la settimana prossima. O al più tardi quella dopo.»

«Vieni, Michael, per favore.»

«Papà, mi dispiace di non essere venuto... Dove pensi di seppellirla?»

«Oh, è buffo che me lo chiedi», dice mio padre, rasserenandosi. «Ne stavamo parlando proprio adesso. Joan pensa che dovremmo cremarla, ma secondo me dovremmo seppellirla in giardino.»

«Non vicino allo gnomo, spero.»

«Non vicino allo gnomo?»

«No», dico con fermezza.

«Ma tanto quello è nel giardino dei Boyd», dice.

«Lo so, ma è a mezzo metro dal nostro, e quasi lo guarda.»

«Dove proponi tu, allora?» mi chiede.

«In un'aiuola.»

«D'accordo, ci penserò», dice mio padre. «Grazie per avermi chiamato, Michael. Ero così sconvolto, e se non mi avessi telefonato stavo pensando di chiamarti anche se era già tardi.»

«Ma non...» comincio, poi mi interrompo. «Va bene, papà. Allora ciao, papà, e buonanotte.»

«Buonanotte, Michael», dice mio padre, e riattacca.

Sono stanco: mente, mano e cuore. Mi addormento pensando: di cosa vuole parlare suo marito?

I miei sogni, però, riguardano Zsa-Zsa. A un certo punto le

dico (la sua testa è posata sul mio braccio): senti, lo so che è un sogno, Zsa-Zsa, e tu sei morta, però mi piacerebbe continuarlo, col tuo permesso; e in qualche modo ci riesco.

7.9

Faccio rapidamente il numero d'ufficio di James Hansen; ma riattacco prima che qualcuno risponda. Dopo qualche minuto riprovo. La sua segretaria me lo passa.

«Grazie per avermi chiamato così presto, Michael», dice. «Fra meno di una settimana è il compleanno di Julia, come forse sai, e sto organizzando una festa per lei, e mi chiedevo, dato che siete così amici, se potessi venire... Pronto, Michael, ci sei?»

«Sì. Sì, grazie, James, sarò contentissimo di venire.»

«Bene, allora, mercoledì, le sette o giù di lì. Ma deve essere una sorpresa, perciò ti sarei grato se non ne parli con nessuno.»

«Dove?»

«A casa nostra. Un vicino terrà pronti quelli del catering con le cose da mangiare e da bere, perciò spero che Julia non sospetti niente. Sto cercando di mantenere il numero degli invitati sulla dozzina, dato che, be', lei non riesce a concentrarsi quando c'è tanta gente. Per questo non l'ho chiesto ai tuoi colleghi del quartetto.»

«No, io... capisco perché. Voglio dire, è una buona idea.»

«Spero che il tempo sia meglio di oggi.»

«Sì.»

«Be', sono proprio contento che tu possa venire. Ci vediamo fra qualche giorno. È stato un piacere averti conosciuto l'altra volta.»

«Sì, be', grazie. Tanti... tanti saluti a Julia.»

«Be', quelli dovranno aspettare, non credi?»

«Oh, sì, naturalmente. Ma come hai fatto a trovare il mio numero?»

«Come potrebbe fare chiunque. La guida del telefono.»

« Ma certo. »

Metto giù il telefono, stordito dal sollievo. Sì, andrò. Sì, mi dico, *devo* andare, perché qualunque altra cosa sarebbe inesplicabile. Cosa dirà quando mi vedrà? Cosa le porterò di regalo? Avrà detto a James della rana blu che deve vedere così spesso? No, non è possibile. Me ne sarei accorto, di sicuro.

7.10

Arriva mercoledì. Ho messo il mio regalo, velato dalla carta, sul tavolo accanto alla porta. Sto stringendo delle mani.

Ma oggi lui non è affatto così contento, non è per niente cordiale. È educato, niente di più. Non mi guarda male, ma è freddo. Il tempo è meraviglioso e gli ospiti si riversano nel giardino. Sono in fiore rose scure, venose. I camerieri riempiono i *flûtes* non appena si svuotano, e Julia, che non si è vestita per l'occasione, ha un'aria incantevole.

Quale spiegazione può esserci per i modi di James? Ha qualche problema in ufficio? È stato un battibecco? Se è qualcosa di diverso, qualcosa di mirato a me, non poteva telefonarmi e dirmi che era saltato tutto? Non sono forse, per lui, alla periferia delle cose?

Julia parla, ride, poi mi vede, e sembra angosciarsi. Mi raggiunge Luke e parliamo per un po'. Che cosa ha mangiato il mostro dopo che gli erano stati tolti tutti i denti? Il dentista. Irrompe Buzby e Luke gli corre dietro. Io mi fermo di lato e osservo.

Dopo un po', Julia viene da me e dice, senza nemmeno un saluto: « Michael, non so perché James ti ha invitato, ma credo che sappia di noi, in qualche modo, non so come. In questi ultimi due o tre giorni non è lui ».

Gli occhi di James, più lontano, sono su di noi.

« Sono certo che la settimana scorsa non lo sapeva », dico. « Sei sicura? »

Lei annuisce.

«Ha detto qualcosa?» le chiedo.

«No... niente di diretto.»

«Non è un buon compleanno, dopo tutto.»

«No.»

«Fra qualche giorno vado a Rochdale. Vieni con me. Continuavi a dire che ci saresti venuta, che volevi vedere dov'ero nato e cresciuto.»

«Non posso, né adesso né mai.»

«Oh, Julia, non va bene, vero, quello che sta capitando.»

«Non so cosa sta per capitare... Adesso è meglio che vada a parlare con gli altri ospiti.»

«Ti ho lasciato il mio regalo sul tavolo.»

«Grazie.» Non riesce a guardarmi negli occhi. Cosa dirà quando scoprirà che è un bonsai, di dodici anni, che deve essere innaffiato ogni due giorni? Se non lo cura, morirà di sicuro.

Aspetto finché alza gli occhi, e dico: «Adesso troverò una scusa e me ne vado. Ma per favore vieni a trovarmi. Per favore».

Mentre le parole lasciano la mia bocca, penso: sono un burattino.

«Sì, sì, verrò... Ma lasciami in pace, Michael.»

«D'accordo», dico. «Vado ad affrontare James.»

«No, non farlo», mi supplica. «Confonditi in mezzo alla gente ed evitalo. Non so come fa a saperlo. Forse ho parlato nel sonno, forse Sonia ha detto qualcosa, o Jenny... Oh, com'è atroce tutto questo.»

«Julia, siamo tutti e due persone trasparenti.»

«Davvero?»

«Io ti amo. È abbastanza trasparente? Lui non è capace di leggere le labbra, vero?»

«Devo andare», dice. «Ma per favore non andartene subito. Sembrerebbe strano. Ciao, allora, Michael.»

Mi lascia. Dopo aver bevuto e mangiucchiato qualcosa con persone che non conoscerò mai, prendo congedo da Luke e, mentre sto uscendo, da James.

«Hai salutato Julia?» mi chiede. «Devi salutare Julia.»

«Le ho detto che me ne sarei andato presto, perciò sapeva che scappavo.»

«Che peccato. Si è messo in mezzo qualcosa?»

«Sì, lavoro.»

«A cosa stai lavorando?» mi chiede. Sta giocando con me?

«All'*Arte della fuga*. Domani abbiamo una grossa prova e sono dolorosamente impreparato.»

«A Julia piace molto, come probabilmente saprai», dice James. «Ogni tanto ne suona dei pezzi. Musica molto raffinata, vero?»

«Raffinata?»

«Oh, c'è dentro molto di più di quello che uno capisce a prima vista. Naturalmente, non sono un musicista; non so se ho usato la parola giusta... Del resto, Julia dice che è molto contenta, in generale, del fatto che non sono un musicista. È un po' un paradosso. Se lo fossi stato, avrei potuto fare musica con lei. D'altra parte, quando ha perso l'udito, forse non l'avrei incoraggiata a continuare. Naturalmente, è una questione ipotetica, ma è un sollievo per me discuterne con una persona che invece è esperta.»

«Sì. Scusami tanto, James. Devo proprio andare. Grazie. È stata una bella festa.»

Lui mi guarda senza sottintesi e stende la mano. Gliela stringo e me ne vado.

7.11

Sono tornato a Rochdale, come promesso. Mio padre è invecchiato, rispetto alle vacanze di Natale.

Siamo seduti da Owd Betts alle due del pomeriggio, e le sue lacrime cadono sulla sogliola stratificata. Fuori è nuvoloso. C'è una luce di perla nella metà più bassa del cielo, e un luccichio spento sul lago artificiale.

«È solo un gatto, Stanley», dice la zia Joan. «Non è Ada.»

Questo distrae mio padre abbastanza da fargli lanciare un'occhiata torva.

« Smettila, Stanley, hai visto morire abbastanza tacchini, ai tuoi tempi. »

« Zia Joan », protesto.

« È per il suo bene », dice la zia Joan senza nessuna commozione. « Sono giorni che fa così. Non dice una parola. È una cosa che fa male alla salute. E per me è noioso. Il tuo arrivo gli ha fatto bene, caro. »

« Lo spero. Papà, perché non ti prendi un gattino? Te lo procuro io. »

« Lascia perdere », dice con fermezza zia Joan. « Se muoio prima io, cosa sarà di quella bestia? E se muore prima tuo padre, non voglio averci a che fare. »

Resto zitto davanti alla sua logica brutale. Mi colpisce il fatto che una delle più ammirevoli doti della zia Joan è dirigere le operazioni quando muore qualcuno e pungolare tutti finché non affrontano le cose. Forse è perché suo marito faceva il becchino a Balderstone.

« E tu, cosa c'è che non va? » continua la zia Joan. « Ti ha lasciato? »

Poso sul tavolo la mia Guinness. « Chi? »

« Chiunque sia. Tutto a un tratto hai un'aria da cane bastonato. »

« Zia Joan, cosa è successo esattamente a quella coppia che è andata a Scunthorpe? »

« Be', lui ha divorziato e l'ha sposata, naturalmente. Ma la povera ex moglie non ha mai ricevuto il risarcimento completo dall'assicurazione, per il negozio. L'assicurazione del camion ha pagato qualcosina e poi si è rifiutata di pagare il resto. »

Mio padre ha cominciato a canticchiare una delle canzoni più audaci di Gracie Fields. Uno strato della sua sogliola stratificata è scomparso.

« In quell'epoca non si imbalsamava mica », dice la zia Joan senza nessuna ragione comprensibile. « Gli hanno dato un bicchiere di whisky quando è andato in casa, è così che l'hanno sa-

386

lutato, e lui è andato avanti a vestire il cadavere. Nessuna imbal-
samazione. L'hanno tenuto in casa e poi l'hanno sepolto. »

Il pudding al limone e zenzero di papà arriva, per la sua evidente felicità, in un lago di crema. Il fantasma di Zsa-Zsa non
incombe più sulla tavola. La zia Joan torna alla sua abituale mistura di pettegolezzo e fantasticheria, e smette di maltrattarci.

« Non scordarti, Stanley », dice, voltandosi all'improvviso
verso mio padre che nel frattempo si è rianimato, « che della vita è giusto lamentarsi. »

Mi piace questo posto, anche se per poco non ho picchiato la
testa contro le travi basse, quando siamo entrati. Owd Betts è
per me un segno di amichevole speranza, anche se è così esposta sulla brughiera, sulla cresta della strada. Quando eravamo a
scuola, io e un mio amico facemmo una specie di camminata
per beneficenza da Blackpool a Rochdale. Fummo portati in autobus e lasciati sul molo, e ci dissero di ritrovare la strada di casa a piedi. Sferzati dalla pioggia, pieni di vesciche, sfiniti e affa-
mati, finalmente passammo davanti a Owd Betts e capimmo per
la prima volta che eravamo arrivati in fondo. Ricordo lo spavento negli occhi della mamma quando arrivai a casa. Dormii per
tre giorni.

Ripenso a quei tempi, così lontani da questi, quando il mio
cuore non conosceva né desiderava l'amore. Cosa avrei pensato
se un estraneo avesse violato il matrimonio dei miei genitori?
James è stato abile: non ha parlato di Luke.

« Torno a casa a piedi », dico.

« Perché, Michael? » chiede mio padre.

« Voglio smaltire la Guinness. »

« E chi ci riporterà a casa? » domanda la zia Joan.

« Tu, naturalmente », dico con un sorriso. « Sei stata tu a guidare, all'andata. »

« Ma sono chilometri. Ci metterai delle ore. »

« Solo pochi chilometri. Sarò a casa prima di sera. Sono rimasto troppo tempo a Londra. Ne ho bisogno. »

« Be' », dice la zia Joan, « poi non dare la colpa a me se cadi
nel pozzo di una miniera. »

Pago, li vedo montare in macchina, e li osservo mentre avanzano con una leggera incertezza lungo la strada. La zia Joan avrà anche l'artrite, ma è riluttante a cedere il volante quanto i fornelli.

Oltre Owd Betts c'è, per qualche ragione, un posto di blocco, con i poliziotti con giubbotti verdi impegnati a far tornare le macchine verso Rochdale. Un uomo su un piccolo sulky sta protestando, ma senza risultato. Dev'esserci un incidente più avanti. Lascio la strada e mi dirigo verso le colline.

7.12

Quassù, in alto, si distanziano l'insegna di Owd Betts, la stessa locanda, la strada con i ranuncoli, i cardi e il muro di arenaria annerito e consumato dal tempo, il lago artificiale, i giubbotti verdi, e ci sono solo erba e vento.

Scompare il suono delle auto, ma sento gli zoccoli del cavallo attraverso il violento sussurro del vento. Si è messo a pioviginare, così potrei non avere troppa fortuna, ma verso ovest vedo una piccola fetta di azzurro.

L'aria è fresca e tagliente e il suolo è un diagramma sottile di ciuffi d'erba e terra nera: centinaia di erbe diverse, alcune sormontate da una spazzola piumata, alcune con minute stelle a quattro punte; bassi cespugli di mirtilli con le bacche ancora verdi; tutti increspati dal vento o che fanno resistenza al suo sbattere e soffiare.

Mi accuccio in una cavità; il vento diminuisce; mi sdraio, anche se è umido, e il vento muore, e muore l'orizzonte, e non esiste più nulla se non cielo e silenzio.

Da qualche parte muggisce una mucca; e poi viene un suono dolce e allettante, un fischio di gioia ed energia che diventa una canzone frenetica e senza impacci che s'innalza sempre più mentre anche l'allodola sale a spirale, non vista, nel cielo grigio e basso.

Forse la vedrò scendere in picchiata. No, dovrei alzarmi in

piedi e scrutare il cielo, e preferisco posarmi il braccio sugli occhi, o vedere il cielo attraverso le dita.

Ora due, ora tre, ora, anche se il cielo è poco più chiaro, legioni di allodole si innalzano dalla terra umida in incurante contrappunto, ognuna mantenendo il suo essere anche mentre si fonde con le sue compagne.

Ma perché l'allodola non riesce a essere se stessa, sola, senza implicazioni, senza essere confrontata anche da coloro che l'amano di più?

Vengono, vanno; ma sagge, fedeli
alle mete gemelle: il nido e i cieli!

O pedante cretino.

Come nobile fanciulla sola
nella sua torre, in un'ora
intima, mentre consola
l'anima oppressa d'amore
con musica dolce d'amore che inonda la sua dimora.

O idiota belluino.

Si alza in volo e sparge al vento
il suono, catena d'argento,
lega note in rapido giro,
trilla, gorgheggia, non ha respiro...

Ah, questo, questo è divino.

7.13

Ho accompagnato in macchina la signora Formby a Blackstone Edge e oltre, dove la strada taglia in mezzo alla roccia annerita.

Finiscono i muri di pietra, la brughiera continua indistinta, i tralicci dell'alta tensione avanzano verso lo Yorkshire.

Parliamo della musica che il quartetto sta preparando. Quando le dico del disco in cantiere, il suo viso si illumina.

Mi chiede cosa mi ha portato a Rochdale questa volta. Parlo di mio padre e di mia zia e di Zsa-Zsa. Inoltre, aggiungo, non ho bisogno di una ragione per tornare a casa. Lei sembra triste e a disagio, e il mio cuore ha un tuffo.

« Michael, il violino, ho paura di non avere buone notizie. Il sangue non è acqua, e... »

Io annuisco.

« In effetti, il mio sangue è tutt'altro che acqua. Ho l'ipertensione. Anche se non capisco perché. Mi sembra di essere una persona calma. »

« Spero che stia bene, signora Formby. »

« Sì, sì, sto bene, potrei vivere fino a cent'anni. Be', come stavo dicendo, Michael, a me mio nipote non piace molto, ma le cose stanno così. »

« Ho sempre avuto paura che venisse il momento. »

« Però sei venuto a trovarmi lo stesso. »

« Be', certo. E poi... »

« Sì? »

« Qualche mese fa ha chiesto a mio padre il mio numero di telefono, così immaginavo che avesse qualcosa da dirmi. »

Lei resta in silenzio per un po', poi dice: « Non ho avuto il coraggio di telefonarti. Be', cosa hai intenzione di fare per procurarti un violino? »

« Non ci ho ancora pensato a fondo. » Resto io in silenzio per un po'. « Quando lo rivuole indietro? »

Lei ha un'aria perplessa, come se non avesse capito la domanda.

« Signora Formby, lei sa che ce l'ho qui », dico, disperato. « Lo porto sempre con me quando vengo a Rochdale. È suo, è sempre stato suo. Ma mi domando se posso tenerlo ancora per qualche mese. Finché abbiamo completato la registrazione. Mi domando se lei può accordarmi questa dilazione. »

« Oh, ma il fondo non è ancora stato creato. Ci vorrà comunque qualche mese. »

« Grazie. »

« No, Michael, no, non ringraziarmi. Dev'essere duro per te. »

Annuisco. « Be', è meglio aver amato e perduto – non è vero, signora Formby? – che non avere amato affatto. »

Cosa sto dicendo? Perché lei sorride?

« Come sono le prove dell'*Arte della fuga*? »

Le spiego come Billy sta strutturando le cose, le racconto della viola più bassa di Helen, del fatto che anch'io suono la viola, dei dubbi di Piers, di Ysobel Shingle e di Erica. Lei è rapita.

« Quanto in basso devi scendere? » mi chiede.

« Di solito fino al fa, ma certe volte, per due o tre pezzi, mi o re. »

« Non mi avevi detto che avevi accordato in fa la quarta corda del nostro violino alla Wigmore Hall, e che eri riuscito a suonare istintivamente con quella accordatura? »

« Sì. »

« E perché non fai lo stesso anche adesso? »

La fisso. Già. Perché non lo faccio? In verità, ci avevo già pensato, ma non troppo sul serio. Ha i suoi vantaggi, però: a parte i tre pezzi in cui devo scendere così in basso da essere costretto a usare la viola, potrei continuare a usare il mio violino. In generale l'equilibrio del quartetto sarebbe più costante. È anche vero che sarebbe un po' strano suonare più spesso con un'accordatura diversa che con quella usuale, soprattutto perché potrebbe disturbare il violino per altre prove e concerti.

Ma adesso ciò che conta di più è che io riesca a suonare il mio violino, comunque sia accordato, in tutti i modi che proverò a escogitare nei nostri ultimi mesi insieme.

« Signora Formby, credo che sia veramente un'ottima idea. »

« Mi dispiace tanto per tutto questo, Michael. Non voglio che creda che non ho pensato a te. »

« No, no, signora Formby. Non lo dica nemmeno. »

Le parlo della mia passeggiata di ieri, e delle allodole. Dietro gli occhiali spessi gli occhi si spalancano, e lei sorride.

« S'innalza cominciando a roteare », suggerisce.

« Cade l'argentea catena di suono », continuo io, e la recitiamo tutta senza errori, un verso per uno.

« Finché si perde, spinta da ali d'aria », dice lei alla fine, e sospira.

Io resto in silenzio, e dopo un po', in modo quasi impercettibile, è ancora lei a mormorare l'ultimo verso.

7.14

Quali sono allora i miei beni, le mie risorse? L'archetto è mio, i mobili, i libri, quattromila sterline di risparmi, e ciò che possiedo del mio appartamento sotto ipoteca. Niente macchina, ahimè, né mecenate.

Al mio ritorno a Londra ne parlo con Piers, che sta cercando anche lui uno strumento. Non dice niente, poi, semplicemente: « Mio caro Michael ».

Mi parla di un fondo – ne ho già sentito parlare – che concede piccoli prestiti a bassi tassi d'interesse a musicisti che cercano di comprarsi lo strumento. Ma da soli questi prestiti non sono sufficienti.

La banca potrebbe aiutarmi? Se potessi pagarlo, forse riuscirei a tenere il mio violino, dopo tutto. Piers non sa. La sua non l'ha fatto.

Durante gli ultimi due anni ha visto tutti i mercanti di Londra ma non ha trovato niente che possa permettersi e che gli piaccia abbastanza. Adesso si è messo a frequentare le aste di violini nella speranza di un incontro fortunato. Dovrei fare lo stesso, dice; possiamo esaminare insieme gli strumenti, e provarli, e offrire ciò che vogliamo e che possiamo permetterci. Sono interessato? Ma è una cosa che ti può spezzare il cuore, mi avverte; finora gli sono piaciuti tre violini, e c'è sempre stato qualcuno che ha offerto di più.

O forse potrei farmi costruire uno strumento da Sanderson secondo le misure del mio violino. *Del* violino, *del* violino. Devo esercitarmi a eliminare il possessivo.

Il tempo non è dalla mia parte. Al contrario di Piers, non devo migliorare ciò che già possiedo. Resterò con niente in mano entro la fine dell'anno.

7.15

Mi decido ad andare in banca. Spiego la mia situazione. Mi chiedono documenti e attestazioni. Ritorno dopo due giorni.

Mi viene presentato un giovane allegro dal cui vocabolario è stata espunta la prima persona singolare. Stringe la mia mano che non trema. Si sieda. Prego. Non crediamo nelle scrivanie. Caffè? Sì, e zucchero, per favore, dato che tre Parche si nascondono in questa gradita tazza: chicchi vegetali, latte animale, cucchiaino minerale. Leggo i miei fondi e le macchioline nelle iridi di questi occhi amichevoli e spietati. Apprendo da lui che la banca ha considerato il mio problema. La banca riconosce la mia fedeltà. La banca apprezza il fatto che non sono mai andato in rosso. La banca mi tiene in gran conto come cliente. La banca non mi aiuterà.

Perché? Perché? Non è uno strumento del mio mestiere? Non vi basta la mia parola o il mio credito?

Il signor Morton – credo si chiami così – mi spiega che il mio reddito è basso. Il mio reddito è incerto. Non ho affiliazioni istituzionali. Non sono nemmeno un membro permanente della Camerata Anglica. Sono un aggiunto, convocato quando è necessario. Le rate del mio mutuo sono troppo alte. La banca ritiene che la combinazione delle attuali rate del mutuo e delle rate presumibili di un prestito per uno strumento piuttosto costoso mi lascerebbero troppo poco con cui vivere. La banca, in realtà, pensa soprattutto al mio interesse.

Di certo il mio interesse è ripagare i prestiti che mi fate.

C'è qualcuno disposto a offrire garanzie per lei se lei dovesse restare indietro con i pagamenti? Be', signor Holme, ci dispiace, ma i nostri regolamenti...

Allora le cose stanno così? Perderò ogni contatto con lui, perderò il suo suono, lo perderò di vista? Non riesco davvero a sopportare questo pensiero, signor Morton. Non riesco a ricordare un periodo in cui lui non fosse con me.

Norton.

Oh, scusi tanto. Oh, scusi tanto. I formulari si sono accartocciati nelle mie mani.

Adesso, per favore, resti calmo, signor Holme; diamo un'occhiata alle sue proprietà. Vuole considerare l'idea di vendere il suo appartamento? La banca è, be', associata con una grossa impresa immobiliare. La banca sarebbe ben lieta di aiutarla.

Ho bisogno di una finestra. Dove?

La banca ha il dovere di avvisarla, tuttavia, che il suo diritto di riscatto non è considerevole, che il mercato immobiliare è volatile, e che ci sono, come di certo saprà, alcuni costi e commissioni da considerare.

Devo fare così, allora? Quale altra soluzione, se no? È colpa del computer? O è la direzione generale? Perché non ci deve essere una finestra nell'ufficio di un dirigente? È il regolamento? Perché questa cosa di legno deve rovinarmi?

Lui mi clonerà un clone con legni duri e morbidi; lo vernicerà con resine dei galeoni di Venezia: sandracca, dammar, lentisco, colofonia. Lo incorderà con budelli animali. Trecento anni di sudore e di lacrime pioveranno acidi su di lui, un anno per ogni giorno, trecento anni di musica canteranno attraverso le sue aperture serpentine, sarà di nuovo mio; ciò che è unico verrà replicato.

Oppure posso andare alle aste con Piers, e allungare la mano con dita affannate: voglio quello, o quello, o quello.

Ma è il mio Tononi che voglio, che mi è troppo caro. Per quanto venda, supplichi e prenda in prestito, non riesco ad allungarmi tanto in là.

7.16

Mio caro Michael,

ti ho detto che sarei venuta a trovarti ma non posso. Non posso sopportare più una tensione simile. Faccio fatica a suonare il pianoforte in questi giorni. Mi sembra che mi si fermi il cuore quando suono.

Le cose mi stanno schiacciando. Per piacere non rispondere a questa lettera, non venirmi a trovare, non chiedermi di spiegarmi meglio. Non dirò che ti amerò sempre. Suonerebbe troppo falso. Non è per niente falso: ma che bene farebbe a te o a me saperlo o dirlo?

Mi sento come una prigioniera nella mia mente e in questa stanza. Adesso l'hai vista, perciò puoi immaginarmi alla scrivania o al pianoforte. Volevo fartela vedere ma adesso sei troppo presente anche qui, come in ogni altro luogo della mia vita. Devo imparare di nuovo la pace, per il mio bene, per Luke, e per James, che sembra smarrito e stanco. Con te sono diventata inquieta, e incerta, e impaurita, e colpevole, e insostenibilmente, stupidamente piena di gioia e di dolore: non è colpa di nessuno, solo mia. Non chiedermi perché o come, perché non lo so nemmeno io. So che non posso tener testa all'idea di vederti o di sapere che è possibile che ti veda.

Proprio io, che più di tutti ho un Prima e un Dopo, avrei dovuto sapere che non si può rivivere la propria vita. Non avrei mai dovuto venire dietro le quinte quella sera. Ti prego, perdonami e, se sei così poco capace di dimenticarmi così come lo sono io di dimenticare te, cerca almeno di pensare un po' meno spesso a me ogni giorno e ogni anno che passa.

Col mio amore (sì, sai cosa provo. Posso anche metterlo di nuovo per iscritto)

JULIA

7.17

Non è vero. Ma vedo la lettera che esce dalla fessura. Vedo la sua calligrafia inclinata e strappo la busta per aprirla.

L'ascensore. No. Fermati, richiamalo, non consegnare questa lettera. Non impostarla, non scriverla, non pensarla.

Julia, ripensaci, per pietà, e per l'amor di Dio, nel quale credi. Sarò sordo a questa lettera, la ignorerò. Che ne dici? Non la rileggerò, come la sto rileggendo adesso. Metterò su qualcosa di Schubert. Il quintetto della Trota, gioioso e flessuoso, coi piccoli pesci evocati non dal vasto mare. Questo hai suonato tu, e questo, e questo. Mi fa vomitare. Mi rado di fretta. Il sangue del mio cuore chiazza la barba del mento, ma guarda, il mento è di nuovo liscio, pulito, intero. Niente di ciò deve esistere o essere esistito.

Girerò su un autobus a due piani per trovarti dove una volta ti ho visto, in mezzo all'ingorgo. Le foglie dell'estate oscurano la Serpentine. Solo perché so che c'è indovino l'acqua, così come confido nella tua gentilezza. Lascerai vivere la mia pianta, che era stata affidata alle tue cure? Su di lei non hai speso nemmeno una parola.

L'angelo di Selfridges non è in vena di doni. È lui che abbiamo offeso?

Maculato di neri resti di gomme da masticare, com'è sudicio il marciapiede tutt'intorno. Non è questo il luogo.

Conosco il tuo indirizzo, così adesso, in un giorno di sole, sono alla tua porta.

7.18

Julia è in piedi davanti a me, con suo figlio al fianco. Sento le qualità della sua voce. Delle parole non mi importa nulla.

Luke si rivolge a me e io sorrido, senza udirlo, senza capire. «Ma non dovresti essere a scuola?» gli chiedo.

«Siamo in vacanza.»

«Ti rubo la mamma per un pochino, Luke. Dobbiamo discutere di musica. La tua baby sitter è in casa? Bene. Ti prometto che te la riporterò.»

«Non posso venire anch'io?» supplica.

Scuoto la testa. «No, Luke, è una cosa noiosa. Peggio delle scale. Ma è molto importante.»

«Potrei giocare con Buzby.»

«Tesoro, non è una buona idea», dice Julia. «Mi è scappato di mente che dovevo uscire. Torno presto. Oh, Michael, mi dimenticavo. Ho ancora il tuo disco.»

«Posso sempre prenderlo dopo.»

«No, è meglio adesso, credo», dice con leggerezza. Un rapido sorriso a Luke. Torna dopo mezzo minuto, con l'LP del quintetto per archi di Beethoven nella busta interna bianca.

«Julia, tienilo.» No, questa intensità non va bene.

«No, Michael. No», dice. Me lo mette in mano.

Luke sembra allarmato. «Quanto è presto presto?» chiede.

«Solo un'ora, tesoro», dice Julia.

Stiamo risalendo una collina e scendendo una collina ed entriamo in un parco dove i pavoni si lisciano e gridano. La sua faccia dice: lo accontenterò per un'ora e niente di più, e metterò le cose in chiaro. Non ci saranno code interminabili. Nel giardino giapponese ci sediamo dove sono sedute altre persone, sul dolce pendio vicino alla cascata.

«Di' qualcosa, Julia.»

Lei scuote la testa.

«Di' qualcosa. Qualsiasi cosa. Come hai potuto farlo?»

«Come hai potuto farlo tu.»

«Dovevo vederti. Non potevi dire sul serio.»

Scuote di nuovo la testa.

«Sei riuscita a suonare?» le chiedo.

«Michael, non ti voglio più vedere.»

«Come vanno i tuoi acufeni?»

«Non hai sentito quello che ti ho detto?»

«Non hai sentito tu quello che ti ho detto? Come vanno i tuoi acufeni? Com'è? Senti meglio o peggio? Suonerai ancora con me? C'è un problema con il Tononi, Julia. Devo decidere cosa fare. »

« Michael, io non posso, a causa di una serie di tuoi problemi, essere costretta a suonare con altre persone. »

« Con *altre persone*? »

« Con chiunque. Non lo farò, non lo farò più. Non suonerò mai più con qualcun altro. »

« Che cosa voglio dire per te? Lui per te conta come conto io? »

« Michael, smettila. »

« Cosa ci sta succedendo? »

« *Ci* sta succedendo? Chi sono questi 'ci'? »

« Julia. »

Chiudo gli occhi. Chino la testa. La cascata mi risuona nelle orecchie. « Non sto portandoti via da nessuno », dico alla fine. « Sarei contento anche solo di... »

« Andiamo a Boston per un mese », dice lei.

Accarezzo l'erba con la mano. « Come fai a sapere che lui sa? »

« È ferito. Lo vedo benissimo, e non posso sopportarlo. Nei giorni peggiori, quando facevo fatica a riconoscermi allo specchio, vedevo nei suoi occhi che ero ancora io. Mi ha aiutato a venirne fuori. Riesco a leggere dentro di lui, Michael. »

« Come l'ha scoperto? »

« Michael, non riesci a capire... Tutto questo non ha importanza. Forse non gliel'ha detto nessuno. Persone che vivono insieme da anni certe cose le sentono. Forse ha semplicemente sentito la falsità nella mia voce. »

« E *tu* la senti nella *sua*? »

« Michael! »

« Tu ce la farai senza di me, Julia. Io senza di te no. »

« Michael, non rendere le cose ancora più difficili. »

« Hai mai ballato con lui? »

« Ballato? Che razza di domanda è? Hai detto ballato? »

« Lo ami? »

« Sì. Sì. Sì. Certo che lo amo. »

« Ma l'hai sposato... » Mi fermo.

« Per disperazione? »

« Non stavo dicendo quello. »

« Sì. O qualcosa del genere. È vero solo in parte. Mi è piaciuto fin dall'inizio. Lui non è volubile, come me. Non è lunatico, come me. Non fa domande senza capo né coda. Mi ha consolata. Mi ha reso felice. Ha evitato che impazzissi. Mi ha dato coraggio. »

« E io non posso fare altrettanto? Non ho fatto altrettanto? »

« Adesso amo lui. Non posso vivere senza di lui. Perché devo spiegarti tutte queste cose? O Luke. Come ho potuto essere così stupida... Peggio che stupida: così egoista, così preoccupata solo di me, così sconsiderata? Non riesco a reggere, sai, Michael. Sembra che riesca, ma non è vero. Lui non può nemmeno sentire il suono dei suoi genitori che parlano di notte fra loro, quando le luci sono spente. Tutti i bambini lo sentono. Odio la mia sordità. Se fossi stata cieca mi sarei adattata meglio. Se non fosse per la musica sarei a pezzi. »

Non riesco a seguirla, non riesco a dipanare quello che dice. Tutto questo rimanda troppo alle separate periferie delle nostre vite.

« Tu sei figlio unico, anch'io lo sono. C'è anche questo », dice con una voce ancora più bassa.

« C'è? In che senso c'è? »

« Voglio avere un altro figlio. Luke ha bisogno di qualcuno con cui condividermi, altrimenti crescerà egoista come me. »

« Perché non applichi la stessa logica a James? Perché anche lui non dovrebbe aver bisogno di qualcuno con cui condividerti? »

Lei non si cura di rispondere a questa domanda. « Devo tornare a casa », dice.

« Così non ci vedremo più? »

« No. »

« Tu pregherai per me, naturalmente, come hai fatto a Torcello. »

« Sì. Sì. » Adesso sta piangendo, ma deve ancora guardarmi in viso per capire le mie parole.

« Un Dio ben strano, se ti ha resa sorda. »

« Che cosa meschina e facile da dire. »

« Forse. Ma non è così facile da confutare. »

« E crudele. »

« E tu cosa pensi di essere? Credi che io sia come... come una rana di porcellana che puoi prendere e buttare via quando non ti interessa più o hai stabilito che è inopportuna? Come hai fatto a dirmi tutte quelle cose per lettera, Julia? Non avresti potuto almeno... »

« VIA dall'erba. VIA dall'erba, prego. VIA dall'erba. » Una donna poliziotto, severa e rotondetta, sta facendo il suo giro di divieti. Le coppie tranquille si disperdono. Noi ci alziamo in piedi.

« Ma perché? » chiedo alla donna, sbalordito. « Perché? »

« C'è un cartello lì. VIA dall'erba, prego. »

Oltre l'erba ci sono pietre levigate, il margine zen dello stagno. Io ti toccherò. Guidami.

« E le pietre? » chiedo.

« Le PIETRE? » La donna poliziotto si volta spalancando gli occhi.

« Non c'è nessun cartello che parla delle pietre, no? »

« Michael, » dice Julia, posandomi una mano sul braccio. « Non metterti a discutere con lei. Per piacere. Andiamo. »

« Grazie, Julia. Adesso vivo la mia vita. »

« Glielo dico io. VIA dalle pietre. »

« Se non c'è una legge, che importanza ha quello che dice lei? Cosa farebbe se salissi su quelle pietre? »

« Io... io... la manderei davanti al GIUDICE », dice la donna, puntando il dito contro di me.

Poi se ne va, scomparendo lungo il sentiero. Noi ci spazzoliamo con le mani e restiamo fermi, in piedi, uno di fronte all'altra, per un minuto. Non la bacerò. Ho bisogno di pace. Scenderò fino al bordo dell'acqua e toccherò le pietre tonde e levigate.

Julia mi sta porgendo un'altra volta il disco. È la musica che entrambi abbiamo amato. È ciò che ho perso, e poi ritrovato.

Guardo il disco, guardo lei, e getto quella cosa sventurata e beffarda nello stagno.

Va a fondo. Non mi volto per vedere la sua espressione. La lascio lì e me ne vado.

7.19

Le strade sono piene di rumore. Mi siedo nel mio nido sopra il mondo. Il vento sbatte contro i vetri, ma a parte questo suono non c'è niente.

Gli occhi mi cadono sul suo libro, sul suo tagliacarte. No, lasciamoli in pace, perché infierire su queste cose?

Non ci sono messaggi sulla segreteria. La spengo. Ogni tanto suona il telefono. Non rispondo. Chiunque sia si stanca di aspettare.

Mi siedo e lascio che il cielo si oscuri.

Il cielo è grigio; la stanza non è ancora fredda. Lasciatemi sedere in silenzio. Lasciate che la testa mi cada sul mento. Lasciami, speranza infida, trovare la pace.

7.20

Il telefono squilla impazzito, e rischia di farmi impazzire. Lo lascio suonare. Continua a squillare venti volte, venticinque, e ogni squillo mi trapana il cervello. Alla fine alzo la cornetta.

« Sì? Pronto. »

Una voce di donna: « È la London Bait Company? »

« Come? »

« Ho detto, è la London Bait Company? Perché non rispondete al telefono? » È il raglio odioso del profondo Sud.

« Sta parlando di esche per i pesci? »

« Sì. Naturalmente. »

« Sì, è la London Bait Company. Che cosa cercava? » La mia voce deve sembrare quella di un pazzo.

« Pasta per trote. »

« Pasta per trote? Non gliela consiglierei. »

« E perché no? »

« È meglio prenderle con le mani, le trote. »

« Non è che le ho chiesto un consiglio... »

« Faccio questo lavoro da poco. Di quale particolare pasta per trote ha bisogno? »

« Cosa diavolo vuole dire? »

« Abbiamo scatole piccole, medie, grandi; al gusto di caffè, di cioccolato e di liquirizia; al dente, gommosa, impermeabile... »

« Senta, è la London Bait Company, vero? »

« Be', no, si dà il caso di no, ma dal numero di telefonate che ricevo potrebbe benissimo esserlo. »

« Come si permette di parlarmi in questo modo? Questa è molestia. »

« Posso ricordarle, signora, che è stata lei a chiamare? Mi viene voglia di comporre il 1471, avere il suo numero, e suonarle *Die Forelle* ogni mezzanotte. »

« Questa è una cosa assolutamente intollerabile. La denuncerò ai suoi superiori, alla polizia. »

« Può fare quel cazzo che le pare, signora. Basta che la smetta di chiamare questo numero. Ho avuto una giornata molto dura, di quelle che non augurerei nemmeno a lei. L'amore della mia vita mi ha lasciato e la polizia ha minacciato di arrestarmi, per cui le sue minacce non mi fanno paura. E non le consiglierei la pasta per trote perché le ultime ricerche dimostrano, signora, che il 99,93 per cento di quelli che hanno usato pasta per trote nel 1880 sono morti. »

Sento boccheggiare dall'altra parte del filo, poi cade la linea.

Metto a zero la suoneria e resto seduto, ora dopo ora, ad ascoltare il niente, ad aspettare niente.

PARTE OTTAVA

8.1

SOLO i rigori quotidiani mi mantengono in rotta. Ci incontriamo, noi quattro voci, ed entriamo in una treccia. Così suono, e vengo elogiato dai miei colleghi, e mi inchino, mi inchino, perché solo il dolore mi conduce con precisione in mezzo a queste linee. Il mio violino capisce dove sto deviando, e mi tiene sulla via diretta e limpida. Che pochi mesi abbiamo da trascorrere insieme.

Alba, tramonto. Studio con disciplina ciò che devo. Facciamo un concerto, e ricompare il nostro ammiratore pazzo per deriderci con la sua adorazione. Non si farà niente contro costui? Che cosa ha chiuso l'occhio di Helen? In camerino siamo interrogati ed esaminati. Io sono fuori da tutto ciò.

Violino, sono triste come te, eppure ringrazio la luna per questa dilazione di pochi mesi. Le tue corde sono fedeli. Come ti sorriderà il perito catastale? Ti farà valutare e ti dividerà, fondo e tavola, tra le figlie. La tua marezzatura dorata gli procurerà gli interessi. Quanto deve essere spesso il sangue, quanto acido, per poter corrodere ogni prossimità?

Di notte devo usare l'alfabeto dei sordociechi. Una mano parlerà alla compagna e saprà cosa sta facendo. Sensorio, sensato, sensibile, sensitivo, sensibilizzato. Ne tengo altri due non detti: sensoriale, sensuale. Due continuano a sfuggirmi – sensivo, sensuoso – dato che sono incerto sul loro significato; così sono nove. Quanto a sensazionale, è un caso dubbio, e lascerò un dito senza corrispondenza. Lei può suonare su due tastiere, cosa che io non posso fare, ma che cosa agiterà le sue stereociglia nel loro bagno devastato?

Sorge e tramonta la luna. Anche a Boston le settimane passano con questo ritmo. Devo elencare la vegetazione che la corrente del Golfo dona alle piazze di Londra? Chiazzerò il calendario fisso con tinture e succhi? Le brattee dorate dei tigli sono state radunate a mucchi sui bordi delle strade. Gli ettari attorno al Round Pond sono diventati bianco polvere per i fiori dell'erba. Tutto questo, a quanto pare, è successo da una luna nuova a un'altra. Ma poi la pioggia è stata un picchiettio, quasi uno scoppiettio nel sicomoro dietro di me. E adesso è più una sorta di vapore, mista al polline dei fiori di tiglio, che si leva dall'erba e resta sotto i rami più bassi.

8.2

Il biancospino ha le bacche verdi, quelle della piracanta sono mature. I miei piedi hanno perso la presa, le mie mani cercano a tentoni di recuperarla. I giorni sono soffocanti, e c'è un carnevale per le strade. Ho detto che non potevo dormire senza di te, e invece ci riesco. Non è una cosa di cui meravigliarsi?

Adesso siamo da Denton's, una casa d'aste, e sono qui a vedere le offerte di Piers, perché io non riesco ancora a fare ciò che dovrò presto fare, un passo come questo verso l'infedeltà. Piers è indifferente nei riguardi del suo violino. Ma adesso ne ha visto, tenuto in mano, udito uno che ama, l'ha preso in prestito da Denton's e l'ha suonato con noi per un paio di giorni. È rosso brunito con craquelet nero. Purtroppo – o, piuttosto, per il bene delle speranze di Piers, dato che questo riduce solo il suo valore monetario – il riccio non è stato fatto dal costruttore originario. Ha un suono maestoso, non lamentoso, per me appena troppo ombreggiato da un eccesso di ricchezza e di risonanza, ma Piers lo ama con la passione dell'amore improvviso e, sì, raggiungibile. Con tutti i risparmi e i prestiti può arrivare giusto al valore stimato. Il 15 per cento della casa d'aste lo metterà sulle spine, ma sa che deve avere assolutamente questo. Ci metterà anni prima di finire di pagarlo.

È indicato sul catalogo come un P.J. Rogeri. Henry Chee-tham, il capo della sezione degli strumenti musicali di Denton's, cortese, paterno, con una giacca scamosciata verde, ha catturato Piers. Sbuffi indignati, ansiose consultazioni dell'orologio e occhiate manageriali in una stanza adorna di violini segnano il suo monologo, così sicuro di sé, così fiducioso.

« Ah, sì, gli antiquari dicono che a noi delle aste interessano solo i soldi veloci, ma non mi sembra di vedere molti mercanti morire di fame nelle soffitte, non ti pare? Almeno nel nostro caso è tutto trasparente. Il prezzo è l'offerta più alta in un'asta aperta, più la nostra, be', commissione, davvero modesta quando ci si pensa. Be', d'accordo, prendiamo soldi sia dal venditore sia dal compratore, ma, sai, nel complesso... E di sicuro non facciamo tutte le porcherie che fanno *loro*. Gli antiquari! In confronto noi siamo dei santi!... Be', buona fortuna, Piers, vecchio mio, spero proprio che nessuno offra più di te. Che peccato, l'ultima volta. Però ho la sensazione che tu sia stato preservato per questa. Guarda solo i filetti, la marezzatura, i riflessi dorati! Che colore. Che timbro. Che, ehm, che *fantastico* violino che è. Siete stati *fatti* l'uno per l'altro. Ah, le due e quaranta. È meglio che scenda. Ti sei registrato, vero? Bene... bene... molto bene! Piers è un professionista! » aggiunge con aria confidenziale rivolto a me. « Le insegnerà tutti i trucchi. » Ed esce compiaciuto e solenne dall'ufficio, lasciando Piers a torcersi di preoccupazione.

« Scommetto che Henry sta dicendo a tutti che è stato *fatto* per loro. Ci scommetto. »

« Immagino che faccia parte del suo lavoro. »

« Ma tu da che *cazzo* di parte stai, Michael? » dice Piers con triste malevolenza.

« Ehi, dai », gli dico, mettendogli un braccio attorno alle spalle.

« Mancano venti minuti all'inizio dell'asta. Cosa faccio nel frattempo? » chiede. « Non riesco a concentrarmi sul giornale, non ho voglia di chiacchierare del più e del meno, e non ho il coraggio di bere qualcosa. »

« Cosa ne dici di non fare niente? » gli propongo.

« Niente? » dice Piers, fissandomi.

« Sì », dico. « Scendiamo di sotto, ci sediamo e non facciamo niente di niente. »

8.3

Alle tre il banditore sale sul podio nella grande sala al piano di sotto. Si passa la mano destra fra i capelli biondi che stanno ingrigendo, batte sul microfono davanti al leggio, fa un cenno a un paio di volti fra il pubblico. Un ragazzo con un grembiule verde – sembra un garzone di macellaio, penso con un sobbalzo – è in piedi davanti al podio. Tiene in mano gli oggetti annunciati e venduti; all'inizio, alcuni libri sull'arte del violino; poi archetti: montati in argento, in oro, in avorio. Il garzone del macellaio li regge fra punta e tallone, con una certa cautela. Gli occhi del banditore sono languidi e attenti, la sua voce è vivace e persuasiva. Indossa un abito grigio a doppiopetto. Il suo sguardo si muove rapidamente dalla platea dove siamo seduti noi alla fila di telefoni alla nostra sinistra.

Il prezzo di un archetto sale rapidamente dalla base d'asta di millecinquecento sterline, meno della metà della stima più bassa del catalogo.

« Duemiladuecento qui... sì, contro di lei, davanti a me... duemilaquattrocento... » Una ragazza a uno dei telefoni fa un cenno. « Duemilaseicento... sì. No? No? Duemilaseicento uno; due », batte leggermente col martello sul leggio, « ... venduto per duemilaseicento sterline a...? »

« Acquirente numero duecentoundici », dice la ragazza al telefono.

« Numero duecentoundici », ripete il banditore. Fa una pausa per bere un sorso d'acqua.

« Vuoi davvero star seduto qui tutto il tempo? » chiedo a Piers.

« Sì. »

« Ma hai detto che ci vorranno due ore prima che mettano

all'asta il Rogeri. Tutto questo non è una specie di preambolo? »

« Voglio aspettare. Tu puoi fare quello che preferisci. »

Non fa offerte per nient'altro. Non vuole nient'altro. Si tormenta. Ma segue i prezzi, e mi fa notare che, in generale, gli oggetti restano al di sotto delle stime più basse. È un buon segno per lui, non credo? Annuisco. Non sono mai stato prima a una cosa del genere. Non riesco quasi a tenergli la mano durante l'asta, tanto sono agitato anch'io.

Il segreto, mi spiega Piers, è calcolare il costo totale, comprese tasse e commissioni, a ogni stadio dell'offerta, decidere il massimo che si è disposti a pagare, e tenersi attaccati a quello, indipendentemente dalla frenesia delle offerte o da quanto possa essere invitante il prezzo. Cerchia con una matita la cifra oltre la quale rifiuterà di salire, e la sottolinea per sicurezza.

Indica i mercanti seduti davanti. Nonostante l'abisso fra loro e le case d'asta, sono ben contenti di procurarsi ciò che desiderano in territorio nemico. A un'ora dall'inizio entra una fragile signora di mezza età, con un trucco pesante e una risata come una frustata, facendosi vedere e beandosi dell'attenzione. Rappresenta uno degli antiquari più facoltosi. Un tizio più umile, barbuto, risponde alle sue battute con una risatina soffocata. Lei offre per qualche lotto con un cenno della testa, raccoglie le sue sette borse della spesa dopo mezz'ora e si ferma in piena vista in corridoio per un'ultima offerta prima di andarsene.

Chi sono gli altri attorno a noi? Riconosco una violinista dilettante che lavora nell'amministrazione della Wigmore Hall. Vedo Henry Cheetham seduto con discrezione di lato. Riconosco un paio di facce che ho incontrato in orchestra o durante qualche registrazione. Ma Londra è un universo musicale, e chi sono gli altri non lo so proprio.

L'asta è passata dai violoncelli alle viole ai violini.

« Signore e signori », sta dicendo il banditore, « chiamatemi se avete il minimo dubbio che non vi abbia notato. Certe volte le dita sono difficili da vedere, soprattutto dietro un catalogo, ed è una cosa molto spiacevole dover riaprire un'offerta dopo che la si è chiusa. Bene, accetterò dunque quell'offerta di diciannovemila sterline con tante scuse al signore qui davanti...»

Piers sembra star male. Sta tirando respiri profondi per calmarsi. Un violino, con una stima analoga a quella del suo, viene venduto per una cifra appena inferiore alla stima più bassa, e le sue spalle si rilassano. L'asta, prima così lenta, sta correndo con un passo frenetico. Prima che se lo aspetti – perché, nervoso com'è, ha smesso di seguire l'ordine del catalogo – tocca al Rogeri.

Nelle mani di Piers era come se fosse suo, ma adesso è il ragazzo col grembiule che lo tiene davanti a noi.

La marezzatura rosso-bruna si accende attraverso lo strato di vernice dorata. Non si vergogna del «riccio italiano, più tardo» né si degna di badare alla persona di cui sarà schiavo. I signori Denton e Denton lo venderanno a colui che ne avrà più bisogno, la cui borsa sarà più profonda, a chi è disposto a ipotecare senza incertezze il suo futuro, a chi fra coloro che lo desiderano saprà sparare più alto.

Piers non si muove finché ci sono offerte in platea e al telefono. La stima è fra le 35.000 e le 50.000 sterline, a causa di quel provvidenziale riccio non originale. Ma sono già arrivati a 28.000, il prezzo a cui è stato venduto l'altro.

C'è una pausa, e alla fine Piers alza la sua paletta. Il banditore sembra sollevato.

«Trentamila da un nuovo offerente. Siamo a trentamila sterline. C'è qualche offerta più alta di trentamila sterline?» Qualcuno alza la mano dietro di noi, perché gli occhi del banditore si muovono verso il fondo della sala. «Trentaduemila. Siamo a trentaduemila.» Il suo sguardo si fissa su Piers, che fa un rapido cenno. «Trentaquattro. Siamo a trentaquattromila.» Il suo sguardo si muove a zigzag fra i soli due offerenti rimasti. «Trentasei... Trentotto... Quaranta.»

Leggo i segni della confusione di Piers nelle mani serrate attorno al catalogo, nel suo respiro così deliberatamente lento. «Non più per lei, signore», sta dicendo il banditore, indicando con la penna a sfera il punto in cui è seduto lui. «Quarantamila è l'ultima offerta; vuole rilanciare?» Tutto quello che può fare Piers è non voltarsi a guardare il rivale non visto, che a ogni nuova offerta si inghiotte precipitosamente enormi bocconi dei suoi risparmi e dei suoi guadagni. Fa un cenno leggero, con calma.

«Quarantaduemila», dice il banditore. «Quarantaquattro. Quarantasei. Quarantotto.»

C'è una pausa mentre il banditore guarda Piers e aspetta il suo rilancio. Alla fine, Piers annuisce.

«Cinquantamila», dice imperturbabile il banditore. «Cinquantadue. Cinquantaquattro. Cinquantasei. Cinquantotto.»

«Piers!» sussurro, sconvolto. È già diecimila sterline oltre la cifra che aveva cerchiato.

«C'è un rilancio su cinquantotto? Laggiù in fondo?» Il banditore attende. Nella sala c'è un silenzio assoluto. Ormai è chiaro che si tratta di due musicisti in lotta fra loro, non di mercanti, dato che ormai hanno superato di gran lunga una cifra ragionevole per rivenderlo. Questo pezzo di acero e abete davanti a noi non è qualcosa che passerà dalle loro mani a quelle di qualcun altro.

Squilla stridente un telefono cellulare; squilla, e squilla, e squilla. Le teste si voltano verso la direzione del suono. La paletta di Piers cade per terra. Il ragazzo col grembiule, sbigottito, fa roteare una volta il violino, poi si ricompone. Il banditore corruga la fronte. Il cellulare smette di suonare all'improvviso come aveva cominciato.

«Immagino che sia stato fatto detonare qui da quelli di Christie's», dice il banditore, e il pubblico ride meccanicamente. «Bene, dopo questo piccolo intermezzo, forse dovremmo continuare. Cinquantotto. Siamo a cinquantotto. Arrivo a sessanta là in fondo? Sì? Sessanta. Sessantadue?» Guarda Piers, le cui spalle sono crollate.

«Lascia perdere, Piers», sussurro. «Ci sarà qualcosa d'altro alla prossima asta.»

Ma Piers alza gli occhi verso ciò che regge il garzone del macellaio, e fa un altro cenno.

«Sessantadue. Siamo a sessantadue. Sessantaquattro. Sessantasei?»

Piers annuisce, con la faccia bianca.

« Sessantasei. Arrivo a sessantotto là in fondo? Sessantotto. »

« Merda », mormora Piers fra sé. La donna davanti a lui fa un mezzo giro con la testa.

« Lascia perdere, Piers », gli dico. Lui mi lancia un'occhiata feroce.

« Chiedo scusa, signore, era un rilancio? Arrivo a settanta? »

« Sì », dice Piers, per la prima volta ad alta voce, con un tono calmo e angosciato. Si sta tradendo? Se le cose stanno così, meglio. Lascia che se lo prenda quell'altro bastardo, Piers. Non rovinarti.

« Settanta. Settantadue in fondo? Settantadue. Settantaquattro? »

Non dico niente. L'ho indebolito abbastanza. Piers sta in silenzio. Lo sguardo acuto del banditore è su di lui, a valutare la lotta dentro di lui. Non gli fa fretta. Tiene la penna a sfera in mano. Alla fine, Piers fa un altro cenno.

« Settantaquattro. Settantasei? Arrivo a settantasei. Signore? »

« *No! No!* » sussurro a Piers.

E alla fine Piers scuote la testa, sconfitto.

« Settantasei. Nessun altro offerente? Settantasei uno, settantasei due, venduto a settantaseimila sterline all'acquirente numero... centoundici. »

Scende il martelletto. La confusione si diffonde nella sala. Viene presentato il violino successivo.

Piers sta facendo un sospiro che è quasi un singhiozzo. Ci sono lacrime di frustrazione e di sconforto nei suoi occhi.

« Lotto numero uno-sette-uno. Uno splendido e raro violino veneziano di Anselmo Bellosio... »

8.4

« E con questo si conclude l'asta. »

Sono passati dieci minuti dalla vendita del Rogeri. Piers resta seduto mentre gli altri attorno a lui si alzano.

Alla fine ci alziamo anche noi. Viene congratulata una ragazza in piedi accanto alla porta. Anche lei, tuttavia, sembra a pezzi. Deve essere lei la concorrente non vista sul fondo. Guarda Piers e apre la bocca per dire qualche parola di consolazione, poi ci ripensa.

Piers si ferma e dice: «Mi perdoni per aver rilanciato così a lungo. Lo volevo tanto. Mi perdoni». Prima che lei possa rispondere o lui crollare, Piers esce in corridoio.

«Caro il mio ragazzo», dice Henry Cheetham salutandoci mentre ci viene incontro. «Caro il mio ragazzo. Cosa posso dire? Eccoci qua. Lei sentiva che era stato *fatto* per lei. Guarda un po' come vanno le cose: prima calma piatta, e poi all'improvviso, frenesia! Una cosa elettrica, assolutamente elettrica.» Estrae un fazzoletto da taschino rosso bruciato e si dà un colpetto su qualcosa di invisibile sul mento. «Se può essere una consolazione», aggiunge, «sono sicuro che sarebbe arrivata anche molto più in alto. Be', è uno strano mondo. Ma nil desperandum eccetera eccetera... Arrivederci, spero, alla prossima... ehm... Ah, ciao, Simon. Scusatemi.»

All'improvviso vedo il nipote della signora Formby che mette il mio violino sotto il martello del banditore, e provo un bisogno viscerale di spaccargli quella faccia compiaciuta. Il cuore si mette a correre all'impazzata, stringo i pugni contro una persona che conosco a malapena.

Piers si porta la mano alla fronte. «Usciamo di qui.»

«Devo andare in bagno. Torno fra un minuto.»

Mentre mi faccio strada nella folla che si disperde, mi saluta la ragazza della Wigmore Hall che avevo notato nel pubblico.

«Ciao, Michael.»

«Ciao, Lucy.»

«Emozionante, vero?»

Annuisco, ma non dico niente.

«Mi dispiace per Piers.»

«Sì», dico io. «Sei venuta per prendere qualcosa anche tu?»

Lei fa cenno di sì. «Niente di quel livello, però.»

«E l'hai preso?»

« No. Non era giornata neanche per me. »

« Sfortuna. Scusa, devo correre in bagno. Oh, a proposito, Lucy, mi stavo chiedendo se potevi fare una cosa per me. Quando mettete in vendita i biglietti per il concerto di Julia Hansen, potresti tenermene da parte uno? So che per queste cose a volte spariscono subito. »

« Certo, con piacere. »

« Non te lo dimenticherai? »

« No. Mi farò un appunto. Hai suonato con lei a Vienna, vero? »

« Sì. Sì. Grazie tante, Lucy. Arrivederci. »

« Non sai, vero, che ha cambiato programma? »

« Davvero? Bene. Il buon Schubert al posto di Schumann, di sicuro. »

« No. Suona Bach. »

« Bach? »

« Sì. »

« Bach? Sei sicura? » La guardo sbalordito.

« Certo che sono sicura. Ci ha mandato un fax una settimana fa dall'America. Posso dirti che Bill non ne era entusiasta. Se avevi concordato di suonare Schumann e Chopin non puoi tirar fuori all'improvviso Bach. Ma, be', ci ha spiegato i motivi: l'estensione delle ottave è minore, è più all'interno del... Lo sai *cosa*, vero? »

Ho un'esitazione: per un secondo non sono sicuro di aver capito il significato della domanda, poi annuisco. Lei sembra sollevata.

« Non dovrei andare in giro a dirlo », continua. « Ho semplicemente dato per scontato che tu sapessi delle sue, be', difficoltà, dato che hai suonato con lei. Ma dobbiamo assolutamente tenercelo per noi. Il suo agente insiste che non lo facciamo sapere. Ma posso chiederti una cosa in confidenza? Lei non ha avuto problemi a suonare a Vienna, vero, Michael? »

« No. Nessun problema. »

« Strana opera da scegliere, però, per un concerto, secondo me, l'*Arte della fuga*. »

« No... no... non l'*Arte della fuga*! Non può essere. Di sicuro no. »

« Be', di sicuro non la si sente molto spesso », dice lei. « Ho guardato e non mi sembra che questo mese venga suonata da qualche parte a Londra. Anzi, non ricordo l'ultima volta che l'ho sentita suonare dal vivo al pianoforte. Ma non si può mai essere troppo sicuri. Per un anno non si sente un concerto per contrabbasso, e poi all'improvviso, *voilà*: tre diversi concerti per contrabbasso di tre musicisti diversi nella stessa settimana. Cosa ti succede, Michael? Sei sicuro di stare bene? Sembra che tu abbia visto un fantasma. »

« Sto bene », dico. « Sto bene. »

Vado in bagno. Entro in un gabinetto, mi siedo, e fisso la porta, col cuore che mi batte malato, irregolare, nel petto.

8.5

A casa cerco di suonare ma non ci riesco. Le mani non ne vogliono sapere. I polpastrelli rifiutano di toccare le corde. Li costringo, e sento il suono prima che il mio archetto arrivi a generarlo. Ma adesso sono le orecchie a respingerlo. È una cosa senza senso. Io che ho amato l'*Arte della fuga* non riesco a suonarne nessuna parte, nemmeno per me stesso. Mi esercito con le scale e aspetto che passi.

Eppure stasera durante la prova con gli altri lo stesso accesso mi prende le mani. Suoniamo la scala ma anche qui le note che suono sono estranee a me stesso. Come fanno a non accorgersene? Poi Billy ci dice quale fuga dobbiamo suonare.

Cerco di accordare più bassa la quarta corda. Dopo un minuto gli altri mi guardano perplessi. Prima sembra troppo basso per un fa, poi troppo alto.

« Pronto? »

« Sì. »

Adesso Billy fa un cenno. La mia è la terza entrata delle quattro.

«A che gioco stai giocando, Michael?» È stato Piers a parlare.

No, no, non sto giocando a nessun gioco, non sto suonando niente, questa cosa mi afferra lungo i nervi. Non riesco a respirare, e sento drizzarsi i peli sulle braccia.

«Per l'amor del cielo, cosa ti succede?» chiede Helen.

Perché tutto si è fermato? Come mai non sono entrato? Credevo di suonare e invece no.

«Michael», dice Piers, «cerca di controllarti.»

Ma ho perso il collegamento fra l'occhio e la mano. Un semplice trucco che possedevo fino a lunedì. Sono i martelletti, non l'arco, che suonano le corde. Vedo la sala dove, come abbiamo suonato noi, suona lei. Ma no, lei dorme a Boston, ben accompagnata.

«Su, riproviamo», dice Billy.

Faccio un suono, ma un suono tale che gli altri si bloccano a metà di una nota. Queste ossa, così tante, in queste mani così esercitate hanno perso lucidità d'azione, e questa mente è confusa.

«Maledizione, Michael», dice Piers, «non sarà un'altra Vienna, spero proprio.»

«Forse è meglio cominciare con la prima fuga?» chiede Billy. «Solo per riabituarci. In fondo, quella la conosciamo alla perfezione.»

«No, quella fuga no», dico. «Scusatemi, io... fra un giorno o due starò benissimo.»

È stata quella fuga che ha avvolto tutto attorno a me. L'ha condotta a me, e quella notte lei l'ha suonata. È il resto non pagato del dono che mi ha promesso e a cui si è sottratta.

«Be', cosa dovremmo fare allora?» dice Billy. «Dobbiamo provare qualcosa d'altro? Ma non so se abbiamo la musica. E dobbiamo lavorare ancora tanto su questo... Erica dice che il produttore e forse perfino il tecnico del suono vogliono fissare presto un appuntamento con noi. Il tempo è poco. Forse l'unica cosa da fare è andare avanti a testa bassa.»

«Non so se oggi ce la faccio», dico. «Mi sembra di avere qualche problema con questo pezzo.»

« Non lo chiamerei semplicemente qualche problema », dice Piers. « Se diventa un'abitudine, diventerà impossibile per tutti. »

« Cosa vuoi dire? » gli chiedo.

« Credo che dovresti considerare molto seriamente questa situazione. Abbiamo un contratto per incidere l'*Arte della fuga*. Il Maggiore non farà certo una roba raffazzonata. »

« Sta' zitto, Piers », dice Helen, rossa di rabbia. « Non fare minacce idiote. Credi che Billy o io o Michael permetteremmo che con il nostro nome venga fuori qualcosa di scadente? Ci troviamo qui dopodomani alle tre. D'accordo? Cerca di dormire, Michael. Sembri esaurito. Ti telefono dopo. Devi lasciare che ti aiutiamo, se c'è qualcosa che possiamo fare. »

Allento l'archetto. Metto via il violino. Me ne vado subito. Non guardo nessuno di loro. Quanto a me, ho bisogno di buttarmi giù, di dormire. La volta deve essere ricostruita, arco dopo arco. Sotto una folla di cherubini grigi e dorati, anch'io devo sognare di qualche perfetto paradiso.

8.6

Un messaggio di Helen sulla segreteria. Non rispondo. Una cartolina di Virginie, in viaggio con amici. Una lettera di Carl Käll. La lascio chiusa. Perché dovrei affrontare tutto il mondo?

È un posto brutale. Stanotte è stato ammazzato un cigno nel Round Pond. Gli hanno tagliato la gola. Eppure di certo una gondola è bella come un piano a coda, le zampe di un pavone sono brutte come quelle di un cigno. La sua carcassa foruncolosa è conservata nel ghiaccio.

Perché lei deve abbattermi in questo posto? Dovrei considerarlo seriamente. Queste sono le mie opzioni: sì e no. Se riuscissi a suonare questo pezzo, non starei dove sono? Per il pezzo, se non per noi? Ma non riesco a suonare due battute senza bloccarmi.

Userò i miei balsami: una passeggiata nel parco, ma non vicino all'Orangery; il problema di scacchi, coprendo con la mano la rubrica di bridge; il saggio Wodehouse, non l'inquieto Donne; il merlo sulla via, né allodola né usignolo. Quanto deve andare avanti a cantare quest'anno?

Mi sveglio al suono del primo contrappunto: lei lo suona sempre più forte, perché non riesce a sentirlo. Lei mi ha reso superfluo, mi ha rimpicciolito. I vestitini grigi sono tornati, così lei è tornata. Giorno dopo giorno, da ogni punto di vista – accademico, artistico, musicale, sociale, spirituale, fisico e morale – i bambini della Pembridge School migliorano.

Altre notizie. Stanno eliminando la musica dalla vita dei bambini più poveri. Cari bambini, questi poteri santificati vi faranno morire di fame di musica, tanto quanto i dannati. Lasciate la musica a coloro che possono permettersi le indulgenze. Fra vent'anni nessun figlio di macellaio farà il violinista, no, e nemmeno una figlia.

Non posso suonarlo, per tutta questa dilazione di due giorni, né potrei suonare il serpentone o lo chalumeau se mi deste due mesi o vent'anni. Ciò che mi ha posseduto è al di là della mia presa. È uno stridulo bambino di Pembridge che dice: così tu conoscevi la mamma prima che io nascessi. C'è stato davvero un tempo del genere: prima che io nascessi? Le lacrime gli riempiono gli occhi al pensiero che possa esistere una cosa simile.

Qual è la differenza fra la mia vita e il mio amore? La vita mi deprime, il mio amore mi sopprime. O Luke, o Luke, non tormentarmi più coi tuoi indovinelli. Perché non sei mio figlio?

8.7

Passeranno gli inverni, e le labbra resteranno non baciate, e il cuore non placato, e le mani e le orecchie continueranno a non essere più collegate. Non deve restare più nessun mistero. Apro con le dita la lettera di Carl Käll. Che cos'è?

Sì, è solo un aggiornamento. Ha ricevuto la mia lettera, che ha considerato gentile e non vera; in realtà, il mio tatto ostentato l'ha fatta diventare meno che gentile. Sa benissimo cosa ho provato verso di lui. L'imbecillità, ci terrebbe a sottolineare, non sempre accompagna la decrepitezza. Non ripeterà i suoi pentimenti, ma dice semplicemente che ha stabilito alla fine che il quartetto è in realtà la mia vera casa. Mi esorta a rimanere dove sono. Forse il suo contributo alla posterità musicale sarà una discendenza di secondi violini. Senza dubbio avrò sentito che Wolf Spitzer è diventato membro del Quartetto Traun. Niente sulla sua salute o i suoi progetti o ciò che ha fatto. Nessuna richiesta di risposta. Fine della lettera.

Strano missile, che giunge in un periodo come questo quando nessuno avrebbe potuto sapere, né io né loro, che qualcosa sarebbe andato male fra noi. *Lui* ha stabilito; meglio così. Per Wolf devo essere e sono felice, ma dentro mi brucia che quest'uomo debba ancora pretendere il diritto di benedire o distruggere ciò che faccio o non faccio.

Nel cuore della notte mi sveglia la sete, e poi non riesco più a dormire. Accanto al letto c'è il libro scritto da lei. Con l'acqua sulle dita scorro la mia parte. Pagina dopo pagina la sento stingersi. Il pentagramma si dissolve, le note si confondono in una palude, l'acqua nel bicchiere diventa di un marrone torbido. L'umidità filtra nelle voci vicine, sulle pagine non ancora tracciate e velate. Come in un braille consumato le dita toccano il mio nome, che una volta avevi scritto tu; e guarda, non lo posso più leggere.

8.8

Quando glielo dico, è Helen a parlare per prima.

«Michael, prenditi una settimana di vacanza e poi torna. Non puoi dire sul serio che vuoi lasciarci. Dove va a finire la solidarietà delle voci centrali? Non possiamo stare senza di te. Io non posso, lo so. Cosa faremo per Bristol la settimana prossima? E per tutti i concerti già fissati. Starei male se dovessi suonare con qualcun altro.»

«Non intendevo quello che ho detto, maledizione», dice Piers. «Sei matto, Michael, a credere che volessi dire quello. Dicevo solo che non potevamo fare un brutto CD, tutto lì. Minacci di andartene solo per qualcosa che ho detto io? Helen mi ha fatto passare dei giorni d'inferno anche prima che tu venissi fuori con questa bomba. Va bene, in questo periodo non ce la fai, ma tornerai quello di prima. È chiaro che stai passando una specie di crisi. Non sei l'unico fra noi che ha provocato un problema. È già successo. Ne siamo venuti fuori. Verremo fuori anche adesso. Non siamo così fragili.»

Ma non serve a niente; la treccia è stata sciolta. Ci ho pensato a lungo e a fondo. Pensate alla Stratus, dico loro, pensate a Ysobel. Quanto spesso capitano queste possibilità? Un secondo violino, be', ne avete già trovato uno una volta.

Billy è triste. Non dice molto. Vede più chiaramente degli altri due che è inutile, che le cose si sono spinte troppo in là. «L'ultimo a entrare, il primo a uscire», dice. «Ci mancherai tanto, Michael.»

Tutti sentiranno la mia mancanza, nessuno riesce ad augurarmi buona fortuna. Perché dovrebbero, dato che sto facendo questo a tutti noi? Continuiamo a parlare, ma non si sposta niente.

Adesso sono inutile a voi, con queste dita morte. Non riesco nemmeno a sopravvivere a un intervallo. Continuate a suonare senza di me, come per un minuto avete suonato nella sala dove lei suonerà. È una freccia mirata, e ha colpito nel segno. No, nemmeno quello; è tutto collaterale ai suoi scopi. Ma lei deve trarre in salvo, non è vero, la sua vita?

Ditegli che sono malato; salutatemi tanto Erica. Ciò che è passato è passato. È di fuga che soffro. Anche il violino che suono se ne deve andare. Di notte, di giorno, sono per metà carne, per metà legno.

8.9

No, dice Erica, come può continuare a rappresentarmi adesso? Non ci sono più muah-muah per me: parla con durezza estrema. Una cosa stupida, danno irreparabile, carriera. Troveranno qualcun altro, devono farlo, tu li hai costretti; ma cosa sarà di te? Io sono affezionata a te, Michael. Come hai potuto lasciare che ti capitasse una cosa del genere?

Adesso mi richiama Helen, rifiutando di piangere. Come farò con il lavoro? Avrò abbastanza soldi? Dov'è la mia ancora? Perché adesso non la smetto? Ma sono già passato anch'io attraverso questi ragionamenti. È vero, non ho mangiato con voi a Venezia, ma mentre vagavamo per conto nostro abbiamo visto il cane di Agostino.

Una volta era un gatto, sai, dice lei con tristezza.

Un cane.

Un gatto, però, una volta.

Io ho visto un cane. Lei ha visto un cane. Era un cane. Un giorno ne ho visto perfino uno su una chiatta, una tenera replica, attento.

Un gatto, in origine, nel suo bozzetto. Al British Museum, credo.

No, non è vero. Mi chiuderò le orecchie. Cara Helen, dimmi che non è vero.

Perché non affrontare i fatti? Perché discutere proprio adesso di questo?

8.10

Il violino è sul cuscino accanto al mio, io dormo e mi sveglio e mi riaddormento. Fuori gli uccelli migratori si posano sugli alberi non trafficati. In quali mani canterà? Come posso suonare senza di lui? Come con lui? Lo accordo con cura, e suona ancora bene. Non posso aiutarlo, o pretenderlo, o sopportarlo.

Coriandoli di tormenta roteano attorno a me: carta di fax,

ciuffi del pelo di un cane bianco, neve su un parcheggio, i tasti d'avorio che lei suona. Se ogni voce nelle sue mani fosse una città, quale avrebbe quale parte? Lei sta diventando sorda e sono io che non riesco a suonare le cose che fa lei. Quale persuasione si deve usare con uno a cui manca la volontà? «È una cosa che non suonerei mai per nessun altro, all'infuori di te.»

In più, non è solo nella mia mente. Questa cosa che tengo in mano si sta disfacendo. Non sono semplici acufeni nella mia testa. Frigge, si lamenta, ha il tormento del ronzio. La sua gonfia pancia logora la tastiera. Sanderson lo vedrà, provvederà, giudicherà le sue malattie, lo premerà, lo pungolerà, lo rimetterà di buon umore. Ha ragione di lamentarsi, questi sono i nostri ultimi mesi. Ma perché proprio adesso questo improvviso ammutinamento?

8.11

La signora Formby è morta ieri.

Mi telefona la zia Joan per dirmelo. A quanto pare, aveva avuto un ictus una quindicina di giorni fa, che le aveva colpito la parola. Ieri mattina ha avuto un secondo ictus, ed è morta mentre la stavano riportando all'ospedale.

Sono contento che non sia stata costretta a letto per mesi o anni e abbia avuto la mente lucida e la parola chiara fin quasi alla fine. Come mia madre, ha avuto una morte rapida.

Avrei voluto sapere che era così malata. Anche la zia Joan e mio padre non avevano saputo del primo ictus. Avrei potuto andare a trovarla un'ultima volta, e avrei suonato un po' per lei. Per lei il Tononi avrebbe cantato ovunque: a casa, all'ospedale, a Blackstone Edge.

Il suo Tononi. Piango per lui, e per me stesso. Non passeranno mesi, adesso, ma solo settimane, prima che mi venga sottratto.

Non andrò al suo funerale (una cremazione, dice la zia Joan). La signora Formby odiava i funerali: era stata insofferente verso gli amici che erano venuti a quello di suo marito, e non andava mai ai funerali degli altri. Ci sarà il perito catastale, un gatto del Cheshire che sogna la panna. La moglie resterà muta, e guarderà il marito per sapere cosa fare. Le tre figlie ululanti riserveranno i graffi e i bronci al viaggio di ritorno.

Nelle mani di quel nipote consegnerò il mio amato violino.

Amavo la signora Formby. Mi ha risvegliato alla gioia della musica. Con la sua morte assaggerò anche il suo dolore.

8.12

«Per favore siate più meccanici», supplica il direttore, perché stiamo incidendo una sonata per pianoforte di Mozart che un semideficiente creativo ha abborracciato in un concerto senza pianoforte. Questo si chiama Maestro Fai-da-te. Giovani pianisti con ambizioni suoneranno la loro sonata con l'accompagnamento di un'orchestra. Mozart lascia un po' a desiderare: il semideficiente ha aggiunto nuove melodie, e il triangolo fa ding ding ding. La Camerata Anglica sta suonando, e gran parte dei suoi membri hanno conati di vomito. Ma adesso questo per me vuole dire carne e rata del mutuo; il mio archetto va su e giù, con ritmo e intonazione perfetti.

Una volta pensavo di potermi comprare un violino. Adesso quando la posta mi cade sul pavimento penso: nessun timbro di Rochdale, per favore. Un altro giorno di dilazione.

Vedo qualche capello bianco. Strappo tutti quelli che vedo. Ho le solite emicranie. Adesso penso: gatto o cane? Gatto o cane?

Come va il Maggiore senza di me? Come hanno aggiustato le cose? Helen mi telefona ancora ogni tanto, ma per sapere come me la cavo, non per chiedermi di tornare.

Nel Gabinetto delle stampe del British Museum la luce filtra dal tetto. Mi portano la scatola di Carpaccio. Il suo bozzetto è chiaro.

Agostino non ha la barba; la musica è senza note.

Ed è un gatto che occupa il pavimento. No, nemmeno un gatto, nemmeno quello, ma un'astuta donnola o faina al guinzaglio!

Perché? Perché? Perché? Perché? Io ho sopportato molto, ma questo non tocca solo me. Il povero cane piangerà sapendo che c'è stato un tempo prima che lui nascesse. Donnola! Donnola! Donnola!

Donnola, ti sto facendo torto? Sei un ermellino, bianco come l'inverno? Non hai la punta della coda, ma questo è uno schizzo: l'astrolabio è una O, la musica è vuota. Puro, casto e nobile nei mesi invernali, ti rovini in estate e ridiventi una donnola.

Dove è stato concepito quel cane che mi aveva confortato? Deve diventare volgare, dinoccolato, con gli artigli da felino? Di sopra ci siamo baciati, senza sapere che ci controllavano.

Zsa-Zsa, tu sei morta. La vecchia vedova Formby è morta. Anche Carl parla come la luce di un nano da oltre la tomba? Fuori dal Gabinetto delle stampe c'è una carta di Venezia. Di questo e di altre questioni devo informarla. Lei lo vorrebbe sapere. In Oxford Street si sono incrociate le nostre gondole. Lei ha sollevato il suo velo, e subito non c'era più.

Ieri notte le sue mani si muovevano fra i tasti. Cosa stava suonando che ha placato i miei sogni? Bach, di sicuro; ma non l'avevo mai sentito prima. Di quante camere ha bisogno un cuore per suonare una musica come quella? Era qualcosa che scrisse negli anni immediatamente successivi alla sua morte?

8.13

Strano essere un uomo e non gonfiarsi aspettando un figlio. Sentire una parte di te che si apre, e una parte di te che se ne va, e ulula come se non fosse una parte di te. Poi mette un cappellino verde e un abito grigio e ha degli amici. Tutti questi sono sui gradini della Pembridge School in attesa che emergano dei pezzi di sé, e a tutti loro questo una volta è successo.

È il momento delle castagne d'India e dei loro ricci. Roteano e vorticano le foglie dei platani e dei tigli. Cosa pensa il giovane Luke di Boston delle castagne d'India? Cosa ne pensa la sua Oma di Klosterneuburg, il ventiseiesimo distretto di Vienna sotto il Reich? Lei se ne sta sotto il faggio sanguigno, a bofonchiare. Lì il Danubio è costeggiato da castagni e pioppi.

Oh, sono le 3.45. Emergono e vengono baciati con precisione, ma dov'è Luke? Ecco la macchina di Julia, parcheggiata lì. Lei scende e corre su per i gradini. Ecco Luke. Le loro facce esprimono la felicità.

Lei è sul marciapiede vicino alla macchina. Non mi vede e non può sentirmi. Tutto questo deve essere riconfigurato. Verdi non sa leggere le labbra di Wagner, né il leone quelle del grifone.

Adesso sono dentro il suo raggio visivo. Lei ha un sobbalzo. Come sono azzurri i suoi occhi attenti e pieni di panico.

« Michael. »

« Ciao, Julia. Sai, il cane di Carpaccio... »

« Cosa? »

« Sai, a Venezia, agli Schiavoni... »

« A Venezia dove? »

« Agli Schiavoni... »

« Sali in macchina, Luke. »

« Ma mamma, è Michael. Io voglio... »

« Sali subito in macchina. »

« Oh, va bene, va bene, non arrabbiarti. »

« Che cos'è questa storia? Perché sei venuto a darci fastidio? »

« Ma volevo solo dire... »

« Sì? »

« Quel cane in origine era un gatto. O una donnola. O un ermellino. Non era affatto un cane. Ho visto il disegno, il disegno fatto da lui. »

« Michael, che cosa esattamente sei venuto a dire? »

Ho bisogno di dire talmente tante cose che non dico nulla. Maggiore, Formby, Tononi, Agostino... Nomi in una guida del telefono, come possono spezzarle il cuore?

« Be', allora? Non startene lì impalato. »

« Io... »

« Michael, tutto questo è senza speranze. »

« Credevo che mi avessi detto che mi avresti sempre amato. »

« Non pensavo che si sarebbe arrivati a questo. »

« Julia... »

« No. Luke può vederti. Stai fermo dove sei. »

« Ho ricevuto una lettera di Carl Käll. »

« Michael, scusami. Non posso fermarmi a parlare. »

« Il bonsai... »

« Sì », dice con asprezza. « Sì. Sta bene. Sta molto, molto bene. Proprio uno splendido regalo. Immagino che dovrei ringraziarti. »

« Perché suonerai l'*Arte della fuga*? Cosa stai cercando di fare? »

« L'*Arte della fuga*? Perché? Perché no, per l'amor del cielo. La amo anch'io. Adesso devo andare sul serio, credimi. E, Michael, mi stai dando fastidio. Non lo capisci? Mi stai dando fastidio. Per piacere non aspettarmi qui, ripeto non aspettarmi qui un'altra volta. Io non voglio vederti. Non voglio. Sul serio. Andrò in pezzi se ti vedo ancora... Se mi ami, non è quello che desideri. E se non mi ami, vai a vivere la tua vita per conto tuo. »

Si copre gli occhi. « E no, per l'amor di Dio non dirmi quale delle due è vera. »

8.14

Sono passate tre settimane da quando l'ho incontrata. Sto eliminando una voce dopo l'altra dagli indirizzi della mia mente.

No, non mi serve questa visione, posso fare a meno di questo fatto: stanze, libri, incontri, le macchioline nelle sue iridi, il profumo della sua pelle. Che vengano portate via la mattina dei giorni feriali, che ondeggino via in palloni di elio.

Anch'io credo, alla fine, di non poter costruire su nulla, che non c'è niente da costruire. Ci è voluto del tempo, perché la speranza ha germi ben protetti. Quanto a me, penso: se abbandonassi questa oscurità e questo vuoto, ciò non farebbe starnutire l'universo. Sarei libero dai sogni e dai pensieri e dal Maestro Fai-da-te. Mio padre, però, mi piangerebbe. La zia Joan mi piangerebbe. Mentre l'autunno diventa più cupo, si formano cerchi attorno ai miei occhi.

Ciò che non si può eliminare deve essere immagazzinato più a fondo. Affitterò un magazzino nei sobborghi e lì accumulerò tutte le entità indesiderate: profumo, suono, vista, inclinazione.

È sabato mattina, ma non vado a nuotare. Osservo dal ponte la luce che gioca sull'acqua, sulla scia dei Serpenti d'acqua oltre il Lido. Leggo l'utile avviso sul ponte: « Pericolo. Acque basse. Non saltare dal ponte ». No, no, sono un nuotatore, vivrò fino a diventare artritico.

Questo è il mio albero preferito, il platano, tutto nodi e nocchi e corteccia che si stacca. Ma perché guardare qui? In tutti gli anni nella brughiera non ho mai scoperto il nido di un'allodola. Anche qui non sento zoccoli ma un abbaio. È un quartetto di cani, un cagnolino bianco, un grosso cane marrone, lo zoppo del Ponte del Diavolo, un intruso simile a una volpe. Abbaiano, cantano, tirano su col naso. Lei tira una scarpa in mezzo a loro e con grida musicali essi vanno in frantumi. Non hanno la minima idea di chi abbia incontrato chi, di ciò che sta sopra il nostro mondo o nei nostri cuori. Sono pieni di fascino; nei loro occhi c'è amore e ghiaccio.

Ci sono cento tipi di sordità. Più sono teso, meno bene sento. Così ha senso mettere in ordine i propri atti.

Concentrati su queste poche cose: il pane, i giornali, il latte, un po' di verdura, un po' di cibo da passare al microonde, il libro che leggerai stasera. Torna a leggere le parole: non hai più il quartetto con cui suonare, non hai più musica da studiare. Differisci fino al suo momento il lavoro che fai.

Accorda, però. Suona le scale. Lui ti è stato vicino più di padre, madre, amico o amante. Il residuo adesso si misura in settimane, giorni. Suona le scale, cose che possano renderti calmo. Togli la mentoniera, senti di nuovo il suo legno.

Fa' quadrare i conti. Va' in autobus. Cammina. Sei nella

maggioranza dei solitari. Chi di coloro che ti siedono attorno appartiene alla tua poco selezionata confraternita? Quello che chiacchiera, quello che sorride, quello che sta in silenzio e sembra vergognarsi in mezzo a una folla?

Quel bigliettaio, quella ragazzina che sussurra «Fou!», quell'uomo che vende diari scaduti su una bancarella, quella commessa con i capelli scuri come quelli di Virginie?

8.15

«Volano via dai tavoli, le T-shirt. Non se ne hanno mai abbastanza.» Lei mi sorride.

«Ne avete di grandi in quel colore rossastro?»

«Quella ruggine? Solo quella che c'è sul tavolo, ho paura. Abbiamo svuotato il magazzino stamattina.»

«Ah...» C'è perfino qualcosa nel suo viso che mi tiene qui.

«Troppo poche, di grandi», dice. «La proporzione non è giusta. Ci siamo lamentati con la direzione generale.»

«Ah, sì, la direzione generale. Quella e il computer.»

«Bisogna per forza dar la colpa a qualcuno», dice lei, ridendo.

«Mi spiace, non è colpa mia, il computer si è rotto.»

«Mi spiace, sono in pausa pranzo. È la direzione generale.»

«Be', se non c'è ruggine, la prenderò nera. Mi spiace, questo biglietto da cinque sterline è falso. È il computer.»

«È una cosa che la sorprenderebbe», dice, osservandolo con attenzione. «Ce ne sono in giro un sacco di quelli.»

Io guardo con sospetto il penny scintillante che mi dà di resto.

«Conviene morderlo», mi suggerisce, ridacchiando. «Potrebbe essere di cioccolato.»

«Mi spiace, non serviamo penny di cioccolato il sabato.»

«È la direzione generale», diciamo entrambi, ridendo.

«A che ora ti lascia libera stasera la direzione generale?»

«Ho un fidanzato», dice lei.

«Oh...» dico. «Oh.» Le risate hanno abbandonato la mia voce.

«Senta», mi dice, con freddezza, «credo che sia meglio che se ne vada.»

Non ha paura di me, ma una paura diversa, della fragilità della fedeltà. Per un po' non fraternizzerà più con i clienti.

«Mi dispiace», le dico. «Mi dispiace. Sei così simpatica. Pensavo solo...»

«Per favore se ne vada. *Per favore.*»

Non si guarda attorno in cerca di un sovrintendente, ma fissa il tavolo con le magliette, ruggine, nere e grigie.

8.16

All'una e mezzo di notte, insonne, raggiungo la fila di cabine del telefono accanto ai bidoni dei rifiuti da riciclare. Anche a quest'ora c'è gente che cammina lungo le strade. Premo i numeri.

«Pronto?» Una voce dolce e morbida, con un leggero accento irlandese.

«Pronto, volevo sapere se posso parlare con Tricia.»

«È il numero di Tricia. Posso essere d'aiuto?»

«Io, be', ho visto... ho visto il tuo biglietto in una cabina del telefono, voglio dire il biglietto di Tricia, e mi chiedevo se era libera adesso... Be', nella prossima mezz'ora o giù di lì...»

«Sì, tesoro, è libera. Dove sei adesso, tesoro?»

«A Bayswater.»

«Oh, è molto vicino. Lascia che ti parli di Tricia. È una ragazza inglese, con i capelli lunghi e biondi, occhi azzurri, gambe molto belle, depilate, 92-61-92.»

«Quanti anni ha?»

«Ne ha... ventisei.»

«E quanto, voglio dire...»

«Dalle quaranta alle settanta sterline, tesoro.»

«Oh. E questo comprenderebbe...»

« Un massaggio come base, poi un rapporto orale, e un rapporto completo », dice con dolcezza.

Resto in silenzio, poi dico: « Posso avere il tuo indirizzo? »

« Sì, tesoro, Carmarthen Terrace 22, appartamento 3. Suona al citofono. »

« Chiedo scusa, sono... Non so come funziona. Ti pago prima? »

« Come preferisci, amore », dice con un sorriso nella voce. « L'unica cosa su cui insisto è che usiamo una protezione. »

« Sei tu Tricia? »

« Sì, sono io. Non vedo l'ora di vederti, tesoro. Grazie per aver chiamato. »

8.17

Quello che non prova, finge. È sui trentacinque, attraente, esperta, dolce. Ciò che trattengo da mesi si apre la strada a forza attraverso di me. Dopo comincio a piangere. Lei non mi caccia via ma mi offre una tazza di tè.

« C'è qualcuno a cui tieni, tesoro, vero? »

« Non lo so. »

« Non sei obbligato a dire niente. »

Non dico niente. Lei non dice niente. Sorseggiamo insieme il tè, con calma. Suona il telefono, e lei mi dice: « Vuoi fare una doccia e vestirti, tesoro? »

« Sì. Sì. Ho bisogno di una doccia. »

Il rosa del bagno, la mia faccia allo specchio, il piccolo Winnie-the-Pooh sbrindellato sul davanzale, l'odore stucchevole. Una terribile nausea mi torce i visceri. Vomito nella tazza del bagno. Non esce niente. Nella doccia mi stacco la pelle con l'acqua bollente, faccio evaporare tutto.

Sono vestito. Mormoro i miei ringraziamenti e sto per andarmene.

« Non hai ancora pagato, tesoro. »

Pago ciò che chiede, e la saluto. Sto male in fondo al cuore, sto male di cuore. Sono stato io, in quest'ora?

« Non perdere il mio numero, tesoro. Torna ancora », mi dice, e accende la luce delle scale.

8.18

La mia agenzia mi riempie le giornate di appuntamenti: jingles per la pubblicità, musiche di sottofondo per film. Sono in uno studio di registrazione di Wembley, risolvo un enigma di scacchi, leggo i giornali. La gente ha sentito la novità sul Maggiore, ma mi lascia in pace. Sento qualcuno che cita una volta Julia Hansen, ma gli altri sono impegnati ad accordare.

Mi telefona Lucy della Wigmore Hall per dirmi che mi ha tenuto da parte un biglietto per il concerto di Julia del 30 dicembre. O erano due i biglietti che volevo? La ringrazio, ma le dico che non sarò in città. Può darli a qualcun altro.

« Oh, dove vai? »

« Non lo so... A Rochdale, immagino, per Natale. »

« Mi dispiace che tu non sia più nel Maggiore. »

« Be', così vanno le cose. Nuovi pascoli, adesso. »

« Spero di non averti disturbato, Michael. »

« No. No. Niente affatto. Niente affatto. »

Lei riattacca e io faccio l'inventario. Il magazzino è stato svuotato stamattina, eppure c'è già un sacco di roba che sta prendendo polvere: una rana di porcellana, una donnola impagliata. Mi ritrovo sull'autobus numero 7.

Dietro il British Museum c'è una piccola sezione fotografica. Mi faccio fare due stampe dal disegno, da mandare una a me e una a lei. Esaminerò a piacimento la donnola. Che lei condivida il mio piacere e le mie meditazioni.

Una gentile signora del Gabinetto delle stampe tira fuori un vecchio articolo che contiene i due brani musicali, uno sacro, l'altro profano, che stanno aperti ai piedi di Agostino. Li fisso finché non riesco a udirli nella stanza silenziosa: li orchestro a capriccio: archi, legni, voci, lire.

In questi giorni lascio metà della posta chiusa. Evito Holland Park, le cui pietre non si possono toccare. Mnozil ha una nuova gestione, e io mi sento purificato, espurgato. Tutte le cose devono passare, tutta la carne è erba.

Sogno di Carl. Mi sta ascoltando mentre suono il jingle di un cibo per cani. Getta la testa all'indietro, in estasi. «Sostieni il suono», dice. «Sostienilo sempre. Il tuo modo di suonare, che mai mi è dispiaciuto, adesso mi fa venire le lacrime agli occhi. Ma sai, preferisco Bach.»

«Questo è un giudizio soggettivo», dico. «Ma se lo desidera, eccone un po' per lei.»

Si infuria. «Questo non è Bach. È un Bächlein», tuona. «Dammi Johann Sebastian.»

«Non riesco a metterlo sotto le dita, Herr Professor. Me l'ha portato via Julia McNicholl.»

Lui è ai limiti dell'apoplessia. «Questo non lo voglio. Questo non lo voglio. Ti butto fuori dalla mia classe. Hai reagito male alla mia lettera. È stata una cosa sbagliata, molto sbagliata. Lascerai subito Vienna, attraverso le fognature.»

«Non lascerò mai più Vienna...»

«Molto bene, allora», dice tristemente Carl. «Molto bene, allora, soddisfa il capriccio di un uomo che sta morendo. Suona di nuovo l'aria del cibo per cani. E con meno sentimento. Dobbiamo imparare a rispettare le intenzioni del compositore.»

«Come vuole, Herr Professor», replico. «Ma perché disturbarsi a morire prima di me?»

8.19

Suona il campanello. È una raccomandata da Rochdale.

Firmo. La lascio sulla credenza della cucina, senza aprirla. Questi mandarini sono ammuffiti. Devo pulire la ciotola.

È così che funziona? Te ne stai al banco degli imputati, e

mentre il giudice intona qualcosa, noti che il rossetto scuro, quasi viola della donna nella seconda fila è sbavato.

Sono venuti a prendermi il violino. Per favore, lasciateci in pace per un giorno. Non contesto nulla. Il bambino è addormentato. Si sveglierà da solo al momento opportuno.

Devo suonarti e poi rinunciare a te? Devo cederti senza suonare, così che il ricordo del nostro addio non sia rovinato dal suono, così che Bach non venga raggiunto da altre perdite: Mozart, Schubert, tutto ciò che mi dà vita?

Cosa devo suonare se non quello, dove devo suonare se non qui? *Tea for Two* chez Tricia? L'aria del cibo per cani per il mio insegnante vecchio e stanco? La scala che non trema insieme ai miei amici, ormai divenuti estranei? *The Lark Ascending* in onore di uno spirito disperso?

Lo tiro fuori, lo accordo, chiudo la porta della mia stanza insonorizzata. Nell'oscurità lo suono, e non so cos'è che sto suonando. È un pot-pourri di qualcosa, è un'improvvisazione come non ho mai fatto prima, viene più dal suo cuore che dal mio. È un lamento, ma percepisco, con la sensazione di essere già stato abbandonato, che non è per me.

Ma adesso è diventato il Largo di Vivaldi che ho suonato in quel giorno miracoloso, nella sua chiesa. Io lo suono, lui mi suona, e nel buio della mia cella so che non udrò il ritornello, che è ora di fermarsi, di pregare gli dei guardiani dei boschi dai quali è venuto che nella sua vita futura – e che possa vivere altri duecentosettant'anni, e anche di più, di più – venga tenuto in gran conto e trattato bene dai nuovi proprietari.

Addio, allora, mio violino, amico mio. Ti ho amato più di quanto riesca a dire. Siamo un unico essere, ma adesso dobbiamo dividerci e non sentiremo più la nostra voce comune. Non dimenticare le mie dita o la tua voce. Io non ti sentirò, ma ti ricorderò.

8.20

Gentile signor Holme,

sarà senza dubbio a conoscenza della recente morte della signora Cecilia Formby. So che lei era un intimo amico della defunta, e vorrei porgerle per conto del mio studio le nostre sincere condoglianze.

Varms & Lunn sono da molti anni i legali della signora Formby, la quale ha nominato il mio socio William Sterling e me suoi esecutori.

Il testamento della signora Formby è stato depositato dieci giorni fa insieme ai documenti necessari presso il Registro distrettuale delle omologazioni. Il testamento è stato adesso omologato.

In un codicillo al testamento redatto da questo studio sotto le sue istruzioni e firmato una settimana prima della morte, la signora Formby ha lasciato un antico violino italiano (Carlo Tononi, circa 1727), a lei, libero da ogni tassazione.

So che il violino è al momento in suo possesso. Lei può continuare a tenerlo per conto degli esecutori finché l'amministrazione non trasferirà definitivamente la proprietà a lei.

Sono passate alcune settimane dalla morte della signora Formby, e c'è stato qualche ritardo nell'informarla dei termini del suo testamento. Parte delle difficoltà sono sorte dal fatto che nel suo codicillo la signora Formby ha indicato come suo un indirizzo che non esiste più.

La signora Formby ha lasciato anche un biglietto per lei, che accludo. Nei giorni immediatamente precedenti la sua morte era impedita fisicamente, ma la sua mente era del tutto limpida e le sue intenzioni chiare. Mi ha dettato questo biglietto all'ospedale. Dato che la sua pronuncia era alquanto difettosa, gliel'ho riletto per essere certo che non ci fossero errori nella mia trascrizione. Quindi l'ho fatto battere a macchina, e lei l'ha firmato.

Se ha qualche domanda a proposito del lascito o di qualunque altra questione a esso connessa, sia adesso sia per qualche ragione in futuro, spero che non esiterà a mettersi in contatto con noi.

Con i più cordiali saluti,

KEITH VARMS

accl: Lettera al signor Michael Holme da parte della signora Cecilia Formby.

8.21

Mio caro Michael,
temo di essere stata la causa di molta ansia nel corso dell'ultimo anno, per via delle mie incertezze sul violino, e me ne scuso. Ho sentito la tua angoscia quando ne abbiamo parlato all'inizio dell'anno, e ti fa onore non aver fatto il minimo tentativo di influenzare la mia precedente decisione, e averla accettata senza discutere.

Sei un amico sincero da quando avevi sei o sette anni, e ci siamo visti mentre attraversavamo periodi belli e periodi brutti. Voglio aiutarti ad aumentare quelli belli, e questo è quanto di meglio riesco a pensare per assicurartelo. In più, non posso tollerare l'idea del mio violino che viene venduto a un estraneo quando tu lo suoni da tanti anni.

Spero che perdonerai la mia firma. Ho paura di non essere più capace di suonare i trilli acuti di Vaughan Williams.

Io ti mando il mio amore, anche se, quando riceverai questo biglietto, le ceneri di quell'«io» saranno già state disperse – con grande felicità, credimi – attorno a Blackstone Edge.

Addio, mio caro Michael, e che Dio ti benedica.

Tua

[illeggibile]

8.22

Non me, ma lei, signora Formby, se esiste. Stanotte non riesco a dormire per l'agitazione. Mi sento pieno non di sollievo ma di incredulità. Non ho nemmeno tirato fuori di nuovo il violino. Non può essere vero, eppure lo è. Era per me perduto, e adesso è ritrovato.

Le sue parole mi hanno dato la vita e si sono portate via il sonno. I cancelli del parco aprono alle prime luci dell'alba. Grigio ardesia e corallo, l'alba si riflette nell'acqua. Nel giardino incassato i fiori sono stati coperti dall'erba. Il ciac di uno scoiattolo, un anatroccolo che si tuffa, un merlo che saltella sotto la siepe assottigliata dei tigli: ecco tutto. Sono solo con questa gioia tormentata.

Lasci che le dia qualche notizia dal mio mondo. Le vedute si sono dilatate, dato che il mondo si sta spogliando. Qualcuno ha gettato lenticchie arancioni sotto il sicomoro. I piccioni aziendali passeggiano dondolando fra di esse. Grossi corvi neri e infreddoliti restano immobili, senza gracchiare, attenti.

Quanto alla musica, le oche grigie gridano sopra il Round Pond. Volano basse, poi si buttano, piedi in avanti, e si sistemano nell'acqua. I cigni continuano a dormire, al sicuro, con la testa ficcata fra le piume.

Che cosa si è impadronito di lei e l'ha convinta a lasciarmi padrone di lui, lei che era vicina alla morte e che non poteva più parlare con chiarezza? È solo il violino che voleva darmi, o devo imparare qualche lezione dal mondo?

8.23

La voce al telefono è tesa di furia repressa.

« Michael Holme? »

« Sì. »

« Sono Cedric Glover. Ci siamo incontrati per pochi minuti a Natale a casa di mia zia, la signora Formby. Sono suo nipote. »

« Sì. Ricordo. Signor Glover, mi dispiace moltissimo per la morte di sua zia... »

« Davvero? È una cosa che mi sorprende un po', considerando l'utile che ne ha ricavato. »

« Ma... »

« Mia zia era una vecchia signora, e non era più nel pieno possesso delle sue facoltà. Deve essere stato piuttosto facile depredarla. »

« Ma non sapevo nemmeno che fosse malata... Non sono mai andato a trovarla, ed è un grosso rimpianto. »

« Be', qualcuno l'ha fatto. Mia moglie è stata accanto a lei quasi tutto il tempo – a prendersi cura di lei, come può fare solo una persona di famiglia – perciò non capisco come abbia fatto a contattare l'avvocato e a fare quel codicillo così poco riconoscente. Ma mia zia sapeva essere molto astuta. »

« Io non ho niente a che fare con questo. Come... come ha fatto a trovare il mio numero? »

« Intende davvero privare le mie figlie della loro istruzione? Crede davvero che mia zia volesse fare una cosa del genere? »

« No. Io... »

« La cosa giusta da fare sarebbe restituire il violino alla famiglia senza passare per una causa legale, che, le assicuro, sono assolutamente disposto a intraprendere. »

« Per favore, signor Glover. Io volevo bene a sua zia. Non voglio causare amarezza... »

« Allora le consiglio con forza di non attaccarsi in maniera cinica ed egoistica a ciò che non appartiene a lei, né dal punto di vista morale né da quello legale. È chiaro che lei non era più lucida negli ultimi giorni, ed era estremamente suggestionabile. »

« Signor Glover, io non ho suggestionato nessuno. Non sapevo nemmeno che era così malata. Lei mi ha scritto una lettera lucida e gentile. Voglio credere alle parole che mi ha scritto. »

« Sì, non ho dubbi che lei lo voglia. L'ha firmata? »

« Sì. »

« Be', se dobbiamo giudicare dalla firma del codicillo, capirà subito quanto è debole la sua posizione. È lo scarabocchio di un bambino debole di mente. Insomma, la sua testa era così confusa che come suo indirizzo ha messo quello di un parcheggio. Un parcheggio! »

« Per favore, signor Glover, non dica queste cose. Lei era mia amica. Come posso rinunciare a ciò che lei ha donato a me? »

« Donato? Donato? Temo che lei sia vittima di un malinteso. Finché la sua mente era lucida, mia zia non intendeva donarle proprio nulla. Lei intendeva mettere i proventi della vendita del violino in un fondo per me e le mie figlie, e so che gliene ha parlato. Io sono una persona ragionevole, signor Holme. Disapprovo ciò che ha deciso mia zia, considerando tutto quello che abbiamo fatto per lei, ma la perdono perché in quel momento non sapeva quello che faceva. Tuttavia, le dico francamente che se non arriviamo a una sorta di compromesso su questa faccenda, lei perderà sia il violino sia una grossa somma di denaro in spese legali. »

Le sue parole non sono solo una millanteria, e io sono invaso dal terrore. E poi ci sono le sue sventurate, sventurate figlie: posso davvero derubarle di ciò che di diritto appartiene a loro e vivere in pace? Cosa proverò ogni volta che impugnerò l'archetto?

« Che cosa propone, allora, signor Glover? » dico con calma. « Cosa posso fare? »

« Ho messo giù un atto di donazione di metà del violino... C'è bisogno della sua firma. Potrà essere venduto e i proventi verranno equamente divisi. »

« Ma non posso farlo... Non posso vendere il mio violino. »

« Il suo violino. Vedo che non ci ha messo molto a prenderne possesso. »

« Il violino. Il violino della signora Formby. Quello che le pare. Lo amo. Non riesce a capirlo? Il fatto di venderlo per ricavarne denaro mi ucciderebbe. »

Lui rimane in silenzio per qualche secondo, poi dice, con fredda esasperazione: « Le faccio un'ultima offerta, signor Holme, e questa è davvero la mia ultima offerta. Lei deve come minimo restituire alla mia famiglia il quaranta per cento del valore del violino che lei ha preso dal resto del patrimonio ».

« Signor Glover, io non ho preso niente... »

«Lei invece ha preso qualcosa, e tutt'altro che poco. Si è reso conto di cosa significano le parole 'libero da ogni tassazione'? Significa che mentre gran parte del patrimonio – il cui valore è stimato includendo anche quello del violino – viene sottoposto alla tassa di successione del quaranta per cento, lei non viene tassato di niente. Nessuna tassa, nessuna, nessuna! Noi, in altre parole, paghiamo le tasse al posto suo. Lei ha il dovere legale e morale di restituire quelle tasse. Lei può onestamente credere – e si aspetta che qualunque tribunale possa credere – che mia zia intendesse che noi dovessimo finanziare lei?»

«Non lo so... Non so cosa credere. Non so niente di queste cose.»

«Be', le suggerisco di pensarci sopra, ma non a lungo. Sto chiamando dalla casa di mia zia. Lei ha il suo numero di telefono. Se non la sento nel giro di ventiquattr'ore, metterò tutta la faccenda in mano ai miei avvocati. Arrivederci, signor Holme.»

Mi poso la fronte sulle mani. Non vado nella stanza insonorizzata dove c'è il violino. Dopo un po' mi sdraio sul letto a guardare il soffitto. La luce gioca sulla parete; un elicottero passa rumorosamente. Adesso sono così stanco che non riesco più a dormire. Dopo tutto, in un modo o nell'altro, lo perderò. Signora Formby, dato che mi amava, mi dica cosa devo fare.

8.24

Telefono allo studio Varms & Lunn e parlo con l'avvocato Varms, che ha una voce più nasale di quanto mi fossi aspettato leggendo la sua lettera. Lo ringrazio, e gli spiego quanto sono rimasto meravigliato nel ricevere quella lettera.

«Anche la signora Formby pensava che lo sarebbe stato», mi dice.

«Lei è andato a trovarla all'ospedale. Ha sofferto molto, ha avuto... difficoltà?»

«Qualche difficoltà. Non molto dolore. Aveva insistito perché la rimandassero a casa il più presto possibile dopo il primo ictus. Era a casa quando è morta, o forse nell'ambulanza che era stata mandata a casa sua per prenderla. Per come vanno queste cose, ha fatto in fretta. »

« Ne sono lieto. »

« Ma non, se capisce cosa voglio dire, troppo in fretta. Lei ha avuto il tempo di mettere ordine nelle sue cose e di decidere. »

« Sì. Capisco... Avvocato Varms, non so come dirlo. Ho appena ricevuto una telefonata... »

« Sì? » La voce nasale dell'avvocato Varms raggiunge quasi il timbro dell'oboe quando è all'erta.

« Dal nipote della signora Formby, un certo... »

« Glover? Sì, abbiamo conosciuto questo signore. »

« Mi ha detto che non ho nessun diritto sullo strumento. Ha detto una serie di cose... »

« Signor Holme, ero un po' preoccupato che lui potesse essere tentato di fare una cosa del genere, ed è per questo che mi sono espresso in un certo modo nella mia lettera. Lasci che le assicuri, ehm, che la rassicuri che non c'è il minimo fondamento nelle minacce e nelle pretese di quel signore, minacce e pretese che ha ampiamente espresso anche a me, e che io sono riuscito con difficoltà a impedirgli di presentare al tribunale. Voleva contestare il codicillo, che, secondo la prassi, ha avuto due testimoni indipendenti, uno dei quali era il medico della signora Formby. Ho spiegato al signor Glover che il tentativo gli sarebbe costato molto caro, che molto probabilmente avrebbe messo in discussione altre parti del testamento di sua zia, e così avremmo ritardato l'omologazione del tutto, che io e i testimoni avremmo confutato con estrema forza le sue obiezioni, e che avrebbe avuto pochissime possibilità di successo. Mi sono preso la libertà di, ehm, informarlo che le intenzioni della signora Formby erano state ribadite in termini non ambigui nel biglietto rivolto a lei, signor Holme, anche se le assicuro che non gli ho fatto leggere il biglietto, del cui contenuto io stesso ero a conoscenza solo perché lei non poteva scriverlo di suo pugno. »

« Avvocato Varms, non avevo idea di tutto questo. Lei è stato molto gentile... »

« Assolutamente no, glielo assicuro. Sto semplicemente svolgendo i miei doveri di esecutore testamentario della signora Formby, e di destinatario delle sue istruzioni nella stesura del testamento. Il signor Glover aveva qualcos'altro da dire? »

« Ha detto che dovrei almeno restituirgli le tasse che ha pagato lui. Ha detto che avevo il dovere legale e morale... »

« Signor Holme, non esiste nessun dovere legale. Non le posso dare consigli sul versante morale, se vuole chiamarlo così, ma posso informarla che il patrimonio non era piccolo. Il signor Glover, in qualità di beneficiario residuo, riceverà un considerevole ammontare di denaro, tasse o non tasse; e ho dedotto dalla sua conversazione un po' troppo, ehm, sicura di sé che non è comunque povero. »

Comincio a ridere, e l'avvocato fa lo stesso.

« Così il signor Glover non le è rimasto molto simpatico », dico.

« Be', ha usato termini piuttosto irriguardosi nei confronti della sua benefattrice, una cosa ben poco accattivante. »

« Spero che non sia stato scortese con lei. »

« È stato più che gentile dopo il nostro primo incontro. Untuoso, direi, come ho notato che avviene spesso con le persone all'inizio minacciose le cui minacce non funzionano. Oh, c'è un'altra cosa che dovrei dirle. L'intenzione della signora Formby non era di darle il cinquanta per cento o il sessanta per cento o qualunque altra percentuale del violino. Era, se posso dirlo, una signora molto astuta, e si era resa conto che se lei avesse avuto la necessità di chiedere un prestito questo sarebbe andato contro il suo scopo, che era, se mi perdona questi termini, di procurarle felicità, non altre angosce. Be', mi aspettavo la sua telefonata, signor Holme, anche se spero che capisca perché non potevo avvertirla della probabile telefonata del signor Glover. Se costui porta fino in fondo la sua intenzione, naturalmente non potrò seguirla professionalmente, ma sarei lieto di metterla in contatto con un altro studio. Tuttavia, non credo che sarà necessario. Sospetto che una ferma risposta metterà fine a queste fastidiose pretese. La signora Formby era determinata ad aggiungere quel codicillo, e capiva perfettamente il significato di ogni singola parola. Mi auguro che lei sia felice con il suo violino. »

« Grazie, avvocato Varms. Non so cosa dire. Grazie infinite. »

« Non c'è di che. »

« Le piace la musica, avvocato? » gli chiedo, non so perché.

« Oh, sì, mi piace molto la musica. » All'improvviso l'avvocato Varms sembra agitato e ansioso di mettere fine alla conversazione. « Ehm, c'è qualcosa d'altro? La prego di mettersi in contatto con noi se ci fosse. »

« Non c'è nient'altro. Grazie ancora. »

« Arrivederci, signor Holme. »

8.25

Signora Formby,
so che lei è morta e non può leggere questa lettera. Vorrei aver saputo del suo ictus.

La mia vita era scivolata verso la desolazione. Grazie per non avermi dimenticato e per aver ritenuto, anche se non ero venuto a trovarla, che non l'avevo scordata.

Ogni anno, nel giusto periodo, andrò a Blackstone Edge. Porterò con me il suo violino ogni volta che verrò al nord.

Non le ho mai chiesto dove o da chi lo aveva acquistato. Quella storia è finita con lei.

Quel poco che ho fatto per lei è passato, ma ciò che lei ha fatto per me durerà finché andrò avanti anch'io.

Che qualcosa della sua memoria mi possa consigliare, quando sarò vicino alla morte, sulle mani a cui dovrò affidarlo.

Il suo amico e il suo violino la ringraziano, ciascuno dalla rispettiva anima.

8.26

Una notte mi sveglio sudando freddo, e con il battito del cuore nelle orecchie.

Ho fatto un sogno. Ero in una stazione della metropolitana, Holborn, credo. Ero ai piedi di una scala mobile, suonando con il mio Tononi. Dalla scalinata scendevano gruppi di estranei, inframmezzati a persone che conoscevo, che scendevano due a due. Il figlio di Billy, Jango, mi passava accanto tenuto per mano dalla signora Formby. Lei lasciava cadere una moneta nel mio cappello, e continuava a parlare con lui. Sapevo in anticipo che ci sarebbe stato anche Carl, e c'era, con la sua protégée, Virginie. Lui mi rivolgeva un cenno del capo e diceva qualcosa fra le labbra bluastre. Lei sembrava felice, e mi passava accanto senza dire niente.

Suonavo lunghi bicordi sulle corde vuote. Quando mi stancavo di una quinta passavo a un'altra. La madre di Julia, che portava un diadema e aveva il cagnolino di Carpaccio sotto il braccio sinistro, scendeva ammanettata alla poliziotta di Holland Park. Aveva violato qualche regola della quarantena? Sapevo che tutto questo era uno spettacolo momentaneo, e che potevo spegnerlo in ogni momento. Ero nel sogno, non del sogno.

Ma col passare delle coppie, talvolta separate da molti estranei, diventavo sempre più ansioso. Ero torturato fra la speranza e il timore, perché pensavo che avrei potuto vedere anche Julia, e non sapevo chi sarebbe apparso con lei. Eppure fra le tante tediose persone del mio passato che fluttuavano via, cugini e professori di matematica e colleghi d'orchestra, lei non compariva, e il mio cuore sprofondava.

Salivo sulla scala mobile per andare a cercarla. In cima la scala si fermava, e si metteva a scendere. Ma mentre scendevo, il tunnel della scala mobile diventava sempre più stretto e più buio e io rimanevo solo. Tutti gli altri erano scomparsi e, tranne che per il mio violino, che avevo continuato a suonare incessantemente, c'era silenzio. Sempre più a fondo nella terra scendeva la scala mobile, molto oltre rispetto a dove si era fermata prima; e non potevo fare nulla per fermarla. Non stavo più suonando i tre calmi bicordi, ma una musica avvincente e terrificante che solo gradualmente avevo riconosciuto come la mia parte dell'*Arte della fuga*.

In parte soffocavo e in parte gridavo a squarciagola. Ma non riuscivo a sfuggire alla sua stretta né alla discesa. Il violino, come una scopa stregata, continuava a suonare, ossessionato, e se non fosse stato per l'antifurto di una macchina, nella strada reale sotto di me, che si era intromesso nell'involucro del mio sogno, sarei disceso per sempre nella notte senza fine.

8.27

Non drammatizziamo. È solo amore, non è mica un braccio o una gamba. Fino a dove si estende questa indulgenza, questa sensibilizzazione? Non ti impedirà di guadagnarti da vivere. Ma tutto questo è degno del tuo violino? Quanto a quelli perduti per te, considera in che cosa consiste la loro felicità. « Per l'amor di Dio, Michael, non le hai fatto male abbastanza? »

Lascia che si agiti il corpo, se la mente è ancora bloccata. Nuota. No, adesso, come lei, non riesco ad affrontare una folla. Eppure lo fai, non è vero, quando suoni da aggiunto in un'orchestra? Cosa ne dici di camminare? Cammina fino a ciò che puoi raggiungere a piedi. Gira intorno se non hai nessun posto dove andare. Sono le cinque del mattino, ma è la Londra d'inverno, non c'è un'alba veneziana. Coloro che stanno uscendo dalla notte oltrepassano quelli che entrano nel giorno. Ci sono dei passi dietro di me, ma non volto la testa, e si dissolvono.

Considera di nuovo i tuoi studenti. Ma lo faccio. Passo ore rimuginando prima e durante e dopo le lezioni: l'azione del polso di Elizabeth, gli arpeggi di Jamie, la lettura a prima vista di Clive. Non ho alcuna voglia di essere impaziente.

« Perché non vedo più quella bella signora, Michael? » ride sotto i baffi quel ragazzaccio maleducato, che nel frattempo si è appassionato al violino, chissà perché. « Jessica, sì, guarda, mi ricordo il nome. »

«Non viene tutti i giorni, sai, Jamie.»

«Devo proprio prepararlo per la prossima lezione?»

«Sì», dico, pensando a Carl. «*Devi.*»

Gli sorrido, e lui, sorpreso, mi sorride a sua volta.

Nelle sere in cui non lavoro, leggo, dato che non ho niente da preparare coi miei colleghi, o per loro. È un'altra vita, una vita con le finestre rivolte a nord. La luce è bianca e non brucia.

Mi imbatto in questi versi che ricordo vagamente dai tempi della scuola, devono essere passati vent'anni.

Ma i due non hanno mai trovato
chi calmi al cuore vuoto e pena;
lontani e uniti da una vena
come di roccia infranta sono;
e li divide un triste mare –
ma non calura, gelo o tuono
potranno il segno cancellare
d'un tempo che non può tornare.

Non vado più a trovare Tricia. Una calma senza sesso: a questo dono sono giunto.

8.28

Vicino alla chiesa greca gli alberi sono semprevierdi. «Persistenti», come li chiamava Virginie.

I bambini di Archangel Court premono tutti i pulsanti dell'ascensore. Ridacchiando, si aspettano un rimprovero da me, e si incupiscono adesso che è chiaro che non ho fretta.

La ragazza di Etienne, facendosi coraggio, mi chiede perché ne compro sempre sette, poi mi dice che non si dovrebbero mai surgelare i croissant.

Mercoledì Rob ha vinto dieci sterline alla lotteria, e ha speso la vincita in biglietti della lotteria.

La signora Goetz mi dice che dovrei accompagnarla a un ospizio di vagabondi un sabato sera in cui non lavoro.

Incontro per caso Dave, il serpente d'acqua, a Queensway. « Ehi, Mike, dove sei scomparso? »

Ma non sono scomparso. Sono qui, e osservo il mondo e le sue azioni.

Una mattina suona il telefono.

« Michael Holme? »

« Sono io. »

« Fisher. Justin Fisher. »

Il nome, la voce: è l'ammiratore appiccicoso!

« È stato molto seccante ieri », comincia a dire. « Disperante! Ma a cosa serve dirglielo? Un tale pasticcio in Boccherini. Ma mi hanno detto che non sono stati loro a buttarla fuori. Era una ragazza: non va bene, ho paura, come rattoppo per la sua partenza: come grasso di rognone dopo il soufflé. No, no, no, non va bene. Pensi a quello che lei deve all'Arte. E dicono che passa la maggior parte del tempo con la Camerata Anglica. Ma adesso, insomma... Perfino il nome, metà italiano, metà latino! »

« Signor Fisher... »

« Ieri sera nel quartetto *Imperatore* continuavano ad accordare e riaccordare, e mi ha rovinato l'atmosfera. È chiaro, sono scombussolati. Come si fa a suonare con un dolore a un pollice, o con un dolore al cuore? L'altro giorno parlavo con un costruttore di violini, e mi ha detto che la conosce. Lo lasci in pace, mi ha detto: i quartetti vivono più a lungo dei violinisti, e i violini più a lungo di tutti. Che cinismo. Ma così va il mondo al giorno d'oggi. Continuavo a pensare: è serio in superficie e matto sotto? O viceversa? Comunque, non sono riuscito a ricavare qualcosa di sensato. Così ho pensato di provare con la guida del telefono. Mi fermi se la sto tirando troppo in lungo. Sta *sbadigliando*? »

« Niente affatto. Stavo solo... »

« Be', è tutto quello che avevo da dire », mi interrompe con petulanza. « Non le sottrarrò altro tempo prezioso. Ma se non rivedo lei invece di quel grasso di rognone, può star certo che non lascerò più offerte da bruciare sull'altare del Maggiore. Ritorni, e subito. Arrivederci. »

8.29

Sono così isolato? Il tempo è passato: secondi, ore, mesi. È passato il giorno in cui, l'anno scorso, ho posato gli occhi su di lei. Adesso è dicembre. Passeggio, ma noto meno la stagione senza foglie. Nell'atrio di Archangel Court la signora Goetz decora l'albero di Natale. Chi lega nastri e palle sull'abete degli Hansen? Lei? O lei e lui insieme? O entrambi con Luke?

Sono stato invitato al party di Nicholas Spare, e con mia sorpresa accetto. Posso andarmene senza scompiglio. Gli altri non ci saranno. Di sicuro Piers non verrà invitato. Torte di frutta secca e canti stonati mi vanno bene, e la compagnia di persone che non conosco molto, prima di salire al nord. Almeno questo è vero: se prima mi castigavo, adesso non ne vedo l'utilità.

Non è freddo come dovrebbe. Suono scale sul violino per un'ora, due o più. Mi fa concentrare, mi dà conforto, mi solleva dall'obbligo di pensare. Talvolta vedo delle facce: fra loro quella di mia madre, e il mio primo insegnante di violino a parte la signora Formby, un giovane anche lui molto amante delle scale.

Incontro i vicini nell'atrio, e penso: quale disperazione c'è dietro quella faccia sorridente? Quale felicità dietro quella luttuosa? Perché la prima dovrebbe essere più probabile della seconda? La risata forzata indurirà il cuore fino a farlo diventare di gomma?

8.30

Nicholas Spare ha perdonato a Piers il delitto dell'anno scorso, altrimenti perché sarebbe qui alla sua festa annuale? E Piers ha presumibilmente perdonato a Nicholas il suo violento anti-tro-tismo.

Quest'anno c'è vino bianco invece del punch alla frutta. Piers sembra già sbronzo. Prima che io riesca a pensare a qualcosa da dire, lui ha già attraversato la sala e mi ha quasi bloccato al muro.

« Michael! »

« Caro il mio ragazzo! » mormoro con imbarazzato mimetismo.

« Su, su, non prendiamo in giro il nostro ospite. Quest'anno si sente depresso, non aggressivo. »

« Oh, perché? »

« Non riesce a trovare l'amore, nemmeno a Hampstead Heath. »

« Ah, allora la situazione è grave », dico. « E tu come stai? Come state tutti voi? »

« Michael, ritorna. »

Io sospiro, e inghiotto in un sorso il mio vino.

« Be', d'accordo, d'accordo », continua Piers. « Non dirò niente per il momento. Ma come stai? Nessuno ti ha visto in giro da mesi. Nessuno sa se sei vivo o morto. Perché ti nascondi? Non puoi almeno venire a trovarci? Helen è depressa. Sente la tua mancanza. Tutti la sentiamo. Ha rinunciato a chiamarti quando hai smesso di rispondere ai messaggi che lasciava. Be', quali sono le ultime notizie? »

« Le belle? O le brutte? »

« Le belle. Tieni da parte le brutte per la prossima volta che ci vediamo. »

« Ho un violino. »

« Oh, meraviglioso. Che cos'è? »

« Un Tononi. »

« Carlo? »

« Sì. »

« Ma è come l'altro. »

« Perché è l'altro. »

« Vuoi dire che l'hai comprato? Come hai fatto a trovare tutti quei soldi? »

« Piers, mi è stato donato. »

« Donato? Come? Da quella vecchia gallina su nello York-shire? »

« Non chiamarla così. »

« Scusa. Scusa. » Piers alza entrambe le mani, versandosi un po' di vino sulla camicia.

« È morta. L'ha lasciato a me. »

« Oh, merda! » dice Piers. « Tutti ereditano cose tranne me. Oh, non volevo dire questo. Sono davvero felice per te. Sul serio. Alle vecchie galline. Possano morire alla svelta e lasciare tutti i loro soldi ai poveri violinisti morti di fame. » Alza il bicchiere.

Io scoppio a ridere e, da traditore, alzo il mio.

« Comunque, non dovrei lamentarmi », dice Piers. « Anch'io ho trovato un violino. Almeno credo. »

« Cos'è? »

« Un Eberle. Straordinariamente buono. »

Sorrido. « Bene, Piers, congratulazioni. Sono stato davvero male quel giorno da Denton's. Eberle è napoletano, vero? O è boemo? Non c'era anche un Eberle boemo? »

« Non ne ho idea. Questo è di Napoli. »

« Oh, a proposito, la signora Formby abita – abitava – nel Lancashire, non nello Yorkshire. »

« Per la precisione? »

« Appunto. »

Piers ride. « Vedi? Riusciamo a parlare. Devi sentirlo, Michael. Ha un suono incantevole, bilanciato su tutte le corde, caldo ma nitido. Suona in maniera fantastica in mi maggiore, ci crederesti? È buffo, ma è l'opposto del Rogeri. Forse quello sarebbe stato troppo risonante per me. Soprattutto per il disco di Bach. »

« L'hai preso da un mercante o a un'asta? »

« Né l'uno né l'altro », dice Piers. « È una strana storia. In realtà, mi sento un po' un profittatore della sfortuna di un amico. Luis. Conosci Luis, vero? »

« No. »

« Oh? » fa Piers, con un'aria sorpresa. « Be', comunque, è

stato costretto a venderlo, e l'ha offerto a me, dato che sapeva che così non ci sarebbe stata la commissione del mercante. Aveva preso un grosso prestito per pagarlo, e per tutta una serie di ragioni non ce la faceva a restituirlo. Il colpo finale è stato quando lo ha fottuto la LSO. »

« Come è successo? » gli chiedo, profondamente grato di poter parlare della London Symphony Orchestra e di uno sconosciuto Luis invece che del disco di Bach.

« Be', » dice Piers, « il vecchio Luis è andato a un'audizione, ha suonato bene e gli hanno offerto una prova come quarto dei primi violini. La sua prima vera possibilità di suonare con loro sarebbe stata una tournée in Giappone e una serie di concerti collegati a Londra la settimana prima. Aveva lasciato un bel po' di lavori redditizi per poterlo fare: povero latino ignorante, è sempre stato innamorato della LSO. Poi, meno di ventiquattr'ore prima di quando dovevano cominciare a suonare, qualcuno del consiglio gli ha telefonato per dirgli che la settimana prima avevano coperto quel posto, ma Luis poteva andargli dietro lo stesso, se voleva. Nessun rimpianto, nessuna scusa, niente. »

« Che ragione gli hanno dato? » chiedo, interessato contro la mia stessa volontà.

« A quanto pare, da un po' di tempo erano in prova per quel posto altri due violinisti, e il consiglio era stato messo 'sotto pressione' per decidere fra quei due senza considerare Luis. » Piers cerca di indicare con le dita le virgolette, una procedura rischiosa.

« Ma perché gli hanno offerto il periodo di prova, allora? » chiedo. « E perché l'hanno convocato per la tournée? »

« Non lo so. Chiedilo a loro. Il loro consiglio è diretto da gente come te e me, normali musicisti che pensano che il mondo li tratti male. »

« Perché non si è turato il naso e non gli è andato dietro lo stesso, se i soldi erano così importanti per lui? »

« È proprio quello che gli ho chiesto io. Immagino che io avrei fatto così. Dopo tutto, ogni mondo ha le sue cose squallide, e capita anche molto di peggio. Ma lui ha detto che aveva la sua dignità, e non voleva cominciare a odiare l'orchestra di cui amava il suono fin da quando aveva preso in mano il suo primo quarto di violino. Forse ha ragione lui. Forse, se tutti noi avessimo un po' più di orgoglio, non ci tratterebbero in questo modo... Oh, chi lo sa. Immagino che non sia divertente essere ricoperti di merda, anche se a farlo è stato il tuo elefante preferito. Ma questa non era l'unica pressione su di lui, era l'ultima goccia. Comunque, ho detto a Luis che amavo l'Eberle, e che gliel'avrei comprato subito, ma che se voleva riprenderselo entro sei mesi, avrebbe potuto farlo. Lui ha protestato nobilmente e ha cominciato a piagnucolare, ma io gli ho detto di piantarla: mi sarei sentito un verme se non gli avessi dato quell'opzione. Ma, be', ho dovuto anche dire a quel poveraccio che dopo sei mesi mi sarei legato troppo profondamente al violino per poterci rinunciare. Legato! Sto cominciando a parlare come Helen.»

«Sai, Piers, ci vuole un bel po' per incominciare a conoscerti.»

«È un bel commento detto da uno che è stato sposato con me per sei anni.»

«Be', divorziato, adesso.»

«Sì.»

La tregua è finita. Non ci si può più girare attorno.

«Be', come si sono legati i miei altri consorti col nuovo secondo violino?» chiedo mostrando il minor coinvolgimento possibile. Il risultato però non è una domanda casuale, ma qualcosa di freddamente distante; e di ingiusto. Per loro il trauma del divorzio conduce direttamente ai traumi del corteggiamento e del fidanzamento e del matrimonio col fucile puntato.

Piers fa un respiro profondo. «Abbiamo provato un certo numero di persone; più donne che uomini, per quello che si è visto. Credevo che Helen non volesse turbare gli equilibri, invece la più propensa era lei. Non vuole un altro uomo per sostituire te. Si è messa a urlarmi contro. Ha perfino rotto con Hugo; be', grazie al cielo, per quello. È ancora veramente sconvolta... Naturalmente, a causa del disco, possiamo provare solo gente che sappia suonare anche la viola.»

«E la Stratus?» chiedo, eludendo un argomento che non posso affrontare.

« Be', hanno acconsentito a tenere il contratto in caldo », dice Piers. « Ma io associo te all'*Arte della fuga*, Michael. Questo vale per tutti. Non è solo che sei un musicista fantastico, è che sei parte di noi. Dio sa come faremo ad avere il senso di quella musica senza di te. Tutti gli altri sono in prova. Vanno tutti bene, più che bene, ma non abbiamo potuto suonare la scala con nessuno di loro. »

Sento la puntura delle lacrime dietro i miei occhi.

Un altro gesto troppo ampio, altro vino versato. « Ehi, Michael, calmati. Non voglio sconvolgerti due volte in una sera. »

Distolgo lo sguardo per un momento.

« Sei un bastardo egoista », dice Piers all'improvviso.

Non dico niente. Come ho potuto abbandonarli? Se l'*Arte della fuga* dovesse saltare, Helen mi perdonerà mai?

« È sempre aperto. È sempre aperto », dice. « Ma per poco. Non possiamo suonare molto più a lungo con un secondo violino provvisorio. E non possiamo nemmeno tenere in sospeso tutti. Non è giusto verso di loro. »

« No. »

« Dobbiamo decidere per la fine di gennaio. »

« Sì, be'... »

« Michael, dimmi una cosa: è solo l'*Arte della fuga*? Voglio dire, non è che non puoi suonare niente, no? »

« Non lo so. Davvero non so che cos'è. Vorrei saperlo. I sei anni che ho passato con voi non li scambierei con niente al mondo. Quando ti ho visto stasera volevo andarmene via. Sapevo che non potevo evitare questo argomento, ma adesso l'abbiamo esaurito. Perciò, per favore, Piers, cambiamo discorso. »

Mi guarda senza espressione. « D'accordo. Il figlio di Billy ha avuto la meningite qualche settimana fa. »

« Cosa? Jango? La meningite? »

Piers annuisce.

« Oh, no. Non ci posso credere. Sta... sta bene adesso? »

« Be', sei rimasto fuori dal mondo per così tanto tempo, come fai a sapere cosa credere e cosa no? Ma sì, adesso sta bene. Il giorno prima stava benissimo, e il giorno dopo era in punto di morte. Billy e Lydia erano completamente impazziti. Non si sono ancora ripresi. Ma il piccoletto è di nuovo in perfetta salute, come se non fosse mai successo. »

« Piers, me ne vado. Ho bisogno di camminare e di prendere una boccata di aria fresca. Non credo di poter sopportare i canti di Natale. »

« E chi può? »

« Sono un bastardo egoista ed egocentrico. »

« Egoista? Perché egoista? » Piers ha un'aria sorpresa e innocente. Ma non è stato forse lui a chiamarmi egoista un minuto fa?

« Non lo so », dico. « Comunque, credo di non aver più voglia di sentire altre storie tragiche. Ma come sta Billy in generale? A parte quello, voglio dire? »

« 'A parte quello, signora Lincoln, come le è sembrata la commedia?' »

« Oh, su, Piers. »

« Be', ci ha inflitto il suo pezzo. »

« Oh. E? »

« Be', non saprai com'è finché non torni con noi. O dovrei dire 'a meno che'? » Piers mi lancia un'occhiata cinica. « A ripensarci, forse è un disincentivo. »

Scoppio a ridere. « Io... Be', sento la mancanza di tutti voi. Mi manca perfino il nostro ammiratore appiccicoso. Quand'è il vostro prossimo concerto? No, non il prossimo – vado a Rochdale fino al 30 – quello dopo. »

« Il 2 gennaio, alla Purcell Room. Ma non è il 30 che... »

« Sì. »

« Così non vai a sentirla? »

« No. »

« Cosa succede a Rochdale il trenta? »

« Niente. »

« No, forse sei anni non sono abbastanza per capire qualcuno », dice Piers guardandomi preoccupato.

8.31

Sussurro, susurro, il vento fra i pioppi, dal tono elettrico. I cigni fischiano contro di me. Nuotano fra i pezzi di ghiaccio che galleggiano nel Round Pond, e il cielo è blu come d'estate.

Lastre di ghiaccio, brinate e limpide: il vento le spinge sulla riva meridionale. Scivolano una sull'altra, cedono delicatamente e si spezzano. In sette strati, per metà spinte a terra, sono trasparenti come vetro e scricchiolano e si spostano mentre l'acqua si muove col vento.

No, non come una porta non oliata; più come una barca stanca. Ma no, non è così, non è esattamente così. Se non stessi leggendo queste superfici, riuscirei a interpretare i loro rumori? Scricchiolare, gorgogliare, spostarsi, scorrere, crepitare, sospirare: non è un rumore che abbia mai sentito prima. È un suono soffice, facile, intimo.

È questo il punto in cui ho saputo che lei non sentiva più. Rompo una scheggia di ghiaccio; mi si scioglie nel palmo. L'ho incontrata in inverno, e l'ho persa prima che tornasse l'inverno.

No, quel giorno non verrò qui, a portata di questo suono.

Il ghiaccio si sposta come una pelle sulle increspature dello stagno, e i cigni si muovono leggeri sull'acqua invernale.

8.32

Ancora una volta mi dirigo a nord partendo da Euston.

Dormo per gran parte del viaggio. La mia destinazione è dove il treno, per usare la locuzione dell'annunciatore, termina.

È un mattino freddo, tre giorni prima di Natale. Mi sto concedendo un giorno a Manchester per andare a trovare i miei fantasmi, e stasera arriverò a Rochdale in macchina.

Restituisco la partitura alla biblioteca. Chiudo gli occhi quando un cieco avanza picchiettando con il bastone bianco, seguendo la curva della parete.

Nella cattedrale tocco le bestie incise nel coro, i draghi e gli unicorni.

Vicino alla Bridgewater Hall mi fermo accanto all'enorme pietra di paragone arrotondata e osservo il bacino formato dal canale di sotto.

Che cosa mi tiene a Londra? Perché non torno a casa?

Niente di essenziale al mio cuore mi tiene a Londra adesso. Tutti coloro che mi amano sono morti o sono vecchi. Papà e la zia Joan sono a Rochdale. Ero venuto a Manchester prima degli anni del conservatorio. Anche se il mio accento rivela solo raramente qualche traccia del Lancashire, una volta qui le mie orecchie si rilassano in questo ritmo; sono a loro agio con Bacup e Todmorden e tutti i nomi che gli alieni distorcono.

Se abitassi a Manchester, per dire, o a Leeds o anche a Sheffield, potrei andare a trovarli e passerei più tempo con loro, un weekend al mese, anche di più, forse, non tre o quattro visite incerte all'anno. Potrei vendere il mio appartamento e comprare qualcosa di più economico qui. Ma allora, perché non abitare direttamente a Rochdale, con tutte le brughiere attorno, e niente Park Polizei che dice: non calpestare, non cantare, non gridare di gioia o di dolore, non toccare le pietre, non dare da mangiare il Christmas pudding alle allodole?

No, a Rochdale no, con la sua società del meccano, i suoi muri a secco, il badminton, il club del pointer tedesco a pelo corto. Non Rochdale con il cuore strappato via, il mercato claustrofobico, le strade assassinate della mia infanzia, sventrate e trasformate in ghetti verticali. Non Rochdale da cui pendolare fino alla città dove lavoro.

Quale lavoro, però? Forse la Hallé, che aveva riempito di un suono incantato la pista degli elefanti? Insegnare un po', magari in collegamento con il mio vecchio conservatorio? Un po' di lavoro con un trio itinerante che potrei formare? Ne ho formato uno una volta, potrei farlo ancora. Chi sarebbero il pianista e il violoncellista? C'è solo un pezzo che non suonerei mai.

Londra è una giungla di violinisti. Offre di tutto: dal mal di cuore al lavoro. Ma ho smesso di nuotare nella Serpentine e ho il fiato corto. Non è più, se mai lo è stata, casa mia.

Abbraccio la pietra di paragone. Premo la fronte e la faccia contro di essa. Non concede una rapida risposta. È molto liscia, molto fredda, e molto vecchia nel cuore. La neve cade attorno a me e turbina sopra il bacino del canale.

8.33

È un Natale tranquillo. La neve cade a intermittenza. Zsa-Zsa giace sotto il giardino dove un tempo vagabondava. Mio padre ha ansie informi, poi si rallegra. Vado a fare spese con la mia macchina bianca a nolo e prendo un biglietto dell'inumano parcheggio. La zia Joan crea il suo solito banchetto imponente. Parliamo del più e del meno. Io non dico che sto pensando di trasferirmi.

In seguito vado in giro in macchina sotto la neve.

Il cimitero è coperto di bianco: le tombe, la parte superiore delle lapidi, i fiori deposti solo poche ore fa. Perdo l'orientamento: hanno spostato una siepe o è solo la neve che mi sta confondendo? Ma eccola: una pietra tombale grigia incisa da un amico del marito di zia Joan, scalpellino di monumenti: «Care memorie di Ada Holme che cadde addormentata» in quel tal giorno, con lo spazio per un nome o due di sotto.

Sulla tomba di mia madre poso una rosa bianca.

La neve ha fatto chiudere alcune strade, ma non quella per Blackstone Edge. Passo accanto alla villa della signora Formby: un cartello mi informa che è in vendita.

A Blackstone Edge sbriciolo un po' di Christmas pudding, ancora caldo nell'alluminio, sulla neve. Le briciole umide e nere si fonderanno con la terra nera della brughiera. Ma naturalmente le allodole sono partite mesi fa. La neve ha smesso di cadere, e la vista è chiara e aperta. Eppure non riesco a vedere nemmeno un corvo o una cornacchia.

Vado a prendere il violino in macchina. Suono un po' di *The Lark Ascending*. E poi abbasso la quarta corda e l'accordo in fa.

Le mie mani non sono fredde, e la mia mente non è agitata.

Non sono in un tunnel nero ma in mezzo alla brughiera. Suono per lei la grande fuga incompiuta dell'*Arte della fuga*. Senza dubbio non ha nessun senso in sé, ma lei saprà riempire le parti che io riesco a udire. La suono finché finisce la mia parte; e resto in ascolto finché anche Helen ha smesso di suonare.

8.34

Il 30 prendo un treno per Londra. È una giornata limpida con qualche nuvola sparsa. Quando arriviamo a Euston è buio. Non ho bagagli, nemmeno il mio violino.

Vado direttamente alla Wigmore Hall. Il concerto della sera è tutto esaurito.

Il ragazzo al botteghino mi dice che è rimasto sorpreso, data la natura dell'opera. Pensa che possa dipendere da un altro fattore. «'Il concerto della pianista sorda', sa, una cosa del genere. È un po' imbarazzante, credo, che alcuni di loro nemmeno sappiano il suo nome. Ma eccoci qui. È esaurito da settimane. Mi dispiace molto.»

«Se ci fossero delle rinunce...»

«Di solito ne abbiamo qualcuna, ma dipende dal concerto. Non posso garantirle niente. La coda è quella lì.»

«Non avete tenuto qualche biglietto da parte per... sa, qualche patrocinatore o benefattore o gente così?»

«Be', non ufficialmente, no, ufficialmente non facciamo quel genere di cose.»

«Anch'io ho suonato qui. Sono... sono del Quartetto Maggiore.»

«Farò del mio meglio», dice e scrolla le spalle.

C'è ancora un'ora prima del concerto. Sono il sesto della coda. Ma a un quarto d'ora dall'inizio è stato restituito un solo biglietto. L'atrio si è riempito di gente che si saluta, chiacchiera, ride, compra i programmi, ritira i biglietti pagati in anticipo. Continuo a sentire il suo nome, e la parola «sorda», «sorda», in continuazione.

Sono preso dal panico. Lascio la coda ed esco fuori. La notte è fredda e ventosa. Chiedo a tutti quelli che arrivano, passano davanti con il programma in mano o perfino scendono dalla scalinata esterna al ristorante di sotto se hanno un biglietto in più.

Due minuti prima del concerto sono fuori di me. Hanno già suonato due campanelli, e adesso il terzo.

« Oh, ciao, Michael, alla fine sei venuto. Piers aveva detto... »

« Oh, Billy, Billy... Ero qui fuori... Io... Oh, Billy, sono rimasto così sconvolto quando ho sentito di Jango. »

« Sì, ci ha fatto prendere una paura tremenda. Lydia voleva venire al concerto, ma alla fine ha deciso di stare a casa con lui. È stata lei quella che ha preso il colpo più duro in questa faccenda. Sarà meglio entrare. »

« Il suo biglietto. Per caso hai un biglietto che ti avanza? Billy? »

« No, l'ho reso un paio di giorni fa... Vuoi dire che sei senza biglietto? »

« Sì. »

« Prendi questo. »

« Ma Billy... »

« Prendilo. Non stare qui a discutere, Michael, se no non entrerà nessuno dei due. Chiuderanno le porte fra mezzo minuto. L'atrio è quasi vuoto. Non discutere, Michael. Prendilo ed entra. Vai. »

8.35

Sono in prima fila in galleria. Un mormorio riempie la sala. Guardo le teste della folla di sotto. In quinta fila vedo un bambino, direi che è l'unico qui, e accanto a lui suo padre.

Lei entra, li guarda e sorride. Per un istante, per più di un istante, fa girare lo sguardo, preoccupata, scrutando, poi si siede al pianoforte.

Suona senza spartito, con gli occhi talvolta sulle mani, talvolta chiusi. Che cosa sente, che cosa si immagina, non lo so.

Non c'è forzata gravità nel suo modo di suonare. È una bellezza oltre l'immaginazione, limpida, tenera, inesorabile, una frase intrecciata all'altra, una frase che fa eco a un'altra, l'incompleta, l'infinita *Arte della fuga*. È una musica costante.

Comincia a cadere la pioggia. Colpisce il lucernario con un debole picchiettio.

Dopo l'undicesimo contrappunto c'è l'intervallo.

Adesso arriverà il caos: l'ordine incerto dei pezzi quando ritornerò, e qui, nel foyer, il chiacchiericcio dei pettegolezzi e degli elogi. Non posso sentire più niente.

Mi faccio largo nell'atrio affollato ed esco sotto la pioggia. Cammino a lungo, attraverso le strade, l'oscurità del parco. Ancora una volta mi fermo accanto alla Serpentine. La pioggia ha lavato via le mie lacrime di prima.

La musica, questa musica, è un dono sufficiente. Perché chiedere la felicità, perché sperare di non soffrire? È abbastanza, è una benedizione sufficiente vivere giorno per giorno e udire questa musica – non troppa, altrimenti l'anima potrebbe non resistere – di tanto in tanto.

NOTA DELL'AUTORE

La musica mi è più cara perfino delle parole. Quando mi sono reso conto che avrei scritto di essa sono stato afferrato dall'angoscia. Solo lentamente mi sono riconciliato con questo pensiero.

In questo lavoro sono stato aiutato da amici ed estranei: suonatori di strumenti ad arco, spesso membri di un quartetto oppure esperti, perché impegnati nella musica antica, dei problemi dell'accordatura variabile; pianisti; altri musicisti, sia strumentisti sia compositori; costruttori, riparatori, venditori di strumenti; coloro che stimolano o cercano di stimolare la creazione e la disseminazione della musica: insegnanti, critici, agenti e manager di musicisti, funzionari di etichette discografiche, direttori di sale da concerto o di festival; coloro che conoscono meglio di me i luoghi di cui ho scritto, abitanti di Londra, di Rochdale, di Venezia, di Vienna; coloro che comprendono il mondo dei sordi: dal punto di vista medico, come i molti specialisti a cui ho chiesto consiglio, o da quello scolastico, come la mia insegnante di lettura labiale e la sua classe, o per una personale esperienza della sordità.

Molte persone mi hanno parlato del mondo di questi personaggi; alcune dei personaggi stessi. Alcuni amici hanno generosamente acconsentito a leggere la prima stesura del manoscritto, un compito che io sopporto a malapena, anche quando si tratta della mia opera. Altri mi hanno perdonato per essere scomparso per iscritto, a voce e di persona dalla loro vita.

A costo di sembrare ripetitivo, vorrei ringraziare in modo speciale soprattutto tre musicisti – un pianista, una percussionista e una violista – che mi hanno aiutato, in maniere del tutto diverse, ad arrivare dove da sola l'immaginazione non avrebbe potuto condurmi: ad avere un'idea di ciò che potrebbe essere vivere, aver vissuto e attendersi di continuare a vivere nelle zone d'intersezione fra il mondo dell'assenza di suoni e quello del suono udito, deformato, mezzo udito e immaginato.

Ti è piaciuto questo libro?
Vuoi conoscere altri lettori con cui parlarne?
Visita

InfiniteStorie.it
Il portale del romanzo

Su InfiniteStorie.it potrai:
- trovare le ultime novità dal mondo della narrativa
- consultare il database del romanzo
- incontrare i tuoi autori preferiti

Finito di stampare
nel mese di luglio 2001
per conto della TEA S.p.A.
dalla S.A.T.E. s.r.l.
di Zingonia (Bergamo)
Printed in Italy

TEADUE
Periodico settimanale del 4.7.2001
Direttore responsabile: Stefano Mauri
Registrazione del Tribunale di Milano n. 565 del 10.7.1989